Directeur de collection
Philippe GLOAGUEN
Cofondateurs
Philippe GLOAGUEN et Michel DUVAL
Rédacteur en chef
Pierre JOSSE
assisté de
Benoît LUCCHINI, Florence BOUFFET,
Solange VIVIER, Yves COUPRIE,
Olivier PAGE, Véronique de CHARDON,
Amanda GAUMONT, Isabelle DURAND
et Anne-Caroline DUMAS

LE GUIDE DU ROUTARD

1996/97

AUTRICHE

Hachette

Hors-d'œuvre

Le G.D.R., ce n'est pas comme le bon vin, il vieillit mal. On ne veut pas pousser à la consommation, mais évitez de partir avec une édition ancienne. D'une année sur l'autre, les modifications atteignent et dépassent souvent les 40 %.

Chaque année, en juin ou juillet, de nombreux lecteurs se plaignent de voir certains de nos titres épuisés. A cette époque, en effet, nous n'effectuons aucune réimpression. Ces ouvrages risqueraient d'être encore en vente au moment de la publication de la nouvelle édition. Donc, si vous voulez nos guides, achetez-les dès leur parution. Voilà.

Nos ouvrages sont les guides touristiques de langue française le plus souvent révisés. Malgré notre souci de présenter des livres très réactualisés, nous ne pouvons être tenus pour responsables des adresses qui disparaissent accidentellement ou qui changent tout à coup de nature (nouveaux propriétaires, rénovations immobilières brutales, faillites, incendies...). Lorsque ce type d'incidents intervient en cours d'année, nous sollicitons bien sûr votre indulgence. En outre un certain nombre de nos adresses se révèlent plus « fragiles » parce que justement plus sympa ! Elles réservent plus de surprises qu'un patron traditionnel dans une affaire sans saveur qui ronronne sans histoire.

Spécial copinage

– *Restaurant Perraudin :* 157, rue Saint-Jacques, 75005 Paris. ☎ 46-33-15-75. Fermé le samedi midi, le dimanche, le lundi midi et la 2e quinzaine d'août. A deux pas du Panthéon et du jardin du Luxembourg, il existe un petit restaurant de cuisine traditionnelle. Lieu de rencontre des éditeurs et des étudiants de la Sorbonne, où les recettes d'autrefois sont remises à l'honneur : gigot au gratin dauphinois, pintade aux lardons, pruneaux à l'armagnac. Sans prétention ni coup de bâton. D'ailleurs, c'est notre cantine, à midi.

– *La Nostalgie est derrière le comptoir :* éd. Critérion. Parution fin février 1996. Une balade en photos, nostalgique, douce-amère, poétique mais jamais triste, dans les derniers troquets, rades, Bagdad Cafés de tous les continents. Photos de Pierre Josse commentées en belles dérives littéraires et humoristiques par Bernard Pouchèle, l'auteur heureux de « L'Étoile et le vagabond » et de « La Flamande ».

– Un grand merci à *Hertz*, notre partenaire, qui facilite le travail de nos enquêteurs, en France et à l'étranger.

IMPORTANT : le 36-15, code ROUTARD, a fait peau neuve ! De nouvelles rubriques pour vous aider à préparer votre voyage : présentation des nouveaux guides ; « Du côté de Celsius » pour savoir où partir, en quelle saison ; un point santé avec « Quoi de neuf, docteur ? » ; une boîte à idées pour toutes vos remarques et suggestions ; une messagerie pour échanger de bons plans entre routards.
Et toujours les promos de dernière minute, les voyages sur mesure, les dates de parution des GDR.

Hôtels, pensions, restos... mode d'emploi

En raison de l'inflation galopante dans une majorité de pays, il n'est plus possible d'indiquer les prix des hôtels et des restos. Souvent, en moins d'un an, la différence entre les prix relevés et ceux en vigueur au moment de la première diffusion du guide peut être très importante. Aussi avons-nous adopté le système des fourchettes de prix en instituant des catégories : bon marché, prix moyens et plus chic. Ces catégories varient selon les pays. Si les hôtels pas chers d'un pays se situent autour de 15 F, ceux qui s'affichent à 50 F appartiendront bien sûr à la rubrique « Prix moyens », et ceux qui coûtent 100 F et au-delà à celle « Plus chic ». Il est évident que pour un pays débutant à 100 F pour ses hôtels les moins chers, les autres rubriques seront décalées d'autant.

Avantage : l'inflation étant la même pour tout le monde, s'il y a élévation globale du coût de la vie, les prix augmentent simultanément. La seule chose imprévisible, c'est qu'un hôtel ou un restaurant change de standing (en bien ou en mal) et passe donc dans une autre catégorie. Dans ce cas de figure, assez rare il faut le dire, nous sollicitons bien sûr l'indulgence légendaire de nos lecteurs.

LES GUIDES DU ROUTARD 1996-1997

(dates de parution sur le 36-15, code ROUTARD)

France

- Alsace-Vosges
- Aventures en France
- Bretagne
- Châteaux de la Loire
- Corse
- Hôtels et restos de France
- Languedoc-Roussillon
- Midi-Pyrénées
- Normandie
- Paris
- Poitou, Charentes, Vendée **(mars 1996)**
- Provence-Côte d'Azur
- Restos et bistrots de Paris
- Sud-Ouest
- Tables et chambres à la campagne
- Week-ends autour de Paris

Amériques

- Brésil
- Canada Ouest et Ontario
- Chili, Argentine et île de Pâques
- États-Unis (côte Est et Sud)
- États-Unis (côte Ouest et Rocheuses)
  Guadeloupe **(nouveauté)**
- Martinique, Grenadines, Dominique, Sainte-Lucie **(nouveauté)**
- Mexique, Belize, Guatemala
- New York
- Pérou, Équateur, Bolivie
- Québec et Provinces maritimes

Asie

- Birmanie, Laos, Cambodge
- Égypte, Yémen
- Inde du Nord, Népal, Tibet
- Inde du Sud, Ceylan
- Indonésie
- Israël
- Jordanie, Syrie
- Malaisie, Singapour
- Thaïlande, Hong Kong et Macao
- Turquie
- Vietnam

Europe

- Allemagne
- Amsterdam
- Angleterre, pays de Galles
- Autriche
- Belgique **(nouveauté)**
- Écosse
- Espagne du Nord et du Centre
- Espagne du Sud, Andalousie
- Finlande, Islande
- Grèce
- Irlande
- Italie du Nord
- Italie du Sud, Rome, Sicile
- Londres
- Norvège, Suède, Danemark
- Pays de l'Est
- Portugal
- Prague
- Venise

Afrique

- Afrique noire
  Sénégal
  Mali, Mauritanie
  Gambie
  Burkina Faso (Haute-Volta)
  Niger
  Togo
  Bénin
  Côte-d'Ivoire
  Cameroun
- Maroc
- Réunion, Maurice
- Tunisie

et bien sûr...

- L'Agenda du Routard
- Le Manuel du Routard

TABLE DES MATIÈRES

COMMENT ALLER EN AUTRICHE ?

- Les compagnies régulières 15
- Les organismes de voyages ... 15
- En bus 25
- En train 26
- En voiture 28

GÉNÉRALITÉS

- Carte d'identité 29
- Adresses utiles, formalités 29
- Argent, banques, change 30
- Bals 30
- Budget 31
- Cinéastes émigrants 32
- Climat 33
- Fêtes et festivals 33
- Géographie, économie 34
- Hébergement 34
- Histoire 36
- Waldheim, Jörg Haider, etc 38
- Langue 39
- Livres de route 41
- Manger et boire 42
- Petit lexique du café 44
- Santé 44
- Saviez-vous qu'ils étaient autrichiens ? 44
- Téléphone 48
- A vélo sur les routes d'Autriche 49

VIENNE 49

Aux alentours de Vienne : Grinzing • Sievering • Neustift • Nassdorf • Josefsdorf • Leopoldsberg • Mödling • Le château de Liechtenstein • Gumpoldskirchen • Baden • L'abbaye de Heiligenkreuz • Mayerling • Laxenburg 105

LE BURGENLAND

- EISENSTADT 108
- RUST 110
  Aux environs : Mörbisch am See • Neusiedl am See • Illmitz • Podersdorf • Apetlon • Frauenkirchen • Halbturn • Forchtenstein 111

LA STYRIE

- GRAZ 114
  Aux environs : le château d'Eggenberg • L'église de Mariatrost • Stübing • L'abbaye de Rein • Bärnbach • Les Haras de Piber • Le Château de Riegersburg • La Styrie toscane • Stainz 122

LA CARINTHIE

- KLAGENFURT 126
  Aux environs : Wörther See • Maria Worth • Pyramiden Kogel • Maria Saal • Le château de Hochosterwitz 131
- SANKT VEIT AN DER GLAN .. 133
  • Huttenberg • La cathédrale de Gurk • La brasserie de Hurt • Ossiacher See • Treffen • Le château de Landskron 134
- EISENKAPPEL 135
- LA VALLÉE DE LA GAIL 136
  • Sankt Stefan an der Gail • Vorderberg • Egg • Kirchbach • Sankt Daniel 136
- KÖTSCHACH 136
  • Obertillach 137

LE TYROL ORIENTAL (OST TIROL)

- LIENZ 138
  Aux environs : Aguntum • Lavant • Massif du Zettersfeld • Le pic du Hochsteln • La vallé de la Virgental 140
- LA ROUTE DU GROSSGLOCKNER 140
  • Iselsberg • Grosskircheim • Heiligenblut • Rossbach • Franz Josefs-Höhe • Le tunnel du Hochtor • L'Edelweissstrasse • Ferleiten • Zell am See 140
- DE ZELL AM SEE A INNSBRUCK 142
  • Les chutes du Krimml • Zell am Ziller • Mayrhofen • Hainzenberg • Stumm 142

LE TYROL

- INNSBRUCK 144
  Aux environs : Schloss Ambras • Wiltener Basilika • Hungerburg • Igls • Hall • St. Johann in Tirol 155
- L'ABBAYE DE STAMS 158

LE VORARLBERG

• Le tunnel de l'Arlberg • La route de la Silvretta • Ischgl • Partenen • St. Gallenkirch • La vallée du Montafon • Schruns • L'église de Bartholemäberg • Vandans • Le Lünersee 160
- FELDKIRCH 161
  Aux environs : le Musée juif 162
- BREGENZ 163
- KLEINWALSERTAL 166

LE PAYS DE SALZBOURG

– SALZBOURG 168
– LE CHÂTEAU DE HELLBRUNN 185
– HALLEIN 186
• Bad Dürnberg • Anif • Sanctuaire de Maria Plain • Les châteaux de Leopoldskron, Klessheim, Hohenwerfen • Gaisberg • Untersberg 188

LE SALZKAMMERGUT

– MONDSEE 189
– ST. GILGEN 192
• Fuschl am See 193
– ST. WOLFGANG 193
– BAD ISCHL 195
– HALLSTATT 198
• La mine de sel du Salzberg • La grotte du Dachstein (Eishöhle et Mammuthöhle) 200
– GMUNDEN 201
– TRAUNKIRCHEN 203

LA HAUTE-AUTRICHE

– LINZ 204
• Le Pöstlinberg 208
– LE MÜHLVIERTEL 209
• Hellmondsödt • Waldburg • Freistadt • Kefermarkt • Haslach • Rohrbach • L'abbaye de Schlägl • Le nord du Mühlviertel 209
– MAUTHAUSEN 212
• Enns • L'abbaye de Saint-Florian 213
– STEYR 214

LA BASSE-AUTRICHE

• La vallée du Danube • Maria Taferl • Le château d'Artstetten • Pöchlarn 216
– MELK 216
• Le château de Schallaburg • Le château d'Aggstein • Weiten • Mauer bei Melk • Maria Laach • Spitz an der Donau • Weissenkirchen in der Wachau 221
– DÜRNSTEIN 222
– KREMS 225
• Stein • L'abbaye de Göttweig • Le château de Riegersburg .. 228
– HARDEGG 230
• Le vieux château • Entre Krems et Vienne • Tulln • Kierling 231

INDEX 238

NOS NOUVEAUTÉS

POITOU - CHARENTES - VENDÉE

Trois régions en une, entre littoral et bocage, dunes d'herbes folles et marais, qu'ils soient salants ou Poitevin... A sillonner à vélo ou en barque, avant d'y faire la fête, grâce à tous ses spectacles : Francofolies de La Rochelle, festival de BD d'Angoulême...
La Vendée est une terre de contraste, où se mêlent le granit et la tourbe, les forêts et les plaines, les plages et les collines. A l'image de sa géographie, une histoire mouvementée. Ici retentissent les chants des chouettes et des chouans. Un pays de passion, qui n'a pas choisi pour rien le cœur comme emblème...
On le sait grâce à Charles Martel, le Poitou est une importante terre d'histoire. D'où ses abbayes multiséculaires, ses châteaux héroïques et ses bonnes vieilles traditions : le chabichou (un fromage), les lumas (des escargots), le baudet (un âne)... Mais on sait aussi y regarder l'avenir en face, comme le prouve le Futuroscope !
Les Charentes sont connues pour leur merveilleuse lumière, leur pineau, leur cognac, leur coup de Jarnac, leurs huîtres, leurs Ventrachoux et... leurs charentaises. On n'oubliera pas non plus la maison-palais de Pierre Loti, le musée Mitterrand, l'île de Ré, les adorables églises romanes de la Saintonge... et le reste !

L'AGENDA DU ROUTARD (août 96)

Le Guide du Routard vous accompagnait déjà pendant vos vacances. Maintenant, avec l'Agenda du Routard, il va vous accompagner partout et tous les jours. Et si le cartable ou le sac à main remplace le sac à dos, le voyage est toujours au bout du chemin :

- Pendant que vous vous tuez à la tâche, d'autres s'amusent et font la fête. Où ? Près de chez vous en France, ou juste à côté, chez nos voisins, ou carrément plus loin... De quoi vous donner des idées et des envies de voyage.
- Mais avant de partir, une petite lecture s'impose. Nous avons concocté pour vous 34 pages de renseignements, d'adresses et de conseils : de « assurances » à « téléphone » en passant par « dormir chez l'habitant », rien que des tuyaux qui ont fait leurs preuves.

ALSACE-VOSGES

Malmenée par les guerres et, malgré cela, miraculeusement conservée, l'Alsace n'a pas vendu son âme au diable de l'uniformisation européenne. Voici un joyau de la civilisation rhénane. Combien de gens chaleureux, d'auberges et de winstubs conviviaux, de bons crus enjoués, de paysages croquignolets, de villages adorablement nichés entre deux rangs de vignes, de maisons à colombage amoureusement fleuries, de bonnes petites adresses pas chères ! De plus, l'Alsace ne se réduit pas aux illustrations d'Hansi ni à ses fastes gastronomiques. N'oubliez pas qu'elle possède aujourd'hui le réseau de pistes cyclables le plus développé de France. Les Vosges, quant à elles, couvertes de forêts et de brumes propices à exciter l'imagination, sont une terre de légendes. D'ailleurs Jeanne d'Arc y est née... Deuxième département boisé de France (après les Landes), les Vosges se présentent avant tout comme un paradis naturel. Peu d'endroits proposent à la fois un air aussi pur, des eaux aussi vitalisantes (Vittel, Contrex...) et des forêts si belles. En ces temps de retour aux sources, voilà une destination rêvée, avec ses lacs, ses petites routes de montagne, ses chaumes et ses tourbières. Les Vosges, c'est l'anti-tourisme de masse : du ski sans frime, des randonnées sans rang d'oignons et du folklore sans chlore. On y sort vite des sentiers battus. Et une gastronomie paysanne on ne peut plus authentique, des coutumes qu'on croyait disparues (le schlittage, les sabotiers), et des personnalités locales taillées dans le sapin.

NOS NOUVEAUTÉS

BELGIQUE

Un pays, trois régions, trois communautés linguistiques. Pour ne pas se perdre dans ce pays si surprenant, suivez le guide !
Il vous mènera bien au-delà du périmètre d'arrosage du Manneken-Pis, bien plus loin que les ors de la Grand-Place : au cœur du quartier des Marolles à Bruxelles où l'on chante dans les cafés le dimanche matin après les puces, dans le dernier théâtre de marionnettes à tringles... pour continuer à rêver.
« Vlaanderen », les Flandres, que l'on découvre à vélo en suivant les méandres alanguis de ses cours d'eau, puis Bruges et Gand qui ont su conserver leurs merveilles ciselées dans la pierre.
En Wallonie, un soir d'insomnie, passez donc à Liège, où les rues sont pleines de joyeux étudiants toujours prêts à partager le verre de l'amitié. A Binche, les jours de carnaval, on se lance des oranges...
Décidément ce plat pays a bien du relief.

JORDANIE - SYRIE

La Jordanie, un petit pays aux trois quarts envahi par le désert, ne manque pourtant pas de sel (la mer Morte), ni de couleurs (la mer Rouge, Pétra la Rose, Ammân la Blanche...), ni de sites splendides parmi les plus importants du Proche-Orient : les forteresses des croisés et, bien sûr, Pétra, incroyable cité creusée dans la roche. La Jordanie offre en prime un bel itinéraire sur les traces de Lawrence d'Arabie, de superbes initiations à la plongée sous-marine à Aqaba et toutes les traditions du monde arabe : narguilé, danses du ventre, appel du muezzin et promenades à dos de chameau...
La Syrie, un des plus anciens foyers de civilisation au monde. On y créa le premier alphabet, on y découvrit la première note de musique écrite, on y perfectionna l'astronomie. L'impression de retrouver ses racines est totale. En prime, un pays vierge de tourisme de masse, sûr et incroyablement hospitalier. Des sites archéologiques sortent chaque année de terre. Des centaines de kilomètres de souks, parmi les plus animés et odorants du Proche-Orient, vous attendent...

BIRMANIE - LAOS - CAMBODGE

Les trois plus beaux pays d'Asie s'ouvrent enfin aux routards. Comment ne pas tomber sous le charme de pays aussi fascinants et de populations aussi attachantes ? Des voyages dont on ne revient pas intact.

Et pour cette chouette collection, plein d'amis nous ont aidés :

Albert Aidan
Véronique Allaire
Catherine Allier et J.-P. Delgado
Pierre-Loic Assayag
Michel Athenour
Fabienne Batorski
René Baudoin
Lotfi Belhassine
Nicole Bénard
Laurent Benkiewicz
Estelle Berranger
Cécile Bigeon
Philippe Bonfils
Philippe Bordet et Edwige Bellemain
Gérard Bouchu
Hervé Bouffet
Florence Breskoc
Thierry Brouard
Laurent Brouazin
Jacques Brunel
Danièle Canard
Jean-Paul Chantraine
Bénédicte Charmetant
François Chauvin
Thierry Clerc
Maria-Elena et Serge Corvest
Roland et Carine Coupat
Sandrine Couprie
Marie-Clothilde Debieuvre
Cécile Domens
Jean-Pierre Dubarry
Cécile Dubeau
Stéphane Dunand et Sébastien Pillet
Elisabeth Durant
Sophie Duval
Didier Farmache
Alain Fisch
Jean-Louis Galesne
Bruno Gallois
Alain Garrigue
Cécile Gauneau
Michèle Georget
Bernard Gicq
Hubert Gloaguen
Jérôme de Gubernatis
Jean-Marc Guermont
Christian Inchauste
Marc Jacheet et Laurent Drion
Guillaume Jaubert et Guillaume Martineau
Pierrick Jégu
François Jouffa
Chrystelle Lagrange
Jacques Lanzmann
Alexandre Lazareff
Denis et Sophie Lebègue
Ingrid Lecander
Raymond et Carine Lehideux
Martine Levens
Jenny Major
Anne-Marie Minvielle
Bernard-Pierre Molin
Fanny Monnoyeur
Jacques Muller
Pirjo Musnier
Jean-Paul Nail
Jean-Pascal Naudet
Olivia Nemitz
Sabine Nourry
Caroline de Panthou
Frédéric Patard
Martine Partrat
Odile Paugam et Didier Jehanno
Bernard Personnaz
Jean-Sébastien Petitdemange
Jean-Michel Piquard
Jean-Alexis Pougatch
Anne-Christie Putégnat
Michel Puysségur
Patrick Rémy
Jean-Pierre Reymond
Roberto Schiavo
Jean-Luc et Antigone Schilling
Gilles de Staal
Régis Tettamanzi
Christophe Trognon
Yvonne Vassart
Cécile Verriez
Marc et Shirine Verwhilgen
François Weill

Nous tenons à remercier tout particulièrement **Patrick de Panthou** pour sa collaboration régulière.

Direction : Isabelle Jeuge-Maynart
Secrétariat général : Michel Marmor et Martine Leroy
Direction éditoriale : Isabelle Jendron et Catherine Marquet
Édition : Yankel Mandel et Valérie Tognali
Préparation-lecture : Jean-François Lefèvre
Cartographie : Alain Mirande
Documentation : Florence Guibert
Fabrication : Gérard Piassale et Françoise Jolivot
Direction des ventes : Francis Lang, Marianne Richard et Anne Bellenger
Direction commerciale : Michel Goujon, Florence Delorme et Dominique Nouvel
Informatique éditoriale : Catherine Julhe, Béatrice Windsor et Pascale Ocherowitch
Relations presse : Catherine Broders, Danielle Magne, Cécile Dick, Martine Levens, Maureen Browne et Anne Chamaillard
Régie publicitaire : Delphine Bouffard et Monique Marceau
Service publicitaire : Frédérique Larvor, Marguerite Musso et André Magniez

Le plein de campagne.

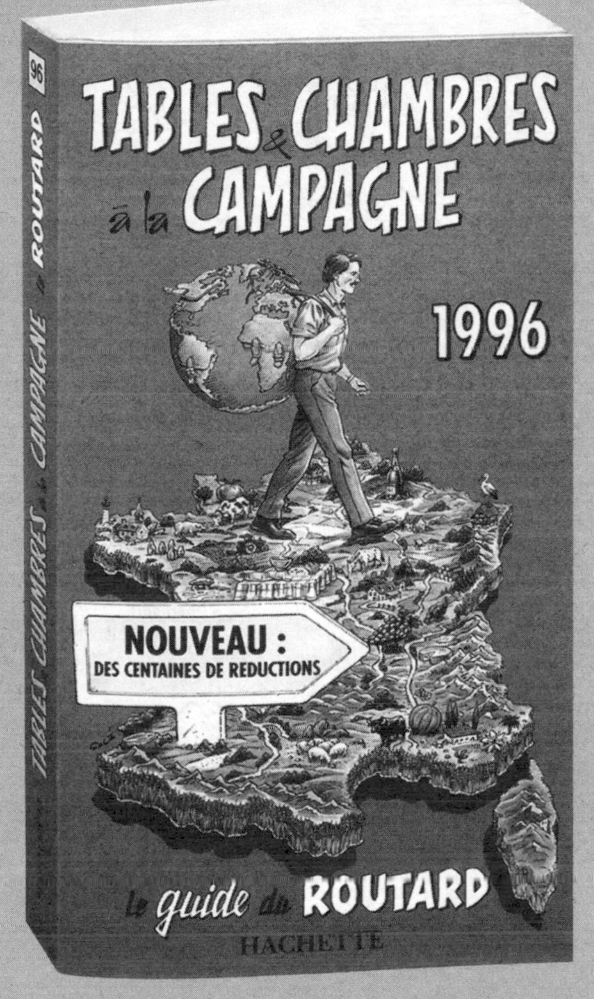

448 pages.

1400 adresses dont 180 inédites de fermes-auberges, chambres d'hôte et gîtes sélectionnés dans toute la France. Un certain art de vivre qui renaît.

Le Guide du Routard. La liberté pour seul guide.

Hachette Tourisme

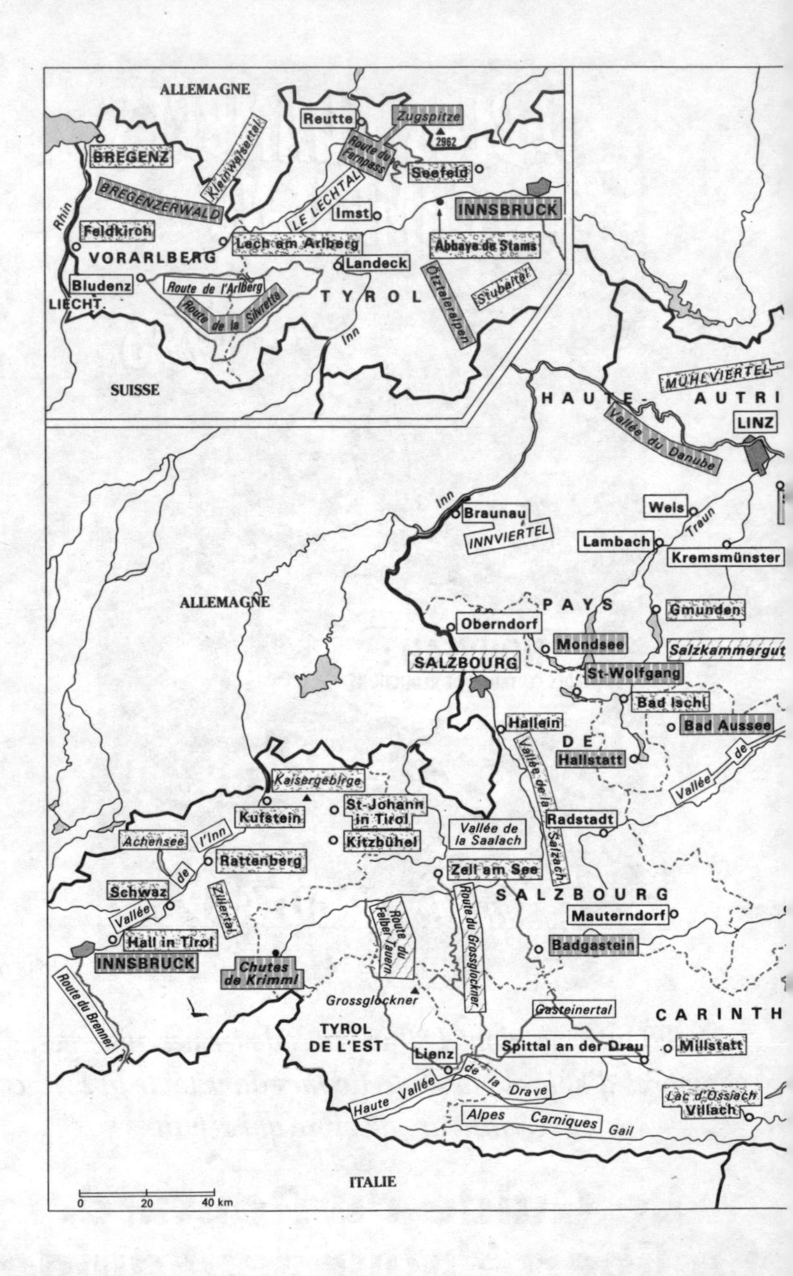

ALLEMAGNE
BREGENZ
Kleinwalsertal
BREGENZERWALD
Rhin
Feldkirch
VORARLBERG
Bludenz
LIECHT.
Reutte
Zugspitze
2962
Route du Fernpass
Seefeld
LE LECHTAL
Imst
INNSBRUCK
Lech am Arlberg
Abbaye de Stams
Landeck
Route de l'Arlberg
Route de la Silvretta
TYROL
Ötztaleralpen
Stubaital
Inn
SUISSE
MÜHLVIERTEL
HAUTE-AUTRI
Vallée du Danube
LINZ
Inn
Braunau
INNVIERTEL
Wels
Traun
Lambach
Kremsmünster
ALLEMAGNE
PAYS
Gmunden
Oberndorf
Mondsee
Salzkammergut
SALZBOURG
St-Wolfgang
Bad Ischl
Hallein
Bad Aussee
DE
Hallstatt
Vallée de
Vallée de la Salzach
Kaisergebirge
St-Johann in Tirol
Kufstein
Radstadt
Vallée de la Saalach
Achensee
l'Inn
Kitzbühel
Rattenberg
Zell am See
de
Schwaz
Zillertal
SALZBOURG
Vallée
Mauterndorf
Route du Felber Tauern
Route du Grossglockner
Hall in Tirol
Badgastein
INNSBRUCK
Chutes de Krimml
Route du Brenner
Grossglockner
Gasteinertal
CARINTH
TYROL DE L'EST
Lienz
Spittal an der Drau
Millstatt
Haute Vallée de la Drave
Lac d'Ossiach
Villach
Alpes Carniques
Gail
ITALIE
0
20
40 km

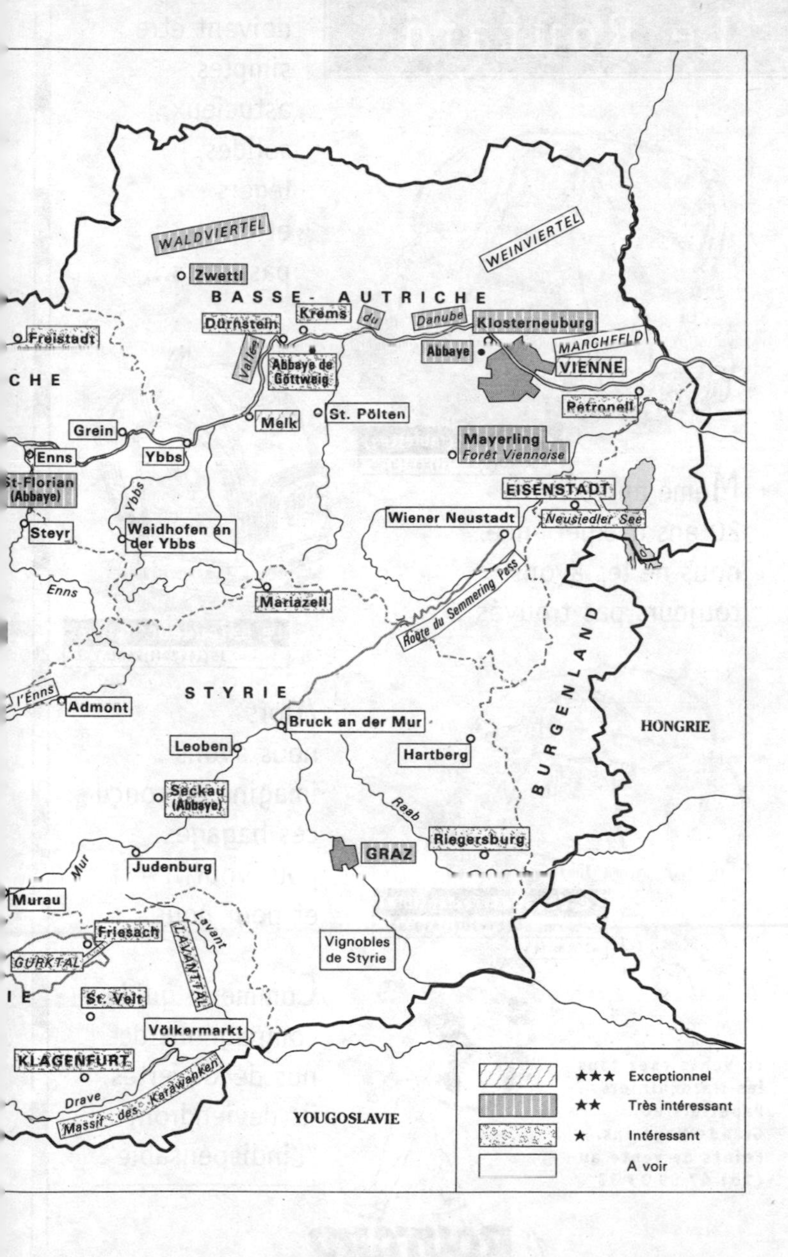
WALDVIERTEL
WEINVIERTEL
Zwettl
BASSE-AUTRICHE
Krems
du
Danube
Klosterneuburg
Dürnstein
Vallée
Abbaye de Göttweig
Abbaye
MARCHFELD
VIENNE
Freistadt
CHE
Petronell
St. Pölten
Melk
Grein
Mayerling
Forêt Viennoise
Enns
Ybbs
St-Florian (Abbaye)
EISENSTADT
Steyr
Wiener Neustadt
Neusiedler See
Waidhofen an der Ybbs
Enns
Mariazell
Route du Semmering Pass
BURGENLAND
l'Enns
Admont
STYRIE
Bruck an der Mur
HONGRIE
Leoben
Hartberg
Seckau (Abbaye)
Raab
Riegersburg
GRAZ
Judenburg
Mur
Murau
Lavant
Friesach
LAVANTTAL
GURKTAL
Vignobles de Styrie
St. Veit
Völkermarkt
KLAGENFURT
Drave
Massif des Karawanken
YOUGOSLAVIE
★★★ Exceptionnel
★★ Très intéressant
★ Intéressant
A voir

COMMENT ALLER EN AUTRICHE ?

LES COMPAGNIES RÉGULIÈRES

▲ **AIR FRANCE** dessert 10 villes allemandes (Francfort, Düsseldorf, Berlin, Munich, Hambourg, Stuttgart, Bonn-Cologne, Hanovre, Leipzig et Nuremberg) et 3 villes autrichiennes (Vienne, Salzbourg et Innsbruck). Au départ de la province, des liaisons sont effectuées vers Francfort, Düsseldorf et Munich. Les fréquences sont de 1 à 5 vols par jour suivant la ville. Air France propose plusieurs tarifs intéressants :
– Tarif « Jeunes » : il faut être âgé de moins de 25 ans. Ces tarifs concernent soit un aller-retour soit un aller ou retour simple et les billets sont remboursables en cas de désistement.
– Tarif « Temps Libre » : pour les plus de 60 ans.
Tarif « Le Kiosque » : accessible à tous. Offres promotionnelles les plus intéressantes du moment (consultation : ☎ 36-68-10-48) et dans les agences de voyages.
– *AIR FRANCE :* 119, Champs-Élysées, 75008 Paris. M. George-V. Et dans les agences de voyages. Renseignements : ☎ 44-08-24-24. Réservations : ☎ 44-08-22-22. Minitel : 36-15 ou 36-16, code AF.

▲ **AUSTRIAN AIRLINES** dessert Vienne 3 fois par jour au départ de Paris-Charles-de-Gaulle 2-B et une fois par jour au départ d'Orly-Sud. Au départ de Nice 3 fois par semaine (en hiver, deux vols par semaine). Plusieurs tarifs intéressants sont proposés :
– Vacances Superpex : sans limite d'âge, dormir au moins une nuit du samedi au dimanche sur place. Valable 1 mois. Obligation de réserver l'aller et le retour en même temps, pas de changement de réservation.
– Tarifs réduits pour les moins de 25 ans et pour les plus de 60 ans.
– *AUSTRIAN AIRLINES :* bureaux de la *Suiss'Air*, 4 à 14, rue Ferrus, 75014 Paris. M. : Glacière. Renseignements, réservations : ☎ 45-81-11-01.

▲ **LAUDA-AIR** dessert Vienne au départ de Paris Orly-Sud 2 fois par jour du lundi au vendredi, et 1 vol le samedi et le dimanche. La compagnie dessert également Salzbourg au départ de Paris Orly-Sud avec 1 vol tous les jours.
– Tarifs réduits pour les jeunes de moins de 25 ans.
– Lauda-Air est représenté à Paris par la *Lufthansa :* 21-23 rue Royale, 75008. ☎ 42-65-37-35. M. : Madeleine. Lauda-Air est la compagnie du champion Niki Lauda.

LES ORGANISMES DE VOYAGES

– Encore une fois, un billet « charter » ne signifie pas toujours que vous allez voler sur une compagnie charter. Bien souvent, même sur des destinations extra-européennes, vous prendrez le vol régulier d'une grande compagnie. Vous aurez simplement payé moins cher que les ignorants pour le même service en vous adressant à des organismes spécialisés.
– Nous ne faisons plus de distinction, comme les années précédentes, entre les organisateurs de « charters », les vols réguliers à prix réduits ou les associations pour étudiants. En effet, les agences qui suivent proposent un peu de tout, pour tous les voyageurs. Ce n'est pas un mal : ça va dans le sens de la démocratisation du voyage.
– Ne pas croire que les vols à tarif réduit sont tous au même prix pour une même destination à une même époque : loin de là. On a déjà vu, dans un même avion pour Lima partagé par deux organismes, des passagers qui avaient payé 40 % plus cher que les autres... Authentique ! Donc, contactez tous les organismes et jugez vous-même.
– Les organisateurs cités sont classés par ordre alphabétique, pour éviter les jalousies et les grincements de dents.

▲ **ACCESS VOYAGES**
– *Paris* : 6, rue Pierre-Lescot, 75001. ☎ 40-13-02-02 et 42-21-46-94. Fax : 42-21-44-20. M. : Châtelet-Les Halles.

– *Lyon* : tour Crédit Lyonnais, 129, rue Servient, 69003. ☎ 78-63-67-77. Fax : 78-60-27-80.
– *Lyon* : 55, place de la République, 69002. ☎ 72-56-15-95. Fax : 72-41-85-75.
Vendu aussi dans les agences de voyages. Access Voyages est spécialiste depuis 10 ans maintenant du vol régulier à prix réduit. Pourquoi subir les inconvénients des charters, face aux tout petits prix proposés par ce professionnel du vol régulier ? 500 destinations sur 50 compagnies. Sa destination vedette, l'Amérique du Nord, avec une énorme palette de vols directs ou avec escale. De très nombreuses promotions. Des prestations à la carte, bons d'hôtels, location de voitures, motorhomes, circuits... Autres destinations, tous les long-courriers et une production intense sur l'Europe. Access offre de nombreux départs de province.
Le petit plus d'Access : la vente par correspondance, très intéressant pour les provinciaux qui utilisent le service de « paiement à la carte ».

▲ **ANY WAY :** 46, rue des Lombards, 75001 Paris. ☎ 40-28-00-74. Fax : 42-36-11-41. M. : Châtelet. Ouvert du lundi au vendredi, de 10 h à 19 h et le samedi de 11 h à 18 h.
Une équipe sympathique dirigée par de jeunes Québécois. Rompus à la déréglementation et à l'explosion des monopoles sur l'Amérique du Nord, leur champ d'action s'étend aujourd'hui à toutes les grandes destinations du globe. Leurs ordinateurs dénichent les meilleurs tarifs (180 000 tarifs spéciaux sur 700 destinations, sur plus de 60 000 vols par semaine au départ de Paris et de 40 villes de province : un record international !). Des prix charters sur vols réguliers. Les tours-opérateurs leur proposent leurs invendus à des prix défiant toute concurrence.
Any Way permet également de réserver à l'avance vols, séjours, hôtels et voitures dans le monde entier. Les routards « chic » ou « bon marché » sauront sûrement trouver chaussures à leurs pieds parmi de nombreuses possibilités et promotions. Précurseurs dans le domaine de la vente à distance, recherche et commande par Minitel ou auprès de l'équipe de réservation par téléphone ou bien à l'agence. A noter que, quel que soit votre achat, Any Way vous fait cadeau des frais de dossier.
Intéressant : « J-7 » est une formule qui propose des vols, des séjours et des circuits à des prix super discount, de 7 à 15 jours avant le départ.
Réservations par fax également. Sympa : les clients qui viennent tôt le matin se voient offrir le café. Incontestablement une bonne adresse.

▲ **AUSTRO PAULI :** dans toutes les agences de voyages et chez *Pauli Voyages,* 8, rue Daunou, 75002 Paris. ☎ 42-86-97-04. M. : Opéra.
Spécialiste de l'Autriche depuis 1980, Austro Pauli développe d'année en année sa programmation sur cette destination, qui comporte : des week-ends à Vienne, Salzbourg ou Innsbruck sur vols réguliers ou spéciaux, des combinés, des circuits en autocar ou avion + autocar, des croisières sur le Danube, des séjours hiver ou été au Tyrol, au Voralberg ou dans le Salzburgerland, etc.
Avec *Euro Pauli,* Austro Pauli a étendu sa programmation à l'ensemble de l'Europe. L'éventail des formules de voyages proposées par Euro Pauli va du week-end sur vols réguliers ou spéciaux aux autotours, de la simple escapade en autocar au long périple transeuropéen, du circuit avion / car aux séjours.

▲ **COMPAGNIE DES VOYAGES (LA)** : 28, rue Pierre-Lescot, 75001 Paris. ☎ 45-08-44-88. Fax : 45-08-03-69. Infos sur répondeur 24 h sur 24 : ☎ 45-08-00-60. M. : Étienne-Marcel ou Les Halles.
Créé il y a plus de 14 ans, le spécialiste du long-courrier pratiquant le circuit court de distribution étend sa production à l'Europe et au Moyen-Orient. Le choix est considérable, plus de 130 000 tarifs aériens proposés sur plus de 900 destinations ! Les prix communiqués à l'inscription sont fermes et définitifs au moment du paiement de l'acompte, pas de rallonge... Un magazine, « Fréquence vols », donne toutes les informations pour bien acheter son vol, les pièges à éviter, passe en revue les principales compagnies aériennes à la loupe. Pour la province : vente par téléphone ou par correspondance. Nouveau : un service de location de voitures.

▲ **DONATELLO :** 20, rue de la Paix, 75002 Paris. ☎ 44-58-30-81. M. : Opéra.
Créé en 1981, Donatello, spécialiste des voyages individuels, choisit des formules qui répondent aux attentes d'une clientèle exigeante et qui favorise la liberté et la curiosité du voyageur. Son savoir-faire lui permet d'assurer tout le rationnel du voyage : logistique, hôtellerie, étapes de charme. Depuis 1993, Donatello a décidé d'étendre sa programmation au-delà de l'Italie, vers d'autres pays riches de valeurs culturelles, dont l'Autriche.

Donatello, c'est aujourd'hui 4 brochures, mais une unique façon de penser le voyage :
- des week-ends, courts séjours et combinés dans les villes d'art ;
- des formules à la carte pour composer ses vacances selon ses goûts et son budget (location de voitures et réservation d'hôtels pour des autotours) ;
- des locations d'appartements ;
- enfin, des circuits en autocars.

▲ ESPACES DÉCOUVERTES VOYAGES

– *Paris :* 38, rue Rambuteau, 75003. ☎ 42-74-21-11. Fax : 42-74-76-77. M. : Rambuteau ou R.E.R. Châtelet-Les Halles.
– *Paris :* 377 *bis,* rue de Vaugirard, 75015. ☎ 45-33-81-87. Fax : 45-35-26-61. M. : Convention.
Deux équipes jeunes, souriantes et dynamiques à votre service, vous accueillent tous les jours du lundi au samedi. Espaces découvertes vous offre un vaste choix de tarifs aériens exceptionnellement compétitifs, ainsi qu'un éventail de séjours, de circuits sélectionnés pour leur bon rapport qualité-prix. De nombreuses formules « nuits d'hôtel à l'arrivée » et locations de voitures, toujours à prix réduits, sont proposées en complément des vols. Également un service de réservation et de vente par téléphone (paiement par carte bleue) : ☎ 42-74-21-11. Pour tous les groupes de collectivités, clubs, associations, un service spécialisé s'appuyant sur un réseau de réceptifs locaux, propose « à la carte » des séjours, circuits, week-ends d'un excellent rapport qualité-prix. Devis rapide personnalisé sur demande : ☎ 42-74-21-11 ou par fax : 42-74-76-77.

▲ FRAM

– *Paris :* 120, rue de Rivoli, 75001. ☎ 40-26-30-31. Fax : 40-26-73-58. M. : Châtelet.
– *Toulouse :* 1, rue Lapeyrouse, 31000. ☎ 62-15-16-17. Fax : 62-15-17-17.
L'un des tout premiers tours-opérateurs français pour le voyage organisé, FRAM programme désormais plusieurs formules qui représentent « une autre façon de voyager ». Ce sont :
- Les *auto-tours.*
- Les *locations d'appartements.*
- Des *avions en liberté* ou vols secs.

▲ FUAJ

– *Paris :* 9, rue Brantôme, 75003. ☎ 48-04-70-40. Fax : 42-77-03-29. M. : Rambuteau.
– *Paris :* 10, rue Notre-Dame-de-Lorette, 75009. ☎ 42-85-55-40. Fax : 42-80-25-92. M. : Notre-Dame-de-Lorette.
– *Paris :* 4, bd Jules-Ferry, 75011. ☎ 43-57-02-60. Fax : 40-21-79-92. M. : République.
– *Paris :* 27, rue Pajol, 75018. ☎ 44-89-87-27. Fax : 44-89-87-10. M. : Porte-de-la Chapelle.
Et dans toutes les auberges de jeunesse et les points de vente en France.
La FUAJ (Fédération Unie des Auberges de Jeunesse), ce sont 189 auberges de jeunesse en France et 6 000 dans le monde. Mais ce sont aussi des voyages et des activités sportives !... Plus de 50 destinations à travers le monde sur les 5 continents vous sont proposées et à des prix toujours très étudiés. Pour une expédition, un circuit, un séjour ou un week-end, demandez la brochure FUAJ « Voyages »... Pour les activités sportives, demandez la brochure « Activités été ou hiver » et pour les hébergements, le « Guide français ». Tous ces documents sont disponibles dans les agences cidessus.

▲ GO VOYAGES

– *Informations et réservations :* dans toutes les agences Go Voyages, FNAC Voyages, Sélectour et dans les agences de voyages agréées ainsi que : ☎ (1) 49-23-26-86.
Partir au moindre coût : telle est la devise du tour-opérateur à l'enseigne de la grenouille. Le catalogue « Pocket vols charters et vols réguliers » offre plus de 350 destinations sur le monde entier à des tarifs discount.

▲ JET TOURS - JUMBO

– *Paris :* 38, av. de l'Opéra, 75002. ☎ 47-42-06-92. Fax : 49-24-94-47. M. : Opéra.
– *Paris :* 31, quai des Grands-Augustins, 75006. ☎ 43-29-35-50. M. : Saint-Michel.
– *Paris :* 62, rue Monsieur-le-Prince, 75006. ☎ 46-34-19-79. Fax : 46-34-12-55. M. : Odéon.
– *Paris :* 113, rue de Rennes, 75006. ☎ 45-44-53-10. Fax : 42-84-08-41. M. : Rennes.
– *Paris :* 19, av. de Tourville, 75007. ☎ 47-05-01-95. Fax : 47-05-98-55. M. : École-Militaire.
– *Paris :* 40, av. George-V, 75008. ☎ 42-99-21-80. Fax : 42-99-21-88. M. : George-V.
– *Paris :* 2, rue Parrot, 75012. ☎ 44-68-80-35. Fax : 44-68-80-07. M. : Gare-de-Lyon.
– *Paris :* 112, av. du Général-Leclerc, 75014. ☎ 45-42-03-87. M. : Alésia.
– *Paris :* 165, rue de la Convention, 75015. ☎ 42-50-83-83. M. : Boucicaut ou Convention.
– *Paris :* 2, place de la Porte-Maillot, 75017. ☎ 44-09-51-25. Fax : 44-09-51-28. M. : Porte-Maillot.
– *La Défense :* 2, place de la Défense, B.P. 337, 92053 Cedex. ☎ 46-92-28-87. Fax : 40-81-03-07.
– *Nogent-sur-Marne :* 140, rue Charles-de-Gaulle, 94130. ☎ 48-73-25-18.
– *Versailles :* 26, rue de Montreuil, 78000. ☎ 39-49-98-98.
– *Aix-en-Provence :* 7, rue de la Masse, 13100. ☎ 42-26-04-11.
– *Angoulême :* 5 *bis*, rue de Périgueux, 16000. ☎ 45-92-07-94.
– *Annecy :* 3, av. de Chevennes, 74000. ☎ 50-45-44-80.
– *Avignon :* 7, rue Joseph-Vernet, 84000. ☎ 90-27-16-00. Fax : 90-27-94-15.
– *Besançon :* 15, rue Proudhon, 25000. ☎ 81-82-85-44. Fax : 81-81-87-63.
– *Brest :* 14, rue de Lyon, 29200. ☎ 98-46-58-00.
– *Caen :* 143, rue Saint-Jean, 14000. ☎ 31-50-38-45. Fax : 31-85-12-52.
– *Cagnes-sur-Mer :* 64, bd du Maréchal-Juin, 06800. ☎ 93-20-76-44.
– *Chambéry :* 7, rue Favre, 73000. ☎ 79-33-17-64.
– *Clermont-Ferrand :* c/o Jaude, 8, bd d'Allagnat, 63000. ☎ 79-93-29-15.
– *Dinan :* 76, Grande-Rue, 22105 Cedex. ☎ 96-39-12-30.
– *Limoges :* 3, rue Jean-Jaurès, 87000. ☎ 55-32-79-29.
– *Lorient :* 4, av. du Faoudic, 56000. ☎ 97-21-17-17.
– *Lyon :* 9, rue du Président-Carnot, 69002. ☎ 78-42-80-77. Fax : 78-42-42-66.
– *Lyon :* 16, rue de la République, 69002. ☎ 78-37-15-89.
– *Marseille :* 6, place du Général-de-Gaulle, 13001. ☎ 91-55-50-51. Fax : 91-33-91-32.
– *Marseille :* 276, av. du Prado, 13008. ☎ 91-22-19-19.
– *Mulhouse :* 12, rue du Sauvage, 68100. ☎ 89-56-00-89. Fax : 89-66-42-62.
– *Nice :* 8, place Masséna, 06000. ☎ 93-80-88-66. Fax : 93-80-74-20.
– *Nîmes :* 18, rue Auguste, 30000. ☎ 66-21-18-83. Fax : 66-67-47-34.
– *Orléans :* 90, rue Bannier, 45000. ☎ 38-62-75-25.

– *Quimper* : 2, rue Amiral-Ronarc'h, 29000. ☎ 98-95-40-41.
– *Rennes* : 30, rue du Pré-Botté, 35000. ☎ 99-79-58-68.
– *Rennes* : 23, rue du Puits-Mauger, 35000. ☎ 99-35-07-00. Fax : 99-30-54-74.
– *La Roche-sur-Yon* : 48, rue de Verdun, 85000. ☎ 51-36-15-07.
– *Rouen* : 15, quai du Havre, 76000. ☎ 35-89-88-52. Fax : 35-71-86-56.
– *Saint-Brieuc* : 4, rue Saint-Gilles, BP 4321, 22043. ☎ 96-61-88-22.
– *Saint-Étienne* : 26, rue de la Résistance, 42000. ☎ 77-32-39-81.
– *Saint-Jean-de-Luz* : 9, av. de Verdun, 64500. ☎ 59-51-03-10.
– *Toulouse* : 19, rue de Rémusat, 31000. ☎ 61-23-35-12. Fax : 62-27-19-04.
– *Tours* : 8, place de la Victoire, 37000. ☎ 47-37-54-30. Fax : 47-37-64-73.

L'exigence Jet Tours, filiale tourisme d'Air France : offrir le plus grand choix de séjours, circuits, ou vacances à composer. Une production de qualité, à des prix compétitifs, adaptée au style de chacun, et qui couvre le monde entier.
Jet Tours, c'est aussi la liberté du voyage individuel sans les soucis d'organisation. Grand choix d'hôtels toutes catégories, location de voitures, séjours-plage ou dans des hôtels de charme, location d'appartements et de villas, itinéraires individuels en voiture avec étapes dans des hôtels... Autre point fort : les représentants Jet Tours accueillent les voyageurs sur place et leur procurent des réservations complémentaires.
A vous de choisir selon vos envies : vols et transferts, nuits d'hôtels, location de voitures, itinéraires individuels... Dans sa brochure « Jumbo », Jet Tours propose également des prix charters très compétitifs, sans aucune prestation sur place. Consultez les brochures Jet Tours dans votre agence de voyages.

▲ JEUNES SANS FRONTIÈRE (J.S.F.) - WASTEELS

– *Paris* : 5, rue de la Banque, 75002. ☎ 42-61-53-21. M. : Bourse.
– *Paris* : 8, bd de l'Hôpital, 75005. ☎ 43-36-90-36. M. : Gare-d'Austerlitz.
– *Paris* : 113, bd Saint-Michel, 75005. ☎ 43-26-25-25. M. : Luxembourg.
– *Paris* : 6, rue Monsieur-le-Prince, 75006. ☎ 43-25-58-35. M. : Odéon.
– *Paris* : 12, rue La Fayette, 75009. ☎ 42-47-09-77. M. : Le Peletier.
– *Paris* : 91, bd Voltaire, 75011. ☎ 47-00-27-00. M. : Voltaire.
– *Paris* : 58, rue de la Pompe, 75016. ☎ 45-04-71-54. M. : Rue de la Pompe.
– *Paris* : 150, av. de Wagram, 75017. ☎ 42-27-29-91. M. : Wagram.
– *Paris* : 3, rue Poulet, 75018. ☎ 42-57-69-56. M. : Château-Rouge.
– *Paris* : 146, bd de Ménilmontant, 75020. ☎ 43-58-57-87. M. : Ménilmontant.
– *Aix-en-Provence* : 5 *bis,* cours Sextius, 13100. ☎ 42-26-26-28.
– *Angoulême* : 49, rue de Genève, 16000. ☎ 45-92-56-89.
– *Béziers* : 66, allée Paul-Riquet, 34500. ☎ 67-28-31-78.
– *Bordeaux* : 65, cours d'Alsace-Lorraine, 33000. ☎ 56-48-29-39.
– *Bordeaux* : résidence Étendard, 13, place Casablanca, 33000. ☎ 56-91-97-17.
– *Chambéry* : 44, faubourg Reclus, 73000. ☎ 79-33-04-63.
– *Clermont-Ferrand* : 69, bd Trudaine, 63000. ☎ 73-91-07-00.
– *Dijon* : 20, av. du Maréchal-Foch, 21000. ☎ 80-43-65-34.
– *Grenoble* : 50, av. Alsace-Lorraine, 38000. ☎ 76-47-34-54.
– *Grenoble* : 20, av. Félix-Viallet, 38000. ☎ 76-46-36-39.
– *Grenoble* : 3, rue Crépu, 38000. ☎ 76-85-06-13.
– *Lille* : 25, place des Reignaux, 59800. ☎ 20-06-24-24.
– *Lyon* : 5, place Ampère, 69002. ☎ 78-42-65-37.
– *Lyon* : 162, cours Lafayette, 69003. ☎ 78-62-00-65.
– *Lyon* : Centre d'échanges de Lyon-Perrache, 69002. ☎ 78-37-80-17.
– *Marseille* : 87, la Canebière, 13001. ☎ 91-95-90-12.
– *Metz* : 3, rue d'Austrasie, 57000. ☎ 87-66-65-33.
– *Montpellier* : 6, rue de la Saunerie, 34000. ☎ 67-58-74-26.
– *Montpellier* : 1, rue Cambacères, 34000. ☎ 67-66-20-19.
– *Mulhouse* : 14, av. Auguste-Wicky, 68100. ☎ 89-46-18-43.
– *Nancy* : 1 *bis,* place Thiers, 54000. ☎ 83-35-42-29.
– *Nantes* : 6, rue Guépin, 44000. ☎ 40-89-70-13.
– *Nice* : 32, rue de l'Hôtel-des-Postes, 06000. ☎ 93-13-10-70.
– *Reims* : 26, rue Libergier, 51100. ☎ 26-85-79-79.
– *Roubaix* : 11, rue de l'Alouette, 59100. ☎ 20-70-33-62.
– *Rouen* : 111 *bis,* rue Jeanne-d'Arc, 76000. ☎ 35-71-92-56.
– *Saint-Étienne* : 28, rue Gambetta, 42000. ☎ 77-32-71-77.
– *Strasbourg* : 13, place de la Gare, 67000. ☎ 88-32-40-82.
– *Strasbourg* : 13, rue Vauban, 67000. ☎ 88-61-80-10.
– *Thionville* : 21, place du Marché, 57100. ☎ 82-53-35-00.
– *Toulon* : 3, rue Vincent-Courdouan, 83000. ☎ 94-92-93-93.
– *Toulon* : 3, bd Pierre-Toesca, 83000. ☎ 94-92-99-99.

– *Toulouse :* 1, bd Bonrepos, 31000. ☎ 61-62-67-14.
– *Toulouse :* 23, av. de l'URSS, 31400. ☎ 61-55-59-89.
– *Tours :* 8, place du Grand-Marché, 37000. ☎ 47-64-00-26.

Repris par le puissant réseau *Wasteels* (192 agences en Europe dont 67 en France !). Vols secs sur le monde entier, vacances organisées ou à la carte. Tarifs spéciaux en chemins de fer (BSE, BIGE, Pol Rail Pass en Pologne et Scan Rail Pass en Scandinavie). Hébergements (hôtels, clubs, appartements, motorhomes, AJF...). Traversées et croisières en bateau. Autocars sur toute l'Europe. Location de voitures à tarifs réduits. Assistance assurée dans certaines gares et aéroports.

▲ LOOK VOYAGES
– *Paris :* 8-10, rue Villedo, 75001. ☎ 44-58-59-60. M. : Pyramides.
– *Paris :* 23, rue de la Paix, 75002. ☎ 47-42-47-95. M. : Opéra.
– *Paris :* 43, av. Duquesne, 75007. ☎ 42-73-38-98. M. : Saint-François-Xavier.
– *Paris :* 6, rue Marbeuf, 75008. ☎ 44-31-84-00. M. : Franklin-Roosevelt.
– *Paris :* 30, rue Saint-Lazare, 75009. ☎ 40-23-94-94. M. : Saint-Lazare.
– *Paris :* 63, av. Parmentier, 75011. ☎ 48-07-20-00. M. : Parmentier.
– *Paris :* 102, rue Bobillot, 75013. ☎ 45-65-09-01. M. : Tolbiac.
– *Paris :* 177, rue d'Alésia, 75014. ☎ 45-42-47-03. M. : Plaisance.
– *Paris :* 8, place du 25 Août 1944, 75014. ☎ 45-42-65-40. M. : Porte-d'Orléans.
– *Paris :* 32, av. Félix-Faure, 75015. ☎ 44-26-43-43. M. : Lourmel.
– *Paris :* 46, rue Jouffroy, 75017. ☎ 47-64-19-81. M. : Wagram.
– *Angers :* 68, rue Plantagenêt, 49000. ☎ 41-87-46-47.
– *Annecy :* 15, rue du Président-Faure, 74000. ☎ 50-52-87-13.
– *Grenoble :* 24, rue Alsace-Lorraine, 38000. ☎ 76-43-28-06.
– *La Rochelle :* 62, rue des Merciers, 17088 Cedex. ☎ 46-41-32-22.
– *Le Havre :* 149, rue de Paris, 76600. ☎ 35-42-11-42.
– *Le Mans :* 64, rue Gambetta, 72000. ☎ 43-23-04-04.
– *Lyon :* 9, rue de la République, 69001. ☎ 78-29-58-45.
– *Nantes :* 5, rue Saint-Pierre, 44000. ☎ 40-89-40-24.
– *Niort :* 18, rue Victor-Hugo, 79000. ☎ 49-28-08-12.
– *Rambouillet :* 32, rue Chasles, 78120. ☎ 34-83-23-71.
– *Rennes :* 7, rue du Puits-Mauger, 35100. ☎ 99-31-32-32.
– *Saint-Étienne :* 13, rue du Grand-Moulin, 42000. ☎ 77-32-31-32.
– *Strasbourg :* 7, rue du Vieux-Marché-aux-Vins, 67000. ☎ 88-22-09-10.
– *Suresnes :* 2, rue des Bourets, 92150. ☎ 42-04-28-24.

Sur l'Autriche, Look Charters propose des vols, 5 fois par semaine, sur *Austrian Airlines* à tarifs intéressants. Également des week-ends à Vienne, 3 jours, 2 nuits tout compris. Renseignements sur le 36-15 code LOOK VOYAGES.
Les promotions de dernière minute sont à consulter sur le Minitel : 36-15, code LOOK PROMO, pour les vols et les voyages encore moins chers.

▲ MAGICLUB VOYAGES : 33 *bis*, rue Saint-Amand, 75015 Paris. ☎ 48-56-20-00. M. : Plaisance. Ouvert du lundi au vendredi de 9 h à 19 h, le samedi de 9 h 30 à 13 h et de 14 h 30 à 18 h.
Voyagiste spécialisé dans l'organisation de voyages à la carte (avion + voiture + 1 nuit d'hôtel ou plus, dans les villes de votre choix). Département vols : 350 destinations de charters ou vols réguliers à prix discount. Renseignements rapides par téléphone ; possibilité de réserver sur tous les vols par téléphone avec une carte bleue. Magiclub Voyages est animé par une équipe dynamique toujours soucieuse de vous proposer le meilleur prix. A vous de les mettre à l'épreuve !
Réservations + promotions au 36-15 MAGICLUB.

▲ NOUVELLES FRONTIÈRES
– *Paris :* 87, bd de Grenelle, 75015. ☎ 41-41-58-58. M. : La Motte-Picquet-Grenelle.
– *Aix-en-Provence :* 52, cours Sextius, 13100. ☎ 42-26-47-22.
– *Ajaccio :* 12, place Foch, 20000. ☎ 95-21-55-55.
– *Bordeaux :* 31, allées de Tourny, 33000. ☎ 56-79-65-85.
– *Brest :* 8, rue Jean-Baptiste-Boussingault, 29200. ☎ 98-44-30-51.
– *Cannes :* 19, bd de la République, 06400. ☎ 92-98-80-83.
– *Clermont-Ferrand :* 8, rue Saint-Genès, 63000. ☎ 73-90-29-29.
– *Dijon :* 7, place des Cordeliers, 21000. ☎ 80-31-89-30.
– *Grenoble :* 3, rue Billerey, 38000. ☎ 76-87-16-53.
– *Le Havre :* 137, rue de Paris, 76600. ☎ 35-43-36-66.
– *Lille :* 1, rue des Sept-Agaches, 59000. ☎ 20-74-00-12.
– *Limoges :* 6, rue Vigne-de-Fer, 87000. ☎ 55-32-28-48.

– *Lyon :* 34, rue Franklin, 69002. ☎ 78-37-16-47.
– *Lyon :* 38, av. de Saxe, 69006. ☎ 78-52-88-88.
– *Marseille :* 11, rue d'Hasco, 13001. ☎ 91-54-18-48.
– *Metz :* 33, En-Fournirue, 57000. ☎ 87-36-16-90.
– *Montpellier :* 4, rue Jeanne-d'Arc, 34000. ☎ 67-64-64-15.
– *Mulhouse :* 5, rue des Halles, 68100. ☎ 89-46-25-00.
– *Nancy :* 38 *bis,* rue du Grand-Rabbin-Haguenauer, 54000. ☎ 83-36-76-27.
– *Nantes :* 2, rue Auguste-Brizeux, 44000. ☎ 40-20-24-61.
– *Nice :* 24, av. Georges-Clemenceau, 06000. ☎ 93-88-32-84.
– *Reims :* 51, rue Cérès, 51100. ☎ 26-88-69-81.
– *Rennes :* 10, quai Émile-Zola, 35000. ☎ 99-79-61-13.
– *Rodez :* 26, rue Béteille, 12000. ☎ 65-68-01-99.
– *Rouen :* 15, rue du Grand-Pont, 76000. ☎ 35-71-14-44.
– *Saint-Étienne :* 9, rue de la Résistance, 42100. ☎ 77-33-88-35.
– *Strasbourg :* 4, rue du Faisan, 67000. ☎ 88-25-68-50.
– *Toulon :* 503, av. de la République, 83000. ☎ 94-46-37-02.
– *Toulouse :* 2, place Saint-Sernin, 31000. ☎ 61-21-03-53.

▲ **OTU VOYAGE :** 39, av. Georges-Bernanos, 75005 Paris. ☎ 44-41-38-50. Fax : 46-33-19-98. M. : Port-Royal. Ouvert de 10 h à 18 h 30. Le spécialiste des vols charters (réductions pour les étudiants) et des vols de dernière minute. L'OTU est représentée en France par les CROUS et les CLOUS :
– *Aix-en-Provence :* cité universitaire Les Gazelles, av. Jules-Ferry, 13621. ☎ 42-27-76-85. Fax : 42-27-47-38.
– *Amiens :* CROUS, 25, rue Saint-Leu, 80038. ☎ 22-97-95-44. Fax : 22-92-98-89.
– *Angers :* CLOUS, jardin des Beaux-Arts, 35, bd du Roi-René, 49100. ☎ 41-87-11-35.
– *Besançon :* CROUS, 38, av. de l'Observatoire, 25030. ☎ 81-48-46-25. Fax : 81-48-46-28.
– *Bordeaux :* campus de Talence, restaurant universitaire n° 2, 33405. ☎ 56-80-71-87.
– *Brest :* 2, av. Le Gorgeu, 29287. ☎ 98-03-38-78.
– *Caen :* CROUS, Maison de l'Étudiant, av. de Lausanne, 14040. ☎ 31-46-60-94. Fax : 31-46-60-91.
– *Clermont-Ferrand :* CROUS, 25, rue Étienne-Dolet, bât. A, 63037. ☎ 73-34-44-14. Fax : 73-34-44-70.
– *Compiègne :* 27, rue du Port-aux-Bateaux, 60200. ☎ 44-86-43-41. Fax : 44-86-10-44.
– *Créteil :* Maison de l'Étudiant, Université Paris-XII, 61, av. du Général-de-Gaulle, 94000. ☎ 48-99-75-90. Fax : 48-99-74-01.
– *Dijon :* campus Montmuzard, 6B, rue du Recteur-Bouchard, 21000. ☎ 80-39-69-33. Fax : 80-39-69-39.
– *Grenoble :* CROUS, 5, rue d'Arsonval, BP 187, 38019. ☎ 76-46-98-92. Fax : 76-47-78-03.
– *La Rochelle :* résidence universitaire Antinéa, 15, rue de Vaulx de Foletier, 17026. ☎ 46-44-34-29. Fax : 46-45-44-72.
– *Le Havre :* cité universitaire de Caucriauville, place Robert Schumann, 76610. ☎ 35-47-25-86.
– *Le Mans :* bd Charles-Nicolle, 72040. ☎ 43-28-60-70.
– *Lille :* CROUS, 74, rue de Cambrai, 59043. ☎ 20-88-66-12. Fax : 20-88-66-59.
– *Limoges :* 39, rue Camille-Guérin, 87036. ☎ 55-43-17-03. Fax : 55-50-14-05.
– *Lyon :* CROUS, 59, rue de la Madeleine, 69365. ☎ 72-71-98-07. Fax : 72-72-35-02.
– *Metz :* cité universitaire, île de Soulcy, 57045. ☎ 87-31-60-00. Fax : 87-31-62-87.
– *Montpellier :* resto universitaire « Le Triolet », 1061, rue du Professeur-Joseph-Anglade, 34090. ☎ 67-41-92-55. Fax : 67-41-92-56.
– *Mulhouse :* cité universitaire, 1, rue Alfred-Werner, 68093. ☎ 89-59-64-64. Fax : 89-59-64-69.
– *Nancy :* CROUS, 75, rue de Laxou, 54042. ☎ 83-91-88-20. Fax : 83-27-47-87.
– *Nantes :* 2, bd Guy-Mollet, 44000. ☎ 40-74-70-77. Fax : 40-37-13-00.
– *Nice :* Carlone, 80, bd Édouard-Henriot, 06200. ☎ 93-96-85-43. Fax : 93-37-43-30.
– *Orléans :* CROUS, rue de Tours, 45072. ☎ 38-76-48-99. Fax : 38-63-41-80.
– *Poitiers :* CROUS, 38, av. du Recteur-Pineau, 86022. ☎ 49-44-53-00. Fax : 49-44-53-34.
– *Reims :* CROUS, 34, bd Henri-Vasnier, 51100. ☎ 26-09-91-50. Fax : 26-09-91-50.
– *Rennes :* CROUS, 7, place Hoche, BP 115, 35002. ☎ 99-84-31-35. Fax : 99-38-36-90.
– *Saint-Étienne :* restaurant « La Tréfilerie », 31 *bis,* rue du 11 Novembre, 42100. ☎ 77-33-68-05. Fax : 77-33-49-00.

– *Strasbourg :* CROUS, 3, bd de la Victoire, 67084. ☎ 88-25-53-99. Fax : 88-52-15-70.
– *Toulon* : résidence « Campus International », 83130 La Garde. ☎ 94-21-24-00. Fax : 94-21-25-99.
– *Toulouse* : CROUS, 60, rue du Taur, 31070. ☎ 61-12-54-54. Fax : 61-12-54-07.
– *Tours* : résidence Sanitas, bd de Lattre-de-Tassigny, 37041. ☎ 47-05-17-55. Fax : 47-20-46-33.
– *Valence* : 6, rue Deredon, 26000. ☎ 75-42-17-96. Fax : 75-55-48-37.
– *Valenciennes* : résidence universitaire Jules-Mousseron, 59326 Aulnoy-lez-Valenciennes. ☎ 27-42-56-56.
– *Villeneuve-d'Ascq* : domaine littéraire et juridique, rue du Barreau, hall de la fac de Droit, 59650. ☎ 20-91-83-18.

▲ RÉPUBLIC TOURS
– *Paris :* 1, av. de la République, 75011. ☎ 43-55-39-30. Fax : 43-55-30-30. M. : République.
– *Lyon :* 4, rue du Général Plessier, 69002. ☎ 78-42-33-33. Fax : 78-42-24-43.
– Dans les agences de voyages.
Républic Tours, c'est une large gamme de produits et de destinations tous publics et... la liberté de choisir sa formule de vacances :
• Séjours détente en hôtel classique ou club.
• Circuits en autocars, voiture personnelle ou de location.
• Insolite : randonnées en 4 x 4, vélo, roulotte...
• Week-ends : plus de 40 idées d'escapades pour se dépayser, s'évader au soleil ou découvrir une ville.
• L'Europe avec l'Autriche.

▲ USIT (Voyages pour Jeunes et Étudiants)
– *Paris :* 12, rue Vivienne, 75002. ☎ 44-55-32-60. Fax : 44-55-32-61. M. : Bourse.
– *Paris :* 31 *bis,* rue Linné, 75005. ☎ 44-08-71-20. Fax : 44-08-71-25. M. : Jussieu.
– *Paris :* 6, rue de Vaugirard, 75006. ☎ 42-34-56-90. Fax : 42-34-56-91. M. : Odéon.
– *Bordeaux :* 284, rue Sainte-Catherine, 33000. ☎ 56-33-89-90. Fax : 56-33-89-91.
– *Lyon :* 28, bd des Brotteaux, 69006. ☎ 78-24-15-70. Fax : 78-52-85-39.
– *Nice :* 10, rue de Belgique, 06000. ☎ 93-87-34-96. Fax : 93-87-10-91.
– *Toulouse :* 5, rue des Lois, 31000. ☎ 61-11-52-42. Fax : 61-11-52-43.
Billets d'avion à prix réduits pour jeunes et étudiants sur grandes compagnies régulières, pas de contraintes de réservations, changements et annulations possibles.

EN BELGIQUE

▲ ACOTRA WORLD : rue de la Madeleine, 51, Bruxelles 1000. ☎ (02) 512-70-78. Fax : (02) 512-39-74. Ouvert en semaine de 10 h à 17 h 30.
Acotra World, filiale de la *Sabena,* offre aux jeunes, étudiants, enseignants et stagiaires des prix spéciaux dans le domaine du transport aérien. Prix de train (BIGE – Inter-Rail) et de bus intéressants. Le central logement-transit d'Acotra permet d'être hébergé aux meilleurs prix, en Belgique et à l'étranger.
Un bureau d'accueil et d'information, Acotra Welcome Desk, est à la disposition de tous à l'aéroport de Bruxelles-National (hall de départ). Ouvert tous les jours, y compris le dimanche, de 7 h à 14 h 30. ☎ (02) 720-35-47.

▲ C.J.B. L'AUTRE VOYAGE : chaussée d'Ixelles, 216, Bruxelles 1050. ☎ (02) 640-97-85. Fax : (02) 646-35-95. Ouvert de 9 h 30 à 12 h 30 et de 13 h 30 à 17 h 30, tous les jours de la semaine, sauf les samedi et dimanche.
Association à but non lucratif, C.J.B. organise toutes sortes de voyages, individuels ou en groupes, de la randonnée au grand circuit. Vacances sportives ou séjours culturels. Dans la jungle des tarifs de transport (avion, train, bus ou bateau). On vous conseillera les meilleures adresses par destination, offrant les prix les plus intéressants.

▲ CONNECTIONS
– *Anvers :* Melkmarkt, 13, 2000. ☎ (03) 225-31-61. Fax : (03) 226-24-66.
– *Bruxelles :* rue du Midi, 19-21, 1000. ☎ (02) 512-50-60. Fax : (02) 512-94-47.
– *Bruxelles :* av. Adolphe-Buyl, 78, 1050. ☎ (02) 647-06-05. Fax : (02) 647-05-64.
– *Gand :* Nederkouter, 120, 9000. ☎ (09) 223-90-20. Fax : (09) 233-29-13.
– *Hasselt :* Demerstraat, 74, 3500. ☎ (011) 23-45-45. Fax : (011) 23-16-89.
– *Liège :* rue Sœurs-de-Hasque, 7, 4000. ☎ (041) 23-03-75. Fax : (041) 23-08-82.

– *Louvain :* Tiensestraat, 89, 3000. ☎ (016) 29-01-50. Fax : (016) 29-06-50.
– *Louvain-la-Neuve :* place des Brabançons, 6 a, 1348. ☎ (010) 45-15-57. Fax : (010) 45-04-53.
– *Malines :* Ijzerenleen, 39, 2800. ☎ (015) 20-02-10. Fax : (015) 20-55-56.
– *Namur :* rue Saint-Jean, 21, 5000. ☎ (081) 22-10-80. Fax : (081) 22-79-97.
– Informations et réservations téléphoniques : ☎ (02) 511-12-12. Fax : (02) 502-70-60.
Spécialiste du voyage pour les étudiants, les jeunes et les « Independents travellers », Connections est membre du groupe *USIT*, groupe international formant le réseau des USIT Connection Centres. Le voyageur peut ainsi trouver informations et conseils, aide et assistance (revalidation, routing...) dans plus de 80 centres en Europe et auprès de plus de 500 correspondants dans 65 pays.
Connections propose une gamme complète de produits : les tarifs aériens spécialement négociés pour sa clientèle (licence IATA) et, en exclusivité pour le marché belge, les très avantageux et flexibles billets SATA réservés aux jeunes et étudiants ; toutes les formules rails et, en particulier, les Explorers Pass (Europe, Asie, États-Unis), les billets BIGE et l'Eurodomino ; le bus avec plus de 300 destinations en Europe (un tarif exclusif pour les étudiants) ; toutes les possibilités d'arrangement terrestre (hébergement, location de voitures, « self-drive tours », circuits accompagnés, vacances sportives, expéditions...), principalement en Europe et en Amérique du Nord ; de nombreux services aux voyageurs comme l'assurance-voyage ISIS ou les cartes internationales de réductions (la carte internationale d'étudiant ISIC et la carte jeune Euro-26).

▲ **NOUVEAU MONDE :** *ISTC,* 1, rue Van-Eyck, Bruxelles 1050. ☎ (02) 649-55-33 et (02) 649-81-84. Ouvert de 9 h à 18 h, fermé le samedi.

▲ **NOUVELLES FRONTIÈRES**
– *Anvers :* Nationale Straat, 14, 2000. ☎ (03) 232-09-87. Fax : (03) 226-29-50.
– *Bruges :* Noordzand Straat, 42, 8000. ☎ (050) 34-05-81.
– *Bruxelles :* bd Lemonnier, 2, 1000. ☎ (02) 547-44-44. Fax : (02) 513-16-45.
– *Bruxelles :* chaussée d'Ixelles, 147, 1050. ☎ (02) 513-68-15.
– *Bruxelles :* chaussée de Waterloo, 690, 1180. ☎ (02) 646-22-70.
– *Gand :* Nederkouter, 77, 9000. ☎ (09) 224-01-06.
– *Liège :* bd de la Sauvenière, 32, 4000. ☎ (041) 23-67-67.
– *Mons :* rue d'Havré, 56, 7000. ☎ (065) 84-24-10. Fax : (065) 84-15-48.
Également au ***Luxembourg :*** 25, bd Royal, Luxembourg 2449. ☎ 46-41-40.

▲ **PAMPA EXPLOR** : av. de Brugmann, 250, Bruxelles 1180. ☎ (02) 343-75-90. Fax : (02) 346-27-66. Ouvert de 9 h à 19 h en semaine et de 9 h à 17 h le samedi. Également sur rendez-vous, à l'agence, ou à votre domicile. Possibilité de paiement par carte de crédit.
L'insolite et les découvertes « en profondeur » au bout des Pataugas ou sous les roues du 4 x 4. Grâce à des circuits ou des voyages à la carte entièrement personnalisés, conçus essentiellement pour les petits groupes, voire les voyageurs isolés. Des voyages originaux, pleins d'air pur et de contacts, dans le respect des populations et de la nature. Pratiquement dans tous les coins de la « planète bleue », mais surtout dans les pays encore vierges du « tourisme de masse ». Sans oublier les inconditionnels de la forêt amazonienne, les accros de paysages andins ou les mordus des horizons asiatiques. Envoi gratuit de documents.

▲ **SERVICES VOYAGES ULB** : campus ULB, av. Paul-Héger, 22, Bruxelles, et hôpital universitaire Erasme. Ouvert de 9 h à 17 h sans interruption du lundi au vendredi. Le voyage à l'université, accueil évidemment très sympa. Billets d'avion charter ou sur compagnies régulières à des prix hyper compétitifs.

▲ **TAXISTOP**
– *Taxistop :* rue Fossé-aux-Loups, 28, Bruxelles 1000. ☎ (02) 223-22-31. Fax : (02) 223-22-32. Ouvert du lundi au vendredi de 9 h 30 à 18 h.
– *Airstop Bruxelles :* même adresse que Taxistop. ☎ (02) 223-22-60. Fax : (02) 223-22-32.
– *Airstop Courtrai :* Wijngaardstraat, 16, Courtrai 8500. ☎ (056) 20-50-63. Fax : (056) 20-40-93.
– *Taxistop Gand :* Onderbergen, 51, Gand 9000. ☎ (09) 223-23-10. Fax : (09) 224-31-44.
– *Airstop Gand :* Onderbergen, 51, Gand 9000. ☎ (09) 224-00-23. Fax : (09) 224-31-44.

– *Taxistop :* place de l'Université, 41, Louvain-la-Neuve 1348. ☎ (010) 45-14-14. Fax : (010) 45-51-20.
– *Airstop Anvers :* Sint Jacobsmarkt, 86, Anvers 2000. ☎ (03) 226-39-22. Fax : (03) 226-39-48.

▲ TEJ
– *Bruxelles :* jardin Martin-V, 18, 1200. ☎ (02) 762-52-68. Fax : (02) 772-85-25.
– *Louvain-la-Neuve :* Grand-Place, 2, 1348. ☎ (010) 45-12-43. Fax : (010) 45-52-19.
Actuellement, le TEJ n'est plus représenté que sur deux sites universitaires, mais grâce aux accords conclus avec Eole pour élargir l'ancien produit vols, les anciens du TEJ ont l'occasion de se retrouver régulièrement sur les circuits et dans les centres de vacances.

EN SUISSE

C'est toujours cher de voyager au départ de la Suisse, mais ça s'améliore. Les charters au départ de Genève, Bâle ou Zurich, sont de plus en plus fréquents ! Pour obtenir les meilleurs prix, il vous faudra être persévérant et vous munir d'un téléphone. Les billets au départ de Paris ou Lyon ont toujours la cote au hit-parade des meilleurs prix. Les annonces dans les journaux peuvent vous réserver d'agréables surprises, spécialement dans le *24 Heures* et dans *Voyages Magazine.*
Tous les tour-opérateurs sont représentés dans les bonnes agences : *Kuoni, Hotelplan, Jet Tours,* le *TCS* et les autres peuvent parfois proposer le meilleur prix, ne pas les oublier !

▲ ARTOU
– *Fribourg* : 31, rue de Lausanne, 1700. ☎ (037) 22-06-55.
– *Genève* : 8, rue de Rive, 1200. ☎ (022) 818-02-00. Librairie : ☎ (022) 818-02-40.
– *Lausanne* : 18, rue Madeleine, 1000. ☎ (021) 323-65-64. Librairie : ☎ (021) 323-65-56.
– *Sion* : 44, rue du Grand-Pont, 1950. ☎ (027) 22-08-15.
– *Neuchâtel* : 2, Grand'Rue, 2000. ☎ (038) 24-64-06.
– *Lugano :* via Pessina, 14a. ☎ (091) 21-36-90.
Demandez leur documentation (très bien faite) et leurs tarifs spéciaux sur les billets d'avion. Une librairie du voyageur complète les prestations de chaque agence.

▲ NOUVELLES FRONTIÈRES
– *Genève :* 10, rue des Chantepoulet, 1201. ☎ (022) 732-04-03.
– *Lausanne :* 19, bd de Grancy, 1006. ☎ (021) 26-88-91.

▲ SSR
– *Fribourg :* 35, rue de Lausanne, 1700. ☎ (037) 22-61-62.
– *Genève :* 3, rue Vignier, 1205. ☎ (022) 329-97-34.
– *Lausanne :* 20, bd de Grancy, 1006. ☎ (021) 617-58-11.
Le SSR est une société coopérative sans but lucratif dont font partie les employés SSR et les associations d'étudiants. De ce fait, il offre des voyages, des vacances et des transferts très avantageux, et tout particulièrement des vols secs. Délivre les cartes internationales d'étudiants et les cartes Jeunes.
Billets Euro-Train (jusqu'à 26 ans non compris).

AU QUÉBEC

▲ VACANCES TOURBEC
– *Montréal :* 3419, rue Saint-Denis, H2X-3L2. ☎ (514) 288-4455. Fax : (514) 288-1611.
– *Montréal :* 3506, av. Lacombe, H3T-1M1. ☎ (514) 342-2961. Fax : (514) 342-8267.
– *Montréal :* 595, Ouest de Maisonneuve, H3A-1L8. ☎ (514) 842-1400. Fax : (514) 287-7698.
– *Montréal :* 1887 Est, rue Beaubien, H2G-1L8. ☎ (514) 593-1010. Fax : (514) 593-1586.
– *Montréal :* 309, bd Henri Bourassa Est, H3L-1C2. ☎ (514) 858-6465. Fax : (514) 858-6449.

– *Montréal :* 6363, rue Sherbrooke Est, H1N-1C4. ☎ (514) 253-4900. Fax : (514) 253-4274.
– *Montréal :* 364, rue Sherbrooke Est, H2X-1E6. ☎ (514) 987-1106. Fax : (514) 987-1107.
– *Chicoutimi :* 1120, bd Talbot, G7H-1Y3. ☎ (418) 690-3073. Fax : (418) 690-3077.
– *Laval :* 155-E, bd des Laurentides, H7G-2T4. ☎ (514) 662-7555. Fax : (514) 662-7552.
– *Laval :* 1658, bd Saint-Martin Ouest, H7S-1M9. ☎ (514) 682-5453. Fax : (514) 682-3095.
– *Longueuil :* 117, rue Saint-Charles, J4H-1C7. ☎ (514) 679-3721. Fax : (514) 679-3320.
– *Québec :* 30, bd René-Lévesque Est, QC G1R-2B1. ☎ (418) 522-2791. Fax : (418) 522-4556.
– *Saint-Lambert :* 2001, rue Victoria, J4S-1H1. ☎ (514) 466-4777. Fax : (514) 466-9128.
– *Sainte-Foy :* Place des Quatre Bourgeois, 999, rue de Bourgogne, G1W-4S6. ☎ (418) 656-6555. Fax : (418) 656-6996.
– *Sherbrooke :* 1578 rue King, Ouest, J1J-2C3. ☎ (819) 563-4474. Fax : (819) 822-1625.
– *Sherbrooke :* 610 rue Galt, Ouest, J1H-1Y9. ☎ (819) 823-0023. Fax : (819) 823-6960.
Cette association, bien connue au Québec, organise des charters en Europe.
Sa spécialité, la formule avion + auto.

EN BUS

Qu'à cela ne tienne, il n'y a pas que l'avion pour voyager. A condition d'y mettre le temps, on peut se déplacer en bus – on ne dit pas « car », qui a des relents de voyage organisé. En effet, le bus est bien moins consommateur d'essence par passager/kilomètre que l'avion. Ce système de transport est fort valable à l'intérieur de l'Europe, à condition de ne pas être pressé ni à cheval sur le confort. Il est évident que les trajets sont longs et les horaires élastiques. On n'en est pas au luxe des Greyhound américains où l'on peut faire sa toilette à bord. En général, les bus affrétés par les compagnies sont assez confortables : air conditionné, dossier inclinable (exiger des précisions avant le départ). En revanche, dans certains pays, le confort sera plus aléatoire.
Mais, en principe, des arrêts toutes les 3 ou 4 h permettent de ne pas arriver avec une barbe de vieillard.
N'oubliez pas qu'avec un trajet de 6 h, en avion on se déplace, en bus on voyage. Et puis en bus, la destination finale est vraiment attendue, en avion elle vous tombe sur la figure sans crier gare, sans qu'on y soit préparé psychologiquement. Prévoyez une couverture ou un duvet pour les nuits fraîches : le Thermos à remplir de bouillant ou de glacé entre les étapes (on n'a pas toujours soif à l'heure dite) et aussi de bons bouquins.
Enfin c'est un moyen de transport souple : il vient chercher les voyageurs dans leur région, dans leur ville. La prise en charge est totale de bout en bout. C'est aussi un bon moyen pour se faire des compagnons de voyage.

Organismes de bus

▲ **CLUB ALLIANCE** : 99, bd Raspail, 75006 Paris. ☎ 45-48-89-53. M. : Notre-Dame-des-Champs. Spécialiste des week-ends (Londres, Amsterdam, Bruxelles) et des ponts de 4 jours (Jersey, Berlin, Copenhague, Venise, Vienne, Prague, Florence, châteaux de la Loire, le Mont-Saint-Michel...). Circuits économiques de 1 à 16 jours en Europe, y compris en France. Brochure gratuite sur demande.

▲ **EUROLINES**
– *Paris :* gare routière internationale de Paris-Gallieni, BP 313, 28, av. du Général-de-Gaulle, 93541 Bagnolet Cedex. ☎ 49-72-51-51. M. : Gallieni.
– *Paris :* Travelstore, 14, bd de la Madeleine, 75014. ☎ 53-30-50-35.
– *Paris :* Paris-Saint-Jacques, 55, rue Saint-Jacques, 75005. ☎ 43-54-11-99.
– *Versailles :* 4, av. de Sceaux, 78000. ☎ 39-02-03-73.
– *Aix-en-Provence :* gare routière, rue Lapierre, 13100. ☎ 42-27-45-01.
– *Avignon :* gare routière, 58, bd Saint-Roch, 84000. ☎ 90-85-27-60.

– *Bayonne :* 3, place Charles de Gaulles, 64100. ☎ 59-59-19-33.
– *Bordeaux :* 32, rue Charles-Domercq, 33800. ☎ 56-92-50-42.
– *Lille :* 23, parvis Saint-Maurice, 59000. ☎ 20-78-18-88.
– *Lyon :* gare routière, centre d'échanges de Lyon-Perrache, cour de Verdun. ☎ 72-41-09-09.
– *Marseille :* gare routière, place Victor-Hugo, 13003. ☎ 91-50-57-55.
– *Montpellier :* gare routière, place du Bicentenaire, 34000. ☎ 67-58-57-59.
– *Nantes :* gare routière Baco, Maison-Rouge, 44000. ☎ 51-72-02-03.
– *Nîmes :* gare routière, rue Saint-Félicité, 30000. ☎ 66-29-49-02.
– *Perpignan :* cour de la Gare, 66000. ☎ 68-34-11-46.
– *Strasbourg :* 5, rue des Frères, 67000. ☎ 88-22-57-90.
– *Toulouse :* gare routière, 68, bd Pierre-Sémard, 31000. ☎ 61-26-40-04.
– *Tours :* 76, rue Bernard-Palissy, 37000. ☎ 47-66-45-56.

Avec Eurolines, leader des lignes régulières internationales par autocars. Plus de 1 200 destinations sont proposées à des prix vraiment sympa : Allemagne, Autriche, Belgique, Bulgarie, Danemark, Espagne, Estonie, Finlande, Grande-Bretagne, Grèce, Italie, Irlande, Lituanie, Maroc, Norvège, Pays-Bas, Portugal, Républiques tchèque et slovaque, Roumanie, Russie et Turquie.
Emprunter le réseau Eurolines, c'est voyager confortablement. Les véhicules sont équipés de standards de qualités : radio, vidéo, climatisation, toilettes et sièges inclinables. Accueilli(e) par votre conducteur, véritable capitaine de votre voyage, vous serez sagement conduit(e) à bon port...
Nouveau, l'Eurolines Pass, qui offre la possibilité de voyager sans limites à destination de certaines métropoles européennes dont Vienne, durant une période de 30 à 60 jours à tarifs très intéressants.

EN BELGIQUE

▲ **EUROPABUS :** place de Brouckère, 50, Bruxelles 1000. ☎ (02) 217-66-60. Fax : (02) 217-31-92. Cette société assure des liaisons dans toute l'Europe.

EN TRAIN

Avant toute chose, il faut savoir que le train en Autriche est beaucoup moins cher qu'en France. La nouvelle carte Inter-Rail, qui est en fait un Pass réservé aux plus de 12 ans et moins de 26 ans, est utilisable en Autriche comme dans la plupart des pays d'Europe centrale. Cette carte permet de bénéficier, en 2e classe, de la gratuité du transport sur la zone choisie (pendant 15 jours à un mois suivant le pass) et d'une réduction de 50 % sur un aller-retour du réseau émetteur. Se renseigner auprès des transporteurs.
Hyper avantageux quand on veut enchaîner plusieurs pays. Et ça simplifie la vie : essayez un peu de réserver un Varsovie-Budapest en polonais, pour voir !
Autre formule très avantageuse pour les jeunes de moins de 26 ans : les billets BIJ (billet international de jeune). Ces billets sont proposés avec une réduction d'environ 20 % en 2e classe pour les trafics simples ou aller-retour. Ils sont valables certains jours et sur certains trains qui sont indiqués sur la fiche horaire jointe au billet.
Quelques remarques sur ces billets :

- Les arrêts en cours de route sont réglementés sur la SNCF, valables 24 h maximum après le compostage.
- En France et dans certains pays (se renseigner sur place), il est nécessaire de faire tamponner son billet avant de reprendre le train.
- Obligation de reprendre le voyage sur des trains autorisés.
- Il est possible d'utiliser un itinéraire BIJ à l'aller et un autre au retour.

Exemple : entrer en Espagne par Port-Bou et sortir par Hendaye.

- Si vous allez au-delà d'une destination BIJ, vous pouvez obtenir, au guichet des agences BIJ, en plus du billet BIJ, un billet complémentaire au prix normal.
- Obtention : auprès d'agences spécialisées dans la clientèle jeunes.

▲ LES AGENCES WASTEELS

A Paris

- 5, rue de la Banque, 75002. ☎ 42-61-53-21. M. : Bourse.
- 8, bd de l'Hôpital, 75005. ☎ 43-36-90-36. M. : Gare-d'Austerlitz.
- 113, bd Saint-Michel, 75005. ☎ 43-26-25-25. M. : Luxembourg.
- 6, rue Monsieur-le-Prince, 75006. ☎ 43-25-58-35. M. : Odéon.
- 12, rue La Fayette, 75009. ☎ 42-47-09-77. M. : Chaussée-d'Antin.
- 91, bd Voltaire, 75011. ☎ 47-00-27-00. M. : Oberkampf.
- 2, rue Michel-Chasles, 75012. ☎ 43-43-46-10. M. : Gare-de-Lyon.
- 3, rue Abel, 75012. ☎ 43-45-85-12. M. : Gare-de-Lyon.
- 193 à 197, rue de Bercy, 75012. ☎ 40-04-67-51. M. : Gare-de-Lyon.
- 6, chaussée de la Muette, 75016. ☎ 42-24-07-93. M. : Muette.
- 58, rue de la Pompe, 75016. ☎ 45-04-71-54. M. : Rue de la Pompe.
- 150, av. de Wagram, 75017. ☎ 42-27-29-91. M. : Wagram.
- 3, rue Poulet, 75018. ☎ 42-57-69-56. M. : Château-Rouge.
- 146, bd de Ménilmontant, 75020. ☎ 43-58-57-87. M. : Ménilmontant.
- *Nanterre* : université Paris X, 200, av. de la République, 92001 Cedex. ☎ 47-24-24-06.
- *Versailles* : 4 *bis*, rue de la Paroisse, 78000. ☎ 39-50-29-30.

En province

- *Aix-en-Provence* : 5 *bis*, cours Sextius, 13100. ☎ 42-26-26-28.
- *Angoulême* : 49, rue de Genève, 16000. ☎ 45-92-56-89.
- *Béziers* : 66, allée Paul-Riquet, 34500. ☎ 67-28-31-78.
- *Bordeaux* : 65, cours d'Alsace-Lorraine, 33000. ☎ 56-48-29-39.
- *Chambéry* : 17, faubourg Reclus, 73000. ☎ 79-33-04-63.
- *Clermont-Ferrand* : 69, bd Trudaine, 63000. ☎ 73-91-07-00.
- *Dijon* : 16, av. du Maréchal-Foch, 21000. ☎ 80-43-65-34.
- *Grenoble* : 50, av. Alsace-Lorraine, 38000. ☎ 76-47-34-54.
- *Lille* : 25, place des Reignaux, 59800. ☎ 20-06-24-24.
- *Lyon* : 5, place Ampère, 69002. ☎ 78-42-65-37.
- *Marseille* : 87, la Canebière, 13001. ☎ 91-95-90-12.
- *Metz* : 3, rue d'Austrasie, 57000. ☎ 87-66-65-33.
- *Montpellier* : 6, rue de la Saunerie, 34000. ☎ 67-58-74-26.
- *Mulhouse* : 14, av. Auguste-Wicky, 68100. ☎ 89-46-18-43.
- *Nancy* : 1 *bis*, place Thiers, 54000. ☎ 83-35-42-29.
- *Nantes* : 6, rue Guépin, 44000. ☎ 40-89-70-13.
- *Nice* : 32, rue de l'Hôtel-des-Postes, 06000. ☎ 93-92-08-10.
- *Reims* : 24, rue des Capucins, 51100. ☎ 26-40-22-08.
- *Roubaix* : 11, rue de l'Alouette, 59100. ☎ 20-70-33-62.
- *Rouen* : 111 *bis*, rue Jeanne-d'Arc, 76000. ☎ 35-71-92-56.
- *Saint-Étienne* : 28, rue Gambetta, 42000. ☎ 77-32-71-77
- *Strasbourg* : 13, place de la Gare, 67000. ☎ 88-32-40-82.
- *Thionville* : 21, place du Marché, 57100. ☎ 82-53-35-00.
- *Toulon* : 3, rue Vincent-Courdouan, 83000. ☎ 94-92-93-93.
- *Toulouse* : 1, bd Bonrepos, 31000. ☎ 61-62-67-14.
- *Tours* : 11, rue des Cerisiers, 37000. ☎ 47-64-00-26.

En Belgique

- Rue Malibran, 1, Bruxelles 1050. ☎ (02) 640-80-17.
- Ch. de Waterloo, 180, Bruxelles 1060. ☎ (02) 537-24-66.
- Av. P.H.-Spaak, 15, Bruxelles 1070. ☎ (02) 524-01-78.
- Rue du Bailli, 14, Bruxelles 1050. ☎ (02) 648-06-70.
- Gare-du-Nord, Bruxelles. ☎ (02) 217-55-37.

Au départ de Paris, sept trains pour Salzbourg dont deux directs, neuf pour Vienne dont deux directs également, et huit trains pour Innsbruck.
Pour les trains non directs, changement à Munich ou à Bâle.
Pour les horaires et les réservations, appeler les ***renseignements SNCF :*** ☎ 45-82-50-50. Ou sur Minitel : 24 h sur 24 au 36-15 ou 36-16, code SNCF.
Réductions : jusqu'à la frontière, en période bleue ou blanche avec les cartes famille, couple, carrissimo, etc.

EN VOITURE

Ceux qui ont bien suivi leurs cours de géographie savent sans doute que l'Autriche est un pays voisin de l'Allemagne et de la Suisse, eux-mêmes pays frontaliers de la France. Ceux qui étaient à cette époque entre le radiateur et la fenêtre peuvent encore consulter une carte pour constater cette réalité. En tout cas, vous l'avez compris, ce n'est pas loin ! Pour ceux qui partent de Paris ou d'une ville au nord de Lyon, on conseille de passer par l'Allemagne car, après Strasbourg, les autoroutes sont gratuites et l'essence est moins chère, tandis qu'en Suisse les autoroutes sont chères.
Comme il faut bien s'y retrouver quelque part, les parkings dans les villes sont relativement onéreux. En revanche, les transports en commun dans les villes sont bon marché et fréquents.
Faites attention aux limitations de vitesse ; dans certaines villes, comme Graz par exemple, la vitesse est limitée à 30 km/h ! Dans certaines régions, on ne trouve que de l'essence sans plomb.

GÉNÉRALITÉS

Pêle-mêle, pour beaucoup, l'Autriche évoque tout d'abord une nature prodigieusement préservée (dénuée généralement de fautes architecturales), des lacs aux eaux pures et chaudes, de superbes massifs montagneux et de fameuses stations de ski, des coutumes et des traditions encore bien vivantes... Dans le même temps apparaissent des images de villes prestigieuses, porteuses de rêve, auxquelles on colle automatiquement les épithètes de romantique, suave, voire littéraire ou riche musicalement... Salzbourg, Graz, Innsbruck, Bregenz, pour n'en citer que quelques-unes. Pour d'autres, c'est Vienne qui sera la première motivation, cette ville si riche historiquement, duelle, contradictoire, fascinante à souhait, cette ville si fertile en courants de pensée et artistiques qui marquèrent profondément le monde. Presque un pays à elle seule.
Vous l'avez compris, l'Autriche est capable de mettre dans le même avion l'admirateur de la discipline de ses habitants et de la propreté de leurs villes, l'écolo monomaniaque, amoureux de nature, et l'intello curieux, avide de découvrir comment un si petit pays a pu produire autant de génies universels. Au fait, vous-même, peut-être y irez-vous pour d'autres bonnes raisons. En tout cas, croyez-nous, là-bas, on ne tarde pas à découvrir aussi celles des autres...

Carte d'identité

– ***Population :*** 7,83 millions (1994).
– ***Superficie :*** 83 850 km² (l'Autriche est moins étendue que l'île d'Irlande mais environ deux fois plus grande que la Suisse).
– ***Capitale :*** Vienne (environ 1 525 000 habitants).
– ***Autre ville importante :*** Graz, 250 000 habitants.
– ***Régime politique :*** république, démocratie parlementaire. Le pays est divisé en 9 Länder.
– ***Langue :*** allemand, et le slovène pour une minorité située au sud-est du pays.
– ***Décalage horaire :*** + 1 h, par rapport à Paris.
– ***Meilleure époque pour voyager :*** mai-septembre.

Adresses utiles, formalités

EN FRANCE

■ ***Office national autrichien du tourisme :*** BP 475, 75366 Paris Cedex 08. ☎ 53-83-95-20. Fax : 45-61-97-67. Minitel : 36-15, code AUTRICHE. Renseignements uniquement par téléphone ou par courrier. Efficacité et excellente doc (notamment deux brochures pour découvrir l'histoire de la France et de l'Autriche : « Empires et monarchies au fil du Danube » et « A la rencontre de Marie-Antoinette et des Bourbons »).

■ ***Ambassade d'Autriche :*** 6, rue Fabert, 75007 Paris. ☎ 45-55-95-66. Fax : 45-55-63-65. M. : Invalides.

■ ***Consulat d'Autriche :*** 12, rue Edmont-Valentin, 75007 Paris. ☎ 47-05-27-17. M. : École-Militaire. Consulats également à *Bordeaux* (☎ 56-00-00-70), *Lyon* (☎ 72-40-97-89), *Marseille* (☎ 91-53-02-08), *Nice* (☎ 93-87-01-31), *Strasbourg* (☎ 88-35-13-94).

■ ***Institut culturel autrichien :*** 30, bd des Invalides, 75007 Paris. ☎ 47-05-27-10. M. : Saint-François-Xavier.

■ ***Austrian Airlines :*** 4, rue Ferrus, 75014 Paris. ☎ 45-81-11-01. M. : Glacière ou Saint-Jacques.

■ ***Air France :*** 119, av. des Champs-Élysées, 75008 Paris. ☎ 44-08-24-24. M. : Charles-de-Gaulle-Étoile. Et dans les agences de voyages et agences Air France.

■ ***Autriche Plus :*** 47, av. de l'Opéra, 75002 Paris. ☎ 42-66-13-09. Fax : 42-66-24-81. M. : Opéra. Centrale de réservation pour les spectacles, concerts, ballets, théâtres etc. Également centrale de réservation d'hôtels en Autriche (voir rubrique « Hébergement »).

■ ***Box office International Travelstore :*** 14, bd de la Madeleine, 75008 Paris. M. : Madeleine. ☎ 49-95-08-06. Fax : 42-85-14-49. Ouvert du lundi au

samedi de 10 h 30 à 19 h 30. Cette agence de billetterie internationale permet de réserver à l'avance ses places de spectacles dans les grandes villes européennes et des États-Unis. En Autriche, choix d'opéras et de ballets à Vienne et Salzbourg.
Envoi gratuit du programme des spectacles par fax ou par courrier.

EN BELGIQUE

Office national autrichien du Tourisme : av. Louise, 106 B, Bruxelles 1050. ☎ (02) 646-06-10. Fax : (02) 640-46-93.
■ **Ambassade d'Autriche :** Botschaft, rue de l'abbaye, 47 B, Bruxelles 1050. ☎ (0032-2) 64-99-170.

EN SUISSE

– **Österreich Information :** Zweierstrasse, 146, Wieldikerhof, CH 8036 Zürich. ☎ (01) 451-1551. Fax : (01) 451-1180.
■ **Ambassade d'Autriche :** Botschaft, Kirchenfeldstrasse, 28, CH 3005, Berne. ☎ (050-31) 43-01-11.

AU CANADA

■ **Ambassade d'Autriche :** Botschaft, 445 Wilbrod Street, Ottawa, Ontario K1N 6M7. ☎ (001-613) 56-31-444. Fax : 56-30-038.
■ **Consulat d'Autriche (Generalkonsulat) :** 1350 Ouest Sherbrooke, suite 1030, Montréal, Qué H3G 1J1. ☎ (001-54) 84-58-661. Fax : 28-43-503.

FORMALITÉS D'ENTRÉE

– ***Pour les Français, les Suisses et les Belges :*** carte d'identité, passeport en cours de validité (ou périmé de moins de 5 ans).
– ***Pour les Canadiens :*** passeport en cours de validité.

Argent, banques, change

La monnaie autrichienne est le *schilling* (ös) se divisant en 100 *groschen*. Billets de 20, 50, 100, 500 et 1 000 schillings. A propos, Sigmund orne celui de 50. D'aucuns diront que c'est pas beaucoup et un peu humiliant pour le père de la psychanalyse. D'autres que, finalement, c'est aussi l'un des billets circulant le plus, donc une des trombines les plus populaires (bien ! fin de la parenthèse). Monnaie très stable, donc on peut préciser qu'un franc français vaut à peu près 2 schillings (enfin un pays où les calculs de prix vont être faciles !).
Toutes les cartes de crédit sont acceptées. On trouve des distributeurs automatiques de billets acceptant la carte VISA. On est quasiment sûr de pouvoir retirer de l'argent liquide avec la carte VISA dans les banques *Raiffeisenbank, Bank Austria* et *Volksbank* (sur simple présentation du passeport). Pour connaître l'adresse de tous les distributeurs de billets, vous pouvez composer le 36-16, code CBVISA.
On peut aussi changer de l'argent dans toutes les postes, bien pratique.
Si vous partez avec des eurochèques ou chèques de voyage (bien pratique et très sûr), faites attention à la *Komission,* elle diffère selon les agents de change.
– *Horaires des banques :* en général de 8 h à 15 h du lundi au vendredi. Le jeudi jusqu'à 17 h 30. Dans les succursales, on ferme entre 12 h 30 et 13 h 30.

Bals

Au pays de la valse, danser n'est évidemment pas un vain mot. Le passage par une école de danse, même bref, constitue une étape éducative conseillée à tout adolescent. On en sort avec un diplôme (!), prêt à partir festoyer dans les innombrables bals qui sont donnés annuellement. La saison des bals, ou *Fasching* (carnaval), débute le 11 novembre à 11 h 11, pour se terminer au lendemain du Mardi gras (le calendrier des bals est disponible dans les offices du tourisme). Chaque corps de métier, association ou quartier y va de sa fête. Trois petits tours chez les cafetiers, les fleuristes et les confiseurs, et l'on finit en vrac chez les juristes ou les médecins où se pavanent, entre deux valses langoureuses, des filles à marier. N'oubliez pas de réserver une table à l'avance. En général, trois ou quatre orchestres jouent simultanément dans plusieurs salles pour satisfaire toutes les humeurs : Mozart et Strauss peuvent se retourner dans leur tombe, on s'y trémousse aussi sur de la disco ou de la musique folklorique. Notez que la première danse est toujours un quadrille : débutants s'abstenir ! L'ambiance est généralement bon enfant. On est loin des grands bals de l'Orchestre philharmonique de Vienne et de l'Opéra : là, tout n'est que mondanité, ostentation et luxe. Difficile de s'y insérer quand on n'est pas du sérail. Vous pouvez toujours acheter votre ticket pour le poulailler d'où vous apercevrez le président de la République en train de souper dans l'ancienne loge impériale avec quelques V.I.P. Pour les nostalgiques de l'empire.

Budget

Fin 1995, le taux de change était de 1,99 SCH (schilling) pour 1 FF.
Le coût de la vie en Autriche est un peu plus élevé qu'en France, et avoisine celui de l'Allemagne.
– ***Pour les routards voyageant à l'économie :*** prévoir au minimum un budget quotidien moyen de 450 SCH, soit l'équivalent de 230 FF par jour de voyage. Cette somme se décompose de la façon suivante : 170 SCH pour l'hébergement en auberge de jeunesse (sans le petit déjeuner), 150 SCH pour les deux repas du midi et du soir (sandwich à midi, repas plus consistant le soir, ou le contraire), puis 20 à 30 SCH pour les boissons (c'est encore une dépense minimum), et 100 SCH environ pour les billets d'entrée dans les musées, les spectacles, les concerts et les frais divers. Ce poste de dépense varie d'une personne à l'autre, selon le nombre de visites et de sorties nocturnes. A Vienne et en général dans les grandes villes, on dépense toujours plus. A la campagne, en montagne, prévoir de dépenser moins, donc économie à ce moment-là sur l'ensemble de votre budget.
Bref, pour un voyage de 10 jours en Autriche, pour ne pas être trop juste, prévoir grosso-modo la somme de 2 300 F, sans compter les transports en train, ni les avions, ni bien sûr les extra. Pour 15 jours de voyage, avec la somme de 5 000 F, vous tiendrez largement jusqu'au bout, et de plus vous aurez de quoi ramener de jolis souvenirs à vos copains ou à votre famille.
– ***Pour les voyageurs à budget moyens :*** en logeant en alternance dans des pensions bon marché et dans les chambres à prix moyens *(Gästehaus* ou *Privatzimmer),* en prenant deux repas par jour (en alternant petit boui-boui et restaurant), en utilisant les transports en commun, et en visitant ce qu'il y a d'intéressant à voir, il faut compter un budget quotidien de 800 SCH (environ 400 FF) par personne.
A Vienne, où les prix sont plus élevés que dans le reste de l'Autriche, compter 450-550 FF minimum par jour, et 600 FF par jour si vous logez dans l'Inner Stadt (1er arrondissement), où le prix de l'hébergement est encore plus élevé que dans les autres arrondissements.
Bref, pour un voyage de 3 jours à Vienne, emporter environ la somme de 1 300 FF. Pour un voyage de 10 jours en Autriche : 4 000 FF. Pour une voyage d'un mois : avec 10 000 FF, vous êtes tranquille. D'autant que l'on ne dépense pas tous les jours la même somme.

DANS LA RUBRIQUE « OÙ DORMIR ? »

Très bon marché

Jusqu'à 160-180 SCH la nuit pour une personne, soit environ l'équivalent de 80 à 90 FF. A ce tarif-là, on peut se loger dans les auberges de jeunesse. Le petit déjeuner n'est pas inclus dans le prix de la nuit. Dans les campings, une nuit pour 2 personnes sans voiture coûte en moyenne 195 à 200 SCH.

Bon marché

De 180 SCH à 230 SCH la chambre pour 1 personne, soit l'équivalent environ de 180 à 230 FF la nuit pour 2 personnes. Dans cette gamme de tarifs, on trouve de nombreuses petites pensions ainsi que des *Privatzimmer* (chambres chez l'habitant). Généralement, le petit déjeuner est inclus dans le prix de la nuit.

Prix moyens

De 230 à 320 SCH la chambre pour 1 personne, soit l'équivalent environ de 230 à 330 FF la nuit pour 2 personnes. Pensions avec plus de confort.

Plus chic

Plus de 320 SCH la chambre pour 1 personne, soit à partir d'environ 330 FF la nuit pour 2 personnes (petit déjeuner compris). Dans cette catégorie de prix on peut dormir dans des pensions 2 étoiles (ou 3 dans certains coins moins touristiques, donc moins chers).

DANS LA RUBRIQUE « OÙ MANGER ? »

Très bon marché

Autour de 65 SCH pour un mini-repas sur le pouce ou un plat consistant. Dans cette catégorie, on trouve plein de petites cafétérias, des self-service, ainsi qu'une multitude de stands typiquement autrichiens servant des *Broetchen* (petits canapés garnis de divers ingrédients). On en prend 3 ou 4 dans une même assiette, un dessert et une boisson : ça fait un petit repas rapide et peu onéreux.

Bon marché

De 70 à 120 SCH le repas, soit de 35 à 60 FF le repas.

Prix moyens

De 130 à 250 SCH le repas, soit de 65 à 120 FF le repas.

Plus chic

Plus de 250 SCH le repas, soit au-delà de 120 FF le repas.

Cinéastes émigrants

Avant que leur nom ne soit associé à la grande épopée de Hollywood, ils firent partie de ces hordes d'émigrants européens partis vers les rêves du Nouveau Monde ou chassés brutalement par le nazisme. Parfaits inconnus ou cinéastes déjà chevronnés, ils ont conquis l'Amérique au prix de péripéties dignes de leur destin d'aventurier, contribuant à faire de l'usine à rêves qu'était Hollywood la véritable Mecque du septième art.
Prenez, par exemple, Josef von Sternberg. En 1901, à l'âge de 7 ans, il émigre avec ses parents à New York. Retourné un temps en Autriche pour suivre une formation universitaire, il regagne les États-Unis où il commence à rouler durement sa bosse, notamment dans les milieux cinématographiques. *Les Damnés de l'océan* (1928) sera un premier pas vers la reconnaissance. En 1929, Sternberg est appelé en Allemagne où il tourne *L'Ange bleu* avec une jeune actrice, Marlène Dietrich : un coup de maître pour le jeune cinéaste réaliste. A l'affût de nouvelles divas capables de damer le pion à Greta Garbo (remarquable dans *La Rue sans joie* (1925) réalisé par un autre Autrichien : Georg Wilhem Pabst), la firme hollywoodienne Paramount invite Sternberg à revenir aux États-Unis, avec Dietrich. La collaboration de l'Autrichien et de l'Allemande se poursuit outre-Atlantique, ponctuée de chefs-d'œuvre tels que *L'Impératrice rouge* (1934) ou *La Femme et le pantin* (1935).
Autre exemple : Erich von Stroheim. Tout le destinait pourtant à une vie respectable et sans histoires : des études à l'Académie militaire de Vienne et un début de carrière honorable comme officier de la Garde impériale. C'était oublier l'ardeur du militaire qui, en 1909, part se frotter au rêve américain ! Von Stroheim entame alors un véritable parcours de mercenaire, travaillant çà et là comme officier de la cavalerie américaine, capitaine de l'armée mexicaine, maître d'équitation, guide touristique et chanteur de cabaret ! Devenu on ne sait comment metteur en scène, il signe *Folie de femmes* (1922) et *Queen Kelly* (1928), mais Hollywood le boude. Contraint de gagner sa vie, il endosse à nouveau son vieil habit d'officier allemand, mais en tant qu'acteur cette fois-ci ! Billy Wilder, un de ses compatriotes, expatrié en 1933 pour cause de nazisme, l'emploiera une dernière fois dans *Boulevard du crépuscule* (1950) où il joue son propre rôle d'artiste déchu. Mais Wilder n'arrive pas seul. Les années 30 seront les années de tous les exils : Fritz Lang, le grand maître de l'expressionnisme allemand, né à Vienne ; Otto Preminger, assistant du grand metteur en scène de théâtre autrichien, Max Reinhardt, qui réalisera pour le compte de la Fox des films d'anthologie tels que *La Rivière sans retour* ou *Carmen Jones* (1954) ; Fred Zinnemann qui peut se

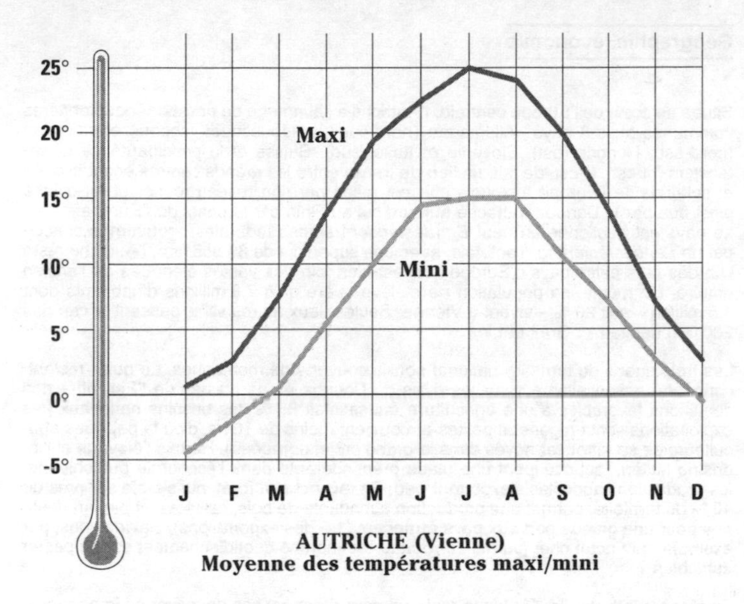

AUTRICHE (Vienne)
Moyenne des températures maxi/mini

targuer d'avoir appris aux Américains l'art et la manière de faire de bons westerns avec *Le Train sifflera trois fois* (1952) !

Climat

Le printemps et l'automne sont sans doute les meilleures périodes pour découvrir Vienne et Salzbourg. Vous éviterez ainsi les pluies et les orages estivaux. Bon, mais en été, on peut toujours se réfugier dans les forêts alpines. En hiver, si le brouillard règne sur les vallées, le soleil rayonne en altitude : pour amateurs de ski fortunés.

Fêtes et festivals

– ***Vienne :*** au Nouvel An, concert du Nouvel An de l'Orchestre philharmonique ; mai-juin : festival de Vienne, concerts, opéras, théâtre, cinéma ; juillet-août : été musical, plus de 200 concerts ; novembre : journées Schubert.
– ***Burgenland :*** à Eisenstadt, de juin à octobre, été musical international. Mörbisch : festival d'opérette sur le lac.
– ***Carinthie :*** à Klagenfurt, juin-juillet, semaine de la Rencontre, attribution du prix Ingeborg Bachmann.
– ***Basse-Autriche :*** à Attersee, en juillet-août, festival de musique de chambre au château de Kammer.
– ***Haute-Autriche :*** à Bad-Ischl, en juillet-août, journées de musique de chambre et semaines d'opérette. Linz : septembre-octobre, festival Bruckner.
– ***Salzburgland :*** toute l'année, concerts au château. Fin janvier, semaine Mozart. Pâques, festival de musique avec le Philharmonique de Berlin. Mai, concerts de Pentecôte. Juillet-août, festival de Salzbourg.
– ***Styrie :*** à Graz, en mai-juin, festival d'opéra ; en septembre-novembre, Automne styrien.
– ***Tyrol :*** à Innsbruck, en juillet-août, concerts au château d'Ambras et festival d'été d'Innsbruck.
– ***Vorarlberg :*** à Bregenz, fin juillet-fin août, festival en plein air. A Hohenems, fin juin, les Schubertiades.

Géographie, économie

Située au cœur de l'Europe centrale, l'Autriche a l'avantage de posséder des frontières communes avec 8 pays : Allemagne (nord-ouest), Républiques tchèque et slovaque (nord-est), Hongrie (est), Slovénie et Italie (sud), Suisse et la principauté de Liechtenstein (ouest). C'est, de fait, un lieu de transit entre les grands centres économiques et culturels de l'Europe auxquels elle est reliée par son réseau routier et ferroviaire ainsi que par le Danube, rattaché aujourd'hui au Rhin par le canal de l'Europe.
Le pays est fractionné en neuf *Bundesländer* (régions fédérales), gouvernés chacun par un *Landesregierung*. Toutefois, avec une superficie de 83 855 km^2, l'Autriche reste l'un des plus petits pays d'Europe : on est bien loin des vastes étendues de l'ancien empire. De même, sa population ne s'élève guère qu'à 7,8 millions d'habitants dont 1,5 million – soit 20 % – vivent à Vienne. Seules deux autres villes passent le cap des 200 000 habitants : Graz et Linz.

Les trois quarts du territoire national sont recouverts de montagnes. Le quart restant, concentré essentiellement sur les rives du Danube et les plaines de l'Est, offre des conditions favorables à une agriculture qui satisfait 85 % des besoins nationaux (les exploitations sont en général petites et couvrent moins de 10 ha, d'où la peur des agriculteurs de se retrouver noyés dans le grand projet européen). Hormis l'élevage et l'industrie laitière, qui occupent une place prépondérante dans l'économie autrichienne, les productions agricoles s'exportent peu. En revanche la forêt, qui s'étale sur près de 40 % du territoire, permet une production abondante de bois, cellulose et papier, destinée pour une grande part aux pays étrangers (1/5 des exportations). Saviez-vous, par exemple, que notre cher journal *Le Monde* est imprimé quotidiennement sur du papier autrichien ?

En matière industrielle, l'Autriche reste un pays d'entreprises de moyenne importance, avec une prédominance des secteurs de la chimie et des constructions mécaniques. L'Autriche n'a, pour équilibrer sa balance commerciale, que quelques petits produits d'exportation qu'elle est seule à fabriquer, tel le Loden tyrolien. Bien que le bassin viennois soit riche en pétrole et en gaz naturel, 70 % de l'énergie électrique provient des centrales hydrauliques édifiées le long du Danube et des rivières alpines (n'oublions pas que les Alpes sont également un gigantesque château d'eau, lequel sert notamment à alimenter les robinets domestiques). La seule centrale nucléaire jamais construite dans ce pays – dont la conscience écologique est très développée – a été interdite d'exploitation à la suite du référendum populaire de 1978 (ah ! cette vieille manie des Autrichiens d'entreprendre des choses inutiles pour, ensuite, se rétracter devant le fait accompli).

L'Autriche possède en outre dans son sous-sol des minerais de lignite – dont l'exploitation tend à diminuer depuis que l'on connaît ses effets néfastes sur l'environnement –, de plomb, de graphite et surtout de magnésite dont elle est la première productrice mondiale. Le fer d'Eisenerz (la plus grande mine de fer d'Europe à ciel ouvert) alimente les sidérurgies de Linz et de Donawitz qui se targuent d'avoir inventé une technique de fabrication appelée LD et utilisée sous licence dans le monde entier.
C'est, enfin, un pays soumis à des influences climatiques diverses : au nord un climat continental, dans les hauts massifs de l'Ouest, un climat alpin avec de très grands écarts de température et des chutes de neige abondantes. L'Est, qui appartient déjà à la plaine hongroise, a un climat pannonique caractérisé par un printemps court et un automne sec et beau.

Hébergement

– ***Auberges de jeunesse :*** près d'une centaine bien réparties sur le territoire. Carte des A.J. obligatoire. Peu acceptent ceux qui n'en ont pas (petit supplément de toute façon).
• *Österreichischer Jugendherbergsverband :* Schottenring 28, A-1010 Vienne. ☎ 533-53-53.

Nouveau : la FUAJ offre à ses adhérents la possibilité de réserver au départ de la France dans des auberges de jeunesse situées en France ou à l'étranger, grâce à un

réseau informatique qui couvre plus de 30 pays en Europe (France, Espagne, Italie, Portugal, Grèce, Grande-Bretagne, Irlande, Allemagne, Autriche, Belgique, Finlande, Suède, Danemark, etc.) et dans le monde entier (Brésil, Canada, États-Unis, Indonésie, Japon, etc.).
Gros avantage, les A.J. étant souvent complètes, votre lit est réservé à la date souhaitée. La procédure est simple, il suffit de téléphoner pour demander si le pays où vous vous rendez est relié par ordinateur. Si c'est le cas, vous devrez remplir un formulaire de réservation. Vous saurez instantanément s'il y a de la place (aucun frais ne vous sera demandé si la réponse est négative) et quel est le prix des nuitées. Vous réglez en France. L'intérêt, c'est que tout cela se passe avant le départ, en français, et en francs ! Vous recevrez en échange un bon d'hébergement que vous présenterez à l'A.J. une fois sur place. Ce service permet aussi d'annuler et d'être remboursé (se renseigner sur les délais d'annulation au moment de la réservation).

- *Paris :* FUAJ, 27, rue Pajol, 75018. ☎ 44-89-87-27. Fax : 44-89-87-10. M. : Marx-Dormoy, Gare-du-Nord (RER B) ou La Chapelle.
- *Paris :* A.J. «D'Artagnan », 80, rue Vitruve, 75020. ☎ 40-32-34-53. Fax : 40-32-34-55. M. : Porte-de-Bagnolet.
- *Le Pré-Saint-Gervais :* A.J. Cité des Sciences, 24, rue des Sept-Arpents, 93310. ☎ 48-43-24-11. M. : Hoche.
- *Aix-en-Provence :* A.J. de Jas-de-Bouffan, 3, av. Marcel-Pagnol, 13090. ☎ 42-20-15-99.
- *Annecy :* A.J., 4, route du Semnoz, 74000. ☎ 50-46-33-19.
- *Boulogne-sur-Mer :* Opale A.J., 66, rue des Pipots, 62200. ☎ 21-32-61-61.
- *Brive :* A.J., 56, av. du Maréchal-Bugeaud, parc Monjauze, 19100. ☎ 55-24-34-00.
- *Carcassonne :* A.J., rue du Vicomte-Trencavel, Cité Médiévale, 11000. ☎ 68-25-23-16.
- *Chamonix :* A.J., 127, montée J.-Balmat, les Pèlerins d'en Haut, 74400. ☎ 50-53-14-52.
- *Grenoble :* A.J., 10, av. du Grésivaudan, la Quinzaine, 38130 Échirolles. ☎ 76-09-33-52.
- *Lyon :* A.J., 51, rue Roger-Salengro, 69200 Vénissieux. ☎ 78-76-39-23.
- *Marseille :* A.J. Marseille-Bonneveine, 47, av. Joseph-Vidal, impasse du Docteur-Bonfils, 13008. ☎ 91-73-21-81.
- *Montpellier :* A.J., rue des Écoles-Laïques, impasse de la Petite-Corraterie, 34000. ☎ 67-60-32-22.
- *Nantes :* bureau FUAJ, au CRIJ, 28, rue du Calvaire, 44000. ☎ 40-20-57-25.
- *Nice :* A.J., route forestière du Mont-Alban, 06300. ☎ 93-89-23-64.
- *Poitiers :* A.J., allée Roger-Tagault, 86000. ☎ 49-58-03-05.
- *Rennes :* Centre International de Séjour-A.J., canal Saint-Martin, 35700. ☎ 99-33-22-33.
- *Strasbourg :* A.J. Strasbourg-Parc du Rhin, rue des Cavaliers, BP 58, 67017. ☎ 88-60-10-20. A.J. René-Cassin, 9, rue de l'Auberge-de-Jeunesse, la Montagne Verte, 67200. ☎ 88-30-26-46.
- *Tours :* A.J. parc de Grandmont, av. d'Arsonval, 37200. ☎ 47-25-14-45.

– ***Universités :*** certaines louent des lits dans des dortoirs. Se renseigner dans les offices du tourisme.

– ***Privatzimmer :*** la solution la moins onéreuse. Chez l'habitant. Le petit déjeuner (souvent copieux) est toujours compris. Signalé par une pancarte *Zimmer frei.* Le minimum de séjour par accueil est de 2 nuits consécutives. En général, simple et propre. L'occasion de rencontrer les Autrichiens. Les offices du tourisme possèdent des listes de *Privatzimmer.* Certains assurent les réservations.

– ***Pensions :*** une autre solution abordable, mais plus chère que la précédente. En général, petites et chaleureuses.

– ***Gasthof et Gasthaus :*** c'est l'auberge familiale, elle assure souvent le logement. De 300 à 400 F pour deux.

– ***Hôtels :*** assez chers. En général, fort bien tenus et confortables.

– ***Campings :*** plusieurs centaines, bien éparpillés dans le pays. Bien tenus mais un peu chers.

- *Österreichischer Camping Club :* Johannesgasse, 20, A1010 Vienne. ☎ (0222) 512-59-52. Pour tous renseignements spécifiques sur le camping en Autriche.

– ***Hôtels et pensions où l'on parle le français :*** en général, des hôtes également francophiles. 90 établissements garantissant que vous ne courez aucun risque d'incommunicabilité. Réservation, courrier, accueil et service en français.

• *Autriche Pro France :* BP 475, 75366 Paris Cedex 08. ☎ 45-61-97-68. Fax : 45-61-97-67. Uniquement par téléphone ou par courrier. Édite une belle brochure avec cartes, photos des établissements, leurs prix, etc.
• *Autriche Plus :* 47, av. de l'Opéra, 75002 Paris. ☎ 42-66-13-09. Fax : 42-66-24-81. M. : Opéra. Centrale de réservation d'hôtels en Autriche, notamment les hôtels du guide *Autriche Pro France.* (Également centrale de réservation de spectacles... voir « Adresses utiles ».)

– ***Sommer Hotels :*** résidences universitaires qui se vident de leurs étudiants en été et qui louent les chambres aux touristes. Appelés aussi *Season Hotels.* En général, du 1er juillet au 30 septembre. La plupart du temps, propres et confortables. Pas si bon marché.

Histoire

Des origines aux Babenberg

De 1000 à 400 av. J.-C., les Illyriens indo-européens, suivis des Celtes, fondent aux alentours de l'actuelle ville de Salzbourg la civilisation de Hallstatt, réputée pour ses techniques d'extraction de sel. Leur succèdent les Romains qui, au début de notre ère, exportent sur les rives fertiles du Danube la vigne ainsi que le christianisme. Certains noms de villes autrichiennes rappellent ainsi les noms des anciens campements romains : Vienne (Vindobona), Linz (Lentia). L'Empire romain, déclinant, évacue le territoire en 416 sous la poussée d'envahisseurs de toute sorte. Charlemagne le conquiert à son tour et en fait un rempart oriental de l'Empire carolingien qu'il baptise du nom de « Marche de l'Est » (repris par Hitler pour désigner l'Autriche annexée sous le IIIe Reich). A sa mort, discordes et rivalités opposent ses fils héritiers et la « Marche » passe aux mains des Magyars, en 880. Le grand changement survient avec la victoire à Augsburg, en 955, de l'empereur allemand Otton Ier qui chasse les Magyars vers l'actuelle Hongrie. Dès 976, celui-ci confie le territoire à une dynastie franco-bavaroise, les Babenberg, qui assurera au pays une longue période de paix et de prospérité. Apparaît alors officiellement le nom d'*Ostarrichi* (pays de l'Est). En 1156, les Babenberg reçoivent le titre de ducs et font de Vienne le centre du duché autrichien.

Les Habsbourg ou la grande Autriche

Lorsque, en 1246, le dernier des Babenberg, Frédéric II, décède sans laisser d'héritier, le roi de Bohême, Przemysl Ottokar II, se rue à bras raccourcis sur le pays. Ce n'est qu'en 1273 qu'apparaît le nom de Habsbourg, famille noble suisse, qui va confondre sa destinée avec celle de l'Autriche durant plus de six siècles consécutifs, jusqu'en 1918. Rodolphe de Habsbourg élimine dare-dare le roi de Bohême à la bataille du Marchfeld en 1278 et s'octroie l'héritage des Babenberg. Dès lors, la « maison d'Autriche » ne cessera d'accroître son pouvoir. Notamment en usant d'une habile politique matrimoniale qui inspirera la célèbre maxime : « Laisse les autres faire la guerre, toi, heureuse Autriche, fais donc des mariages ! » Ayant, par ce subterfuge, gagné une partie de l'Italie, la Bourgogne, les Pays-Bas, la Hongrie, la Bohême et surtout l'Espagne, la puissante famille connaît son apogée sous Charles Quint qui cédera, en 1522, les territoires autrichiens, bohémiens et hongrois à son frère Ferdinand, tout en inaugurant une nouvelle lignée dite « espagnole » de la dynastie.

L'occupation turque

Après avoir envahi la Hongrie, l'armée turque, alliée à la France de Louis XIV, frappe aux portes de Vienne qu'elle assiège en 1629 et en 1683. Et, comme un malheur n'arrive jamais seul, voici la peste qui, en 1678, décime la population de Vienne. Le prince Eugène de Savoie, brillant maréchal mais boudé par les armées française et italienne à cause de sa petite stature, rejoint les troupes autrichiennes. Il repousse avec brio l'envahisseur à Zenta, en 1697, et devient tout de go un héros national. Les Autrichiens reconnaissants lui donneront le château du Belvédère à Vienne, monument de l'art baroque, alors à son apogée. Après la mort du dernier membre de la lignée espagnole des Habsbourg, une nouvelle guerre « de succession » est déclarée entre l'Autriche et la France. Malgré la hargne du Prince Eugène à se battre contre les siens, Charles VI concède l'Espagne mais demeure à la tête d'immenses possessions.

Marie-Thérèse, le pouvoir au féminin

Charles VI n'a pas d'héritier mâle. Qu'à cela ne tienne ! Il crée un document appelé « Pragmatique Sanction » qui permet à sa fille de 23 ans, Marie-Thérèse, d'accéder au rang d'archiduchesse. Régnant de 1740 à 1780, Marie-Thérèse est sans conteste la première grande figure féminine de l'histoire autrichienne. Déjà reine de Hongrie et de Bohême, elle sera aussi impératrice par procuration : ne pouvant prétendre à la couronne du Saint-Empire romain germanique en tant que femme, elle réussit en 1745 à faire élire son mari François-Étienne, duc de Lorraine. Sous-estimée de ses ennemis mais aimée de son peuple, Marie-Thérèse tient tête au grand Frédéric de Prusse, alors ami de Voltaire et allié de la France, ne lui concédant que la Silésie en trois affrontements. Forte d'une intelligence toute féminine, elle sait élaborer des réformes utiles et durables : l'instruction publique devient obligatoire, les universités sont soustraites à l'autorité ecclésiastique pour être des institutions nationales, la torture est abolie. Sans pour autant négliger sa vie de mère : Marie-Thérèse aura 16 enfants, parmi lesquels Marie-Antoinette, future épouse de Louis XVI, et Joseph II, son successeur qui radicalisera son œuvre réformatrice en abolissant le servage des paysans et en instituant l'égalité des confessions religieuses. C'est aussi la grande époque musicale avec Gluck, Haydn et Mozart.

Le début de la fin

Se sentant menacé par les conquêtes napoléoniennes, François II, neveu de Joseph II, dissout le Saint-Empire germanique pour ne pas le donner en pâture aux Français et prend le titre d'empereur héréditaire d'Autriche. Il marie même à Napoléon sa fille, Marie-Louise, future mère du duc de Reichstadt, plus connu sous le surnom de « l'Aiglon ». Mais rien n'y fait : les assauts du génie militaire corse reprennent de plus belle. Après s'être engagé dans la funeste campagne de Russie, Napoléon est vaincu à Leipzig à la bataille des Nations, menée par le prince autrichien Charles de Schwarzenberg. Se tient en 1814 le congrès de Vienne, sous la houlette du chancelier autrichien Metternich, dit « le cocher de l'Europe », qui a pour tâche de réorganiser le continent et de préparer une ère nouvelle. Le style Biedermeier, apparu à cette époque, témoigne d'un repli vers un conservatisme rassurant. Mais, en 1848, la vague des révolutions secouant l'Europe n'épargne pas l'Autriche. François-Joseph, âgé seulement de 18 ans, reprend le trône d'une main autoritaire. La réforme constitutionnelle promise « est jetée par-dessus bord » selon ses propres termes. Après la défaite contre la Prusse de Bismarck à Sadova en 1866, l'Empire, affaibli, veut ménager les Hongrois, et se scinde en une double monarchie, l'Autriche-Hongrie, dotée de parlements séparés. Le nationalisme naissant, encouragé par le panslavisme russe, continue de susciter, à la veille de la Première Guerre mondiale, un climat très tendu dans ce conglomérat d'ethnies diverses. L'évolution politique a beau se poursuivre par l'introduction du suffrage universel, rien ne contente la forte contestation sociale. Des partis politiques se forment : le parti social-démocrate sous le Dr Victor Adler, les chrétiens-sociaux sous Karl Lueger, les nationaux allemands autour de Georg Schönerer. Forte de son essor industriel, Vienne s'enorgueillit pourtant en 1873 d'une Exposition universelle retentissante.

Sissi, la véritable histoire

Oublions vite ce que nous avons vu et appris dans les films. Il est vrai toutefois qu'à quinze ans elle fit la rencontre de l'homme initialement destiné à sa sœur aînée : son cousin et empereur François-Joseph. Mariée un an plus tard, Sissi la frondeuse apporte une bouffée d'air pur à cette cour de Vienne restée guindée et passéiste. Mais aussitôt, elle déroge à son rang contraignant d'impératrice pour laisser libre cours à sa vraie personnalité : soif inaltérable de liberté (elle voyagera beaucoup à la fin de sa vie), culte narcissique de sa beauté (qui n'était pas seulement un don naturel mais le résultat d'une discipline sévère, à tel point qu'il lui arrivait de souffrir de malnutrition ! ses dents étaient par ailleurs très gâtées). Aimant chevaucher à bride abattue pour entretenir sa forme physique, l'impératrice amazone ambitionne aussi d'être une grande poétesse et laissera dans ses archives pas moins de 500 pages de poèmes manuscrits. Elle n'est pas seulement — comme ses détracteurs le prétendent — une jeune fille qu'un déracinement précoce (elle est originaire des montagnes bavaroises) aurait perturbée. Républicaine de cœur, elle a aussi ce sentiment terriblement prémonitoire que la monarchie autrichienne, où elle tient pourtant une place éminente, est caduque et vouée à disparaître. François-Joseph a rencontré en elle son antipode absolu. Lui : militaire et fonctionnaire terre à terre, froid et scrupuleux. Elle : libérale et fantasque. Sissi meurt assassinée à 61 ans. Acte d'un fou ou d'un nationaliste fanatique ? Déjà légende de son vivant, notamment pour avoir poussé François-Joseph à se réconcilier avec les Hongrois, elle est la deuxième femme, après Marie-Thérèse, à avoir marqué l'histoire autrichienne. Son fils Rodolphe, qui a hérité d'elle son anticonformisme, se suicide à Mayerling après avoir été soupçonné de conspirer contre son père.

Le déclin de la Kakanie

Empruntée à l'écrivain Robert Musil, l'appellation ironique de Kakanie est une contraction des termes de *Königlich* (royal) et *Kaiserlich* (Impérial), déjà obsolètes dans cette Autriche du début de siècle. L'archiduc François-Ferdinand, neveu de l'empereur et héritier du trône, est assassiné à Sarajevo le 28 juin 1914 par des indépendantistes serbes. François-Joseph attaque alors la Serbie. C'est le début de la Première Guerre mondiale qui se soldera par l'extraordinaire démembrement de l'Autriche-Hongrie, auquel François-Joseph, mort en 1916, aura la chance de ne pas assister. L'empereur Charles, son successeur, ne peut que quitter le pouvoir le 11 novembre 1918, tandis que l'Assemblée nationale provisoire proclame la République. C'est la fin des Habsbourg. Après un gouvernement de coalition, le parti chrétien-social accède au pouvoir en 1920. Mais le morcellement de l'ancien Empire suscitera des problèmes économiques insurmontables : l'absence de relations commerciales avec les nations nouvellement affranchies — Tchécoslovaquie, Hongrie et Yougoslavie —, asphyxie peu à peu le pays. La Première République, fragilisée dès sa naissance, doit faire face à une crise politique violente entre sociaux-démocrates et conservateurs, constitués en organisations paramilitaires. Le Parlement autrichien s'auto-dissout le 4 mars 1933, laissant le chancelier fédéral Dollfuss transformer la jeune démocratie en État corporatif, et gouverner à coups de décrets. La guerre civile éclate le 12 février 1934. Profitant de la confusion, les nationaux-socialistes, cautionnés par l'Allemagne nazie, tentent un putsch le 25 juillet et assassinent Dollfuss. Son successeur, Kurt von Schuschnigg, accepte, au cours d'un entretien avec Hitler, d'accueillir certains de leurs membres dans son gouvernement. Hitler fait fi du plébiscite que Schuschnigg prévoit d'organiser et laisse entrer ses troupes le 11 mars 1938. Le pro-nazi Seyss Inquart est chargé de constituer un cabinet. L'Anschluss est proclamé et l'Autriche, ramenée *heim ins Reich,* reprend son ancien nom de « Marche de l'Est ».

Après la Seconde Guerre mondiale

Au lendemain de la guerre, le pays est marqué par la pénurie et le chômage. Les quatre puissances d'occupation, États-Unis, URSS, Grande-Bretagne et France, reconnaissent le nouveau gouvernement fédéral du chancelier Leopold Figl qui va jeter les bases d'une seconde république. L'Autriche est alors partagée en quatre zones, Vienne en quatre secteurs avec, en son centre, un secteur international. Dix ans plus tard, le 15 mai 1955, le traité d'État, signé au château du Belvédère, rétablit l'indépendance du pays, sans que des réparations soient exigées : l'Autriche a été reconnue victime de l'Anschluss. Le 26 octobre de la même année, le Parlement vote une loi constitutionnelle conférant à l'Autriche le statut permanent de pays neutre. Toute alliance militaire lui est désormais interdite. Le 14 décembre, c'est l'adhésion à l'ONU. Soucieuse de retrouver son rang dans le concert des nations, Vienne s'emploie à devenir le siège des principales négociations internationales. De 1945 à 1970, le candidat du parti du peuple *(Österreichische Volkspartei)* est chancelier fédéral. En 1971, c'est le parti socialiste *(Sozialistische Partei Österreichs)* qui entre au gouvernement avec, à sa tête, le charismatique et paternel Bruno Kreisky. Juif persécuté pendant la guerre, il fournit aux Autrichiens une occasion d'expier un passé encombrant qui n'a pas encore fini de faire parler de lui.

Waldheim, Jörg Haider, etc.

L'élection de Kurt Waldheim à la présidence de la République le 8 juin 1986 aura au moins eu l'avantage de révéler le rapport trouble qu'une génération d'Autrichiens continue d'entretenir avec leur passé récent. Il est vrai que le pays – reconnu officiellement depuis le traité d'État de 1955 comme première victime du nazisme – n'a pas eu à comparaître devant les tribunaux qui, après guerre, ont jugé l'Allemagne hitlérienne. Qu'a-t-on donc reproché à Waldheim qui ait suscité tant de réactions solidaires ? L'ex-Oberleutnant de la Wehrmacht est accusé sinon d'avoir participé aux crimes nazis commis en 1942 aux Balkans, du moins d'y avoir assisté en spectateur passif. A quoi Waldheim répondra qu'il n'y faisait que son devoir de soldat, non sans avoir longue-

ment nié cet épisode de sa vie, puis reconnu tardivement son « oubli » (or c'est précisément cet « oubli » qui fait tort aux Autrichiens, accusés dans leur ensemble d'amnésie collective). Le magazine autrichien *Profil* a, le premier, soulevé le lièvre en publiant la photocopie du livret militaire de l'ancien secrétaire général des Nations unies, indiquant son appartenance depuis 1938 à la SA (*Sturmabteilung,* corps d'élite des troupes nazies). Le 6 juin 1986, Jacques Chirac, alors Premier ministre, jette à son tour de l'huile sur le feu en rendant publique une fiche de renseignements confirmant la présence de Waldheim dans les Balkans à partir de 1942. Devant ce tir groupé, l'Autriche est blessée dans son orgueil d'ancien « grand empire » et se raidit, accusant les autres nations de s'immiscer dans ses affaires personnelles sous la pression du Congrès juif mondial. Les Autrichiens oublièrent surtout que le président de la République – même s'il pèse peu dans le régime parlementaire autrichien – a aussi un rôle de premier ambassadeur et qu'il se doit d'avoir une personnalité morale sans reproche.
Résultat : le pays est mis au ban de la diplomatie internationale, Waldheim ayant été déclaré *persona non grata* par les États-Unis depuis le 27 avril 1987. On comprend que l'élection en 1992 de Thomas Klestil, candidat conservateur, à la place de Waldheim, ait provoqué de part et d'autre un certain soulagement. Cela dit, nouvelle inquiétude, Jörg Haider et le parti libéral, exploitant le désarroi de l'opinion publique vis-à-vis de l'émigration des ex-pays de l'Est, lancèrent une pétition nationale aux forts relents xénophobes espérant recueillir un million de signatures. Ils n'en obtinrent même pas 500 000. Mais aujourd'hui, l'Autriche connaît une montée en puissance du parti d'extrême droite, Jörg Haider se veut vraiment le « Monsieur Propre » autrichien (dénonciation des étrangers, par exemple). Il a obtenu 22 % des suffrages aux élections législatives du 9 octobre 1994. Craignos ! Les deux grands partis de la coalition sortante, les sociaux démocrates et les conservateurs, conservent malgré tout la majorité absolue, avec près de 63 % des voix.

Langue

Prononciation

La prononciation et l'intonation sont très importantes pour se faire comprendre en Autriche. Aucune lettre n'est muette, elles doivent toutes être prononcées.

e se prononce *é*
g se prononce *gué*
j se prononce *yeu*
q se prononce *qveu*
u se prononce *ou*
v se prononce *f*
w se prononce *v*

y se prononce *u*
z se prononce *tset*
ä se prononce *è*
ö se prononce *œ*
ü se prononce *u*
au se prononce *ao*
eu se prononce *oï*

– *Attention :* derrière des voyelles fortes (a, o, u), le couple de consonnes « ch » se prononce « r » (exemple : *Buch* se prononce « bour », alors que *Bücherei* se prononce « bucheraï »).
– Autre particularité : Le « ß » (appelé « estset ») est une lettre qui n'existe que dans l'alphabet allemand. Il se traduit par le double s, et se prononce de la même façon. Exemple : *Straße = Strasse.*

Un peu de grammaire

Très structurée et loin d'être simple, la langue allemande est riche, tellement riche que sa grammaire est la hantise principale de tous les cancres au lycée. En effet, elle ne laisse aucune place au hasard : tout se décline, comme en latin. Les verbes, les adjectifs, les articles et les pronoms, c'est à en perdre son allemand !
– Dans la phrase simple : le verbe occupe toujours la seconde place. Exemple : *Er* ***spielt*** *mit dem Ball* (il joue avec la balle).
– Dans la subordonnée : le verbe est renvoyé en fin de phrase, ce qui complique l'affaire : *Er spielt mit dem Ball, der rot* ***ist*** (il joue avec la balle qui est rouge). La virgule devant le pronom relatif (ici, *der*) est indispensable.
– *Attention :* les noms communs prennent toujours une majuscule. Exemple : *der Ball* (la balle). Ne confondez donc pas une carte de restaurant avec une liste d'invités !

Vocabulaire

Conversation générale

Oui .... *ja*
Non .... *nein*
Je ne comprends pas .... *ich verstehe nicht*
Parlez-vous français ? ...... *sprechen Sie französisch ?*
Bonjour .... *guten Tag*
(le matin jusqu'à midi) .... *guten Morgen*
(toute la journée) .... *Grüss Gott* (dans le Sud)
Bonsoir .... *guten Abend*
S'il vous plaît .... *bitte* (prononcer le « e » !)
Merci .... *danke* ou *danke schön*
Pardon ! .... *Entschuldigung !*
Avez-vous ? .... *haben Sie ?*
Je voudrais .... *ich möchte*
Où se trouve... ? .... *wo ist... ?*
Comment s'appelle... ? ..... *wie heißt... ?*
Combien ? .... *was kostet das ?* ou *wieviel ?*
Au revoir .... *auf Wiedersehen*
Salut ! .... *servus !*
Seulement .... *nur*
Possible .... *möglich*

En voyage

Gare .... *Bahnhof*
Le train .... *der Zug*
Billet de train, ticket de métro *Fahrkarte*
Départ .... *Abfahrt*
Arrivée .... *Ankunft*
Entrée .... *Eingang*
Sortie .... *Ausgang*
Aéroport .... *Flughafen*
Avion .... *Flugzeug*
Tramway .... *Strassenbahn*
Voiture .... *Wagen* ou *Auto*
A droite .... *rechts*
A gauche .... *links*
Où sont les toilettes ? ...... *Wo sind die Toiletten ?*
Fermé .... *geschlossen*
Louer .... *vermieten*
Bicyclette .... *Fahrrad*

A l'hôtel, au restaurant

Auberge de jeunesse .... *Jugendherberge*
Hôtel .... *Hotel*
Petit hôtel .... *Gasthof*
Complet ou occupé .... *besetzt* (on l'entend souvent !)
Une nuit .... *eine Nacht*
Deux nuits .... *zwei Nächte*
L'addition .... *die Rechnung* ou *zahlen*
Avez-vous une chambre ? ... *haben Sie ein Zimmer frei ?*
Chambre à 2 lits .... *Doppelzimmer* ou *Zweibettzimmer*
J'ai réservé (la phrase clé !) . *ich habe vorbestellt*
Menu/carte .... *Menü/Speisekarte*
Petit déjeuner .... *Frühstück*
Snack .... *Imbiss*
Pain/beurre .... *Brot/Butter*
Cendrier .... *Aschenbecher*
Sel/poivre/moutarde .... *Salz/Pfeffer/Senf*

Un verre	*ein Glas*
Eau	*Wasser*
Vin	*Wein*

Calendrier

Lundi	*Montag*
Mardi	*Dienstag*
Mercredi	*Mittwoch*
Jeudi	*Donnerstag*
Vendredi	*Freitag*
Samedi	*Samstag* ou *Sonnabend*
Dimanche	*Sonntag*
Ce matin	*heute Morgen*
Ce soir	*heute Abend*
Aujourd'hui	*heute*
Demain	*morgen*
Hier	*gestern*

Chiffres

Un	*eins*
Deux	*zwei (ou zwo)*
Trois	*drei*
Quatre	*vier*
Cinq	*fünf*
Six	*sechs*
Sept	*sieben*
Huit	*acht*
Neuf	*neun*
Dix	*zehn*
Onze	*elf*
Douze	*zwölf*
Vingt	*zwanzig*
Vingt et un	*einundzwanzig*
Trente	*dreissig*
Quarante	*vierzig*
Cinquante	*fünfzig*
Cent	*hundert*
Deux cents	*zweihundert*
Mille	*tausend*

Livres de route

– ***Journaux (1912-1940),*** de Stefan Zweig (Ed. Belfond, traduit par J. Legrand, 1986). Ce journal, que Stefan Zweig tint pendant près de trente ans, est le témoignage de sa vie intérieure, émaillé d'observations aussi rigoureuses que spontanées sur des événements d'ordre privé ou politique. Pacifiste et humaniste meurtri, Zweig voyait en ces pages intimes une manière de rester vigilant face à son époque désenchantée.

– ***Le Monde d'hier,*** de Stefan Zweig (Ed. Belfond, traduit par J.-P. Zimmerman, 1944). En filigrane, le message d'un homme qui se suicidera (1942) devant la victoire nazie qu'il croit acquise : méfiez-vous des gens qui marchent en groupe, des hommes qui parlent fort et du nationalisme. Écrit dans un style neutre, journalistique, ce livre est une puissante évocation de l'histoire de la première partie du siècle.

– ***Les Somnambules,*** d'Hermann Broch (Ed. Gallimard, coll. L'Imaginaire, 1928-1931). Dans l'Autriche et l'Allemagne des balbutiements de ce siècle, trois personnages très différents, Pasenow le romantique, Esch l'anarchiste et Huguenau le réaliste, connaîtront l'échec chacun à leur façon et finiront par vivre leur vie en somnambules.

– ***La Marche de Radetzky,*** de Joseph Roth (Ed. le Seuil, coll. Points-Roman, 1932).

Roth raconte, au travers de l'ascension puis de la déchéance de la famille von Trotta, les événements qui mènent inéluctablement l'Empire austro-hongrois à sa perte.
– ***Le Troisième Homme,*** de Graham Greene (Ed. Robert Laffont, coll. Le Livre de Poche, 1954). En 1945, Vienne est une cité dévastée que se partagent les quatre grandes puissances. Au-dessus du Prater écrasé, envahi d'herbes folles, la grande roue tournoie sinistrement. Dans cette ville où les trafiquants du marché noir font fortune, Rollo Martin erre sur les traces d'un ami que la police accuse de s'être livré à un trafic de pénicilline frelatée. Une quête vaine, à travers les rues sombres et les bistrots misérables de l'Inner Stadt, au cours de laquelle le héros verra s'effondrer, une à une, toutes ses illusions. Une Vienne insolite, aussi loin des futilités de Sissi que des façades monumentales du Ring.
– ***Vienne au crépuscule,*** d'Arthur Schnitzler (Ed. Stock, coll. Le Livre de Poche, 1908). Arthur Schnitzler dépeint la Vienne fin de siècle : un monde embrumé de magique nostalgie avec ses palais, ses jardins, ses cafés littéraires, ses cénacles tenus par de riches Juifs où les femmes du monde donnent la réplique aux musiciens et aux poètes. Mais déjà, derrière les valses langoureuses, se trament les premières tragédies. Intensification de l'antisémitisme, désunion de la société juive face à la question sioniste, prémices du démembrement de l'Empire. Le plus célèbre écrivain autrichien témoigne avec audace d'une époque qui, après avoir exalté la fureur créative dans un narcissisme insouciant, connaît un fastueux déclin.
– ***Les Désarrois de l'élève Törless,*** de Robert Musil (Ed. Le Seuil, coll. Points-Roman, 1906). Une académie militaire à la campagne, dans l'est de l'Autriche, au début du siècle. En partie inspiré par des expériences vécues, le roman de Musil décrit à la fois les troubles douloureux de l'adolescence et les rapports de pouvoir, de domination, de cruauté, qui peuvent s'établir entre des êtres confrontés aux vicissitudes quotidiennes. On a vu, dans ce chef-d'œuvre d'un jeune homme de 26 ans, une préfiguration magistrale et une critique impitoyable de ce qui deviendra le nazisme quelques années plus tard. Schlöndorff en a tiré un film dans lequel un débutant de 15 ans, nommé Matthieu Carrière, est tout bonnement stupéfiant.

Manger et boire

Où se restaurer ?

En dehors des restaurants classiques, souvent chers, les lieux de restauration typiquement autrichiens ne manquent pas.

– ***Heurigen :*** on en trouve principalement à Vienne mais aussi dans les principales régions viticoles où ils sont plutôt appelés *Buschenschank* à cause de la branche de pin suspendue au-dessus de la porte d'entrée. Les Autrichiens utilisent le terme *Heurigen* pour désigner à la fois le vin nouveau et l'endroit où l'on peut le déguster. Cette guinguette familiale, garnie de tables et de bancs, vient de l'époque où les petits viticulteurs des alentours de Vienne avaient obtenu l'autorisation d'aménager leur habitation en local de vente. Les Autrichiens adorent y venir, seuls ou en famille, siroter le vin apporté par une serveuse en *Dirndl,* le costume traditionnel. On y mange aussi de la charcuterie, des fromages ou des salades, mais il faut aller se servir soi-même au buffet. Goûtez aux *Aufstrich,* ces pâtes à tartiner qu'on étale en couche épaisse sur du pain noir. Nous vous recommandons particulièrement le *Liptauer,* à base de fromage blanc et de paprika. D'aucuns apporteront leur propre pique-nique, c'est permis ! Le *Heurigen* est alors un formidable relais si vous entreprenez une randonnée. Évitez enfin les établissements trop grands, toujours très touristiques, et allez-y de préférence au printemps, on y lézarde volontiers au soleil dans la cour ou le jardin. Un dernier conseil : ne commandez jamais de bière, ce n'est pas l'endroit !
– ***Gasthaus et Gasthof :*** la taverne autrichienne type. Un détail : si vous cherchez un *Gasthaus,* ne dites pas « restaurant ». Ce sont deux termes différents en Autriche. Toujours très fréquenté, en général bon marché, le *Gasthaus* exhale ses bonnes odeurs de *Schnitzel* ou de *Schweinebraten* dès le seuil. On y sert de la *Hausmannskost,* autrement dit de la bonne cuisine de grand-mère. Les cartes sont aussi fournies que les portions sont copieuses. Il n'est pas rare de voir, dans certains établissements, des clients demander à se faire envelopper le reste dans du papier alu pour le terminer chez eux ! Alors soyez sans crainte : ne commandez qu'un plat de résistance en cas de petite faim. Pour les adresses, demandez autour de vous, chaque Autrichien a « son » *Gasthaus.* Le *Gasthof* fait davantage auberge campagnarde et peut mettre à votre disposition quelques chambres à coucher. Précision utile pour les boit-sans-soif.
– ***Beisl :*** le bistrot universel, avec une petite carte et un plat du jour. Simple et bon marché. Les jeunes Autrichiens se sont mis à substituer le terme de *Beisl* à ceux de

« bar » ou de « pub », jugés trop anglo-saxons. C'est alors un lieu de sortie et de rencontre. Casse-croûte plus ou moins élaboré et ambiance musicale au menu.
– ***Würstelstand :*** un *Schnell Imbiss* (traduisez : fast-food) en forme de hutte. La dernière des solutions, évidemment, mais pratique lorsqu'on visite. Et bon. Ces stands de saucisses grillées ou chauffées à l'eau se trouvent à peu près partout avec, en général, un bon choix. Une attention spéciale pour le *Leberkäse,* sorte de pâté chaud en tranche que l'on mange en sandwich ou coupé en petits dés. Même en hiver, enlevez vos moufles fourrées et pincez délicatement la saucisse avec vos doigts, c'est d'usage ! Sinon, il vous reste la possibilité d'aller dans certaines charcuteries où est aménagé un petit coin dégustation.

Vins, alcools et boissons

Qu'est-ce qui fait que les Autrichiens sont parmi les plus grands buveurs du monde ? Leurs vignobles produisent, il est vrai, un vin qui ne rebute pas un fin palais, quoique peu de crus soient destinés à être conservés. Le blanc, majoritaire (85 % de la production nationale), vient des régions viticoles du Burgenland, de la Styrie et de Vienne. Sans oublier la Basse-Autriche et les coteaux de la Wachau qui descendent jusqu'aux rives du Danube, à hauteur du château de Dürnstein. Les légionnaires romains sont soupçonnés d'y avoir, les premiers, exporté des plants de vigne. Encore une garantie que le vin autrichien saura vous faire voyager. Visite conseillée de la Wachau au printemps, au moment de la floraison des abricotiers, grands pourvoyeurs de liqueurs. De meilleure qualité encore est la bière que les Autrichiens boivent en *Seibel* (0,35 l) ou en *Krügel* (0,5 l). Et le Schnaps, eau-de-vie qui constitue un excellent digestif.
– ***Vins blancs :*** Grüner Veltliner (sec), Müller Thurgau et Welschriesling (demi-sec), Muskat Ottonel (fruité).
– ***Vins rouges :*** Blauer Portugieser (doux), Blaufränkisch.
– ***Vin rosé :*** Schilcher (assez âpre, mais fruité).
– ***Vins de dessert :*** Spätlese (doux), Eiswein (moelleux et sucré, les raisins ayant été récoltés plus tardivement, au premier gel).
– ***Glühwein (rouge ou blanc) :*** vin chaud aromatisé (clou de girofle, cannelle, écorce d'orange). Idéal en hiver pour se réchauffer ou soigner un début de rhume.
– ***Schnaps :*** aux prunes, abricots, pommes, poires ou framboises. Ou tout à la fois : commandez alors un *Obstler.*
– ***Bières (blondes) :*** Gösser, Schwechater, Zipfer, Puntigamer (chaque marque propose aussi une bière sans alcool).
Lorsque vous irez dans un *Heurigen,* ne ratez pas le *Most,* genre de moût jaunâtre et opaque dont la teneur en alcool est encore faible. Ou le *Sturm,* plus avancé dans la fermentation et connu pour receler, comme son nom l'indique (« bourrasque »), quelques vertus drastiques. Mais sans risques. Vous pourrez enfin y boire le *Gespritzer,* qui est tout simplement du vin coupé à 50 % avec de l'eau gazeuse. Très désaltérant. Les Autrichiens le consomment comme entrée en matière, lorsque s'annonce une longue soirée de beuverie conviviale ! Sachez enfin que les robinets autrichiens prodiguent de la très bonne eau de montagne mais que si vous désirez de l'eau « minérale », les épiceries ne vous en vendront que gazeuse et toujours avec une bouteille en verre consignée. Pour ceux qui n'aiment pas l'eau minérale, c'est-à-dire gazeuse, demandez de la *Leitungswasser* (eau du robinet), de préférence en carafe, sinon, on risque de ne vous en servir qu'un seul verre !

Cuisine et plats traditionnels

La cuisine autrichienne est largement méconnue : un néophyte s'attendrait à de la choucroute ou des saucisses (importées de Francfort). Erreur fatale ! En réalité, au temps de l'Empire austro-hongrois, une famille autrichienne aisée se devait d'avoir à son service une cuisinière de Bohême ou de Hongrie : elles étaient les meilleures ! Le pays s'est ainsi enrichi, au cours des siècles, d'habitudes culinaires nouvelles jusqu'à offrir une bonne synthèse de toutes les cuisines d'Europe centrale. Profitez-en car si bon nombre de plats sont aussi servis en Tchécoslovaquie et en Hongrie, il y manque encore les ingrédients pour restituer une saveur tout à fait authentique. C'est une cuisine un peu lourde toutefois car riche en crème fraîche, farine et lard.
– *Griessnockerl, Frittaten* ou *Leberknöde Suppe :* soupe aux boulettes de semoule, aux lamelles de crêpe salée ou aux *Knödel* de foie. La seule et vraie entrée autrichienne.
– *Knödel :* boule de pomme de terre, de mie de pain ou de semoule pouvant accompagner tous les plats. Parfois farcie. In-con-tour-na-ble.
– *Scweinebraten* (ou *Schweinsbraten*) : rôti de porc à l'ail et au cumin, avec des *Knödel* et de la choucroute. Délicieux.

– *Tafelspitz :* filet de bœuf cuit à la manière du pot-au-feu avec une sauce au raifort ou à la ciboulette.
– *Rindsrouladen :* escalope de bœuf roulée et farcie de lard et de cornichons.
– *Wiener Schnitzel :* escalope de veau ou de porc panée. Classique.
– *Gulasch :* bœuf braisé aux oignons et au paprika. Partout excellent.
– *Stelze :* jarret de porc grillé.
– *Geselchtes :* porc fumé avec de la choucroute.
– *Bauernschmaus :* le « délice de l'agriculteur » composé d'une tranche de *Schweinebraten* et de *Geselchtes* avec des saucisses grillées sur un lit de choucroute. Copieux.
– *Beuschel :* ragoût d'abats dans une sauce aigre à la crème fraîche.
– *Krenfleish :* porcelet cuit avec sa couenne, assaisonné de raifort râpé. Attention, fort.
– *Wild :* gibier (chevreuil, cerf, lièvre, canard sauvage) avec une compote d'airelles. Servi en automne.
Enfin, un repas autrichien ne saurait être complet sans un dessert chaud. Ils sont généralement préparés à la commande. Goûtez-les même s'ils vous paraissent inhabituels, nous nous en portons garants !
– *Salzburger Nockerln :* une spécialité de Salzbourg, comme son nom l'indique, mais servie partout en Autriche. Soufflé très crémeux dont la forme rappelle les montagnes salzbourgeoises !
– *Kaiserschmarren :* genre d'omelette sucrée et déchirée en lamelles, avec une compote ou des fruits au sirop.
– *Marillen/Zwetschken Knödel :* abricot ou prune enrobé d'une pâte et roulé dans de la chapelure. Servi avec du sucre et du beurre fondu.
– *Germknödel :* pâte à la levure avec de la confiture de prune et saupoudrée de grains de pavot moulus. Le grand dessert bohémien.
– *Palatschinken :* la crêpe locale avec confiture, fromage blanc ou chocolat. Plus épaisse toutefois que sa cousine française.

Petit lexique du café

N'oubliez pas que vous n'êtes pas en France. Il existe différentes variantes de votre breuvage favori, et donc des termes différents pour les nommer. Les ignorer pour commander à tout bout de champ un « café » vous ferait passer pour un touriste inculte ou un Allemand carrément plouc. Voici, pour vous aider, une liste qui vous permettra de bien paraître en société.
– *Kleiner Schwarzer/Mocca :* le petit noir classique.
– *Grosser Schwarzer/Mocca :* idem mais en grand.
– *Kleiner/Grosser Brauner :* le petit ou grand « brun », en fait une tasse de Mocca servie avec un petit pot de lait. C'est ce que le Herr Ober vous apportera si vous vous obstinez à lui commander un « café » !
– *Melange :* comparable au crème français. Le plus consommé.
– *Einspänner :* littéralement « fiacre ». C'était la boisson traditionnelle des cochers qui voulaient se réchauffer entre deux courses. Café noir servi dans un verre avec une bonne portion de crème chantilly.
– *Kaisermelange :* « Mélange impérial ». Café noir avec un jaune d'œuf battu. Apparu lors de la Première Guerre mondiale lorsque le lait était rationné et qu'il fallait lui trouver un substitut. Tonique. N'existe cependant pas dans tous les établissements.
– *Maria Theresia :* café noir avec une liqueur à l'orange.
– *Eiskaffee :* café noir avec de la glace à la vanille et de la crème fouettée, servi dans un verre. A consommer par temps de chaleur.

Santé

En cas de séjour temporaire en Autriche, demander au centre de paiement de la Sécurité sociale le formulaire E 111 plusieurs semaines avant le départ, afin de pouvoir se faire rembourser les frais médicaux au retour.

Saviez-vous qu'ils étaient autrichiens ?

– ***Sigmund Freud (1856-1939) :*** le créateur de la psychanalyse vivait et travaillait au 19 Berggasse, dans la radieuse Vienne des années 1900. Mais la capitale autrichienne, même au plus fort de sa prodigieuse expansion culturelle, n'a jamais daigné célébrer en lui le grand découvreur de l'inconscient, celui qui allait bouleverser l'histoire de l'homme du XXe siècle. Son premier ouvrage, *La Science des rêves,* paru en 1899, est passé totalement inaperçu. Par la suite, ses thèses sur l'hystérie n'ayant suscité que scandales et sarcasmes, Freud s'est vu contraint d'abandonner sa carrière de chercheur pour recourir aux gains d'une clientèle privée. Le titre de professeur ne lui sera accordé que tardivement. Et pourtant, on a du mal à croire que l'incroyable agitation intellectuelle qui avait saisi Vienne à cette époque n'ait pas profité peu ou prou de son travail. Il eut pourtant grand-peine à quitter l'Autriche nazifiée de 1938 pour émigrer à Londres : c'est que Freud considérait son pays comme un grand organisme malade au chevet duquel il se devait – en médecin consciencieux qu'il était – de rester et de veiller. Il démentait enfin l'opinion selon laquelle la psychanalyse avait éclos sur le terrain favorable du libertinage viennois (puisque son travail présupposait au contraire des conditions de restrictions sexuelles). Il remerciait plutôt la franchise de ses concitoyens qu'il jugeait moins hypocrites en cette matière que le reste des Européens.

– ***Arthur Schnitzler (1862-1931) :*** écrivain et médecin, ce contemporain de Freud savait mieux que quiconque disséquer l'âme viennoise qui, à la veille du démembrement de l'Empire, laissait transparaître une étrange mélancolie funèbre derrière sa gaieté apparente. Dans une lettre, le grand psychanalyste lui demande : « Où avez-vous donc pulsé ces connaissances secrètes que je me suis procurées après de pénibles recherches ? » Schnitzler a aussi rendu compte de l'irrésistible ascension de l'antisémitisme qu'il percevait comme le signe avant-coureur d'une dégénérescence des valeurs occidentales, incarnées dans l'Empire austro-hongrois en pleine déconfiture. A lire : *Vienne au crépuscule* et son *Journal.*

– ***Robert Musil (1880-1942) :*** dans *l'Homme sans qualités,* son roman culte, Musil nous convie dans un pays imaginaire qu'il nomme Kakanie, mais que chacun identifiera aisément au vieil Empire déclinant ou à notre civilisation moderne, absurde et meurtrière. Docteur en philosophie et en sciences après avoir été élève à l'Académie militaire de Vienne, Musil s'enfuit en Suisse en 1938 – l'année maudite – où il passe les quatre dernières années de sa vie dans un dénuement matériel cruel.

– ***Stefan Zweig (1881-1942) :*** lui aussi, dans un livre au titre évocateur : *le Monde d'hier,* témoigne d'une Europe parvenue à l'heure de la fin. Auteur fécond, il est tour à tour romancier, historien, journaliste et consigne dans son fameux *Journal,* tenu de 1912 à 1940, une somme d'informations édifiantes. Critique virulent du nationalisme, « la pestilence des pestilences », il assiste impuissant à la nazification de l'Autriche après l'assassinat du chancelier Dollfuss, et s'exile au Brésil où il mène une existence de plus en plus dépouillée jusqu'à son suicide en 1942. Parmi ses ouvrages les plus célèbres : *le Joueur d'échecs.*

– ***Karl Kraus (1874-1936) :*** c'est, dit-on, l'intellectuel viennois typique « fin de siècle ». Dans la revue *Die Fackel* (le flambeau) qu'il crée en 1899, ce polémiste impitoyable jette une lumière crue sur la réalité de son temps, n'épargnant rien ni personne. La censure, avec laquelle il a souvent maille à partir, reste sans voix devant les *Derniers jours de l'humanité,* pièce de théâtre démesurée où Kraus dresse froidement l'inventaire des bassesses humaines. On lui attribue enfin le mot le plus méprisant à l'égard d'Hitler : « Il ne m'inspire rien. » Il meurt sans avoir connu l'Anschluss.

– ***Thomas Bernhardt (1931-1989) :*** le plus connu en France. Lui aussi a eu droit à son scandale avec *Heldenplatz,* une pièce qui remémore le discours triomphal de Hitler sur la place du même nom à Vienne, en 1938, et qui fut jouée récemment au Burgtheater à l'occasion du 50e anniversaire de l'Anschluss. Animé d'une haine farouche envers l'Autriche, cet écrivain qui se voulait « destructeur d'histoires plutôt que conteur » meurt en léguant à ses compatriotes un testament pour le moins venimeux qui interdit toute impression, représentation ou lecture publique de ses œuvres sur le sol autrichien. Il est aussi l'auteur de *Gel, Perturbation* et *le Président.*

– ***Peter Handke (1942) :*** originaire de la Carinthie, il est le créateur de l'anti-théâtre, notamment avec *La Chevauchée sur le lac de Constance.* Écrivain respecté en Autriche pour son absolue sincérité, il a également écrit des scénarios pour Wim Wenders : tout le monde se souvient des *Ailes du désir.* Enfin, pour épater vos amis autrichiens, dites que Handke est vivant et bien portant, et qu'il habite actuellement à Chaville, dans la région parisienne.

– ***Theodor Herzl (1860-1904) :*** dépêché à Paris en 1891 par le journal viennois *Neue Freie Presse,* cet écrivain juif, né à Budapest, reçoit de plein fouet l'antisémitisme provoqué par l'affaire Dreyfus. Conscient de l'urgence qu'il y a à rassembler le peuple juif, il publie *L'État juif,* ouvrage fondateur du sionisme. Hésitant un moment sur la possibilité de localiser ce futur État en Ouganda (véridique !), il revient sur le choix de la Palestine. Implacable ironie de l'histoire : deux Autrichiens ont ainsi tenté de trouver une « solution » au problème juif : Herzl et... Hitler (originaire de Braunau-am-Inn, dans le nord de l'Autriche) !

– ***Otto Wagner (1841-1918) :*** « Rien ne peut être beau si ce n'est pas en même temps utile. » C'est avec ce principe de l'art appliqué au quotidien (fonctionnalisme) que le grand architecte viennois délaisse l'historicisme officiel pour se lancer dans un projet architectural fou (qu'il ne mènera jamais à terme) visant à faire d'une rue populaire de Vienne, la Wienzeile, un pendant moderne à la très conformiste Ringstrasse. Pionnier du *Jugendstil* (style jeunesse), il est à l'origine de nombreux bâtiments viennois dont les deux immeubles d'habitation de la Naschmarkt, la Caisse d'Épargne postale, les stations du premier métropolitain, et *last but not least* : la stupéfiante église de l'hôpital psychiatrique de Steinhof. Tous font apparaître une rigueur géométrique qui le démarque de notre Art nouveau, féru de courbes, et un assemblage original de matériaux comme le métal et la pierre.
– ***Adolph Loos (1870-1933) :*** élève de Wagner, c'est un adepte du minimalisme, allant jusqu'à dire que « l'ornement est un crime ! » Ne laissant agir que le matériau et les lignes, il choque ses concitoyens en édifiant sur la Michaelerplatz un immeuble commercial que les Viennois surnommeront la « maison sans sourcils » à cause de la grande sobriété de sa façade. L'empereur François-Joseph, qui habitait en face de l'insupportable bâtiment, aurait condamné certaines de ses fenêtres pour ne pas l'apercevoir. Le café Museum, où vous ne manquerez pas de séjourner longuement, c'est encore lui !
– ***Josef Hoffmann (1870-1959) :*** soucieux autant de la façade que de l'intérieur des maisons, il fonde les célèbres Wiener Werskstätten (Ateliers viennois) où il dessine bijouterie, tissus, vaisselle et surtout mobilier, donnant toujours priorité (contrairement aux adeptes du fonctionnalisme) aux « belles » formes et à l'emploi de matériaux précieux. Répondant à l'offre d'une clientèle aisée, il bâtit quelques somptueuses demeures que l'on peut encore visiter à Vienne, telle la villa Primavesi, dans la Gloriettegasse.
– ***Friedensreich Hundertwasser (1928) :*** c'est l'enfant terrible parmi les artistes viennois. Surréaliste, réaliste fantastique ou expressionniste magique ? Ce peintre et architecte inclassable a su gagner l'estime des Viennois en leur offrant une surprenante bâtisse (en fait, une HLM) qui semble surgir d'un dessin animé de Walt Disney tant elle étonne par ses couleurs vives et ses fenêtres dissymétriques. A la demande du maire de Vienne, il transforme ensuite l'incinérateur de l'Alsergrund en grande usine futuriste (!), avec cette même verve infantile qui le caractérise. Écologiste des premières heures, il affirme à chacun de ses projets œuvrer contre « la pollution optique de l'environnement ».
– ***Hans Makart (1840-1884) :*** influencé par les styles Renaissance et baroque, ce peintre, qui était très prisé à son époque (il était très chic d'avoir une pièce de sa maison en style Makart), fut catégoriquement dédaigné par la suite. Ses peintures, toujours surdimensionnées, reposent sur de grandes mises en scène théâtrales, comme cette *Entrée de Charles Quint à Anvers,* avec une abondance de couleurs et des formes humaines plantureuses. Makart aura été le peintre charnière entre l'académisme du XIXᵉ siècle et le Jugendstil.
– ***Gustav Klimt (1862-1918) :*** le plus réputé de tous les peintres autrichiens. Cofondateur puis premier président de la « Sécession viennoise » (forum du renouveau de l'art autrichien), il puise autant dans l'impressionnisme français que dans l'art japonais ou byzantin. Ses personnages – dont il ne représente en général que le visage et les mains – sont incrustés dans des motifs ornementaux agencés en mosaïque. La prédilection pour la couleur or donne à l'ensemble une apparence d'icône moderne. Les bourgeoises « branchées » de l'époque se sont vite donné le mot pour servir de modèle au maître, d'où une galerie de portraits assez fournie. A voir également le *Beethovenfries,* libre interprétation picturale de la 9ᵉ symphonie de Beethoven, au musée de la Sécession.
– ***Egon Schiele (1890-1918) :*** ce disciple de Klimt exécute la majeure partie de son travail au crayon, à l'aquarelle et à la gouache. Figure majeure de l'expressionnisme autrichien, il connaît la célébrité en 1912 mais se retrouve illico emprisonné pour avoir osé représenter des scènes d'un érotisme cru et provocateur. Son œuvre – un constant et obsédant autoportrait – est traversée de personnages cadavériques chez qui pulsions d'amour et de mort sont toujours intimement liées. Il meurt à 28 ans, emporté par une épidémie de grippe espagnole. Le Rimbaud de la peinture, et notre peintre préféré. Vous pourrez voir une partie de ses tableaux au Belvédère, à l'Albertina et au musée historique de la Ville de Vienne.
– ***Oskar Kokoschka (1886-1980) :*** autre figure de l'expressionnisme autrichien, Kokoschka tente de comprendre la complexité du psychisme humain en peignant des êtres déchus. Après avoir collaboré aux Ateliers viennois de Hoffman, il renonce à l'expressionnisme pour se tourner vers l'étude plus sereine des paysages qu'il découvre au gré de ses fréquents déplacements en Allemagne, France, Italie, Suisse

et Angleterre où il se réfugie en 1939, à la suite de la campagne nazie contre « l'art dégénéré ». On lui consacre une collection permanente au Belvédère.

– ***Wolfgang Amadeus Mozart (1756-1791) :*** que dire qu'on ne sache déjà sur l'enfant prodige de Salzbourg ? D'aucuns ont voulu souligner son comportement caractériel ou la scatologie scabreuse de ses lettres, d'autres sa misérable inhumation dans une fosse commune du cimetière Saint-Marx à Vienne ! Contentons-nous ici d'une seule image idyllique : le petit Wolfi faisant montre de ses acrobaties pianistiques à l'archiduchesse Marie-Thérèse, sous le regard sévère de son père Léopold, musicien lui aussi. L'enfant surdoué est impassible et concentré. Il ne commet aucune erreur. Il n'a que six ans.

– ***Franz Schubert (1797-1828) :*** il fit partie de la célèbre chorale des « Petits-Chanteurs de Vienne ». A 21 ans, il commence à composer au moment où Beethoven atteint, lui, le sommet de son art. Génie de l'invention mélodique, Schubert est sans doute le compositeur le plus authentiquement autrichien : ses œuvres ne trahissent-elles pas une mélancolie toute viennoise ? Grand maître des *Lieder* (poèmes chantés et accompagnés au piano) avec *la Truite* ou *le Roi des aulnes* qu'il a su imposer comme genre musical à part entière, le musicien romantique était célébré dans des soirées appelées « Schubertiades » et reprises aujourd'hui – sous une forme modifiée – au château de Hohenems (Vorarlberg) et à Vienne.

– ***Anton Bruckner (1824-1896) :*** organiste de la cathédrale de Linz, sa réputation d'interprète a longtemps escamoté son travail de compositeur. Ses neuf symphonies – des fresques colossales – ainsi que ses messes sont imprégnées d'une grande piété, ce qui lui valut le surnom de « ménestrel de Dieu ». Des amis soucieux de son intérêt ont procédé à des coupures et à des remaniements pour rendre son œuvre plus accessible au public ! Il fut inhumé sous l'orgue de l'abbaye de Saint-Florian. Chaque année a lieu à Linz un festival qui lui est entièrement dédié.

– ***Johann Strauss fils (1825-1899) :*** le « roi de la valse » aurait repris sagement le flambeau de son père si celui-ci, également prénommé Johann et compositeur déjà renommé, ne l'avait destiné à une carrière d'employé commercial ! Persévérant grâce à l'appui financier de sa mère, il fonde son propre orchestre à 19 ans et entre en concurrence sauvage avec son célèbre ascendant (voir chez Freud : le complexe d'Œdipe !). A la mort de ce dernier, il devient directeur des bals de la Cour et signe les valses les plus célèvres *(Le Beau Danube bleu, La Valse de l'Empereur)* ainsi que des opérettes *(La Chauve-Souris).* Ses frères Josef et Eduard sont aussi compositeurs, mais de moindre notoriété. La dynastie des Strauss aura incarné de belle manière l'âge d'or autrichien.

– ***Gustav Mahler (1860-1911) :*** auteur de symphonies grandioses et magistralement orchestrées – mais non exemptes de pesanteurs –, Mahler s'est vu épingler de ce malveillant jeu de mots par notre Debussy national : « Un Mahler n'arrive jamais sans l'autre ! » Directeur de l'Opéra de Vienne de 1897 à 1907, il régentait son orchestre d'une baguette de fer, allant jusqu'à des violences physiques. Mais c'est grâce à cette opiniâtreté sans faille que Mahler a pu, en dépit de l'antisémitisme ambiant, imposer la modernité de ses compositions. On lui prête enfin ce mot catégorique, digne du personnage : « La tradition, c'est de la veulerie ! »

– ***Arnold Schönberg (1874-1951) :*** après s'être essayé à un style post-wagnérien, Schönberg fait éclater les lois de la tonalité musicale, en vigueur depuis 300 ans, et libère l'espace de la composition : la musique dodécaphonique, fondée sur la gamme chromatique de 12 demi-tons, était née ! En 1908, il s'adonne parallèlement à la peinture, sous l'impulsion de Kandinsky. Juif, il doit s'exiler en Californie dès 1933, laissant dans son sillage des élèves aussi importants qu'Anton Webern ou Alban Berg, tous issus de l'école de Vienne dont Schönberg avait été la figure centrale.

– ***Herbert von Karajan (1908-1989) :*** né à Salzbourg, comme Mozart, il a été le digne sucesseur de Furtwängler à l'Orchestre philharmonique de Berlin depuis 1956. Ses autres titres abondent : directeur musical de l'Opéra de Vienne et des festivals de Salzbourg et de Bayreuth. Son perfectionnisme l'a poussé, à chaque nouveau projet d'opéra, à exiger les artistes idéaux pour le casting, sous peine de tout annuler. De ce fait, Karajan a acquis une renommée internationale, notamment dans le grand public.

– ***Konrad Lorenz (1903-1989) :*** ses travaux ont porté sur le comportement des animaux dans leur milieu naturel. Contribuant ainsi au développement de l'éthologie, il a obtenu le prix Nobel de médecine en 1973. Lorenz s'est interrogé sur le fondement biologique de notre ordre social en rapprochant les conduites animales et humaines, ce qui lui valut de cinglantes critiques. Il est le scientifique autrichien le plus réputé avec Erwin Schrödinger, prix Nobel de physique en 1933 pour ses travaux sur la théorie quantique, et Ernst Mach qui a donné son nom à la vitesse du son, bien connue dans l'aviation.

Sans oublier...

– ***Romy Schneider (1938-1982) :*** native de Vienne, elle débute très jeune dans des films (très) romanesques, chaperonnée par sa mère Magda Schneider, actrice elle aussi. « Sissi », qu'elle incarne avec une tendre ingénuité, la sacre nouvelle impératrice du septième art. Remercions ici solennellement Alain Delon d'avoir incité cet oiseau rare à venir s'installer en France. La suite, tout le monde la connaît.
– ***Helmut Berger (1944) :*** alors qu'il travaille à l'hôtel de ses parents, dans la région des lacs de Salzkammergut, Luchino Visconti, de passage, le découvre. C'est le coup de foudre. Blond, beau, décadent, il correspond exactement à la figure héroïque qui habite l'imaginaire du cinéaste italien : *les Damnés, Ludwig II de Bavière, Violence et passion* scelleront une amitié passionnée entre les deux artistes.
– ***Klaus-Maria Brandauer (1944) :*** le Depardieu national. Acteur de théâtre et de cinéma, mais aussi metteur en scène à ses heures, il s'illustre dans le film *Mephisto* du Hongrois Istvan Szabo qui lui vaudra le prix d'interprétation à Cannes en 1981. On l'a revu dans *Le Colonel Redl* du même Szabo et plus récemment dans *Out of Africa,* aux côtés de Meryl Streep.
– ***Oskar Werner (1922-1984) :*** il est l'acteur incontesté du Burgtheater de Vienne dans les années 40, où il joue les grandes pièces du répertoire classique, avant de connaître l'affection du public français avec le film *Jules et Jim* de Truffaut. Le timbre de sa voix, douce et absente, fait de lui un être hors du temps, presque surnaturel. Ses prestations scéniques sont restées gravées dans la mémoire des Autrichiens.
– ***Toni Sailer (1935) :*** skieur complet, il est devenu la star vénérée de Kitzbühel, sa ville natale, depuis sa triple victoire au slalom géant, au slalom spécial et à la descente des Jeux olympiques d'hiver de Cortina d'Ampezzo en 1956. Même rafle au championnat du monde de Badgastein en 1958 ! Il vient rappeler, comme Franz Klammer et tant d'autres grands champions, que l'Autriche est le pays du ski roi.
– ***Arnold Schwarzenegger (1947) :*** originaire de Graz, notre culturiste forcené a remporté 5 fois le titre de Mister Universe (bof...). Moins reluisant : on prétend qu'il a milité en Autriche dans une organisation de jeunesse d'extrême-droite. Après avoir fait saliver les spectateurs américains au cours d'une exhibition télévisée, cet Hercule est parti faire ses douze travaux à Hollywood, menant la carrière que l'on sait. Il s'est même vu décerner par George Bush le titre obscur d'« entraîneur physique de la Nation ».
– ***Niki Lauda (1949) :*** champion du monde de formule 1 en 1975, il est victime, l'année suivante, d'un très grave accident en course, ce qui ne l'empêchera nullement de remporter un nouveau titre en 1977, et encore un troisième en 1984 ! Aujourd'hui à la tête d'une compagnie aérienne qui porte son nom, il est pour les Autrichiens un modèle de persévérance et de réussite.

Téléphone

> *IMPORTANT :* à l'automne 96, tous les numéros de téléphone en France auront 10 chiffres. Ce numéro sera obtenu en ajoutant 2 chiffres en tête du numéro actuel à 8 chiffres, qui lui ne change pas. Les 2 chiffres seront : le 01 pour l'Ile-de-France, le 02 pour le Nord-Ouest, le 03 pour le Nord-Est, le 04 pour le Sud-Est et le 05 pour le Sud-Ouest. Pour les appels de la France vers l'étranger, le 00 remplacera le 19. Pour les appels de l'étranger, vous devrez toujours composer le 33, mais pas le 0 par lequel débutera le numéro à 10 chiffres (seulement les 9 suivants).

– ***Pour téléphoner de France :***
• 19-43 (00-43 à l'automne) - indicatif de ville + numéro du correspondant.
A signaler qu'on ne fait pas le zéro placé devant l'indicatif lorsqu'on téléphone de l'étranger. Exemple avec le numéro de Vienne : vous téléphonez de Salzbourg, vous faites le 0222. En revanche, de Paris, Lausanne ou Bruxelles seulement le 1.

– ***Pour téléphoner d'Autriche,*** vers la France et d'autres pays :
• *France :* 0033 + numéro du correspondant.
• *Belgique :* 0032.
• *Canada :* 001.
• *Suisse :* 050.

– ***Renseignements téléphoniques :*** pour un numéro en Autriche, composer le 16. Pour un numéro à l'étranger, le 08.
– ***Cartes de téléphone*** *(Wertkarten) :* très pratiques. En vente dans les gares, bureaux de poste et quelques boutiques. Cabines téléphoniques à carte dans tout le pays.

On peut téléphoner pour 50 et 100 schillings, mais elles sont en fait vendues quelques schillings de moins (il faut bien faire la promotion du système !)

A vélo sur les routes d'Autriche

La bicyclette est un moyen toujours agréable de découvrir un pays. Si on y pense volontiers en Hollande, cela nous vient moins à l'esprit en Autriche, pays plus vallonné. Pourtant, ce ne sont pas les itinéraires qui manquent, qu'ils soient culturels ou sportifs (ou les deux), adaptés aux petites guibolles ou aux grands musclés. Au choix, on empruntera les pistes cyclables le long du Danube, on visitera les châteaux de la Carinthie et les plus balèzes feront l'ascension du Grossglockner, plus haut sommet autrichien (que de souvenirs à raconter à ses petits-enfants !). En tout, le pays offre plus de 10 000 km de pistes cyclables balisées. Possibilité de louer des vélos dans toutes les gares (il y en a 167 !). Renseignements auprès de l'*office national autrichien du tourisme*. ☎ 47-42-78-57. Fax : 42-66-30-96.

VIENNE

Capitale de l'empire des Habsbourg pendant près de sept siècles, puis depuis 1918 de l'Autriche, Vienne est la ville d'histoire par essence, profondément marquée par le rôle éminent qu'elle joua tout au long des siècles. Ici, vous ne vous débarrasserez pas facilement de l'histoire. Ne serait-ce que pour commencer à expliquer comment une capitale peut être aussi bizarrement excentrée dans son pays et aller se perdre ainsi au fin fond de l'Est ! Profondément meurtrie par les attaques ottomanes, puis les guerres napoléoniennes et, enfin, par les bombardements de la dernière guerre, Vienne se releva pourtant vaillamment à chaque fois. Cette volonté de maintenir le prestige et le rang de la ville, par rapport à sa propre histoire, se révèle d'ailleurs au centre des motivations de la plupart des visiteurs : c'est d'abord ce riche et long passé dont on vient jouir. C'est l'atmosphère romantique, tragique, un peu désuète aujourd'hui, parfois démodée, de tous ces siècles de puissance et de gloire. Pour beaucoup de ses visiteurs, c'est aussi l'étalage, le télescopage de ses propres contradictions qui demeurent l'un des plus fascinants attraits de la ville. L'enchantement d'une architecture trop pompeuse est refroidi par les « hof » ouvriers, la beauté de celle du Belvédère accueille les figures torturées d'Egon Schiele, la joie de vivre apparente de la ville ne peut faire oublier que Freud se penchait sur Vienne comme sur une malade et qu'il voulut la soigner jusqu'au bout. Aux flonflons du Prater, aux valses légères de Strauss répondent les lourdes musiques de fins de monde, les riffs déchirants de guitares désespérées des clubs underground... Avec pourtant des divines surprises : ceux qui, très maso, venaient à Vienne avec des idées noires, découvrent au contraire une ville presque gaie, nonchalante, parfois insouciante, tolérante. Avec un art de vivre intelligent, des espaces verts, d'authentiques bouts de campagne... Vous l'avez compris, Vienne échappe aux définitions. Chacun décrypte cette ville suivant ses propres fantasmes, illusions, clichés, et découvrira sûrement autre chose. En tout cas, elle ne laisse jamais indifférent, elle déçoit rarement. L'enchantement se révèle même plus fort quelque temps après, avec une irrésistible envie d'y retourner pour vérifier une émotion ou liquider une incompréhension. A ce stade, vous aurez compris que cette ville vous aura délicieusement et intellectuellement piégé...

Un peu d'histoire

Sous le nom de *Vindobona*, les Romains en firent un poste avancé de leur empire face aux Germains. Marc Aurèle y mourut probablement en l'an 180. Après avoir subi le passage de tous les Barbares possibles, la région de Vienne se constitua pendant la période carolingienne en « Marche de l'Est » (*Ostmark* qui deviendra Autriche). Aux XIe et XIIe siècles, Vienne s'établit comme petite capitale d'un duché de la famille Babenberg (cadeau de l'empereur Otton Ier). Au début du XIIIe siècle, construction de la première enceinte de ville. Le roi Ottokar de Bohême tenta de s'emparer du duché, mais il se heurta à l'opposition des Habsbourg et fut défait en 1278.
Débuta alors le long règne des Habsbourg. Université fondée en 1365. En 1421, la communauté juive est chassée de la ville. Le XVIe siècle fut décisif pour Vienne et connut son lot d'épreuves. Exécution du maire opposé à l'autoritarisme des Habsbourg, nouveau statut de la ville, incendies, attaque turque en 1529 qui provoqua

de nombreuses destructions, construction de nouveaux remparts (ceux que François-Joseph abattra en 1857). Enfin, en 1533, l'empereur en fait la capitale de son empire qui deviendra, plus tard, celle de la Contre-Réforme catholique. Vienne se couvre de beaux hôtels particuliers et d'églises.
En 1679, la ville est frappée par la peste, puis doit subir, quatre ans plus tard, le dernier assaut turc. Le plus rude aussi. Après deux mois de siège, sur le point de tomber, Vienne reçut l'aide miraculeuse de Jean Sobieski, le roi de Pologne.
XVIIIe siècle très prospère et riche culturellement. Construction de grands palais à l'image du Belvédère du Prince Eugène. Prospérité et sérénité un temps menacées par les visées napoléoniennes (Vienne fut occupée en 1805 et 1808).
De septembre 1814 à juin 1815 se déroula l'incroyable congrès de Vienne, chargé de restructurer l'Europe après la tornade napoléonienne. En fait, prétexte à une gigantesque fête permanente où des milliers de jouisseurs et parasites accompagnent les 200 rois, princes et diplomates officiels, en principe là pour négocier.
Puis, de 1815 à 1848, Vienne connut de nouveau une période prospère et paisible appelée « ère Biedermeier », archétype du bon bourgeois moyen. La ville s'industrialisa. De ce fait, elle n'échappa pas au mouvement des révolutions qui frappèrent en 1848 nombre de pays européens. De 1848 à 1916, ce fut le règne de François-Joseph avec deux mouvements contradictoires : Vienne gagne une stature internationale (grands travaux du Ring, très riche vie intellectuelle et culturelle) tandis que l'Empire s'effrite, puis se désagrège.

Vienne 1900 : le creuset de la modernité

A son apogée, au tournant du siècle, l'Empire austro-hongrois couvre une grande partie de l'Europe. François-Joseph règne sur 12 nations et 19 nationalités : de la Bohême à la Bosnie, de la Dalmatie à la Galicie, de la plaine danubienne à la Silésie. Dans ce vaste agglomérat de peuples et d'ethnies, on trouve des Tchèques, des Magyars, des Roumains, des Croates, des Serbes, des Bosniaques, des Slovènes, et même des Italiens et des Ukrainiens. Aucune unité, pas de langue commune. Mais à Vienne, le brassage s'effectue. On y parle l'allemand. La capitale se nourrit de ces nombreux apports culturels et devient une métropole cosmopolite. Et bouillonnante d'idées. L'Empire a atteint son apogée, mais déjà il sombre. L'intelligence s'emballe. Tandis que les bourgeois dansent la dernière valse sous les stucs rococo des palais, une bande de trouble-fête jette un pavé dans la mare des conventions. En fait, c'est une vraie bombe : elle s'appelle la Modernité.
Ils revendiquent la liberté du créateur et du chercheur, conspuent la tradition, rejettent les pesanteurs, s'insurgent contre la frivolité, brisent les tabous. Freud décortique les bas-fonds de l'âme humaine. Ses compatriotes angoissés lui racontent rêves et névroses sur son divan. Il invente la psychanalyse. L'architecte Loos déshabille les façades. Klimt met à nu le corps des femmes et, comme Freud, fait la part belle à la libido. Schönberg invente la musique dodécaphonique. A tort, Vienne se bouche les oreilles. Mahler rajeunit la symphonie classique. Le génie viennois explose dans tous les domaines. En littérature, Schnitzler, médecin devenu écrivain, ausculte la société viennoise comme une grande malade, Karl Kraus vilipende ses contemporains et critique violemment sa ville dans des écrits incendiaires, Wittgenstein explore les limites du langage. Bientôt, Stefan Zweig sera l'écrivain de langue germanique le plus lu dans le monde.
Une concentration de têtes pensantes et d'artistes comme on n'en trouve que dans peu de capitales européennes. Est-ce un hasard si on rencontre alors beaucoup d'intellectuels juifs parmi les initiateurs de ce formidable maëlstrom d'idées ?
Dans ce creuset bouillonnant, les inventeurs du XXe siècle restent de grands sceptiques, des pessimistes actifs en somme. Le doute fait bon ménage avec le génie. Comme Freud : « Voilà 50 ans que je vis ici mais quant aux idées nouvelles, je n'en ai jamais rencontré... » Mais Robert Musil l'avait prédit : « La Kakanie était peut-être après tout un pays pour génies ; et sans doute fut-ce aussi sa perte. »
Beaucoup de ces précurseurs du siècle s'exilèrent, ou se suicidèrent. Certains assistèrent impuissants à l'extinction des lumières par les nazis en 1938. « Ils étaient sans doute trop jeunes dans un monde trop vieux. »

Mort et renaissance d'une ville

En 1918, avènement de la République. Les sociaux-démocrates arrivent au pouvoir : ils résolvent en grande partie la crise de logement endémique de la ville, mais ne

peuvent trouver de réponse à la crise économique qui frappe l'Autriche (comme l'Allemagne). Émeutes populaires en 1927 (incendie du palais de justice) puis véritable guerre civile en février 1934, entre ouvriers viennois et milices fascistes de Dollfuss. En 1938, c'est l'Anschluss et Hitler proclame du balcon de la Hofburg l'annexion de l'Autriche à l'Allemagne. La communauté juive, forte de plus de 180 000 personnes, subit d'abominables brimades et exactions. Le tiers d'entre elle sera exterminé dans les camps.
Fin 1944, Vienne est victime de terribles bombardements. 25 % des habitations sont entièrement détruites. Libération de Vienne le 12 avril 1945 par les Russes. Partage de la ville en quatre secteurs d'occupation (russe, américain, anglais et français). De 1945 à 1955 les Viennois connaissent une terrible période où ils doivent avoir recours à tous les expédients pour ne pas mourir de faim (trafics divers, marché noir), tout en relevant lentement les ruines. C'est l'extraordinaire atmosphère recréée dans *Le Troisième Homme* de Carol Reed (pour les fans, se reporter à la fin de Vienne, à notre rubrique. « Dans les pas du *Troisième Homme* »).
En 1955, la réouverture de l'opéra marque le renouveau de la ville. Depuis, elle a retrouvé une certaine importance internationale en accueillant quelques agences de l'ONU et de grandes conférences mondiales, comme les réunions de l'OPEP et celles du désarmement (CSCE).

Vienne, les Viennois, les Autrichiens, les Parisiens et les autres...

Beaucoup de Viennois entretiennent une drôle de relation avec leur ville. Ils ont l'air de vivre un étrange rapport amour-haine, semblent s'en plaindre sans cesse. Certains, par le passé, ont paru tomber dans le trip schizo, genre haine ou rejet (jusqu'à l'autodestruction) ou affection exagérée (jusqu'à l'idolâtrie). L'histoire viennoise est remplie de gens qui n'ont de cesse de la dénigrer ou de la railler gentiment. Thomas Bernhardt, Karl Kraus, etc. Sigmund Freud ne confiait-il pas à son ami Fliess dans une lettre, en 1900, sa haine personnelle pour Vienne, et qu'il prenait des forces nouvelles dès qu'il posait le pied hors du sol de la ville... Pourtant, il y resta toute sa vie. En fait, on trouve beaucoup de Parisiens qui possèdent le même rapport avec leur ville. Ils l'adorent et y étouffent, ils en aiment l'histoire et l'architecture mais ne supportent plus que ses quartiers soient liquidés par des promoteurs et urbanistes sans scrupules. Alors, les Parisiens et les Français en général aiment Vienne. Peut-être parce qu'ils peuvent jouir de la douceur de cette ville (de sa langueur aussi), opposée à un Paris tendu et arrogant. Surtout parce qu'ils peuvent en apprécier toutes les qualités, tous les avantages, sans être obligés de partager avec les Viennois un vieux malaise d'identité en crise ! Dans son remarquable petit ouvrage sur Vienne, aux éditions Autrement, Guy Hocquenghem décrit fort bien cette dualité de la ville, toutes ces contradictions qui la minent, et en même temps font sa personnalité, et il nous offre cette curieuse constatation : normal que Vienne soit cette ville qui vit naître ou travailler ces maîtres du cinéma que sont Fritz Lang, Erich von Stroheim, Pabst, Billy Wilder, etc., eh bien voilà, Vienne n'est finalement qu'un montage génial !...
Quant aux autres Autrichiens, ceux du pays profond, ils ont toujours éprouvé une méfiance naturelle à l'égard de Vienne, îlot progressiste dans un océan conservateur. Curieusement, le même antagonisme province-capitale qu'en France. Avec la différence, bien sûr, que le provincial ne reprochera pas au Parisien d'être progressiste, mais plutôt d'être suffisant, voire arrogant !

Vienne, un art de vivre unique !

Art de vivre qui nous a transformés en envieux. Où pensez-vous trouver ailleurs une capitale qui ne méprise pas architecturalement ses ouvriers (ou, pis, ne les relègue pas au fin fond de banlieues sordides). Grande tradition d'urbanisme populaire donc. Un petit jardin fleurit toujours entre deux HLM, ces dernières sont fières d'afficher en grosses lettres leurs nom et date de naissance. Ville pour les piétons et les cyclistes avec un des plus remarquables réseaux de transports urbains que l'on connaisse, un des plus efficaces treillis de voies cyclistes au monde (voir chapitre : « Vienne, circulation mode d'emploi »). Une ville où, finalement (malgré l'inévitable malaise propre à la jeunesse de tous les pays du monde occidental), il fait quand même bon être jeune. Famille pas trop éclatée, présence policière quasiment nulle, respect des droits civiques, vrais lieux de loisirs où l'argent n'est pas nécessairement le seul droit d'entrée... Bref, pas de racisme anti-jeunes. Enfin, Vienne ville sûre, tout le monde vous le confirmera même si sa quiétude s'est révélée un peu troublée, très récemment, par le nouveau problème des réfugiés des ex-pays de l'Est et celui naissant de la drogue (les Viennois s'en effraient, mais on est à mille lieues de la situation des autres capitales occidentales !). Quant aux préoccupations écologiques, elles sont omniprésentes. Il n'y a qu'à voir, à l'entrée des groupes de HLM, l'alignement des poubelles dont chacune affiche sa spécialité : déchets traditionnels, verre, métaux, plastiques, etc.

Sortir : concerts classiques à prix doux

Aux XVIIIe et XIXe siècles, Vienne était à la musique classique ce qu'Hollywood est au cinéma contemporain : un creuset unique pour les créateurs et un foyer de production artistique sans commune mesure avec les autres villes européennes.
Même si l'âge d'or de Mozart, Schubert, Beethoven et Mahler appartient définitivement au passé, la ville semble être toujours emportée par ce souffle de l'histoire qui n'est pas prêt de se tarir. Il suffit de regarder de près le programme des concerts pour le mesurer. Il serait dommage d'être à Vienne sans assister au moins à un concert de musique classique au cours de son séjour. Plusieurs raisons à cela : d'abord la qualité et la variété des orchestres en présence, ensuite les prix des billets.
Contrairement aux idées reçues, à Vienne les places de concerts ne sont pas hors de prix et, surtout, elles ne sont pas réservées à un public restreint d'initiés. Les prix des billets varient selon la notoriété de l'orchestre. Les Viennois qui aiment la musique vont au concert plusieurs fois dans l'année, souvent plusieurs fois dans le même mois. Aucun snobisme particulier. Inutile de revêtir un smoking, ni de porter une cravate. Certains le font, d'autres pas. Il suffit d'être correctement vêtu et propre. Évitez donc d'aller écouter Mozart en godasses couvertes de boue avec un T-shirt pas lavé depuis trois semaines. Nous, on s'en moque, mais par simple courtoisie pour les Viennois un peu plus habillés, mieux vaut éviter de faire trop débraillé. Bref, à Vienne, il en va des concerts comme des cafés : pour quelques schillings autrichiens, n'importe qui peut jouir des meilleures choses de l'esprit dans des décors somptueux.

Les concerts de Vienne : où, quand, comment ?

– ***Demander le programme :*** à l'office du tourisme ou à l'hôtel.

– ***Comment choisir son orchestre ?*** Le plus réputé est le *Philharmonique de Vienne*. Mais c'est aussi le plus cher ! Très demandé dans le monde entier, on ne peut assister à ses concerts qu'à certaines périodes de l'année, en hiver particulièrement. A condition de réserver sa place très tôt à l'avance.
Mais il y a aussi plusieurs autres orchestres de très haut niveau, même s'ils ne sont pas aussi prestigieux. Quelque peu à part, le *Wiener Mozart Orchestra* est réputé pour l'allure romantique de ses musiciens habillés en costumes du XVIIIe siècle. C'est l'orchestre le plus « touristique » d'Autriche. Enfin, sachez que la plupart des grands orchestres du monde font escale à Vienne lors de leur tournée. C'est l'occasion de les entendre.

– ***Comment choisir sa salle ?*** On n'a pas toujours le choix dans ce domaine. Une des plus belles salles de la ville est probablement la Grande salle (Grosser Saal) du *Musikverein,* Karlsplatz 6 (Wien 1). De forme rectangulaire (ce qui est très rare pour une salle de concert), somptueusement décorée tel un temple baroque, dominée par un buffet d'orgues couvert de dorures, elle offre une acoustique étonnante. C'est notre salle préférée.
Sinon il y a le *Konzerthaus,* Lothringerstrasse 20 (Wien 3). ☎ 712-12-11. Fax : 712-28-72. Et la *salle Bösendorfer,* Grafstarhemberg Gasse 14. ☎ 504-66-51.
De nombreux concerts se déroulent également dans les églises de Vienne (église Saint-Étienne, Evangelische Kirche, Ruprechtskirche...) ou dans les vieux palais, comme le *palais Eschenbach* (☎ 512-62-63), le *palais Ferstel* (☎ 512-62-63) ou le *palais Lobkowitz* (☎ 515-14-225), où aurait été donnée pour la première fois, en 1803, la *Neuvième Symphonie* de Beethoven.

– ***Où et quand acheter ses billets ?*** Inutile de songer à l'office du tourisme de Vienne parce qu'il n'en vend pas. La solution la plus économique revient à se rendre directement à la salle de concert. La liste des salles et leurs adresses figurent dans la brochure des programmes. Autre solution, pour celui qui veut être assuré d'avoir une place, acheter un billet et réserver sa place auprès du *Vienna Ticket Service,* Börsegasse 1 (Wien 1). ☎ 534-17-75. Fax : 534-17-26. Réservation de l'étranger seulement par écrit et au moins un mois à l'avance.

Si l'on se décide à la dernière minute, pas de panique, car on peut toujours trouver de la place à condition de se présenter à la caisse dès l'ouverture des portes, soit une heure environ avant le début du concert. Beaucoup de gens agissent ainsi. Et ça marche. C'est vrai pour les places de concert, mais aussi pour le théâtre et l'opéra.
– ***Pour les étudiants :*** sur présentation de la carte d'étudiant, ou même sans, on peut obtenir des places de théâtre juste avant le début de la représentation. Ces billets sont généralement meilleur marché que les billets au tarif habituel.

La belle histoire du café-croissant

S'il est une histoire que l'on connaît peu et que l'on doit bien aux Viennois, c'est celle du café-croissant. Lorsque, battus en 1683 au siège de Vienne, les Turcs s'enfuirent, ils laissèrent des tonnes d'équipement, d'armes, de vivres. Notamment, des tas de petits grains vert foncé qu'on prit d'abord pour de la nourriture pour chameaux. Avant que cela ne finisse dans le Danube, Kolschirzky, un Polonais résidant à Vienne, s'avisa qu'il s'agissait en fait de café. Il obtint d'ouvrir le premier établissement à en servir, le *Wiener Café*. Quant au célèbre croissant, c'était l'emblème figurant sur les oriflammes turques. Par ironie et toujours avec cette façon élégante des Viennois de conjurer le mauvais sort, il fut transformé en ce délicieux feuilleté. Un hommage également aux boulangers. Ils auraient aussi contribué à l'échec du siège. En effet, beaucoup de fournils étant en sous-sol, ils pouvaient ainsi entendre les bruits sourds des sapeurs turcs et étaient en mesure parfois de signaler à temps les tentatives de minage.

Les cafés viennois

Ainsi, un grand merci aux Turcs d'avoir contribué à la naissance d'une extraordinaire institution : le café viennois. Il y en eut jusqu'à 1 500 avant la dernière guerre. A peu près 600 aujourd'hui. Beaucoup disparurent dans les bombardements, certains sous les coups des pelleteuses de la voracité immobilière. Victime aussi, ces dernières années, du changement des habitudes sociales, de l'évolution des goûts.
Ils furent longtemps le centre de la vie politique, littéraire et culturelle. Tous les écrivains, journalistes, politiciens de cette première moitié de siècle les fréquentaient assidûment. D'abord, il y faisait chaud alors que les grands appartements viennois étaient difficiles à chauffer. On aimait venir y jouer aux dames, aux échecs, au billard, mais encore plus pour y lire les journaux. Les gens prirent ainsi l'habitude de boire leur café d'une main et de tenir la hampe de bois verni du journal de l'autre. Le poète Peter Altenberg disait : « Être au café, c'est se retrouver chez soi, sans être à la maison ! » Aussi trouvait-il souvent des patrons qui acceptaient, après le départ du dernier client, qu'il dorme sur une moelleuse banquette. Lieu de convivialité certes, mais un autre poète ajoutait : « C'est aussi le meilleur endroit pour être seul en compagnie. »
Aujourd'hui, les cafés viennois retrouvent un peu de leur souffle, réoccupés par une clientèle jeune, d'étudiants, d'artistes. Les journalistes possèdent encore leurs lieux (*Oswald und Kalb* qui fait aussi resto). Le cocooning n'a pas vraiment encore gagné. Les cafés qui proposent la presse internationale ont, bien sûr, un peu plus de succès que les autres. Ce qui n'a guère changé, c'est la classe, le métier des serveurs dans beaucoup d'entre eux. Karl Kraus aimait dire : « Aux Égyptiens, le scarabée était sacré ; aux Viennois, le maître d'hôtel ! » Les meilleurs du monde, « produits d'exportation » disait-on déjà au XIXe siècle. Le café sera presque toujours apporté sur un petit plateau en métal argenté avec un verre d'eau fraîche.
Pour conclure, si le café viennois n'est plus l'endroit où se forgeait l'opinion publique, et la source privilégiée des journalistes, il reste le lieu idéal pour se réfugier des agressions du dehors. Lieu idéal pour rêver, écrire ses lettres d'amour, faire des cocottes en papier. Normal, c'est souvent spacieux et confortable. Certains cafés très traditionnels, ni huppés, ni snobs, ressemblent même à de beaux salons ou salles à manger bourgeoises cossues. Peu bruyants aussi. Ici, pas de machines à sous, pas d'odieux flippers électroniques avec leurs sinistres voix métalliques... Pas d'ivrognes, pas de tensions (on y boit peu d'alcool).
Et *last but not least*, le dernier endroit où l'on pourra encore fumer, le dernier bastion qui résistera aux Khmers verts ! Bref, une grande institution qui perdure. Avec, pour notre plaisir, autant d'atmosphère et de cadres différents qu'il y a de cafés...

Vienne, circulation, mode d'emploi !

Comme nous vous le disions, Vienne est la ville de rêve pour les trekkeurs urbains. Circulation automobile assez dense et peu logique. Rouler en voiture ne présente vraiment pas d'intérêt. La ville offre l'éventail de moyens de transport le plus large qu'on puisse rêver. Plusieurs formules d'abonnements couvrant tout le réseau métro, tram et bus : carte à la journée à oblitérer au premier voyage (validité de 24 h exactement), pour trois jours (valable exactement 72 h), forfait à la semaine utilisable du lundi au dimanche. Carte avec timbre et photo. Dernière formule : le forfait de 8 jours à sections. On oblitère une section pour la journée. Avantage : on peut l'utiliser à plusieurs, puisqu'on oblitère une seule section par personne ! Enfants de moins de 6 ans, c'est gratuit. Cadeau : les lycéens étrangers de moins de 15 ans voyagent également gratuitement pendant toutes les vacances scolaires autrichiennes (juillet et août, de Noël à la fin de la première semaine de janvier, première semaine de février, du dimanche des Rameaux au lundi de Pâques !) Bien sûr, avoir sur soi une pièce d'identité. Vérifier si cette gracieuseté a toujours cours à la sortie de ce guide ! Ces forfaits se trouvent dans les stations, à des distributeurs qui acceptent également les billets de banque ou dans les kiosques à journaux. Attention, billets à l'unité assez chers.

– ***Un conseil :*** pour ceux qui restent au moins 3 jours à Vienne, acheter le *Ticket Special Vienne.* Il coûte 180 SCH (environ 90 FF) et permet de circuler gratuitement pendant 72 h sur tout le réseau viennois de métro, tram et autobus. Il offre de plus des gratuités ou des réductions intéressantes dans une cinquantaine de musées, magasins et restaurants de la capitale. Ce ticket Special Vienne s'obtient dans les bureaux d'information touristique, aux guichets principaux des transports publics viennois, chez *Austrian Airlines,* et dans la plupart des hôtels.

– ***Métro :*** couvre relativement bien la ville. Moderne, spacieux, très propre.

– ***Tramways et bus :*** réseau extrêmement dense permettant toutes les combinaisons possibles. Autobus de nuit sur huit lignes les nuits du vendredi et du samedi jusqu'à 4 h. Point de départ : Schwedenplatz. Les arrêts des bus de nuit sont marqués « N ».

– ***Pistes cyclables :*** plusieurs dizaines de kilomètres entièrement matérialisés. Vélo très populaire à Vienne. De l'étudiant au P.-D.G. en passant par le plombier et la bonne sœur. On le comprend. A Vienne, il existe une véritable politique pour le vélo. Sur ce terrain, Paris en est toujours au niveau du doigt de pied (même pas de la cheville !). Ces longues pistes (en général de couleur lie-de-vin) possèdent la priorité sur les automobilistes aux carrefours (d'où une certaine animosité de ces derniers, obligés de partager leur pouvoir !). Attention, ces pistes ayant été souvent créées par division des trottoirs en deux, bien respecter sa ligne. En effet, si par mégarde vous, piéton, marchez dans le couloir réservé aux cyclistes, vous risquez fort de vous faire engueuler vertement (allez les Verts !). Ce n'est pas une des moindres bizarreries de la vie d'assister à la mutation de certains cyclistes, adoptant des comportements d'automobilistes (d'oppressés devenant à leur tour oppresseurs !). Il arrive même que piétons et cyclistes partagent le même trottoir (trop étroit pour être divisé en deux). Si un cycliste se manifeste alors de façon trop vindicative, curieusement, on se rapproche, voire on se sent presque complice de l'ennemi d'hier... l'automobiliste !

– ***A pied ! :*** à Vienne, bien entendu, le pied c'est le trek urbain ! Cependant, deux trucs à savoir : traverser en dehors des passages protégés et au feu vert est passible d'une amende. Ensuite, comme nous, vous perdrez rapidement vos mauvaises habitudes. On s'explique : même s'il n'y a aucune voiture au feu vert, vous verrez très peu de Viennois traverser. C'est comme ça, ils sont très disciplinés. Il y a bien quelques bonnes raisons historiques et sociologiques de cet état de fait, mais ça serait trop long de les décrire ici. Sachez cependant que le regard lourd d'opprobre qui vous accueillera de la part de la foule en face vous dissuadera rapidement de recommencer. Incroyable, on en arrive à s'autocensurer tellement tout acte « libertaire » est un comportement inadapté à Vienne. Sûr que vous ne nous croirez pas si l'on affirme aussi que les regards chargés d'opprobre, on les sentait également dans notre dos...

Arrivée à l'aéroport

L'aéroport de Vienne-Schwechat est situé à 19 km au sud-est de la capitale.

■ ***Renseignements téléphoniques de l'aéroport de Vienne :*** ☎ 711-10-22-31 ou 22-32 (24 h sur 24).

🛈 ***Office du tourisme autrichien à l'aéroport :*** dans le hall des arrivées. Bureau ouvert de juin à septembre, tous les jours de 8 h 30 à 23 h. Entre octobre et mai, ouvert de 8 h 30 à 22 h. Plan de

Vienne et infos générales. Service de réservation de chambres dans les hôtels ou les pensions.
– ***Bureaux de change :*** das le hall des arrivées, plusieurs guichets ouverts de 8 h 30 à 23 h 30 et, dans le hall des départs, de 6 h à 20 h 30. Taux de change officiel.

Bus pour le centre-ville : un trajet en bus coûte 70 SCH, soit 6 à 7 fois moins cher que le taxi, et on achète les billets dans le bus. Les bus au départ de l'aéroport desservent trois destinations différentes dans Vienne.
• *Pour le City Air Terminal* (voir *plan Vienne Centre, D3,* ***3***) : situé sur Amstradtpark, près du Stadt Park, au sud-est du centre historique, il faut compter entre 20 et 30 mn de trajet selon la circulation. Il y a des bus jour et nuit. Dans la journée, à partir de 6 h 30, un départ toutes les 20 mn. La nuit, entre 1 h 30 et 5 h 30, un départ toutes les heures.
• *Pour le sud et l'ouest de Vienne :* prendre le bus qui se rend à Wien Südbanhof (gare ferroviaire du Sud). Durée : 20 mn pour Südbanhof, 35 mn pour Westbanhof (gare de l'Ouest). Un départ toutes les 30 minutes (à 10 et 40 de chaque heure).
• *Pour l'International Centre de Vienne :* 6 bus par jour, entre 7 h 50 et 18 h 50. Compter 35 mn de trajet.

Orientation

– ***Sur la carte de l'Autriche :*** ne la cherchez pas à l'ouest du pays ! Ni dans les montagnes de la chaîne des Alpes. Vienne se cache au bord de la plaine, à l'extrême est. Voilà une capitale très excentrée par rapport au reste de l'Autriche, plus proche de la Hongrie, de la République tchèque ou de la Slovaquie que de la Suisse et de l'Italie. D'ailleurs, Bratislava, première ville slovaque, n'est qu'à 65 km du clocher du Stephansdom ! En ville, de grands panneaux bleus indiquent la direction de Prague, 311 km. C'est presque aussi aisé d'aller de Vienne à Budapest que de Vienne à Salzbourg. Bref, à peine débarqué, l'impression ne trompe pas, on est bel et bien au cœur de la Mitteleuropa. Jolie invitation au voyage !
– ***Campagne très proche au nord-est :*** couvertes de prés et de bois, blanches en hiver, vertes et éclatantes en été, les collines de la Wienerwald marquent en fait la fin des Alpes. C'est un peu la queue de l'arête du grand poisson alpin. De ce balcon en forêt, unique accident du relief autour de cette ville plate, on embrasse Vienne d'un seul coup d'œil. L'agglomération viennoise s'étend sur une surface quatre fois plus

Adresses utiles

- Office du tourisme
- Poste principale
- **1** Jugend Info
- **2** Office du tourisme de la Basse Autriche
- **3** City Air Terminal
- **4** American Express
- **5** Changeur automatique
- **6** Bank Austria
- **7** Consulat de France

Où dormir ?

- **10** Pension Dr Geissler
- **11** Pension Schweizer
- **12** Pension Lerner
- **13** Pension Am Operneck
- **14** Pension Elite
- **15** Pension Nossek
- **16** Pension Aclon

Où sortir ?

- **46** Benjamin
- **47** Absolut
- **48** Alt Wien
- **49** Lukas
- **50** Café Stein

Où manger ?

- **20** Trzesniewski
- **21** Rosenberger
- **22** Ilona Stüberl
- **23** Zum Bettelstudent
- **24** Hebenstreit
- **25** Esterhazy Keller
- **26** Gulaschmuseum Café
- **27** Oswald und Kalb
- **28** Landtmann
- **29** Hotel Sacher
- **30** Demel
- **31** Zu Den 3 Husaren
- **32** Ma Pitom

Vieux cafés viennois

- **40** Cafe Hawelka
- **41** Cafe Braûnerhof
- **42** Cafe Haag
- **43** Cafe Central
- **44** Cafe Diglas
- **45** Kleines Café

- **51** Krah Krah
- **52** Roter Engel
- **53** Cactus
- **54** Relax
- **55** Rasputin
- **56** Jazzland

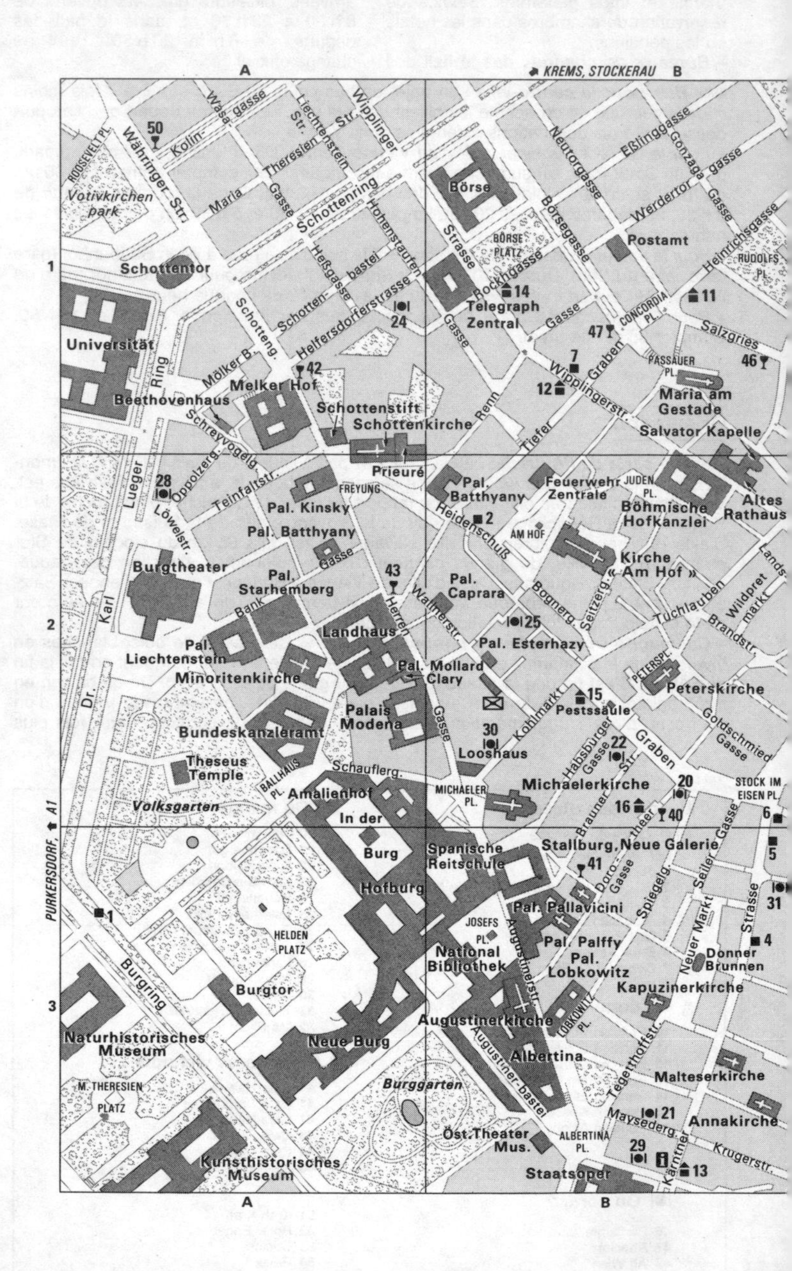
A
KREMS, STOCKERAU
B
ROOSEVELT PL.
Votivkirchen park
Währinger Str.
50
Kolin-
Wasa gasse
Maria
Theresien Str.
Liechtenstein Str.
Wipplinger Str.
Gasse
Schottenring
Börse
Neutorgasse
Eßlinggasse
Gonzaga Gasse
Werdertor gasse
Börsegasse
BÖRSE PLATZ
Postamt
Heinrichsgasse
RUDOLFS PL.
1
Schottentor
Heßgasse
Schotten- bastei
Hohenstaufen
Helfersdorferstrasse
24
Strasse
Rockhgasse
14
Telegraph Zentral
Gasse
CONCORDIA PL.
11
Salzgries
Universität
Schotteng.
Mölker B.
Ring
42
Melker Hof
47
7
Graben
PASSAUER PL.
46
12
Wipplingerstr.
Maria am Gestade
Beethovenhaus
Schreyvogelg.
Schottenstift
Schottenkirche
Renn
Tiefer
Salvator Kapelle
Oppolzerg.
Teinfaltstr.
Lueger
28
Prieuré
FREYUNG
Pal. Batthyany
Feuerwehr Zentrale
JUDEN PL.
Böhmische Hofkanzlei
Altes Rathaus
Pal. Kinsky
Löwelstr.
Heidenschuß
2
AM HOF
Pal. Batthyany
Gasse
Kirche « Am Hof »
Burgtheater
43
Pal. Starhemberg
Pal. Caprara
Bank
Herren
Wallnerstr.
Bognerg.
Seitzerg.
Tuchlauben
Wildpret markt
Brandstr.
Karl
2
25
Landhaus
Pal. Esterhazy
Pal. Liechtenstein
Minoritenkirche
Pal. Mollard Clary
PETERSPL.
Peterskirche
Dr.
Palais Modena
Gasse
15
Pestsäule
Kohlmarkt
Goldschmied Gasse
30
Bundeskanzleramt
Habsburger Gasse
22
Graben
Looshaus
Theseus Temple
BALLHAUS PL.
Schauflerg.
Str.
Amalienhof
MICHAELER PL.
Michaelerkirche
20
STOCK IM EISEN PL.
Volksgarten
16
40
6
PURKERSDORF, A1
In der Burg
Brauner
Stallburg, Neue Galerie
Spanische Reitschule
41
Dorotheer Gasse
Seiler
5
1
Hofburg
Spiegelg.
Strasse
31
Pal. Pallavicini
JOSEFS PL.
Augustinerstr.
Pal. Palffy
HELDEN PLATZ
4
National Bibliothek
Pal. Lobkowitz
Neuer Markt
Donner Brunnen
Burgring
Kapuzinerkirche
Burgtor
3
LOBKOWITZ PL.
Augustinerkirche
Naturhistorisches Museum
Neue Burg
Albertina
Tegetthoffstr.
Augustiner-bastei
M. THERESIEN PLATZ
Burggarten
Malteserkirche
21
Annakirche
Maysederg.
Öst. Theater Mus.
ALBERTINA PL.
29
Krugerstr.
Kärntner
13
Kunsthistorisches Museum
Staatsoper
A
B

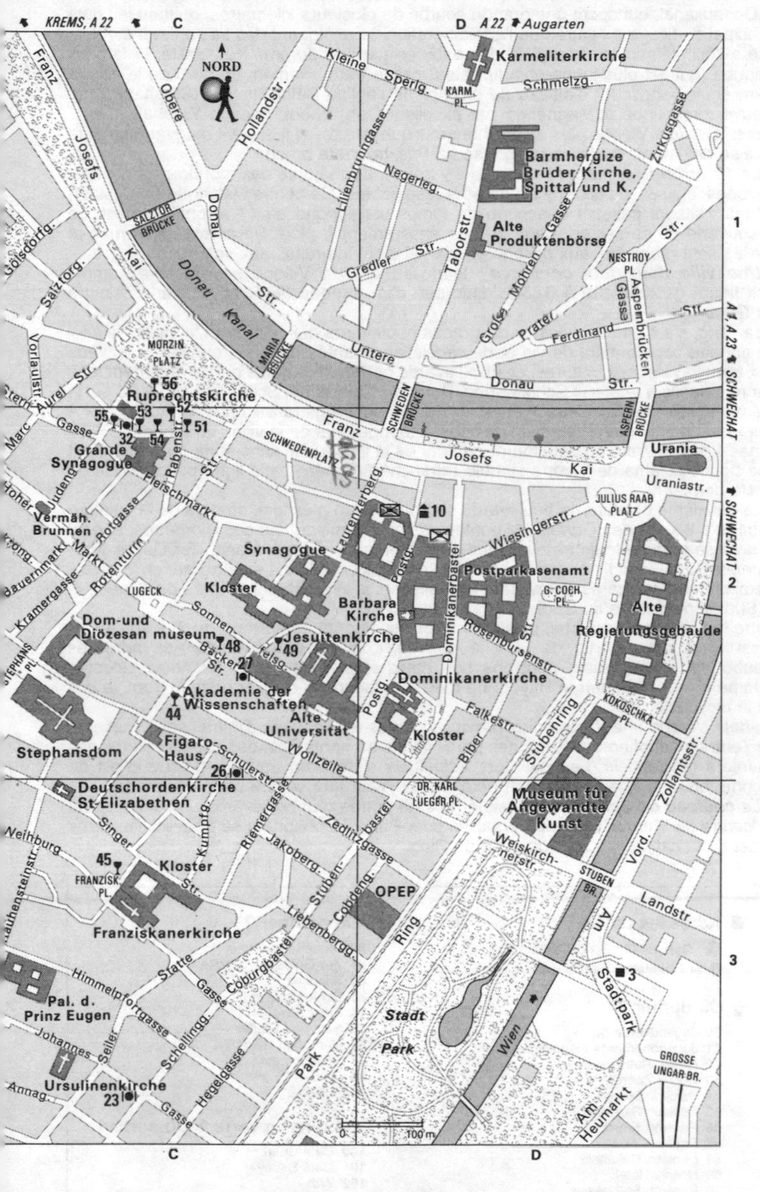

VIENNE (CENTRE)

grande que Paris intra-muros, mais moins peuplée. Du centre, on est vite rendu hors de la ville.

– ***Où est le Danube ?*** On dirait qu'un fleuve traverse la ville. Non, il s'agit d'un canal, le Donaukanal, qui décrit une grande courbe de plusieurs kilomètres, quittant le cours principal du fleuve à l'entrée de l'agglomération, le rejoignant dès sa sortie. Il est destiné à l'écoulement du trop plein des eaux en période de crue. En réalité, le fameux Danube (qui est plus jaune-gris que bleu) passe tranquillement au nord de la ville, à 3 km seulement à vol d'oiseau du clocher de l'église Saint-Étienne (Stephansdom). Fleuve romantique et wagnérien par excellence en amont, dans la Wachau notamment, le voilà à Vienne plus austro-hongrois que nature, et il devient magyar à mesure qu'il se dirige vers la plaine hongroise (la Puszta) toute proche.

– ***Le 1er arrondissement :*** l'essentiel s'y trouve. La majorité des monuments à visiter (musées, églises, palais...) y est en effet rassemblée. Ce centre historique (Innerstadt) où les visiteurs passent beaucoup de temps correspond au 1er arrondissement. La découverte de ce secteur peut se faire entièrement à pied. De nombreuses rues et ruelles sont réservées aux piétons et aux vélos, et interdites aux voitures.

– ***Une ville deux fois ceinturée :*** le noyau dur de Vienne se présente comme une figure géométrique à 6 côtés entourée d'un anneau (le *Ring*) et d'une ceinture (le *Gürtel*).

• Le *Ring*, c'est une succession de grands boulevards qui ceinturent la vieille ville tel un anneau bourdonnant de vie et de circulation. Plantés d'arbres, ombragés, ouverts aux tramways et aux voitures, ces boulevards portent des noms qui se terminent tous par ring (facile à retenir) : Scholtenring, Burgring, Opernring, Schubertring, etc. C'est la première ceinture du vieux Vienne (on parle du Ringstrasse dans la rubrique « A voir »), un point de repère essentiel dans la topographie de la ville : en empruntant les lignes 1 et 2 du tram on peut tourner autour de la vieille ville sans sortir du Ring ! C'est une boucle. L'âme de Vienne semble retranchée derrière cette ligne périphérique du siècle dernier.

• La deuxième ceinture de boulevards se trouve 2 km plus loin, au-delà de la ceinture des Ring. Il s'agit des *Gürtel,* des boulevards qui se suivent sur des kilomètres, et dont le nom se termine toujours par Gürtel : Lerchenfelder Gürtel, Mariahilfer Gürtel, Margareten Gürtel, etc. Ils encerclent la ville une deuxième fois. Le métro aérien y passe. Deux importantes gares ferroviaires les balisent : la West Bahnhof (gare de l'Ouest) et la Südbahnhof (gare du Sud).

Entre les Ring et les Gürtel, plusieurs arrondissements se suivent, du 3e jusqu'au 9e. C'est dans cette partie de la ville que se trouvent plusieurs de nos adresses d'auberges de jeunesse, pensions bon marché, et maisons de Viennois célèbres comme Freud, Schubert et Haydn. La meilleure façon d'y circuler reste le tram, le bus ou la bicyclette.

Au-delà s'étend une Vienne plus provinciale, plus aérée, avec d'immenses cimetières (le Zentralfriedhof notamment), des parcs fleuris au printemps, des espaces verts, des quartiers résidentiels. Les quartiers industriels s'étendent au sud et au sud-est de Vienne, entre la ville et l'aéroport notamment. Avoir une voiture pour s'y balader.

– ***Le château de Schönbrunn :*** situé hors de portée des boulevards de ceinture, loin du centre de Vienne. Comme Versailles pour Paris, Schönbrunn se trouve à l'extrême ouest de la capitale, à environ 4 km du Ring.

■ Adresses utiles

Gare de l'Ouest (Westbahnhof)
et information touristique

Où dormir ?

60 Jugendherberge
61 Jugendherberge Neustiftgasse
62 Hostel Ruthensteiner
63 Hostel Zöhrer
64 Pension Mozart
65 Pension Samwald
66 Pension Kraml
67 Pension Wild
68 Pension Columbia
69 Hospiz Hotel
70 Pension Baronesse
71 Hotel Pension Zipser
72 Saison Hotel Josefstadt

Où manger ?

80 Siebenstern Brau
81 Zur Goldenen Glocke
82 Silberwit
83 Schlossgasse 21
84 Altes Fassl
85 Salz und Pfeffer
86 Hernalser Stadtbeis
87 Spatzennest
88 Zu den 2 Lieserln
89 Bohême

Où boire un verre ? Où sortir ?

100 Café Sperl
101 Café Savoy
102 Wuk
103 Miles Smiles
104 Objectiv
105 Café International
106 Café Zipp

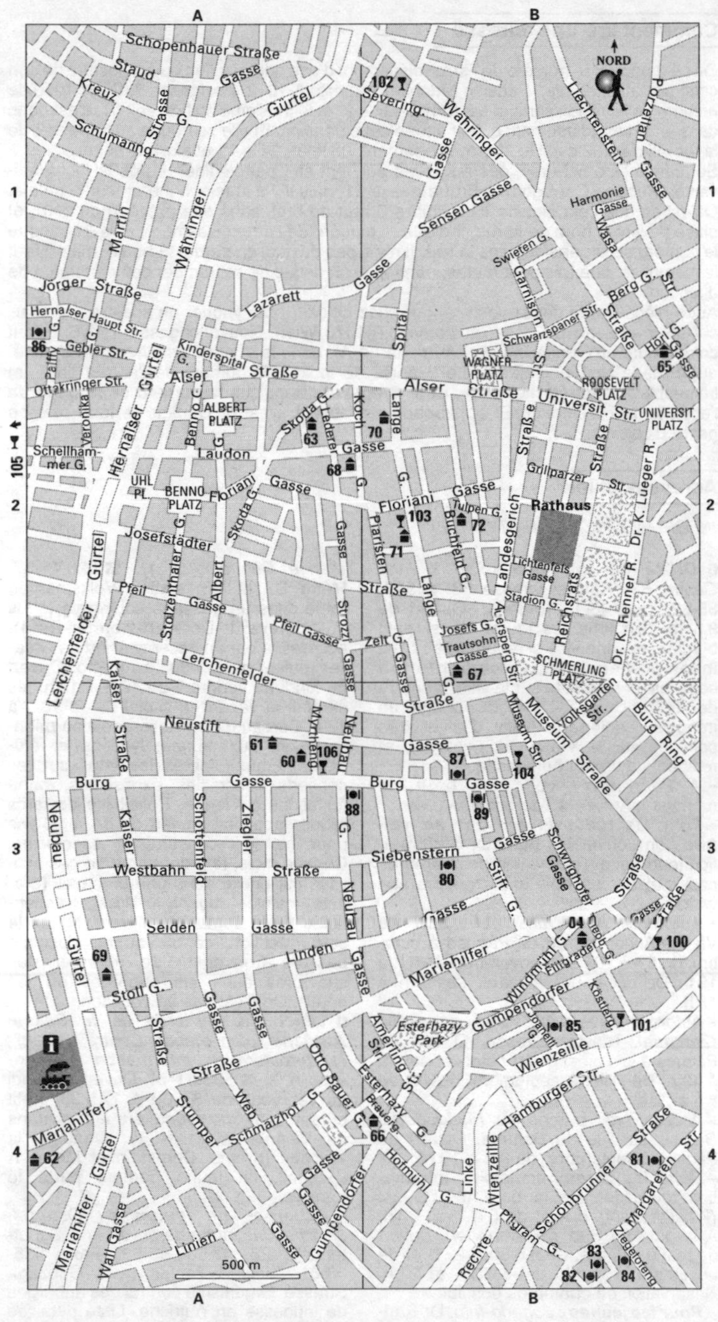

VIENNE (PLAN II)

Comment lire une adresse ?

On peut déceler le numéro de l'arrondissement d'une adresse rien qu'à la lecture de son code postal. exemple : Pension Machintruckberg, A-1010, Postgasse 7. Dans 1010, le numéro de l'arrondissement est formé par le 2e et le troisième chiffre, soit 01, c'est donc dans le 1er arrondissement qu'est située cette pension. Et elle se trouve au numéro 7 de la rue. Si c'est 02 c'est le 2e arrondissement, 03 le 3e, 04 le 4e, et ainsi de suite.
Sur certaines brochures, des adresses peuvent être parfois libellées de la façon suivante : Pension Ostrogoth, 6 Brauergasse 21, puis il y a le téléphone et tout le tralala. Qu'est-ce que cela signifie ? Le chiffre 6 brut de brut, sans être précédé du zéro, et placé devant le nom de la rue, indique le numéro de l'arrondissement, et le 21 indique le numéro de la pension dans la rue. Il n'y a pas de quoi en perdre la boule, mais il faut le mémoriser une fois pour toutes, sans quoi on risque de se tromper complètement de direction...
Autre piège : vous devez vous rendre chez Ottokar pour y louer un sceptre bon marché. Sur sa carte de visite on trouve : A-1070 Wien, Nouvorichgasse 45/3/6. Il faut comprendre qu'Ottokar habite l'Autriche (le A), dans le 7e arrondissement de Vienne, au 45 de la Nouvorichgasse. Le 3 après 45 indique le numéro de l'entrée dans un immeuble « à entrée multiple », et le 6 après le 3 indique le numéro de la porte de l'appartement d'Ottokar. Et si l'abonné est absent, c'est qu'Ottokar ne loue plus ce genre d'objets...

Adresses utiles

INFORMATIONS TOURISTIQUES

Office du tourisme *(plan Vienne Centre, B3) :* Kärtner Strasse, 38. ☎ 513-88-92. Fax : 43-1-216-84-92. Ouvert de 9 h à 19 h tous les jours. Un si petit bureau pour une ville si renommée : c'est incompréhensible. Documentation complète et bien faite sur la ville. Demander la brochure *Szene,* disponible en français, contenant plein d'infos très pointues sur le Vienne des jeunes, et rédigée sur un ton humoristique.
– ***A l'aéroport :*** voir plus haut, la rubrique « Arrivée à l'aéroport ».
– ***Pour les routards arrivant en voiture :*** on trouve des bureaux d'information touristique (réservation de chambres possible) sur les trois axes routiers suivants :
• *Autoroute de l'Ouest A1 :* aire de Vienne-Auhof, ouvert de Pâques à octobre, de 8 h à 22 h. En novembre, de 9 h à 19 h. De décembre à mars, de 10 h à 18 h.
• *Autoroute du Sud A2 :* sortie centre-ville *(Zentrum),* Triester Strasse. Ouvert de Pâques à juin ainsi qu'en octobre, de 9 h à 19 h. De juillet à septembre, ouvert de 8 h à 22 h.
• *Accès Nord :* bureau au *Floridsdorfer Brücke,* sur l'île du Danube. Ouvert de Pâques à septembre, de 9 h à 19 h.
– ***Dans les gares :*** comptoir d'information touristique de la gare de l'Ouest *(Westbahnhof),* ouvert de 6 h 15 à 23 h. A la gare du Sud *(Südbahnhof),* ouvert de mai à octobre, de 6 h 30 à 22 h et de novembre à avril, de 6 h 30 à 21 h. Réservation de chambres possible.
– ***Pour les jeunes :*** *Jugend-Info,* Dr Karl-Renner-Ring/Passage Bellaria *(plan Vienne Centre, A3, 1).* ☎ 526-46-37. Métro U2 et U3, station Volkstheater. Situé dans un passage souterrain (sous le boulevard Dr Karl-Renner-Ring), accessible par un ascenseur ou un escalier roulant qui conduit au métro. Ouvert du lundi au vendredi de 12 h à 19 h, les samedi et vacances scolaires de 10 h à 19 h. Bureau d'information destiné prioritairement aux jeunes, lycéens et étudiants. Fournit toutes les infos sur les concerts, spectacles, expositions, manifestations à Vienne. Possibilité de tarifs réduits pour les jeunes de 14 à 26 ans pour certains concerts et spectacles. Chaque mois, le programme de ces activités est publié dans une brochure (gratuite) intitulée *Jugend In Wien.* Indispensable de la demander si vous sortez le soir. Attention, ce bureau ne s'occupe pas de trouver ni de réserver des chambres dans les auberges ou les hôtels. Ce n'est pas sa vocation.

Office du tourisme de la Basse-Autriche *(plan Vienne Centre, B2, 2) : Niederösterreich Information,* Heidenschuss, 2. ☎ 533-31-14. Ouvert du lundi au vendredi, de 8 h 30 à 17 h 30. Petit bureau bien documenté sur les environs de Vienne, la vallée du Danube, la Wachau (Krems, Durnstein et Melk). A l'accueil, un jeune homme parle le français.
– ***Auberges de jeunesse :*** *Osterreichischer Jugendherbergsverband,* Schottenring, 28. ☎ 533-53-53. Fax : 535-08-61. Situé à l'angle avec Gonzaga Strasse. Organisme central des auberges de jeunesse en Autriche. Liste détaillée de toutes les A.J. dans le pays.

POSTES ET TÉLÉCOMMUNICATIONS

✉ ***Poste principale** (plan Vienne Centre, C-D2) :* Fleischmarkt, 19. Ouverte tous les jours, 24 h sur 24, de même que les bureaux de poste des gares du Sud, de l'Ouest et de la Franz-Josefs Bahnhof. Les bureaux des quartiers ouvrent généralement du lundi au vendredi, de 8 h à 12 h et de 14 h à 18 h.

– ***Téléphone** (plan Vienne Centre, B1) :* Börseplatz, 1 Schottenring. Ouvert tous les jours de 6 h à minuit.

ARGENT, CHANGE, BANQUES

Vienne est l'une des villes les plus faciles qui soient pour changer de l'argent étranger. Il y a non seulement des guichets de banque un peu partout dans le centre-ville, mais on trouve de nombreux changeurs automatiques de billets dans les rues et places les plus fréquentées. Très pratiques pour des petites et moyennes sommes d'argent, ouverts jour et nuit, ces changeurs (merci à son inventeur !) sont d'une simplicité enfantine à utiliser. Il faut d'abord indiquer la monnaie qui sera changée, puis glisser le billet de banque dans une sorte de fente. Après avoir aspiré le billet (un ou plusieurs), la machine recrache sans attendre l'équivalent de la somme en billets et pièces autrichiennes (schillings).
Ces changeurs automatiques ne sont pas à conseiller à celui qui désire changer une grosse liasse ou une brouette pleine de billets de banque. Il vaut mieux qu'il aille au guichet d'une banque. Mais pour tous les voyageurs munis d'un petit ou d'un moyen budget, c'est la solution idéale, surtout quand les banques ont fermé leurs portes (la nuit donc).

• ***Retrait d'argent avec une carte de crédit :*** aucun problème. Il y a des distributeurs automatiques de billets quasiment partout dans le centre-ville. Ils acceptent la carte VISA, bien entendu, mais aussi toutes les autres cartes de crédit existantes.

• ***Petit rappel :*** le taux de change pratiqué dans les hôtels de Vienne n'est pas inintéressant. Ne changer toutefois qu'en cas de dépannage. En règle générale, il vaut mieux changer à la banque ou se servir des changeurs automatiques.

– ***Horaires d'ouverture des banques et des bureaux de change :*** du lundi au vendredi, de 8 h à 15 h, le jeudi jusqu'à 17 h 30.

– ***Westbahnhof*** (gare de l'Ouest) : guichet de change ouvert de 7 h à 22 h.

– ***Südbahnhof*** (gare du Sud) : de 6 h 30 à 22 h, de mai à octobre. De 6 h 30 à 21 h de novembre à avril.

– ***Aéroport :*** hall des arrivées, de 8 h 30 à 22 h 30.

– ***City Air Terminal** (plan Vienne Centre, D3, 3) :* ouvert du lundi au vendredi de 8 h 30 à 13 h 30 et de 14 h à 18 h. Les samedi, dimanche et jours fériés, de 8 h 30 à 13 h 30.

– ***American Express** (plan Vienne Centre, B3, 4) :* Kärntner Strasse, 21 (Wien 1). ☎ 515-40. Ouvert de 9 h à 17 h 30. Le samedi, de 9 h à 12 h. Pour changer vos chèques de voyage.

– ***Changeur automatique de billets** (plan Vienne Centre, B3, 5) : Creditanstalt,* Kärntner Strasse, 7. Change les principales monnaies.

– ***Bank Austria** (plan Vienne Centre, B3, 6) :* Stephansplatz, 2. ☎ 513-16-26. Fax : 513-95-54. Ouvert du lundi au vendredi de 8 h à 12 h 30 et de 13 h 30 à 15 h. Le jeudi, ferme à 17 h 30. Agence très centrale. On y parle le français. On y trouve aussi un distributeur automatique de billets acceptant la carte VISA, ainsi qu'un changeur automatique fonctionnant 24 h sur 24.

– ***Bank Austria :*** autre agence très centrale, à l'angle d'Operngasse et d'Opernring (Wien 1), près du *Staatsoper.* Distributeur automatique avec la carte VISA.

AMBASSADES, CONSULATS

– ***Consulat de France** (plan Vienne Centre, B1, 7) :* Wipplingerstrasse, 24-26, Wien 1. ☎ 535-62-10. Ouvert du lundi au vendredi de 9 h à 12 h.

– ***Consulat de Belgique :*** Wohllebengasse, 6 (Wien 4). ☎ 502-070. Ouvert du lundi au vendredi de 9 h à 12 h et de 15 h à 17 h.

– ***Consulat de Suisse :*** Prinz-Eugen Strasse, 7 (Wien 3). ☎ 795-050. Ouvert du lundi au vendredi de 9 h à 12 h.

– ***Consulat du Canada :*** Schubertring, 12 (Wien 1). ☎ 533-36-91. Ouvert du lundi au vendredi de 8 h 30 à 12 h 30 et de 13 h 30 à 15 h 30.

– ***Ambassade de Slovaquie*** (Slowakishe Republik) : Armbrusterg, 24 (Wien 19). ☎ 371-309.

– ***Ambassade de la République tchèque*** (Tschechische Republik) : Penzinger Strasse, 11 et 13. ☎ 894-37-41. Tram 52 ou 58 de la garre Westbahnhof. Service des visas, ☎ 894-31-11.
– ***Ambassade de Hongrie*** (Ungarn) : Bankgasse, 4 et 6 (Wien 1). ☎ 533-26-31.
– ***Ambassade de Roumanie*** (Rumänien) : Prinz-Eugen Strasse, 60 (Wien 4). ☎ 505-32-27. ***Consulat :*** Theresianumg, 25 (Wien 4). ☎ 505-23-43.

Pour dénicher les adresses des ambassades ou les consulats de certaines républiques plus difficiles d'accès (Moldavie, Biélorussie, Croatie, Kazakhstan...), consultez l'*annuaire téléphonique de Vienne,* aux rubriques « Botschaffen » ou « Konsulate ». N'oubliez pas que vous êtes en Europe centrale, et que Vienne est sur la vieille route de l'Orient...

URGENCES

■ ***Police :*** ☎ 133.
■ ***Médecin d'urgence :*** ☎ 144 ou 141. Médicament urgent : ☎ 15-50.
■ ***Soins dentaires urgents :*** la nuit et le week-end, ☎ 512-20-78.
■ ***Pharmacies de garde :*** ☎ 15-50.
– ***Dépannages :*** 24 h sur 24. *ARBO,* ☎ 123. Ou *OAMTC,* ☎ 120.
■ ***Objets trouvés :*** bureau des objets trouvés, Wasagasse, 22 (Wien 9). Ouvert du lundi au vendredi, de 8 h à 12 h. Fermé l'après-midi. ☎ 313-44-92-11 ou 92-17. Aller à la Zimmer 1, au rez-de-chaussée à droite après le hall d'entrée. Sur la porte c'est écrit : « Fundamt-Parteienverkehr ».
• *Objets perdus dans les transports publics :* appeler dans les trois jours qui suivent la perte. ☎ 7909-43-500.
• *Objets perdus dans les trains :* gare de l'Ouest (Westbahnhof). ☎ 58-00-32-996. Gare du Sud (Südbahnhof). ☎ 58-00-35-656.

TRANSPORTS

– ***Allo-Stop :*** ça ne s'appelle pas comme ça ici, mais le service proposé est le même. Contacter *Mitfahrzentrale,* Monika Tiefner, Franzensgasse, 11. ☎ 581-33-93. Il y a aussi *Mitfahr,* Daungasse, 1A, 1080 Vienne. ☎ 408-22-10. Bureau ouvert du lundi au vendredi de 9 h à 19 h, les samedi et dimanche de 9 h à 14 h.
– ***Location de voitures :*** *Budget,* au rez-de-chaussée de l'hôtel *Wien Hilton,* au City Air Terminal (terminus de la navette de bus entre la ville et l'aéroport). ☎ 756-565. Agence bien située et tarifs raisonnables. Ouvert du lundi au vendredi de 8 h à 18 h, le samedi de 8 h à 14 h, les dimanche et jours fériés de 9 h à 13 h. Les autres grands loueurs *(Hertz, Europcar...)* ont des bureaux à l'aéroport et dans le centre-ville.
– ***Location de bicyclettes :*** ça se dit *Radverleih.* On peut louer des vélos auprès d'un dizaine de loueurs privés ou bien dans quatre gares de la ville, la Westbahnhof, la Bahnhof Wien Nord (Praterstern), la Bahnhof Floridsdorf et la Südbahnhof. Dans ces gares, les prix sont parmi les plus abordables (compter environ 90 SCH par jour), les bécanes généralement en bon état, et les bureaux ouverts plus tôt et plus tard que les autres loueurs. Voici quelques adresses :
• *Gare de l'Ouest* (Westbahnhof) : ☎ 58-00-329-85. Bureau ouvert de 4 h à minuit, c'est celui qui a les horaires les plus larges de Vienne. A droite de la gare quand on lui fait face. Panneau « Verleih ». Montrer le passeport (ils ne le gardent pas), remplir un formulaire, pas de caution à verser. Vélo classique avec antivol bloquant la roue arrière. Adresse bien placée par rapport à la majorité des auberges de jeunesse situées à l'ouest de la ville.
• *Radverleih City :* ☎ 535-34-22. Ouvert d'avril à octobre, tous les jours de 10 h à 19 h. Loueur de vélos situé au niveau du pont Salztorbrücke (Franz-Josefs Kai) sur la promenade réservée aux cyclistes et aux promeneurs, en bordure du canal du Danube (elle s'appelle la Donaukanal-promenade). Adresse plus centrale.

VISITES GUIDÉES A PIED OU A VÉLO

– ***Visites guidées à thème :*** plus de 50 visites guidées à thème (ça se dit *Wiener Spaziergänge*) permettent d'explorer Vienne par petits groupes, sous la conduite d'un guide-conférencier de haut niveau et au rythme bien agréable de la marche. Leur programme s'obtient à l'office du tourisme où il faut demander la brochure *Walks in Vienna.* On peut ainsi admirer les « vieux immeubles et les cours tranquilles », partir à la recherche de « Sigmund Freud et [de] la Vienne juive du début du XXe siècle », pénétrer dans les cryptes et les caves cachées du sous-sol de la capitale, et pour les cinéphiles marcher « dans les pas du *Troisième Homme* ». Ces mini-voyages d'exploration durent en moyenne 1 h 30 et coûtent autour de 110 SCH par personne. Tarif réduit avec le *ticket Spécial Vienne.* Il vaut mieux téléphoner avant pour avoir confirmation de l'heure et du lieu de rendez-vous. La plupart des visites guidées se font en allemand, certaines en anglais, quelques-unes en français. Notre avis : un excellent moyen de découvrir une Vienne inconnue avec des Viennois qui connaissent et aiment leur ville.

– ***Visites guidées à vélo :*** *Vienna Bike,* Wasagasse, 28/2/5. ☎ et fax : 319-12-58. Téléphoner pour prendre rendez-vous. Organise une visite guidée de Vienne en français, une fois par semaine, de mai à septembre. Le lieu de rendez-vous est toujours à côté d'un point de location de vélos. Les balades durent 2 à 3 h selon l'itinéraire. On paie pour la location du vélo et pour la balade. Réduction pour les groupes à partir de 6 personnes.

PRESSE, LIBRAIRIES

– *Un conseil* : pour lire la presse autrichienne sans avoir à l'acheter, allez dans l'un des cafés indiqués plus loin dans notre rubrique « Les fameux cafés viennois ». Là, pour le prix d'une tasse de café, on peut découvrir, confortablement assis, l'essentiel des quotidiens du pays (*Kronen Zeitung,* le *Kurier,* le *Standard Presse, Profil...*), ainsi que de nombreux titres de la presse internationale et des quotidiens français comme *Le Monde, Libération...*

– Se procurer le magazine *Falter,* mine d'infos sur les spectacles, concerts, expositions du moment. Pour les jeunes, la brochure *Szene* (en français) à l'office du tourisme. Pour les fanas de musique pop-rock, lire en particulier le *Rennbahnexpress* et se munir absolument du *Jugend in Wien,* petit livret disponible au bureau de Jugend-Info (voir adresse plus haut, dans la rubrique « Infos touristiques »).

■ ***Morawa Buch und Presse :*** Backerstrasse, 8. A 5 mn à pied de l'église Saint-Étienne (Stephansdom). Ouvert tous les jours jusqu'à 18 h. Le samedi jusqu'à 12 h 30. Une librairie qui fait aussi maison de la presse. On peut y trouver de nombreux titres de la presse autrichienne et internationale. Magazines français comme *Le Point, Match, Courrier International...* Un grand rayon consacré aux voyages avec un large choix de revues, de guides, cartes... (dans plusieurs langues mais surtout en allemand).

■ ***Cartes et plans :*** *librairie Freytag & Berndt,* Kohlmarkt, 9. Dans le centre ancien, à 200 m de l'entrée du Hofburg. Choix important de cartes routières de l'Autriche, et de cartes détaillées pour les randonnées en montagne, ou les balades à vélo le long du Danube...

DIVERS

■ ***Laverie automatique :*** *Münzwäscherei Kalksburger,* Schlachfhausgasse, 19 (Wien 3). ☎ 78-81-91. Ouvert de 7 h 30 à 18 h 30. Le samedi de 7 h 30 à 13 h. Située non loin de l'auberge de jeunesse *Don Bosco* (voir plus loin). Une autre laverie au Margarenstrasse, 52. ☎ 587-04-73. Ouvert de 7 h à 18 h. Le samedi de 8 h à 12 h.

■ ***Piscine couverte :*** *Amalienbad,* Reumannplatz, 23. Dans le 10e arrondissement. Terminus de la ligne de métro U1. Pour se baigner dans un beau décor art nouveau (la seule piscine de ce style à Vienne).

■ ***Piscine en plein air :*** il en existe une bonne douzaine à Vienne mais on préfère celles situées au bord du Danube telles que *Angeliebad, An der Oberen Alten Donau,* ou *Gänsehäufl,* au Moissigasse, 21 (Wien 22).

– ***Plages au bord du Danube :*** 42 km de plages à Vienne ! Pour faire trempette dans le beau Danube bleu (à Vienne, il est plus gris que bleu !) il faut aller sur l'île du Danube (Donauinsel), cette longue, mince et basse bande de terre sablonneuse et caillouteuse, étirée au milieu du fleuve, à 2 km au nord du centre historique de Vienne. Accès : métro U1 (station Donauinsel), tram 31 et 32 (arrêt Floridsdorfer Brücke), ou bus 10 A, 11 A, 33 B, 83 A, 84 A, 80 B, 91 A et 92 A. En été, c'est Vienne-sur-Mer, avec ses baigneurs rouges comme des écrevisses, son animation intense, sa ribambelle de bars et de guinguettes, son toboggan aquatique, paraît-il le plus grand du monde... Bon endroit pour oublier la chaleur moite du centre ville !

Où dormir ?

• **Auberges de jeunesse**

ASSEZ PROCHE DU CENTRE HISTORIQUE

Ces auberges se trouvent à l'ouest du centre de Vienne, dans la partie de la ville comprise entre le *Ring* (première grande ceinture de boulevards à l'extérieur du centre historique) et les *Gürtel* [deuxième grande ceinture de boulevards desservant la gare de l'Ouest (Westbahnhof) et la gare du Sud (Südbahnhof) – voir plus haut, « Orientation »]. C'est important de le savoir pour les routards qui débarquent, de jour comme de nuit, dans l'une de ces deux gares, et qui cherchent à dormir dans ce secteur.

⌂ ***Jugendherberge** (plan Vienne II, A3 **60**) :* Myrthengasse, 7 (1070 Wien). ☎ 523-63-29. Fax : 523-58-49. Petite rue calme donnant dans Neustiftgasse. Si vous n'êtes pas trop chargé, descendez à la Thaliastrasse Station (ligne de métro U6) ou à Lerchenfelderstrasse (U2). Bus n° 48 A. Réception ouverte de 7 h à 11 h 30 et couvre-feu de 22 h à 7 h (l'auberge est fermée dans cette tranche horaire). Un bel édifice du XIXe siècle dans une rue située un peu à l'écart de l'agitation. Le plus sympa ici, c'est cette cour intérieure ombragée, avec des tables et des chaises pour prendre le soleil. Bon accueil et bien tenu. On peut y prendre ses repas. Pour laver son linge, laverie ouverte de 7 h 30 à 22 h (c'est bon marché). Les dortoirs sont plutôt bien arrangés et calmes, car ils donnent sur cette petite cour intérieure. Réservation recommandée, surtout en été.

– Si l'auberge affiche complet, possibilité de loger en face, au 10 Myrthengasse. ☎ 526-46-58. Demander Gascha qui tient l'auberge. Elle parle très bien l'anglais. Il s'agit en fait d'un appartement pouvant accueillir une douzaine de personnes. Possibilité d'y faire sa cuisine. En dépannage.

⌂ ***Jugendherberge** (plan Vienne II, A3 **61**) :* Neustiftgasse, 85. ☎ 523-74-62. Pas loin de l'auberge de la rue Myrthengasse dont elle fait office d'annexe. Évidemment, elle n'a pas le même charme. Bâtiment plus moderne avec une entrée digne d'un entrepôt frigorifique. Bon accueil. Réception ouverte de 7 h à 11 h 15, et de 15 h 45 à 0 h 30. Le couvre-feu dure de 1 h à 7 h. Les chambres sont fermées entre 9 h et 15 h 45. Hébergement en dortoirs mais il y a aussi quelques chambres pour les couples. Possibilité de prendre ses repas à l'auberge principale (Myrthengasse, 7).

➔ ⌂ ***Hostel Ruthensteiner** (plan Vienne II, **62**) :* Robert Hamerling Gasse, 24 (1150 Wien). ☎ 893-42-02 et 893-27-46. Situé à 5 mn à pied au sud de la gare de l'Ouest (Westbahnhof), dans une petite rue calme entre Mariahilfer Strasse et Mariahilfer Gürtel. Ouvert toute l'année. Petit immeuble bien tenu, de taille humaine, qui nous change des usines pour jeunes routards. Accueil dynamique et jovial. On y parle plus l'anglais que le français. Pas de couvre-feu. Pas de laverie mais il y en a une dans le quartier. Les dortoirs ont 4, 5 ou 10 lits. Petits, simples, propres et agréables, certains donnent sur la rue et d'autres sur une courette intérieure où il fait bon traîner en été. Possibilité de cuisiner. Petits déjeuners à régler en plus du lit. On y trouve les infos minimum sur les bus, les trains, les balades dans Vienne. Il y a un garage (fermé) pour les vélos. Dans le genre petite auberge sympa, l'une de nos adresses préférées. Seulement 66 lits, donc il est préférable de réserver en téléphonant.

➔ ⌂ ***Hostel Zöhrer** (plan Vienne II, A2 **63**) :* Skodagasse, 26 (1080 Wien). Pas loin d'Alserstrasse. ☎ 40-60-730. Fax : 408-04-09. De Westbahnhof, prendre la ligne de métro U6, descendre à la station Alserstrasse. De Schottentor, prendre le tram n° 43 ou n° 44. On ne peut pas dire que l'accueil soit mauvais, mais il manque d'efficacité et de dynamisme, ce qui est une lacune dans une auberge dite de jeunesse... Ouvert toute l'année. Pas de couvre-feu. Réception ouverte de 7 h 30 (8 h le dimanche) à 22 h. Cuisine disponible de 10 h à 22 h 30. Possibilité de laver son linge. Il y a un jardin mais il n'appartient pas à l'auberge. Dortoirs de 5 ou 7 lits, calmes la nuit. Quelques chambres doubles à 220 SCH la nuit pour une personne, petit déjeuner compris. Là encore, il est conseillé de téléphoner avant d'y aller.

LOIN DU CENTRE HISTORIQUE

⌂ ***Schlossherberge am Wilhelminenberg :*** Savoyenstrasse, 2 (1160 Wien). ☎ 45-85-03-700. Fax : 45-85-03-702. Ouverte d'avril à début novembre. A l'ouest de la ville. Pour s'y rendre : ligne de métro U6 (direction Heiligenstadt). Changer à Thaliastrasse pour le bus 46B ou le tram 46. Assez excentrée, mais hyper chouette. A.J. toute neuve sur une colline. Belle vue sur Vienne. Agréables chambres de quatre avec salle de bains.

⌂ ***Jugendgästehaus der Stadt Hütteldorf-Hacking :*** Schlossberggasse, 8 (1130 Wien). ☎ 87-71-501. Fax : 877-02-63-2. Ouverte toute l'année. Pour s'y rendre, métro U4 jusqu'à Hütteldorf (le terminus). Les trains pour Westbahnhof s'y arrêtent aussi. Traverser le pont. Bien indiqué. 277 lits. Autre A.J. agréable. Réception ouverte de 7 h à 11 h 30. Chambres fermées de 9 h à 16 h. Couvre-feu à 23 h 45.

⌂ ***Jugendgästehaus Brigittenau :*** Friedrich-Engels Platz, 24 (1200 Wien). ☎ 33-28-29-40. Fax : 330-83-79. Ouverte toute l'année. Au nord de la ville (Floridsdorfer Brücke). Métro jusqu'à Schwedenplatz (U1, U4) puis tram N. 334 lits.

⌂ ***Turmherberge Don Bosco :*** Lechnerstrasse, 12 (1030 Wien). ☎ 713-14-94. Ouverte de mars à novembre. Au sud-est de la ville. Métro U4 jusqu'à Landstrasse. Puis bus n° 75. Une cinquantaine de lits. A.J. tenue par les cathos. Horaires draconiens, mais le logement le moins cher de Vienne. Couvre-feu à 23 h 30.

- **Pensions et hôtels**

DANS LE CENTRE HISTORIQUE (1er ARRONDISSEMENT)

Bon marché

Rien de bon marché dans le cœur historique de Vienne ! Aucune auberge de jeunesse, pas de petites pensions à bas prix. Nous avons bien cherché pourtant : la chambre la moins chère, avec douche et toilettes sur le palier, coûte environ 330 FF la nuit pour 2 personnes. Si vous trouvez meilleur marché, écrivez-nous ! Il faut passer dans la rubrique « Prix moyens », ou bien aller dormir hors du 1er arrondissement. C'est ce que font la plupart de nos lecteurs ayant un petit budget pour voyager.

Prix moyens

⌂ ***Pension Dr Geissler*** *(plan Vienne Centre, D2, **10**) :* Postgasse, 14. ☎ 533-28-03 et 28-04. Fax : 533-26-35. Très bien situé, à deux pas du canal du Danube et à 5 mn à pied du « Triangle des Bermudes », haut lieu de la vie nocturne viennoise. En face de l'hôtel *Capricorno,* voici un immeuble en béton noirci, genre « Vladivostok avenir radieux », mais où l'accueil et l'excellent rapport qualité-prix font vite oublier cette apparence austère. La réceptionniste parle l'anglais. Il y a une sonnette dans la rue, la réception se trouve au 8e étage. En fait, on trouve des chambres à chaque étage. Confortables, bien équipées (TV, téléphone), elles donnent sur la rue mais on n'entend quasiment aucun bruit dans ce quartier la nuit. Essayer quand même d'avoir une chambre au 8e étage en raison de la luminosité. Possibilité d'y prendre son petit déjeuner.

⌂ ***Schweizer Pension*** *(plan Vienne Centre, B1, **11**) :* Heinrichgasse, 2. ☎ 533-81-56. Fax : 535-64-69. Près du canal du Danube (Donaukanal). Dans un vieil immeuble viennois. Au 4e étage (IV Stock), une pension simple et sans prétention, tenue avec soin par une gentille dame qui parle l'anglais. Chambres avec vue sur rue ou sur une petite place. Pratiquement les prix les plus bas de l'Innerstadt. Compter environ 660 SCH la nuit pour 2 personnes, dans une chambre avec lavabo (la douche et les toilettes étant sur la palier). Plus cher, si la douche et les w.-c. sont dans la chambre.

⌂ ***Pension Lerner*** *(plan Vienne Centre, B1, **12**) :* Wipplingerstrasse, 23. ☎ 533-52-19. Fax : 533-56-78. En face du consulat de France. Dans un grand immeuble ancien. Déco pas très chaleureuse mais bon accueil. Chambres très correctes, parfois bruyantes côté rue. Il y en a deux donnant sur l'arrière, essayez de les demander si vous avez des problèmes pour dormir sur vos deux oreilles. Accepte la carte VISA. L'adresse la plus chère dans la rubrique « Prix moyens », à la limite de la rubrique « Plus chic ».

Plus chic

⌂ ***Pension Am Operneck*** *(plan Vienne Centre, B3, **13**) :* Kärtner Strasse, 47. ☎ 512-93-10. Face à l'office du tourisme de Vienne, à portée de main de l'hôtel *Sacher* et de l'Opéra, donc on ne peut mieux situé. L'entrée de l'immeuble se trouve dans un renfoncement au niveau du magasin Horwath (bijouterie). La pension, au 1er étage, au-dessus d'un salon de coiffure français (demander la *boulazer,* la dernière coupe viennoise dans le vent...), est tenue par un homme jovial qui parle le français et l'anglais. Ambiance pension de famille assez cossue. Grandes chambres impeccables et calmes dont certaines donnant sur la cour, et d'autres sur la rue piétonne. Avec un peu de chance on peut avoir la vue sur le fameux *café Sacher*. Il y a des doubles fenêtres si vous craignez le bruit. Petit déjeuner copieux. Un des meilleurs rapports qualité-prix dans cette rubrique.

Pension Suzanne : Walfischgasse, 4. ☎ 513-25-07. Très central aussi, à deux pas de l'Opéra, dans une rue perpendiculaire à la Kärtnerstrasse. La pension se trouve au 1er étage d'un immeuble en béton gris dont le rez-de-chaussée est occupé par un sex-shop. Il y a un Moulin Rouge à côté, qui fait très très ringard, et déplacé. Accueil aimable d'une dame qui parle l'anglais. Ensemble très correct. Chambres spacieuses et confortables, avec vue sur la rue (un peu de verdure autour du Moulin Rouge). Petit déjeuner copieux. Pour ceux qui veulent dormir à l'entrée de l'Innerstadt.

***Pension Élite** (plan Vienne Centre, B1, **14**) :* Wipplingerstrasse, 32. ☎ 533-25-18. Fax : 535-57-53. Grand immeuble imposant des années 30 face à un parc ombragé, non loin de la Bourse de Vienne. Entrée au 4e étage. On pénètre dans un grand hall couvert de tapis et de boiseries bien lustrées avec des meubles et des objets reflétant un certain luxe viennois. Bon accueil, bien qu'un peu sévère. Les chambres de ce vaste appartement bourgeois dominent la tête feuillue des arbres de la Borseplatz. La moins chère (avec douche et w.-c. sur le palier) commence à 940 SCH la nuit pour 2 personnes soit l'équivalent d'environ 470 FF. C'est la n° 4 notre préférée, en raison de sa taille, et de ses deux fenêtres d'angle avec une vue plongeante sur les arbres et les immeubles du quartier.

***Pension Nossek** (plan Vienne Centre, B2, **15**) :* Graben, 17. ☎ 533-70-41 et 40. Fax : 535-36-46. M. : Stephanplatz (U3 et U1). On ne peut plus central. Sur la plus belle place de Vienne. Adorable pension offrant une grande variété de chambres plaisantes. Atmosphère familiale, ameublement soigné. Excellent accueil. Réservation quasi obliatoire en haute saison. Notre meilleure adresse dans cette catégorie.

***Pension Aclon** (plan Vienne Centre, B2, **16**) :* Dorotheergasse, 6. ☎ 512-79-49 et 40. Fax : 513-87-51. Très bien située, au cœur de Vienne, à deux pas de Stephanplatz. M. : Stephanplatz (lignes U1 et U3). Dans une rue tranquille débouchant sur le Graben, au-dessus du cabaret *Casanova* (toujours aussi démodé) dont on voit l'extérieur de nuit dans le film *Le Troisième Homme*. En face, il y a l'ex-pension *Grillparzer* (voir plus loin) où descendait Kafka. Dommage que l'accueil ne soit pas plus jovial car le prix des chambres n'est pas exagéré pour un tel emplacement (compter de 390 à 540 FF environ la chambre pour 2 personnes). Les moins chères ont la douche et les toilettes sur le palier.

ENTRE LE RING ET LES GÜRTEL

Bon marché

***Pension Mozart** (plan Vienne II, **64**) :* Theobaldgasse, 15 (Wien 6). ☎ 587-85-05. Presque à l'angle avec la très passante Mariahilferstrasse et à 5 mn à pied du fameux *café Sperl*. Grand appartement ancien mais propre, tenu par un vieux Viennois francophone. Bien que démodées et sans grand charme, les chambres sont vastes, propres, et suffisamment calmes. Pas de petit déjeuner. Prix bien sages.

Prix moyens

***Pension Samwald** (plan Vienne II, **65**) :* Hörlgasse, 4 (1090 Wien). ☎ 317-74-07 et 317-55-85. Très central, au nord-ouest de l'Innerstadt, tout près de la Votiv Kirche et à 5 mn à peine de la station de métro Schottentor (ligne U2). Du Schottenring, prendre la Währinger Strasse vers le nord, c'est la 3e rue à droite. Pour les fans de Sigmund, très pratique, car la maison de leur maître à penser se trouve à deux pas de là. Pension au style un peu vieillot et à l'ameublement disparate, mais bien tenue. Ça lui donne même un certain charme. La réception est au 1er étage. Chambres spacieuses, un peu plus chères qu'autrefois en raison de l'emplacement de la pension. Réservation conseillée.

***Pension Kraml** (plan Vienne II, **66**) :* Brauergasse, 5 (1060 Wien). ☎ 587-85-88. Fax : 586-75-73. Au sud-ouest du centre de Vienne, pas très loin du Naschmarkt (marché très sympathique). M. : Westbahnhof (ligne U6), bus 57 A. Ouvert toute l'année. Bel immeuble du XVIIIe siècle avec du caractère et un certain charme. Accueil par une personne dynamique et aimable. Un café genre *Beisl* au rez-de-chaussée (côté rue) pour prendre les petits déjeuners. Chambres impeccables donnant sur la rue ou sur l'arrière (plus calme). Pour les familles, des suites très bien arrangées pour 3, 4 ou 5 personnes. Réservation très recommandée. N'accepte pas les cartes de crédit. On se gare assez facilement dans le quartier.

🏠 ***Pension Wild*** *(plan Vienne II, **67**) :* Langegasse, 10 (1080 Wien). ☎ 43-51-74. Fax : 43-34-08. Assez central. M. : Lerchenfelderstrasse (U2). Quartier intéressant. Rue donnant sur Lerchenfelderstrasse. Pension sans charme particulier, mais propre. Chambres avec lavabo (douche à l'extérieur). Mobilier style Lévitan années 50. Accueil indifférent. Là aussi, une des pensions les meilleur marché qu'on connaisse. Quelques chambres triples.

🏠 ***Pension Columbia*** *(plan Vienne II, **68**) :* Kochgasse, 9 (1080 Wien). ☎ et fax : 405-67-57. Tram 43 ou 44 de la station Schottentor. Vieille pension de famille, patinée par le temps (la maison date de 1893) mais propre et bien tenue. Propriétaire accueillante baragouinant un peu d'anglais. Noter le portrait de l'empereur François-Joseph accroché aux murs. Chambres avec ou sans douche, donnant sur la rue ou sur le jardin.

🏠 ***Pension Falstaff :*** Müllnergasse, 5 (1090 Wien). ☎ 317-91-27. Fax : 317-91-864. Non loin de la maison de Sigmund Freud, une petite pension discrète dans une rue calme et ombragée. Atmosphère Mitteleuropa. Accueil par un vieux monsieur. Chambres simples (avec ou sans douche) et sans prétention, donnant sur l'arrière ou sur les arbres de la rue.

🏠 ***Hospiz Hotel*** *(plan Vienne II, **69**) :* Kenyongasse, 15 (1070 Wien). ☎ 523-13-04. Dans le quartier autour de la gare de l'Ouest (Westbahnhof). Auberge de jeunesse chrétienne, fort bien tenue, mais ambiance assez triste. C'est rarement complet et ça peut dépanner. Chambres très propres, avec ou sans douche, pour 1, 2, 3 ou 4 personnes. Sert le petit déjeuner. Mêmes prix grosso-modo que les adresses précédentes.

Plus chic

🏠 ***Pension Baronesse*** *(plan Vienne II, **70**) :* ex-pension *Edelweis,* Langegasse, 61 (1010 Wien). ☎ 405-10-61. Fax : 405-10-61. Tram n°s 43 et 44. Intérieur impeccable avec une déco genre néo-classique. Accueil chaleureux et professionnel. Chambres assez sombres mais très bien tenues, avec douche et w.-c., TV. Vue sur les murs à l'arrière ou bien sur la rue (calme la nuit).

🏠 ***Hôtel-pension Zipser*** *(plan Vienne II, **71**) :* Langegasse 49 (1080 Wien). ☎ 40-45-40. Fax : 408-52-66-13. M. : Lerchenfelder et Rathaus (U2). Hôtel classique, moderne, fonctionnel et confortable. Une dizaine de chambres bénéficient d'un petit balcon en bois (genre véranda à l'ancienne) ouvrant sur un très agréable jardin planté d'arbres. Il y a un garage, ce qui est précieux dans ce quartier où il est difficile de se garer.

A L'EXTÉRIEUR DES GÜRTEL, LOIN DU CENTRE

Bon marché

🏠 ***Pension Hedwig Gally :*** Arnsteingasse, 25 (1150 Wien). ☎ 892-90-73. Fax : 893-10-28. Tram 52 et 58. De Westbahnhof, prendre Mariahilfer Strasse vers le château de Schönbrunn. Arnsteingasse est la 8e rue sur votre gauche. Bref, on est à mi-chemin entre le château de Schönbrunn et la gare de l'Ouest (Westbahnhof), dans un quartier bien tranquille. Voilà donc une petite pension familiale, tenue par la gentille Mme Gally dont le fils se débrouille bien en français. C'est simple, propre, et pas cher. 11 chambres spacieuses, avec ou sans douche, ainsi que des studios équipés loués à la semaine (ou plus). Bonne adresse économique pour les routards à petits budgets ou les couples voyageant avec des enfants.

🏠 ***Kolping Gastehäuser :*** Bendlgasse, 10. (1120 Wien-Meidling). ☎ 81-35-487. Ouvert toute l'année. A 2 km environ au sud-est du château de Schönbrunn. Prendre la Schönbrunnerstrasse, jusqu'à la station de métro (ligne U4) Meidling-Hauptstrasse, tourner à droite, suivre à gauche Niederhof Strasse, puis prendre la 6e rue à droite au niveau d'une église entourée d'un petit square. *Kolping,* c'est le nom d'une famille qui gère plusieurs immeubles de ce genre dans la capitale. Ni auberge de jeunesse, ni pension traditionnelle, il s'agit d'un bâtiment moderne abritant 170 lits dans des chambres correctes mais démodées sur le plan de la déco (à l'image de la brochure). Certaines chambres pour 4 ou 8 personnes avec des lits superposés. Compter 145 SCH par personne pour une nuit. Coin très calme la nuit. Avantage : la discothèque U4, un des hauts lieux de la vie nocturne, n'est pas loin de là.

Prix moyens

🏠 ***Pension Schönbrunn :*** Schönbrunner Schlosstrasse 30 (1120 Wien). ☎ 815-50-27-0. Pour les routards qui admirent à la fois l'impératrice Sissi et la moustache de Staline (c'est rare mais ça arrive parfois !), voilà l'adresse où il faut dormir. L'entrée du château de Schönbrunn n'est qu'à 800 m à peine et les fantômes de François-Joseph rôdent dans le grand parc tout proche. Ceux de Joseph, autre tyran bien connu, mais rouge celui-là, doivent sans doute hanter le grenier de la maison car, selon une plaque posée sur le mur extérieur de l'immeuble, Staline vécut plusieurs mois dans cette pension en 1913. Il avait fui la Russie des tsars suite au cambriolage d'une banque destiné à financer la révolution... Caché en Autriche, c'est ici, à deux pas du « Versailles » des Habsbourg, qu'il écrivit son livre *Le Marxisme et la question nationale.* Une curieuse ironie de la géographie et de l'histoire, n'est-ce pas ? Malheureusement, aucun souvenir de lui à l'intérieur, car tout a été refait depuis. Belles chambres confortables avec salle de bains et télévision, donnant sur un jardin à l'arrière de la maison. Vraiment une bonne adresse dans cette catégorie (non Joseph ? Sissi !).

Plus chic, vers Grinzing

Hôtel Müllner : Grinzinger Allee 30 (1190 Wien). ☎ 32-84-53. Fax : 32-84-53-12. A 20 mn du centre ville par le tram n° 38 et à 5 mn de Grinzing (adorable village) par ce même tram 38 (terminus Grinzing). L'hôtel se trouve sur la droite de la Grinzinger Allee, qui prolonge la Billrothstrasse et conduit directement à Grinzing. Enfin un hôtel de charme entouré d'un jardin ombragé et fleuri aux portes de la capitale. Le genre d'adresse, entre ville et campagne, rare et difficile à dénicher. Bon accueil en français ou en anglais. Chambres impeccables avec vue sur les arbres. Très calme la nuit. Chambres pour 2 personnes à partir de 1090 sch soit autour de 550 FF la nuit avec le petit déjeuner. Petite terrasse agréable les soirs d'été après une longue journée de visite dans la chaleur de l'Innerstadt. Pour manger à Grinzing, voir notre sélection d'adresses plus loin.

Saison hotels

Résidences universitaires ou maisons d'étudiants utilisées comme hôtels en été (en général du 1er juillet au 30 septembre). Il en existe plus d'une douzaine. Liste à l'office du tourisme. Prix variant de 100 à 240 F par personne.

Haus Döbling : Gymnasiumstrasse, 85 (1190 Wien). ☎ 34-76-31. Fax : 34-76-35. Au nord de la ville. M. : Währingerstrasse (U6). Agréable, idéal pour les cyclistes. 150 F par personne. Petit déjeuner copieux.

***Josefstadt** (plan Vienne II, 72) :* Buchfeldgasse, 16. ☎ 43-52-11 et 512-74-93. Fax : 512-19-68. Trois rues à l'ouest du Rathaus, donc fort bien situé. M. : Rathaus (U2). Tram J. Chambres plaisantes. Mêmes prix que *Haus Döbling.*

Campings

Pour camper, au moins six opportunités. Renseignements à l'office du tourisme. Voici les adresses les plus pratiques :

Campingplatz der Stadt Wien West I : Hüttelbergstrasse, 40 (1140 Wien). ☎ 94-14-49. Ouvert du 1er juillet au 31 août. A 8 km du centre. Pour s'y rendre : métro U4 jusqu'au terminus, puis bus nos 148-152. Confortable. Supermarché, possibilité de laver son linge, cafétéria, etc.
A côté, au n° 80, le ***Wien West II,*** plus grand et ouvert toute l'année. ☎ 94-23-14. Mêmes prix, même type de confort. Bonne adresse aussi.

Schloss Laxenburg : Munchendorferstrasse. ☎ 713-33. Ouvert de début mars à fin octobre. Situé au sud, à 15 km du centre. Une demi-heure de bus, de la gare de Wien-Mitte (demander au chauffeur l'arrêt du camping, dernier bus vers 21 h 30). Piscine pour les enfants. Assez agréable.

Où manger ?

DANS LE CENTRE HISTORIQUE

Restos situés à l'intérieur du Ring. Voici les moins touristiques et présentant parfois une personnalité intéressante. A signaler que les restos-U sont ouverts aux étudiants étrangers. On n'y demande quasiment jamais la carte. Il y en a trois dans le centre : ***Nouvelle Université,*** Universitätsstrasse, 7 (du lundi au vendredi de 8 h à 19 h). ***Académie des Arts appliqués,*** Oskar Kokoschkaplatz, 2 (du lundi au jeudi de 9 h à 18 h). ***Académie des Beaux-Arts,*** Schillerplatz, 3.

Bon marché

Boutiques à Broetchen : il y en a partout. Les *Broetchen* sont ces petits canapés typiquement viennois, qui se présentent à la façon de nos petits fours pour cocktails sauf qu'ici il s'agit de

« grands fours ». Servis sur une sorte de pain ou de tartine briochée et accompagnés de morceaux de carottes, œufs, thon, sardine, pâté, jambon, crevette, hareng de la Baltique, etc. Délicieux et pas cher. Dans ces boutiques, on mange debout le plus souvent.

Trześniewski *(plan Vienne Centre, B2, **20**)* : Dorotheergasse, 1. Rue donnant dans Graben, donc très central. ☎ 512-32-91. Ouvert de 8 h 30 à 19 h 30 ; samedi de 9 h à 13 h. Fermé le dimanche. Une institution à Vienne. Héritage de la gastronomie tchèque, voici l'un des lieux les plus populaires pour manger sur le pouce pas cher. Cadre tout simple. Un comptoir, quelques tables. Spécialisé dans l'élaboration de petites tartines de pain de seigle couvertes de succulentes petites choses et répondant aux doux noms de *Paprika Rot, Pfefferoni Scharf, Schwedischer Hering, Matjeshering mit Zwiebel,* etc. Au choix donc, thon et œuf mimosa, hareng, champignons en purée, salami et autres petites cochonnailles, le tout délicatement parfumé. Pour arroser ça, de la bière servie dans des dés à coudre (appelée « Pfiff »). Une de nos adresses préférées.

Rosenberger *(plan Vienne centre, B3, **21**)* : Maysedergasse, 2. Presque à l'angle de la Kärntner Strasse. ☎ 512-34-58. Ouvert de 11 h à 23 h (bistro à 8 h). Très central, dans le quartier le plus touristique. Pourtant une grande cafétéria pas comme les autres. Très propre, plaisante et colorée. Installée sur trois niveaux. Place circulaire en sous-sol avec un arbre au milieu et plusieurs autres salles au décor personnalisé. Très beau salad-bar réputé pour la fraîcheur de ses produits. Plat du jour pas cher et vin au verre très abordable. Jus de fruits frais fabriqués devant vous. Bons gâteaux. Aux beaux jours, terrasse dehors.

Ilona Stüberl *(plan Vienne Centre, B2, **22**)* : Bräunerstrasse 2 (1010 Wien). ☎ 533-90-29. Ouvert du lundi au samedi de 12 h à 15 h et de 18 h à 23 h. Très central, juste à côté du *Graben.* Non, ce n'est pas une pizzeria malgré les trois couleurs apparentes du drapeau italien. Il s'agit aussi des trois couleurs du drapeau hongrois sur lequel elles figurent à l'horizontale et non verticalement. Bon à savoir. A deux pas de l'agitation, une petite salle coquette et simple, des piments séchés aux murs, des fleurs et des bougies sur les quelques tables disponibles. On y est bien, à condition d'arriver au début du service pour éviter l'affluence. Goûter aux spécialités de la maison comme la *Kautroulade,* l'*Ungarische Fischsappe,* le *Bohnen Gulasch* ou le *Zigenerschnitzel.* Cuisine simplement mijotée, sans grande prétention, mais bonne et à prix raisonnables.

Zum Bettelstudent *(plan Vienne centre, C3, **23**)* : Johannesgasse, 12. ☎ 513-20-44. Ouvert tous les jours de 10 h à 2 h. Rue donnant dans la Kärntner Strasse également. Populaire chez les jeunes et les étudiants, car ferme tard et ses prix restent toujours modérés. Cependant, ne conviendra guère à ceux qui cherchent l'intimité. Beaucoup d'espace et d'animation. Possibilité de grignoter au bar. Terrasse dès que les feuilles reverdissent. Grande variété de *Studentenbrote,* pizzas, quelques plats autrichiens (boudin grillé à la *Sauerkraut*), plats végétariens (brocolis gratinés au fromage et jambon), steaks et *spare ribs,* etc. Bières et vins au verre.

Hebenstreit *(plan Vienne Centre, A1, **24**)* : Rockhgasse, 1. Rue en coude partant de Hefelrstorferstrasse. M. : Schottentor. Ouvert de 11 h 30 à minuit du lundi au vendredi, le samedi à partir de 18 h. Fermé le dimanche. Situé à l'étage. Terrasse aux beaux jours. Sympathique resto offrant une cuisine autrichienne ayant subi quelques influences tropicales bénéfiques. Grande salle calme et agréable. Prix modérés. Excellent accueil, ça va de soi ! Tout à côté, pour digérer culturellement et politiquement, le club républicain Nouvelle Autriche (quelques conférences ouvertes au public chaque mois).

Prix moyens

Smutny **:** Elisabethstrasse, 8. ☎ 587-13-56. Très central. A deux pas de l'Opéra. Presque au coin de Operngasse. Ouvert tous les jours, midi et soir, jusqu'à 23 h 30. L'un des derniers restaurants populaires restés authentiques dans le centre ville. Cadre en céramique. Bonne atmosphère de quartier et accueil sympa. Tous les plats traditionnels servis copieusement et à prix modérés.

Esterhazy Keller *(plan Vienne Centre, B2, **25**)* : Haarhof 1. ☎ 533-34-82. Ouvert du lundi au vendredi de 11 h à 23 h, et les samedi et dimanche de 16 h à 23 h. Au cœur du vieux Vienne, dans une ruelle adorable, voici l'une des plus vieilles caves à vin de la ville puisqu'elle date de 1683. Une institution ! Y aller quand il fait bien froid, le soir de préférence. Les plats sont affichés à l'extérieur sur une ardoise. On descend un escalier et on se retrouve dans une vraie cave en brique, voûtée et patinée, avec de vénérables planchers et des recoins sombres connus des habitués. Atmosphère enfumée et sympathique brouhaha. Pour boire, il y a un curieux bar, très bas, couvert de zinc, où de sympathiques serveuses servent des vins provenant de la propriété Esterhazy, à Eisenstadt, au verre ou dans une sorte de petite carafe. Il ne s'agit pas d'un resto classique mais on peut y manger pour des prix raisonnables. Un coin buffet expose des saucisses, des salamis, de la charcuterie viennoise, des mets viennois et des fromages, bref de quoi faire un petit repas dans une ambiance conviviale et amicale.

Gulaschmuseum Café *(plan Vienne Centre, C2, **26**)* : Schulerstrasse, 20. ☎ 512-10-17. Rue partant de la cathédrale Saint-Étienne. Ouvert midi et soir jusqu'à 22 h 30. Cadre agréable avec un décor de paysages peints. Tables de marbre. Bien aéré l'été avec terrasse au calme. Bon accueil et ambiance décontractée pour une belle sélection de goulasch, notamment *Rindsgulasch, Schwammerlgulasch, Kalbsgulasch,* le filet *Kesselgulasch*, etc. Mais dans ce sympathique « musée », on trouve aussi du chili con carne et du *Wiener Schnitzel.*

Oswald und Kalb *(plan Vienne Centre, C2, **27**)* : Backerstrasse, 14. ☎ 512-13-71 et 512-69-92 (réservation). Ouvert tard le soir. Le rendo traditionnel des journalistes de la capitale (toutes tendances confondues) auxquels se mêlent écrivains et intellos divers. Architecture ancienne avec salles voûtées. Peu de décor. Atmosphère de vieille auberge populaire. Clientèle gentiment bruyante et modérément branchée. On est content de reconnaître et d'être reconnu. Vraiment peu de formalisme. De joyeuses bandes se contentent d'y boire. Certains préfèrent le bar, plus intime, plus tamisé avec ses banquettes de moleskine et ses chromos de chiens. Excellente cuisine, avec une touche personnelle et prix étonnamment raisonnables. Carte assez fournie d'où nous retiendrons le *Geröstetes Kalbshirn mit Eiernockerln* (délicieuses et copieuses cervelles au fromage) et le *Zunge mit Oberskren* (langue avec crème au raifort).

Zwölf Apostelkeller : Sonnenfelsgasse 3 (1010 Wien). ☎ 512-67-77. Ouvert tous les jours de 16 h 30 à minuit. Restaurant installé dans une très vieille cave de Vienne. Ses fondations remontent au XIIe siècle. En 1561, elle fut reconstruite et prit l'aspect qu'on lui connaît actuellement. Carte très variée, cuisine autrichienne, choix important de vins blancs et rouges.

Prix moyens à plus chic

Ma Pitom *(plan Vienne Centre, C1, **32**)* : Seitenstettengasse, 5. ☎ 535-43-13. M. : Schwedenplatz (U4) ou Stephanplatz (U4 et U3). En plein « Triangle des Bermudes ». En face de la synagogue. Ouvert à midi et le soir jusqu'à 1 h (vendredi et samedi, 2 h). Fermé le dimanche midi. Élégante salle voûtée en longueur, murs chaulés, avec de belles expos. Bar dans la première salle. Style assez sobre. Lumière tamisée. Clientèle branchée. Cuisine internationale : pizza, pasta, lasagne, *spare ribs, zuppa pavese, humous* et *pitah,* tartare, steak au poivre, etc.

Siebenstern Brau-Wirtshaus *(plan Vienne II, **80**)* : Siebensterngasse, 19. ☎ 523-86-97. Fax : 523-25-80. Superbe maison du XVIIIe siècle, à deux pas du quartier du Spittelberg que l'on peut visiter avant. On descend un escalier pour entrer dans une immense salle en sous-sol, dont le centre est occupé par un beau bar en U éclairé par une verrière décorée d'outils paysans. Endroit toujours très animé, beaucoup de monde même en semaine hors saison. La curiosité ici ce sont ces deux rutilantes cuves en cuivre qui servent à fabriquer de la bière maison. Vous êtes dans une authentique brasserie (ça nous change de toutes les fausses brasseries parisiennes qui vendent de la bière mais n'ont même pas l'idée de la produire). Service efficace et aimable. Ambiance chaleureuse. On peut manger au bar ou dans la longue salle à côté. A peine plus cher que les autres restos du coin pour un genre plus copieux et plus dynamique. C'est bon, c'est généreux, et les prix savent rester raisonnables. Compter une addition oscillant autour de 200 SCH pour une entrée, un plat, un dessert et une bière (délicieuse).

Plus chic

Landtmann *(plan Vienne Centre, A2, **28**)* : Dr-Karl-Lueger-Ring, 4 (Wien 1010). ☎ 63-06-21. Ouvert tous les jours jusqu'à minuit. L'un des grands cafés-brasseries-pâtisseries les plus célèbres. A mi-chemin entre Lipp et les Deux-Magots en cinq fois plus grand. Décor de bois marqueté, lustres vieillots, atmosphère assez feutrée. Un des hauts lieux des politiciens et des artistes de l'Opéra. Après le théâtre, il est de tradition d'y souper de temps à autre dans de petits boxes confortables. Grande terrasse l'été. Petits salons pour le thé et les gâteaux. Cuisine très classique et assez chère : *Lammkotelette, Wiener Schnitzel, Fiakergulasch,* salades et soupes diverses. Glaces et pâtisseries à prix plus acceptables. Vin au verre.

Hôtel Sacher *(plan Vienne Centre, B3, **29**)* : Philharmonikerstrasse, 4. ☎ 514-56. Fax : 514-57. Au cœur de Vienne, juste derrière l'Opéra. Une vénérable institution, créée en 1876 par le fils de l'inventeur de la célèbre *Sachertorte.* En fait, il existe trois classes (en quelque

sorte) de lieux pour se restaurer : le *Sacherstube*, ouvert de 7 h à 23 h 30, le restaurant proprement dit, ouvert midi et soir jusqu'à minuit, et, enfin, le *Rote Bar*, luxueuse extension du restaurant, ouvert jusqu'à 1 h.
Le ***Sacherstube*** se révèle relativement abordable et permet de bénéficier opportunément de la qualité de ce prestigieux établissement. Petite salle au décor vieux rose. Idéal pour déjeuner, en été sur la terrasse, de plantureux sandwiches et gâteaux (dont l'obligatoire *Sachertorte* ou le *Sacherkonfekt*). Quelques plats chauds : filet steak, *Sacherwurstel* (succulentes francfort maison), *Wiener Schnitzel*, etc. Le ***Café Sacher*** est un restaurant assez cher, bien entendu, avec également terrasse aux beaux jours (mais petits rideaux pour se protéger du regard des manants). Belle carte : poulet aux brocolis et herbes, saumon fumé mariné sauce au miel, moutarde, crème chantilly au raifort (ouf !), selle d'agneau, l'*Altwiener Zwiebelrostbraten* et le fameux *Sacher Tafelspitz*. Quant au ***Rote Bar,*** c'est l'idéal pour continuer à séduire l'aristocratique héritière rencontrée au grand bal de l'Opéra la veille. Grande élégance, murs tendus de somptueux tissus rouges, lustres de cristal, cadres dorés.

|●| ***Demel*** *(plan Vienne Centre, B2, **30**) :* Kohlmarkt, 14. ☎ 533-55-16 et 535-17-17. Ouvert de 10 h à 19 h. La pâtisserie la plus célèbre d'Autriche qui se double désormais, à midi, d'un magnifique buffet offrant sandwiches ou plats chauds délicieux. Longtemps fournisseur de la famille impériale. Cadre légendaire de glaces biseautées et gravées, lustres de cristal, beaux objets, etc. Probablement aussi la pâtisserie la plus photographiée du pays. Amoncellement surréaliste de gâteaux tous plus savoureux les uns que les autres (goûter absolument aux *Schneeballen*) et petits mets particulièrement élaborés et délicats. Leur pâté de gibier en croûte avec truffes, pistaches et figues est tout simplement une merveille (qui se paie, bien sûr !). En fait, si l'on se contente de glaces et sorbets (renommés également, ça devient lassant !) et de gâteaux, additions encore raisonnables.

|●| ***Zu den 3 Husaren*** *(plan Vienne Centre, C3, **31**) :* Weihburggasse, 4. ☎ 512-10-92. Rue donnant dans la Kärntner Strasse, peu avant la place Saint-Etienne. Ouvert à midi et le soir jusqu'à 1 h. Fermé du 15 juillet au 15 août. Cadre splendide, décor élégant et romantique tout à la fois, pour une cuisine viennoise à l'excellente réputation. Très beaux hors-d'œuvre. Clientèle chic, ça va de soi !

DANS LES QUARTIERS EST ET SUD

A distance fort convenable du centre, des quartiers peu arpentés par les touristes.

Bon marché

X **|●|** ***Schweizerhaus :*** Prater 116 (1020 Wien). ☎ 218-01-52. Situé au Prater, pas loin de la célèbre grande roue. A l'intérieur de la fête, prendre l'allée Strass der Ersten Mai jusqu'au bout. Le resto est sur la droite, à l'angle avec Waldsteingarten Strasse. Ouvert de midi à 23 h. Gigantesque brasserie en plein air où vous dégusterez la spécialité locale : le *Stelze*, jarret ou jambonneau de porc grillé accompagné d'une salade. Absolument délicieux (et calorique). Petites faims, ne prendre qu'une petite portion (déjà très copieuse en elle-même). La bière coule à flots, vous vous en doutiez. Atmosphère rugissante. Lors de votre visite au Prater, THE place pour vous sustenter ! Mais toujours beaucoup de monde : file d'attente !

Bon marché à prix moyens

|●| ***Zur Goldenen Glocke*** *(plan Vienne II, **81**) :* Schönbrunner Strasse, 8. ☎ 587-57-67. Rue parallèle à Rechte Wienzeile. M. : Kettenbrükengasse. Ouvert de 11 h à 14 h 30 et de 17 h 30 à minuit. Fermé dimanche et jours fériés. Une de ces p'tites adresses comme on les aime. En dehors des sentiers battus, dans un quartier populaire. Patio sympa dégageant une chaleureuse convivialité. Clientèle locale. Treillis de vigne vierge et belles fresques sur la danse et un repas champêtre. Service impeccable. Excellente cuisine traditionnelle et carte bien fournie, avec, entre autres, le *Warmer Beinschinken mit Gabelkraut und Heurigen, Kalbsleber gebacken oder geröstet, Eierschwammerln, Speck und Obers,* etc.

X **|●|** ***Silberwirt*** *(plan Vienne II, **82**) :* Schlossgasse, 21 (1050 Wien). ☎ 544-49-07. M. : Pilgramgasse (ligne U4). Ouvert tous les jours midi et soir jusqu'à minuit. Ruelle partant de Margaretenstrasse. Vieux quartier, là aussi, avec de longues maisons basses à un étage. Celle-ci ne compte pas moins de 70 fenêtres en façade ! C'est un *bargarten*. Resto populaire avec grand jardin intérieur. Beaucoup de monde les vendredi et samedi soir. Animation garantie. Cuisine classique à prix acceptables.

Une adresse qui mérite vraiment le détour, surtout s'il fait beau !

Schlossgasse 21 *(plan Vienne II, 83)* : son petit voisin, mais plus moderne et un poil branché. ☎ 55-07-67. Ouvert à midi et le soir jusqu'à 23 h 30. Le week-end, le soir uniquement. A peu près les mêmes prix que le précédent. Tables dans le jardin également. De minuit à 2 h, ça fait seulement bar et snack. Possibilité alors de grignoter soupes, salades et fromages.

Altes Fassl *(plan Vienne II, 84)* : Ziegelofengasse, 37. Rue parallèle à Schlossgasse. ☎ 55-42-98. Ouvert uniquement le soir de 18 h à 1 h ainsi que le dimanche midi. Fermé le lundi. Cuisine de la même tonalité que les deux précédents. Belle carte. Un poil plus chère. Salle à manger agréable, mais dès qu'un quart de demi-soleil apparaît, on dîne dans la cour, blottis autour d'un grand arbre. Moins de tables, plus intime que les autres.

Salz und Pfeffer *(plan Vienne II, 85)* : Joanelligasse, 8 (1060 Wien). ☎ 56-92-77. M. : Kettenbrückengasse (ligne U4). Rue perpendiculaire à Linke Wienzeile. Ouvert de 18 h à 8 h (samedi et dimanche jusqu'à 9 h) tous les jours, toute l'année. Vous l'aviez deviné, c'est un restaurant de nuit. Pas ou peu de décor, vieux tapis, murs jaunes délavés ou noirs. Pas folichon ! Préférez les salles du fond. Vous y trouverez quelques profonds fauteuils permettant de méditer sur le charme parfois morbide de Vienne, avant d'entamer la lecture de la carte bien fournie du lieu. Au fil de la nuit, ça s'anime. Dans l'ombre tamisée, dans des bribes de discours, on croit reconnaître les habituels héros des nuits urbaines : écrivains insomniaques, journalistes speedés, artistes et toutes les variétés bohémo-intello imaginables. Surprise, c'est bon, copieux et à des prix fort raisonnables. Quelques plats consistants : *spare ribs,* tartare, gratin de brocolis, *tagliatelle verde,* tournedos au sherry, etc.

DANS LES QUARTIERS OUEST ET NORD

Là encore, l'occasion de rencontrer les vrais Viennois, avec une proportion très faible de touristes.

Bon marché à prix moyens

Bluzenstricker : Ottakringer Strasse, 71 (rue prolongeant l'Alserstrasse). ☎ 45-78-49. M. : Alserstrasse (ligne U6). Tram n° 44. Ouvert à midi et le soir jusqu'à 2 h. On aime bien cette auberge de quartier avec sa grande salle chaleureuse. Cadre gentiment vieillot et patiné, murs de bois verni et vieilles couvertures d'hebdos. Tables bien espacées, quelques-unes pour joyeuses bandes. Service efficace. En semaine, atmosphère tranquille, musique discrète.

Hernalser Stadtbeisl *(plan Vienne II, 86)* : Hernalser Hauptstrasse, 35 (1170 Wien). ☎ 42-51-35. Tram 43 et 44. M. : Alserstrasse (ligne U6). Assez excentré. Vraie taverne de quartier. Cadre en bois agrémenté de vieux outils et objets hétéroclites. Un côté calme et familial. Bonne cuisine copieuse. Plats du jour et d'excellents *spare ribs.* Vin au verre. Prix modérés.

Spatzennest *(plan Vienne II, 87)* : Ulrichsplatz, 1. M. : Volkstheater (U3 et U2). Tram 52 et 58 (arrêt Neubaugasse). Accueil aimable. Copieuses spécialités viennoises à tous les prix (et jamais exagérés).

Zu den 2 Lieserln *(plan Vienne II, 88)* : Burggasse, 63. Pas loin de l'A.J. de Myrthengasse. Fermé le dimanche. Petit bistrot de quartier. Clientèle populaire. Bon choix à la carte, mais sa spécialité, c'est le *Wiener Schnitzel* qu'il sait vraiment préparer. Pas cher du tout.

Prix moyens à plus chic

Bohême *(plan Vienne II, 89)* : Spittelberggasse, 19. ☎ 93-31-73. M. : Volk stheater (U2 et U3). Ouvert de 18 h à minuit. Fermé le dimanche. Dans ce petit quartier baroque de Spittelberg fort joliment restauré, une noble demeure datant de 1740. Pas mal de charme. Un restaurant diffusant de belles musiques d'opéra et prodiguant une bonne petite cuisine à prix pas trop prohibitifs. Intéressante collection de vins. Servis au verre aussi.

Plus chic

Altwienerhof : Herklotzgasse, 6. ☎ 892-60-00. Fax : 892-60-008. A l'ouest de Vienne, mais très accessible. M. : Gumpendorferstrasse (ligne U6). Bus 57 A. Tram 6 et 18. Fermé le dimanche. C'est d'abord l'un des plus beaux jardins intérieurs de Vienne. Fleurs, plantes exubérantes, bosquets offrent aux tables bien séparées un cadre de rêve pour l'une des plus fines cuisines de Vienne. Rudolf Kellner, le chef, a réalisé un superbe syncrétisme des traditions culinaires françaises et autrichiennes. Ses plats se révèlent délicatement inventifs et savoureux et il offre, en prime, une cave merveilleuse, peut-être la plus riche, la plus intelligente de la capitale. Un choix de 1 176 crus. Citons un traminer autrichien de 1979 (Falkenstein), un weissburgunder de 1977 (Langenlois), un zierfandler de 1979, un neuburger de 1976 (Gumpoldskirchen). Belle carte de vins étrangers d'où on ne peut manquer de citer avec plaisir un marqués de Murrieta (Rioja) de 1925, un superbe barolo (Piémont) de 1971, une incroyable liste de vosne-romanée, dont un romanée-conti de 1928 (certes très cher)... *Altwienerhof* offre aussi des chambres confortables.

Où manger aux environs ?

A GRINZING

Zum Martin Sepp : Cobenzlgasse 34. ☎ 32-32-33. Ouvert tous les jours de 11 h jusqu'à minuit. Facile à trouver. Il s'agit d'une vieille auberge typique avec une toiture en ardoises de bois. Intérieur chaleureux et particulièrement animé le week-end, dès que les musiciens se mettent à jouer, c'est-à-dire à partir de 19 h. Sur la carte, les noms des plats sont écrits en français. Cuisine rustique et généreuse. Des Viennois habitués y viennent uniquement pour le plat du paysan, tellement copieux qu'on n'a plus faim pendant 2 jours... Au n° 30, *Zum Martin Sepp* a son jardin d'hiver (Wintergarten), endroit fort agréable, qui sert plus en été qu'en hiver.

Oppolzer : Himmelstrasse, 22, Grinzing. ☎ 32-24-16. Ouvert de 17 h à minuit. Fermé les vendredi et dimanche. Rue un peu en marge des flonflons touristiques. Ravissant jardin.

Zimmerman : Armbrustergasse, 5, Grinzing. ☎ 37-22-11. Ouvert de 17 h à minuit. Fermé les vendredi et dimanche. A 2 stations de bus (bus 38A) de Grinzing. Autre sympathique *Heurigen*. Beaucoup de monde, mais n'a pas encore trop perdu son âme.

Sirbu : Kahlenbergerstrasse, 20, Grinzing. ☎ 32-59-28. Ouvert de 16 h à 22 h. Fermé le dimanche. En plein dans les vignobles au-dessus de Grinzing (route de Josefsdorf). Assez difficile à trouver. Y aller en taxi ou avec un Viennois qui connaît. Pratiquement que des habitués. Bonne atmosphère.

A HEILIGENSTADT

Beethovenhaus : Pfarrplatz, 2, Heiligenstadt. ☎ 37-12-87. Fermé le lundi. Pas loin du Karl Marx Hof, étonnant de trouver cette place charmante avec une très vieille auberge. Elle eut comme habitué ce cher Ludwig. Il n'avait pas tort, car la petite cour aux murs jaunes croulant sous les treilles et l'accueil se révèlent bien sympathiques. Il y habita même l'été 1817, et y composa quelques morceaux de la 9e. Sinon le vin est gouleyant à souhait et excellente nourriture (salades, saucisses maison, jambon, fromages, etc.). Y aller de préférence le soir et le week-end car l'ambiance est plus animée.

Les fameux cafés viennois

DANS LE CENTRE

Hawelka *(plan Vienne Centre, B2, 40) :* Dorotheergasse, 6. ☎ 512-82-30. Ouvert de 8 h à 2 h (le dimanche, de 16 h à 2 h). Fermé le mardi et de mi-juillet à la première semaine d'août. Très central. Un poil avant le Graben. Un des plus populaires à Vienne. Existe depuis 82 ans. Atmosphère *Troisième Homme*. D'ailleurs, Léopold et Joséphine Hawelka tiennent leur établissement depuis les années quarante avec le même enthousiasme, la même gentillesse et n'ont guère changé les lieux. Henry et Arthur Miller, ainsi que Lawrence Durrell aimaient déjà ce côté un peu vieillot et suranné, ces grosses tentures rouges, les confortables banquettes de velours, les vieilles affiches, dessins et caricatures (Siné en bonne place), les boiseries patinées, les recoins douillets et intimes pour écrire ses lettres d'amour ou rêver à la fin du cycle barbare que nous vivons. Clientèle de jeunes, étudiants, artistes et journalistes. Ça se « touristise » bien un peu, vu la notoriété et l'emplacement, mais la « vieille » clientèle reste encore majoritaire. Dans l'après-midi, il y a des moments de calme remarquables. Ne pas manquer de commander un genre de petit muffin appelé *Buchteln* et que Mme Hawelka confectionne tout frais, à la demande.

Bräunerhof *(plan Vienne Centre, B3, 41) :* Stallburggasse, 2. ☎ 512-38-93.

A deux pas de l'entrée de la Hofburg. Ouvert de 7 h 30 à 20 h 30 (le samedi jusqu'à 18 h, et les dimanche et jours fériés de 10 h à 18 h). Même genre que *Hawelka*. Thomas Bernhardt aimait y venir. Salle plus spacieuse. Bien usé et patiné. Belle collection de journaux (y compris internationaux). Très tranquille aussi. Bonne sélection de gâteaux. En principe, musique viennoise les week-ends et jours fériés de 15 h à 18 h.

🍸 ***Haag*** *(plan Vienne Centre, A1,* ***42****)* : Schottengasse, 2. ☎ 533-23-44 et 533-18-10. Ouvert de 7 h à 22 h ; le samedi, de 8 h à 20 h. Fermé le dimanche et en juillet. A deux pas du Ring et de l'université. On aime bien celui-ci pour sa terrasse-jardin dans une grande cour de style baroque. En cas de cumulus expansifs, on se réfugie dans une superbe salle avec de larges voûtes et joliment meublée. Tout respire ici le confort des intérieurs anglais. Banquettes de velours rouge, petites tables de marbre rose, lustres, cheminées et glaces ouvragées. Quelques plantes vertes. Recoins discrets. Particulièrement propice à la lecture. Bonnes pâtisseries là aussi.

🍸 ***Central*** *(plan Vienne Centre, A2,* ***43****)* : Herrengasse et Strauchgasse. ☎ 533-37-63. Deux rues à l'est du Burgtheater. Ouvert de 10 h à 20 h. Fermé le dimanche, les jours fériés et de mi-juillet à mi-août. Un des grands cafés légendaires de Vienne. Fréquenté par tant de personnalités qu'on ne peut les citer toutes. Entre autres, Musil, Karl Kraus, Schnitzler, etc. Trotski y attendait tranquillement le déclenchement de la révolution de Février. Juste après l'entrée, sur la droite, une sculpture représente Peter Altenberg, le poète sans demeure, aux célèbres moustaches de morse. Hautes baies en plein cintre et très grande salle voûtée d'ogives retombant, comme dans une église, sur des colonnes de marbre. D'ailleurs, on y célèbre le culte de l'élégance, du raffiné, aux notes aigrelettes d'un pianiste désenchanté. Pour notre goût, trop bien rénové, mais confortable, comme ses collègues. Grandes banquettes. Attention, s'y restaurer revient quand même assez cher.

🍸 ***Museum*** : Friedrichstrasse, 6. ☎ 53-52-02. M. : Karlsplatz. Ouvert de 7 h à 23 h. Fameux café, œuvre du grand architecte Adolf Loos. Volumes intérieurs bien équilibrés, lignes ayant superbement résisté à l'usure du temps. Mobilier original bien dans le style de la maison. Clientèle d'étudiants et d'artistes. Tout au fond, la pièce annexée par les joueurs d'échecs. Expos temporaires.

🍸 ***Diglas*** *(plan Vienne Centre, C2,* ***44****)* : Wollzeile, 10. ☎ 512-84-01. Ouvert de 7 h à 23 h 30 ; le dimanche et les jours fériés, de 10 h à 23 h 30. Salles légèrement voûtées, murs jaunes et bois verni, peu de décor. Un tantinet austère mais réputé pour ses gâteaux maison. Un classique, là encore !

🍸 ***Kleines Café*** *(plan Vienne Centre, B2,* ***45****)* : Franziskanerplatz, 3. Ouvert jusqu'à 2 h. Tout petit comme son nom l'indique. Situé sur une jolie place de la vieille ville. Moleskine et jeu de glaces. atmosphère le plus souvent calme et intime.

– Enfin, ne pas oublier le ***Sacher***, le ***Demel*** et le ***Landtmann***, déjà cités dans les restos. Puis, pour les « cafés-addicts », d'autres excellentes adresses : ***Dommayer, Hummel, Prückel, Schwarzenberg***, etc.

AUTOUR DU RING

🍸 ***Sperl*** *(plan Vienne II,* ***100****)* : Gumpendorfer Strasse, 11. ☎ 56-41-58. Longue rue partant de la station du même nom et rejoignant le Ring au niveau du Burghof. Ouvert de 7 h à 23 h ; le dimanche et les jours fériés de 15 h à 23 h. En août et septembre, fermé le week-end. Existe depuis 1880. Grandes salles hautes de plafond. Lampes de cuivre, moulures, boiseries sombres sculptées, etc. L'un des plus beaux cafés de Vienne. Petits boxes et banquettes confortables. Réputé pour sa tarte aux pommes. Salle de billard.

🍸 ***Café Savoy*** *(plan Vienne II,* ***101****)* : Linke Wienzeile, 36. ☎ 56-73-48. Ouvert de 16 h à 2 h ; le samedi, de 9 h à 18 h et de 21 h à 2 h. Fermé le dimanche. Ravissant cadre ancien : boiseries, lustres de cristal, grandes glaces, cuivres. Clinquant de bon goût. Idéal pour se détendre, répertorier ses achats judicieux aux puces et commenter les magnifiques façades d'Otto Wagner toutes proches.

Où boire un verre ? Où sortir ?

Vienne propose toutes sortes de lieux multiformes : resto à certaines heures, bar tout le temps, salle de concert la nuit, pour des prix souvent modérés. Les voici, quartier par quartier. Vous apprécierez la diversité de la vie nocturne viennoise, même si la ville semble parfois quelque peu endormie. Vienne offre le seul « Triangle des Bermudes » où se perdre n'a vraiment rien de dramatique. Circonscrit à quelques ruelles d'où la musique dégorge à flots des cafés, où les pompes à bière chauffent à blanc. Les week-ends et certains soirs d'été, réussir à pénétrer dans ces lieux relève de l'exploit. Une constatation plaisante : pas l'ombre d'un képi, pas de fourgons de CRS alignés en marge du Quartier latin comme chez nous. On retrouve dans ces lieux beaucoup de jeunes de la ville et des banlieusards viennois en goguette. Avec toujours un côté sympa et bon enfant. Pour une liste exhaustive des clubs de rock, jazz, pour les dates et lieux de concert, consulter *Falter*, l'hebdo le plus complet sur les questions culturelles. Vienne aime ses jeunes ! Pour les plus radicaux des zombies de la nuit, le Triangle s'élargit aux autres arrondissements périphériques où, dans la lumière glauque des réverbères, s'ouvrent de mystérieuses entrées d'endroits plus destroy.

DANS LE CENTRE ET LE « TRIANGLE DES BERMUDES »

Krah-Krah *(plan Vienne Centre, **51**)* : Rabensteig. Ouvert jusqu'à 2 h. Non, Krah-Krah ne veut pas dire sale ! C'est seulement le fameux « croa croa » bien de chez nous (*Rabensteig* signifie « colline aux corbeaux »). « The » lieu incontournable. Bourré de monde. Hyper-sympa et coloré. Bande son rock, rock, rock (Chuck Berry, Elvis, Little Richard). Murs couverts d'affiches. Joyeuses bandes et ventilos pour sécher laborieusement la sueur. Menu pas cher et snacks.

***Roter Engel (A l'Ange Rouge** ; plan Vienne Centre, **52**)* : Rabensteig, 5. ☎ 535-41-05. Ouvert tous les jours de 17 h à 4 h, le dimanche de 17 h à 2 h. En face du *Krah-Krah*. Bar à vin fameux pour ses concerts de rock, jazz et blues. Beaucoup de monde là aussi quand l'affiche est belle (mais prix pas trop bon marché !). Architecture intérieure intéressante.

Sur Seitenstettengasse, d'autres lieux du même genre : ***Cactus,** (plan Vienne Centre, **53**)* : ***Relax** (**54**), **Rasputin** (**55**),* **Mapitom** (pluc chic), etc.

Jazzland *(plan Vienne Centre, **56**)* : Franz Josefskai, 29. ☎ 533-25-75. Situé au nord du Triangle des Bermudes. Au-dessous de l'église Saint-Ruprecht, à une centaine de mètres à gauche environ, après *Krah-Krah*, en suivant la promenade pavée. C'est juste après le Theater. Assez cher mais c'est la meilleure boîte de jazz de Vienne. Sous sa grande voûte de brique, d'excellents musiciens, 4 ou 5 soirs par semaine, à partir de 21 h.

Benjamin *(plan Vienne Centre, B1, **46**)* : Salzgries, 11. ☎ 533-33-49. Ouvert de 19 h à 2 h. Bien ripoux. Graffiti et vieille patine. Mélange de margeos et bohèmes de tout poil et de nanas BCBG. Ça fusionne et se bécote allègrement dans des fauteuils et divans défoncés. Musique rock et lumières tamisées pour nimber le tout...

Absolut *(plan Vienne Centre, B1, **47**)* : Börsegasse et Tiefer Graben. ☎ 535-66-80. Ouvert de 10 h à 2 h (18 h à 2 h, samedi, dimanche et jours fériés). Bar résolument branché un peu en marge du Triangle des Bermudes. Moins de frites et d'éthyliques. Décor postmoderne. Terrasse très agréable aux beaux jours.

Alt Wien *(plan Vienne Centre, C2, **48**)* : Bäckerstrasse, 9. ☎ 512-52-22. Ouvert tous les jours jusqu'à 2 h. Le bar jeune et étudiant par excellence. Deux grandes salles, murs couverts d'affiches. Résolument bruyant et enfumé. Possibilité de grignoter goulasch, soupes, saucisses, etc.

Lukas *(plan Vienne Centre, C2, **49**)* : Schönlaterngasse, 2. ☎ 513-50-90. Dans la ruelle la plus romantique de la vieille ville. L'un des bars étudiants fermant le plus tard. Deux petites salles. Vieilles banquettes, affiches et caricatures.

AU NORD DE LA VILLE

Café Stein *(plan Vienne Centre, A1, **50**)* : Währingerstrasse, 6. ☎ 319-72-41. M. : Schottentor. Ouvert de 7 h à 1 h (sauf dimanche et jours fériés). Pas loin du centre. Décor postmoderne, mais atmosphère quand même chaleureuse. D'ailleurs, le sous-titre du Stein, c'est « RAMS Café » (Rebel Army of Militant Sheep !). Ça donne le ton. Bonne musique omniprésente. Possibilité de s'y restaurer (chili, brocolis au gratin, pâtes, omelettes, etc.). Prix raisonnables. *Stein* est le premier café viennois branché sur le réseau Internet (« cybercafé »). A l'étage, 6 écrans d'ordinateurs sont à la disposition des clients désireux de consulter le réseau. Pour cela, il faut apporter sa souris, laisser son passeport ou son permis de conduire à l'accueil, et payer environ 55 SCH pour 30 mn d'utilisation. Une bonne initiative !

– **Wuk** *(plan Vienne II, **102**)* : Währingerstrasse, 59 (Wien 9). ☎ 403-82-20 et 408-72-24. Ancien entrepôt squatté, il y a quelques années, par des jeunes du quartier. Après quelques bisbilles avec les autorités et les flics, la négociation a prévalu, et finalement, le lieu leur a été donné. Aujourd'hui, c'est un genre de MJC alternative à la marginalité bien assagie (on trouve même un bureau d'information avec horaires, si, si !) : ouvert de 9 h à 13 h 30 et de 14 h 30 à 22 h, du lundi au vendredi. Les samedi et dimanche, de 14 h à 17 h 30 et de 18 h 30 à 22 h. Cour particulièrement plaisante, avec grosses tables et bancs pour boire et distiller les douces nuits de printemps. Intérieur agréable aussi. *Switchboard* bien rempli : initiatives culturelles diverses, manifs, meetings, etc. Bien suivre les concerts de rock du *Wuk*, excellente qualité et chaude atmosphère.

A L'OUEST

🍸 ***Bach :*** Bachgasse, 21 (Wien 6). ☎ 450-19-70. Ouvert de 19 h à 2 h (vendredi et samedi jusqu'à 4 h). Un des meilleurs lieux underground de Vienne. Ça tombe bien, il est en sous-sol. Bien margeo, pas encore récupéré. Plusieurs salles sombres et enfumées. Bar au milieu. Bière pas chère. Musique tendance destroy à tue-tête. Programmation assez originale : « parties diverses », films, concerts d'avant-garde, etc.

🍸 ***Miles Smiles** (plan Vienne II, **103**) :* Langegasse, 51. ☎ 405-95-17. Ouvert de 20 h à 2 h ; vendredi et samedi jusqu'à 4 h. C'est un sympathique petit « Jazz café », installé dans un édifice de caractère. Salle intime et paisible pour boire entre amis au son d'une excellente sélection jazz. Bon choix de bières à prix modérés. Possibilité de grignoter fromages et snacks divers. D'autres troquets intéressants dans Langegasse et les rues alentour (notamment au 19, le *Café Lange*).

🍸 ***Objectiv** (plan Vienne II, **104**) :* Kirchberggasse, 26. ☎ 526-7-11. Ouvert de 18 h à 4 h. Dans le quartier de Spittelberg, entre Burggasse et Neustiftgasse. Clientèle étudiante et écolo. Cadre vraiment chaleureux. Le bar d'abord, puis la salle derrière, sous une verrière. Plein de recoins. Décor assuré par des vieilleries de toute sorte, plantes vertes, outils anciens. Tables bien rugueuses. Possibilité de se restaurer. Super musique 50's et 60's.

🍸 ***Café International** (plan Vienne II, **105**) :* Yppenplatz. Place animée au sud de Ottakringerstrasse et à l'ouest de Hernalser Gürtel. Dans le quartier à majorité turc. Ouvert jusqu'à 2 h. Rien de particulier, simple rendo de la marge locale, des verts (Grüne) et des syndicalistes turcs. Connu sous le nom de « CI ». Quelques tables dehors. Deux salles en longueur (avec pool au fond). Bon café. Cuisine simple et bon marché. Pas mal d'animation le vendredi et le samedi à cause du marché.

🍸 ***Café Zipp** (plan Vienne II, **106**) :* Burggasse, 66 (Wien 7). ☎ 93-27-92. Ouvert jusqu'à 2 h. Pas loin de l'A.J. Pas trop grand, plutôt intime. Atmosphère sympa, tendance hard rock. Bon cocktails. Goûter au *Blue Boy* ou au *Nitro*. Pas mal de tuyaux pour les concerts underground, ça va de soi !

🍸 ***U4 :*** Schönbrunner Strasse, 222 (Park Shop Meidling). ☎ 85-83-18. M. : Meidlinger Hauptstrasse. Ouvert de 23 h à 5 h. L'une des boîtes les plus connues pour danser. Musique traditionnelle. *Funky* ou *house*. Très excentrée, pour y aller prendre le métro ou un taxi. La boîte se trouve au sous-sol d'un grand bâtiment moderne abritant des commerces. Son nom : *Einkaupszen Trum Park Garage*. Entrée de la boîte à gauche de l'entrée du centre commercial.

🍸 ***Arena :*** Baumgasse, 80 (Wien 3). ☎ 78-85-96. M. : Kardinal-Nagl-Platz ou Schlachthausgasse. Une des salles de concert les plus populaires. Suivre de près leur programmation.

🍸 ***Szene :*** Hauffgasse, 26 (Wien 11). ☎ 74-33-41. Excellent programme aussi. Populaire chez les jeunes.

A voir

DANS LA VIEILLE VILLE

La vieille ville (qui recouvre tout Vienne 1) est bien délimitée par le Ring, large boulevard construit à la place des anciens remparts, et le Donaukanal. Itinéraire entièrement réalisable à pied. Ça tombe bien, c'est là que se concentre l'immense majorité de l'architecture médiévale et baroque viennoise.

★ ***Stephansdom (la cathédrale Saint-Étienne** ; plan Centre, **C2**) :* Stephansplatz.

☎ 512-52-56. M. : Stephansplatz (lignes U1 et U3). Visites guidées du lundi au samedi à 10 h 30 et 15 h ; dimanche et jours fériés à 15 h. Visites nocturnes en juillet et août, les samedi à 19 h ; en juin et septembre, le samedi seulement.
– *Horaires des catacombes* (Katakomben Führungen) : du lundi au samedi, de 10 h à 11 h 30 et de 14 h à 16 h 30 ; le dimanche de 14 h à 16 h 30.
– *Horaires de la Pummerin :* le « bourdon » est accessible par ascenseur, ouvert de 9 h à 18 h, d'avril à septembre, de 8 h à 17 h d'octobre à mars.
– *Accès à la flèche sud :* tous les jours de 9 h à 17 h 30.
Ce fut d'abord un édifice du XIIIe siècle de style roman reconstruit en gothique aux XIVe et XVe siècles. Si la cathédrale eut à subir des dégâts lors du siège des Turcs en 1683 et lors des guerres napoléoniennes, les destructions des bombardements de 1945 furent les pires. Quand on voit les photos de l'époque, on imagine le courage et la volonté manifestés par les Viennois pour sa reconstruction. De la période romane, subsiste la façade principale avec les tours des Païens et, surtout, le beau portail central. Au centre, Christ en majesté entouré de deux anges. On distingue aussi Samson et le lion, ainsi qu'un griffon. Sur le pilier gauche de l'entrée, deux barres de fer servaient de mesure pour le commerce de la toile. Les côtés de la cathédrale et la tour sud du XVe siècle de 137 m de haut, chef-d'œuvre du gothique germanique, abritent une véritable forêt de pinacles. Sur le côté, portail sculpté gothique appelé *Singertor.* La tour nord, inachevée, abrite la *Pummerin,* énorme cloche de 3,14 m de diamètre et pesant 21 t. Elle fut fabriquée en 1951 sur le modèle de l'ancienne Pummerin, cloche coulée en 1711 (avec les canons pris à l'ennemi) en souvenir de la défaite des Turcs en 1683 devant Vienne. Cette dernière disparut en partie dans l'incendie de 1945, mais ses restes furent englobés dans la nouvelle cloche. Cette continuité se retrouve aussi dans les scènes qui la décorent (têtes de Turcs, siège de Vienne, incendie de 1945).
L'intérieur de l'église est abondamment décoré. Nef d'une grande ampleur. Chose inhabituelle, chaque pile de nef possède son autel de style baroque. A partir de l'entrée de la façade principale, voici les principaux points d'intérêt.
– A gauche de l'entrée, chapelle du Prince Eugène, victorieux des Turcs. Devant, un baldaquin de pierre gothique du XVe siècle.
– A droite de l'entrée, autre baldaquin gothique de 1510, abritant la Vierge de Pötsch qui aida, paraît-il, à battre les Turcs en 1697. A côté, la Singertor par où les hommes entraient au Moyen Age.
– La chaire : au troisième pilier gauche, admirable chaire en gothique flamboyant due à Anton Pilgram (1515) et ornée des quatre Pères de l'Église. Élégant et harmonieux escalier évoquant l'élévation vers le ciel. Au pied de la chaire, autoportrait de l'artiste.
– Le pied d'orgue : à la hauteur du cinquième pilier, on trouve la console (ou pied d'orgue), œuvre superbe de Pilgram. Le personnage polychrome supportant le tout et nanti d'une équerre et d'un compas représente encore l'artiste.
– A côté du pied d'orgue, entrée de la tour nord, haute de 61 m. Ascenseur pour la Pummerin. Ouvert de 9 h à 17 h 30 tous les jours.
– Transept gauche : entrée des catacombes. Ouvertes tous les jours. Visites guidées à 10 h, 11 h, 11 h 30, 14 h, 14 h 30, 15 h 30, 16 h et 16 h 30. Les dimanche et jours fériés : 14 h, 14 h 30, 15 h 30, 16 h et 16 h 30.
A gauche du chœur, tombeau particulièrement imposant de Rodolphe IV, dit le Fondateur. Surtout, à côté, le remarquable retable polychrome dit *Wiener Neustadt* (1447). Vierge en majesté avec deux saintes.
– Dans le chœur, maître-autel des frères Pock (1640). Derrière, de part et d'autre, des fragments des vitraux du XIVe siècle ont été adroitement intégrés aux nouveaux.
– A droite du chœur, grandiloquent tombeau en marbre rouge de Frédéric III.
– Transept droit : entrée de la tour sud. Hardi petit, 343 marches ! Ouverte de mars à octobre, de 9 h à 17 h 30 (en basse saison, jusqu'à 16 h 30).
– A l'extérieur de l'entrée située sur la place du Graben, confrontation insolite et pas vraiment choquante de la *Haas Haus* (immeuble hyper-moderne) avec la cathédrale. Il remplace un édifice sans intérêt, construit après la dernière guerre. Noter le jeu subtil des volumes. La courbe au départ du Graben se transforme progressivement en verrière pour ne pas écraser la cathédrale.

★ ***Dom und Diözesanmuseum (musée d'Art religieux) :*** Stephansplatz, 6. ☎ 515-52-56. Ouvert de 10 h à 16 h ; le jeudi de 10 h à 18 h ; le dimanche et les jours fériés, de 10 h à 13 h. Belle collection d'objets cultuels : ostensoirs, croix-reliquaires, évangéliaires, peintures gothiques, grands crucifix, retables, quelques œuvres de l'époque baroque.

★ ***Le Graben :*** la plus célèbre place de Vienne. Bordée de commerces de luxe. Ancien fossé du camp romain, ancien marché de la ville. Une curiosité : les w.-c. publics, œuvre de... Adolf Loos. Au milieu, la colonne de Peste, construite par

Léopold Ier pour célébrer la fin de l'épidémie de peste en 1679 (elle fit plus de 100 000 victimes à Vienne).
Un peu en retrait, ***l'église Saint-Pierre (Peterskirche),*** une des reines des églises baroques. Remarquable façade, s'ajustant avec grâce dans l'étroitesse de la rue. Intérieur bien patiné, les ors se sont assombris. Monumental retable. Coupole ajourée. Chaire imbattable dans la démesure baroque, ainsi que le buffet d'orgue. De part et d'autre du chœur, deux tribunes surmontées de verrières en forme de couronne. Prolongeant le Graben vers la Hofburg, le ***Kohlmarkt*** (l'ancien marché au charbon de bois). On y trouve *Demel,* le plus fameux salon de thé-pâtisserie de Vienne.

★ ***Michaelerkirche (église Saint-Michel ;*** *plan Centre, B2)* : Michaelerplatz, 1. ☎ 583-80-00. Ouvert de 10 h à 17 h (dimanche 13 h). En face de l'entrée de la Hofburg. C'est l'ancienne église paroissiale de la famille impériale. Édifiée à partir du XIIIe siècle, elle n'a quasiment rien conservé de la période romane. Nef et chapiteaux gothiques. Façade néo-classique de 1792. Aujourd'hui musée. Collections de peintures religieuses, portraits, statues. Orgue baroque le plus grand d'Autriche. Belle expo d'orfèvrerie religieuse. Vestiges de fresques romanes. Au maître-autel, retable baroque particulièrement grandiloquent. Visites guidées de la crypte. Elle servait de lieu d'inhumation. Nombreux cercueils et quelques momies.

★ ***La maison Loos :*** Michaelerplatz, 3 (à l'angle de Kohlmarkt). Réalisée en 1909, c'est l'une des œuvres les plus marquantes du grand architecte Adolf Loos ; elle déclencha l'une des plus grandes polémiques architecturales du début du siècle. Après le Jugendstil, le style Sécession, Loos imposa, en réaction au conformisme architectural de l'époque (le style prétentieux du Ring notamment), encore plus d'austérité et de pureté dans les lignes et les formes. Ce fut une maison considérée par beaucoup comme une provocation face à l'orgueilleuse façade de la Hofburg, celle néo-classique de l'église Saint-Michel et les demeures baroques environnantes. L'édifice donna lieu à une âpre bataille à toutes les étapes de sa construction (concours des architectes, polémique sur la nudité de la façade à laquelle la municipalité souhaitait intégrer un décor), relayée par la presse et l'opinion publique : arrêts de chantier, plaintes en justice et nouveau concours pour la façade. Finalement, en 1911, Loos gagna la partie. On notera que, dans l'entrée monumentale, l'architecte fit un compromis et utilisa quatre colonnes pour répondre à celles de l'église Saint-Michel.
Une anecdote : à l'époque, l'empereur François-Joseph avait tiré tous les rideaux des fenêtres de la Hofburg donnant sur la place, pour marquer son refus d'avoir à contempler cette « horreur ».

★ ***La Hofburg :*** Michaelerplatz. C'est le palais impérial, résidence de la dynastie des Habsbourg pendant plus de dix siècles. Véritable ville dans la ville. Ses édifices s'échelonnent du XIIIe au XXe siècle et concentrent à peu près tous les styles existants. Quelques chiffres : 18 bâtiments, une vingtaine de cours, 54 escaliers et près de 2 600 pièces. Il abrite aujourd'hui la présidence de la République.
On note trois phases de construction de la Hofburg. D'abord, de 1279 à 1681. A l'époque, c'est d'ailleurs plutôt une forteresse dont subsistent trois édifices : l'*Alte Burg* (le vieux palais), le *Stallburg* (les écuries du manège espagnol) de 1558, *l'Amalienburg* de 1575 et 1600. La deuxième phase de construction commence à la fin de celle de la *Leopoldinischer Trakt* (aile Léopold) en 1681, avec la *Reichskanzleitrakt* (aile de la chancellerie d'Empire) en 1723, la *Prunksaaltrakt* (aile de la salle d'apparat) et le manège d'hiver *(Winterreitschule)* en 1739. La troisième phase démarre sous Napoléon Ier en 1809 quand il donne l'ordre de détruire les bastions (aujourd'hui, le *Volksgarten,* la *Heldenplatz* et le *Burggarten*). Enfin, en 1857, l'empereur François-Joseph fait édifier la *Neue Burg* (nouveau palais), l'aile qui fait face à la Heldenplatz et aux grands jardins bordant le Ring.

– ***L'entrée principale*** de la Hofburg, sur Michaelerplatz, a été réalisée en 1889 sur des plans du XVIIIe siècle. Façade concave avec arc de triomphe en son centre, surmontée d'un dôme. Sur les côtés, deux fontaines monumentales : *l'Autriche dominant la mer* et à droite *l'Autriche dominant sur terre.* Accès à une immense rotonde avec plusieurs musées.

– ***Les appartements impériaux :*** ouverts de 8 h 30 à 12 h et de 12 h 30 à 16 h ; dimanche et jours fériés seulement le matin. ☎ 587-55-54. Situés dans l'aile de la Chancellerie et l'Amalienburg. En voici les pièces les plus marquantes.
D'abord, les *anciens appartements* impériaux au beau décor baroque : salle à manger avec les travaux d'Hercule, tapisseries flamandes du XVIe siècle ; salle de réception : vie de l'empereur Auguste, tapisseries de Bruxelles.
On accède ensuite aux *appartements de François-Joseph :* salle des gardes, puis salle d'audience avec des fresques de 1833 sur la vie de l'empereur François Ier ; chambres

d'audience : l'empereur y recevait les visiteurs debout ; pupitre avec la liste des visiteurs (dont Freud en 1912) et portrait sur chevalet de l'empereur à 85 ans ; salle des conférences : portrait de l'empereur François-Joseph à 20 ans ; cabinet de travail : beau portrait de l'impératrice Élisabeth (Sissi). C'est là que l'empereur apprit la nouvelle du suicide de son fils Rodolphe à Mayerling ; chambre à coucher de l'empereur : avec son très modeste lit en fer, quatre tableaux de l'impératrice Élisabeth ainsi qu'une huile de l'archiduchesse Sophie avec le futur empereur François-Joseph à l'âge de 2 ans ; grand salon : deux intéressants tableaux de François-Joseph et d'Élisabeth. Après l'assassinat de cette dernière, en 1898, cette pièce et celles qui suivent ne furent plus jamais utilisées ; petit salon : quelques souvenirs du frère de l'empereur, Maximilien (fusillé au Mexique). Belle toile de la bataille navale de Lissa (en 1866).
Appartements de l'impératrice Élisabeth : ils furent occupés de 1864 à 1898. Puis, à nouveau, de 1916 à 1918, par l'empereur Charles. Salle de bains qu'elle avait fait aménager à ses frais, et qu'on aperçoit se reflétant dans une glace ; cabinet de toilette avec quatre aquarelles du palais de l'impératrice à Corfou. Grand salon : très beaux paysages à l'huile, statue de Canova (1817) représentant Élisa Bonaparte (sœur aînée de Napoléon), statuettes de l'empereur à 57 ans et de l'impératrice à 50. Petit salon : nombreux souvenirs et objets rappelant l'impératrice Élisabeth : buste en marbre de 1867, une litho du prince Rodolphe. Mais surtout, sur le chevalet, le célèbre tableau de Georg Raab représentant l'impératrice en reine de Hongrie. Rayonnante beauté, exécution d'une extrême finesse. Grande antichambre : sur l'un des tableaux (côté cour) figure (parmi les enfants dansant), l'archiduchesse Marie-Antoinette (future épouse de Louis XVI).
La visite se termine par les *appartements du tsar Alexandre Ier* qui y demeura lors du congrès de Vienne en 1815. Salles richement décorées, notamment la salle rouge avec ses tapisseries des Gobelins, son mobilier Louis XV et ses superbes lustres en cristal de Bohême.

– ***Collection de porcelaines et d'argenterie de la Cour :*** Michaelerplatz. Entrée sous la rotonde également. ☎ 523-42-49. Ouvert du mardi au vendredi et le dimanche de 9 h à 13 h. Une demi-douzaine de salles où sont exposées d'intéressantes collections de faïences et porcelaines. Notamment d'Extrême-Orient, ainsi que des Sèvres du XVIIIe siècle. Vaisselle de vermeil et de table du XIXe siècle. Service offert par la reine Victoria à l'empereur François-Joseph.

– ***La cour In der Burg :*** après la rotonde, accès à cette belle et vaste cour, où trône, au milieu, le monument de François II. Au XVIe siècle, elle servait aux tournois. Côté rotonde, somptueuse aile de la Chancellerie édifiée en 1723. On notera la longue façade rythmée par les fenêtres ouvragées et les pilastres cannelés. Sur le toit, statues, blasons et trophées. Au fond de la cour, la façade de l'Amalienburg qui fut construite en trois étapes du XVIe au XVIIIe siècle. Au milieu, un petit clocheton à bulbe avec horloge. En face de l'aile de la Chancellerie, celle de Léopold *(Leopoldinischer Trakt)*. Construite en 1547, puis modifiée en baroque en 1660, elle abrite aujourd'hui les bureaux du président autrichien.

– ***La cour des Suisses :*** c'est la partie la plus ancienne de la Hofburg (1279), bâtie par Ottokar II, roi de Bohême. La cour a été profondément remaniée à la Renaissance. Élégante porte des Suisses (1522) en brique rouge et ornée de lettres d'or. De la cour des Suisses, accès à la *chapelle impériale (Burgkapelle)* de 1449. En principe, à 9 h 15, les dimanche matin et fêtes, de janvier à juin et de mi-septembre à décembre, messe chantée par les petits chanteurs de Vienne (avec orchestre). Visites guidées de mi-janvier à juin et de mi-septembre à mi-décembre les mardi et jeudi de 14 h 30 à 15 h 30, tous les quarts d'heure (dès qu'un groupe de 10 personnes est formé).

– ***Le Trésor impérial*** (Schatzkammer) : accès par la cour des Suisses. ☎ 533-79-31. Ouvert de 10 h à 18 h, le jeudi jusqu'à 21 h. Fermé le mardi. Une des plus fascinantes collections d'art sacré et profane du monde. Deux épaisses portes blindées marquent l'entrée du trésor et donnent accès à une suite d'une dizaine de salles plongées dans la pénombre. Aucune explication écrite, ni en anglais ou ni en français. Il y a néanmoins une visite guidée en anglais, tous les mercredi et vendredi, à 11 h 15. On peut également louer des casques avec cassettes audio en français, cette solution étant moins rébarbative que la brochure en français. Avant de venir, voir ou revoir le film *Les Rapaces* d'Erich von Stroheim, qui montre bien la grandeur et la décadence de l'empire des Habsbourg.
• *Salle 2 :* la couronne particulière de l'empereur Rodolfe II fut réalisée à Prague en 1602. Elle rappelle par sa forme et la pureté de ses diamants l'origine divine du pouvoir impérial. Seigneur du monde et maître de la terre, l'empereur était aussi le vicaire du Christ, son bras droit en somme, rien que ça (tout ceci déplaisait aux papes de l'époque qui se voyaient ainsi concurrencer par de vulgaires empereurs...).

• *Salle 5 :* berceau en argent du roi de Rome, dit l'Aiglon, fils de Napoléon. Offert par la Ville de Paris, il pèse 280 kilos. Noter les abeilles d'or, symboles chers à Napo, qui en avait fait son emblème personnel pour remplacer les fleurs de lys des Bourbons.
• *Salle 8 :* superbe coupe en agate taillée dans un seul bloc de 75 cm de large. Elle serait la plus grande de ce genre dans le monde. Réalisée à Constantinople, probablement vers le IVe siècle de l'ère chrétienne, elle fut longtemps considérée comme le Saint Graal, car on avait cru déceler le nom du Christ dans une tache de couleur miel... La quête du Graal continue donc ! Autre pièce intéressante, une étonnante dent de narval (2,43 m de long) : on a longtemps cru qu'elle était la corne d'une licorne, cet étrange animal mythique qui fit fanstamer l'Europe pendant des siècles ! Même Tintin chercha le secret de la licorne...
• *Le Trésor ecclésiastique :* objets liturgiques, reliques et parements utilisés naguère à la Cour impériale et à la chapelle de la Hofburg. Superbe collection (salle 2) de travaux en bois d'ébène et tableaux en plume mexicains du XVIe siècle (salle 2).
Dans les salles 4 et 5, quelques curieuses reliques comme une écharde et un clou de la croix du Christ (le clou le plus cher du monde !), et aussi un des trois suaires de Véronique (considéré comme authentique, à vérifier quand même...). Et, plus énigmatique, une dent provenant de la bouche de saint Pierre (l'adresse de son dentiste n'a pas été retrouvée) encastrée dans un grand ostensoir (salle 5).
• *Salle 10 :* une collection, très rare, de vêtements et d'habits impériaux dont un manteau de couronnement datant de l'an 1133, fait à Palerme du temps des rois normands-siciliens. Il y a aussi une robe blanche, brodée d'or, portant une inscription arabe et latine de 1181. Voilà probablement la plus vieille garde-robe du monde ! Du prêt-à-porter garanti inusable !
• *Salle 11 :* une des pièces les plus célèbres du trésor est cette somptueuse couronne impériale du Xe siècle. Ses huit plaques d'or garnies de pierres précieuses et de perles représentent les huit portes de la Jérusalem céleste.
• *Salle 15 :* ne pas manquer d'admirer, au moins une fois dans votre vie, une véritable Toison d'or (même Tintin lui a couru après !). Emblème suprême d'un prestigieux ordre de chevalerie fondé par Philippe de Bourgogne au XVe siècle, la Toison d'or était attachée à un large collier composé de pierres à feu et de briquets qui symbolisaient le feu et la passion des actes valeureux (des « hauts faits »). Les Bourguignons ne sont pas des Autrichiens, mais ils leur furent alliés pendant longtemps, d'où les trésors de la salle 16 (entrée interdite aux escargots).

★ ***La Neue Burg (nouveau palais) :*** accès par la cour « In der Burg » ou par la Heldenplatz. Ce fut la dernière réalisation des Habsbourg. Vaste aile, concave en son milieu, de style néo-Renaissance italienne. Elle devait être la « petite partie » d'un projet encore plus mégalo. La Grande Guerre et la fin de l'empire le limitèrent au présent édifice. Une longue et haute loggia court de chaque côté du balcon d'où, en 1938, Hitler proclama l'Anschluss. Sa construction s'étendit de 1869 à 1913. La Neue Burg abrite divers musées :

★ ***Le musée d'Éphèse :*** Heldenplatz. Entrée située au niveau de la statue du prince Eugène de Savoie. Ouvert de 10 h à 18 h. Fermé le mardi. Exposition des pièces trouvées par les missions archéologiques autrichiennes sur le site d'Éphèse (aujourd'hui près de Selçuk, sur la côte méditerranéenne de la Turquie) et autres lieux d'Asie Mineure ainsi que dans les îles grecques. Une immense galerie de style néo-grec du XIXe siècle (un clin d'œil de l'histoire de l'art à la pérennité de la Grèce antique !) abrite une collection de statues, de morceaux de frise, de chapiteaux corinthiens, de mosaïques. Bas-reliefs, dont le monument des Parthes (frise de 40 m de long).
Dans un recoin, au pied d'un escalier près d'une grande porte vitrée fermée (on entre par la porte de l'autre côté), quelques pièces proviennent du site du temple d'Artémis, à Éphèse. On y voit notamment les restes de l'autel du sanctuaire dédié à la déesse Artémis (IVe siècle avant l'ère chrétienne). Ce fameux temple était classé dans l'Antiquité parmi les sept merveilles du monde. Selon la légende, le premier temple d'Artémis aurait été détruit par un incendie dans la nuit où naquit Alexandre le Grand. Quand le jeune conquérant en route vers l'Asie fit escale à Éphèse, il ordonna la reconstruction d'un autre temple grandiose, dont proviennent ces vestiges. Au fait, savez-vous que la fameuse statue d'Artémis, au corps boursouflé de dizaines de protubérances arrondies (des testicules de bovins, paraît-il), symbole de fécondité suprême, fut découverte par des archéologues autrichiens : on peut la voir aujourd'hui au musée de Selçuk.

★ ***Le Musée ethnographique :*** accès par la Heldenplatz. ☎ 521-770. Ouvert de 10 h à 16 h. Fermé le mardi. L'entrée, différente de celle du musée d'Éphèse, se trouve à une centaine de mètres plus loin, au bout de l'aile du Neue Burg, à gauche donc en marchant vers le Ring. Dommage que toutes les explications ne soient qu'en allemand

car pour les non-germanophones les pièces présentées perdent un peu de leur intérêt. Bref, malgré cet inconvénient, ce musée mérite quand même une visite. Il présente de très belles pièces du Bénin comme ces superbes ivoires d'éléphants, sculptées avec un luxe de détail étonnant, ou ces très beaux masques, en bronze, de guerriers et de princes. Noter l'extraordinaire travail du métal. Dans la salle 8, quelques très rares pièces en bronze représentent des guerriers portugais, les premiers Européens de l'histoire à poser les pieds en Afrique au XVe siècle. Revêtus de tuniques tombantes comme des robes, ils portent de longues barbes, de longs cheveux et de redoutables moustaches. Cette allure étrange les fait ressembler à des conquérants mongols. On imagine la terreur des Africains à l'époque face à ces audacieux et dangereux envahisseurs. Observer particulièrement ce guerrier « Europäer mit manillas », muni d'anneaux destinés à attacher les futurs esclaves noirs...
– *Au 1er étage :* importante collection d'objets d'art polynésien et une série d'estampes racontant l'expédition du capitaine Cook en Océanie. Maquette de bateau traditionnel des Marquises, rames sculptées, parures, armes diverses (hachettes, hallebardes des îles Fidji). Transpercés par ces redoutables lances aux pointes si acérées, les explorateurs européens avaient peu de chance de survivre (c'est le cas de Magellan). Noter de très curieux casques de guerriers d'Hawaii, couverts de plumes, dont la forme rappelle les casques des légions romaines.
– *Objets de la collection mexicaine de l'empereur Maximilien :* malgré un règne éphémère (1864-1867) sur la terre du Mexique, Maximilien d'Autriche eut néanmoins le temps de rassembler quelques jolis souvenirs pour sa collection personnelle. Parmi ces nombreux objets de l'époque précolombienne, la plus étonnante pièce du musée – une somptueuse parure faite de longues plumes d'oiseaux exotiques de couleur bleu turquoise – est exposée seule dans une grande vitrine. Découverte (autrement dit volée !) par des conquistadores espagnols en 1575, cette parure fut longtemps, et à tort, considéré comme la « corona de Montezuma », c'est-à-dire la couronne du dernier empereur des Aztèques. En fait, il s'agit d'un *penacho,* une parure flamboyante, portée par les prêtres à l'occasion des grandes cérémonies. Après avoir été acheté par les Habsbourg d'Espagne en 1590, le penacho arriva au XIXe siècle chez les Habsbourg d'Autriche qui négocièrent en 1880 son acquisition par le Musée ethnographique. Cette pièce rescapée de la défunte civilisation aztèque est unique au monde, et sa valeur inestimable.
– Pour finir, belles *collections d'armes et d'armures* ainsi qu'un *musée des Instruments de musique* pour les amateurs. Mêmes horaires.

★ ***Josefsplatz :*** considérée comme la plus harmonieuse place viennoise. Réalisée au XVIIIe siècle, en style baroque tardif. Entourée de beaux palais, dont le *palais Pallavicini* (1783) au n° 5, domicile d'Harry Lime dans le film *Le Troisième Homme,* de la Bibliothèque nationale et du Manège espagnol. Au milieu, la statue de Joseph II.

★ ***La Bibliothèque nationale :*** ☎ 534-10-39-7. Ouverte de la fin mai à fin octobre de 10 h à 16 h ; le mardi jusqu'à 18 h ; les dimanche et jours fériés de 10 h à 13 h. Hors saison, ouverte de 10 h à 13 h (sauf le mardi). Horaires assez fluctuants, à vérifier. Édifiée en 1723, elle possède 2 millions de livres (dont 8 000 incunables), une bible de Gutenberg et le livre d'heures de Charles le Téméraire. Expos temporaires. Superbe grande salle *(Prunksaal)* qui fait toute la longueur de la place. Beau trompe-l'œil ornant la coupole centrale encadrée de très hautes colonnes. Festival de dorures, boiseries et marbres.
– Nos lecteurs les plus globe-trotters peuvent visiter aussi le ***musée des Globes terrestres et maritimes.*** ☎ 534-10-29-7. Ouvert seulement de 11 h à midi, les lundi, mardi, mercredi et vendredi, le jeudi de 14 h à 15 h.

★ ***Spanische Reitschule (Manège espagnol) :*** Josefsplatz (porte n° 2). Construit en 1729. Immense salle à colonnes (55 m de long, 17 m de haut) où se déroulent aujourd'hui les célèbres spectacles de l'École d'équitation de Vienne (comparables à ceux du Cadre noir de Saumur). Le manège fut le lieu, tout au long de l'histoire, de grands événements politiques ou mondains. Notamment, le dîner de gala du mariage de Napoléon et Marie-Louise, les fêtes du congrès de Vienne, les réunions en 1848 de la première Assemblée constituante d'Autriche. C'est au XVIe siècle que furent fondés à Lipizza (Slovénie) les haras qui fournissaient les chevaux pour le manège. Les premiers chevaux venaient d'ailleurs d'Espagne. L'une des principales caractéristiques des lipizzans est le changement de couleur de leur robe. A la naissance, le poulain est noir pour virer progressivement au gris et devenir tout blanc vers l'âge de huit ans. Aujourd'hui, les haras sont à Piber, en Styrie.
Pour assister aux spectacles, nécessité de réserver longtemps à l'avance. Trois types de représentations désignés par des lettres et qui varient chaque jour. « A » à 10 h 45

(durée 1 h 20), « B » à 19 h (durée 1 h 20) et « C » à 9 h (durée 30 mn, généralement le samedi). Possibilité parfois de trouver des places quelques jours avant dans les agences de voyages ou de location pour les théâtres (mais sans garantie !). En revanche, il est plus facile d'assister aux séances d'entraînement, qui se déroulent généralement de mi-février à fin-juin, et de la dernière semaine d'août à mi-octobre, du mardi au samedi entre 10 h et 12 h. Billets en vente à l'entrée. Rappel important : pas de visite du manège en juillet et en août.
A l'extrémité de la Josefsplatz, le *Stallburg,* bel édifice Renaissance abritant les écuries (qui ne se visitent pas).

★ ***Augustinerkirche (église des Augustins** ; plan Centre, B3)* : Augustinerstrasse, 3. Donne sur la Josefsplatz. Construite au XIVe siècle, puis baroquisée, puis néo-gothicisée. Bancs sculptés et orgues où fut créée la *Messe en fa mineur* d'Anton Bruckner. Splendide cénotaphe pyramidal de Canova en marbre blanc (1801) construit à la mémoire d'une fille de l'impératrice Marie-Thérèse. Noter le pathos très lyrique des personnages. Tombeau de Léopold II (vide également, car il repose, comme les autres, dans la crypte de l'église des Capucins). Enfin, caveau où sont entreposés tous les cœurs de la famille impériale (ouvert tous les jours de 10 h à 17 h sauf le dimanche sur rendez-vous).

★ ***Musée du Théâtre** ; (plan Centre, B3)* : Lobkowitzplatz, 2. ☎ 512-88-00. Ouvert tous les jours sauf lundi de 10 h à 17 h. Dans le superbe *palais Lobkowitz.* Visite des salles commémoratives à 11 h et 15 h (sauf lundi). Expos temporaires par thèmes. C'est dans la salle « Eroica » qu'aurait été donnée pour la première fois en public, en 1803, la *Neuvième Symphonie* de Beethoven.

★ ***Crypte impériale (Kaisergruft** ; plan Centre, B3)* : Neuer Markt. ☎ 512-68-53. Ouverte tous les jours de 9 h 30 à 16 h. Entrée de la crypte à gauche de la porte de l'église (et non dans l'église), laquelle est tenue comme son nom l'indique par des moines capucins. L'église fut construite au début du XVIIe siècle dans un style extrêmement sobre. Dans la crypte, repose la quasi-intégralité de la famille impériale depuis près de quatre siècles. Dix empereurs, quinze impératrices, oncles, tantes, cousins, etc. 140 cercueils en métal qui se sont vu décerner l'oscar de la grandiloquence funéraire. Presque des mausolées, dans des styles époustouflants. En particulier dans la première salle, au débouché de l'escalier d'entrée (crypte Charles). Cercueils en étain au style rococo délirant (qui d'ailleurs demandent un traitement spécial car l'étain se désagrège). Le summum est atteint, dans la pièce suivante, avec celui de Marie-Thérèse et François de Lorraine, véritable monument du sculpteur Balthazar Ferdinand Moll. Orgueilleux dans la vie, pompeux dans la mort ! Voici les plus sinistres coffres mortuaires de Vienne, dernières demeures pour puissants obsédés par la longévité, dont l'exubérance des formes apparentes masque à peine l'angoisse des fins dernières. Voici la nécropole abracadabrante des derniers pharaons d'Europe centrale ! En aucun autre endroit le mot pompe ne s'est aussi bien accordé avec le mot funèbre ! Sur le côté, bas-reliefs racontant des épisodes de la vie de Marie-Thérèse. Devant, le cercueil en cuivre tout simple de Joseph II, conforme à ses choix philosophiques du siècle des Lumières. Tout au fond, la crypte avec l'empereur François-Joseph (mort en 1916) et l'impératrice (Kaiserin) Élisabeth, dite Sissi (1898), le plus fleuri de tous. Enfin, la dernière locataire fut l'impératrice Zita (1892-1989 ; qui survécut 67 ans à son mari Charles Ier !).

★ ***Staatsoper (Opéra** ; plan centre B3)* : Opernring et Kärntner Strasse *(plan centre, B3).* ☎ 514-44-26-13. M. : Karlsplatz. Visites guidées tous les jours en juillet-août à 10 h, 11 h, 13 h, 14 h et 15 h. Hors saison, voir tableau d'affichage sous les arcades (Kärntner Strasse). Construit en 1861 en style néo-Renaissance, et premier monument public du Ring, après la destruction des remparts de ville. Architecture controversée que critiqua François-Joseph. Profondément blessé, l'un des architectes, Édouard Van der Nüll, se suicida, l'autre déprima et mourut peu après. L'empereur culpabilisa tellement de sa critique qu'il se contentera de répéter, jusqu'à la fin de ses jours, la même phrase à chaque fois qu'on lui demandait une opinion sur quelque chose : « C'était très beau, ça m'a beaucoup plu ! ». Ni l'un, ni l'autre ne purent donc assister à l'ouverture de l'Opéra en 1869 avec le *Don Giovanni* de Mozart. Tremblement de terre musical avec la création des *Maîtres chanteurs de Nuremberg* en 1870. Cruelle ironie de l'histoire, le dernier opéra joué en juin 44 fut *Le Crépuscule des dieux !* Le Staatsoper fut quasiment détruit lors des bombardements de 1945 (à l'exception du grand escalier et du foyer). Sa reconstruction et son inauguration en 1955 furent fêtées de façon grandiose et coïncidèrent avec le départ des quatre armées d'occupation et la nouvelle indépendance recouvrée. Plus qu'un symbole pour les Viennois, une véritable fête nationale ! Karl Böhm rouvrit l'Opéra avec *Fidelio* de Beethoven. L'Opéra posséda les plus prestigieux chefs d'orchestre au monde : le stakhanoviste Gustav Mahler y régna

10 ans, de 1897 à 1907. Véritable boulimique de travail : 124 opéras furent montés. Puis, il y eut Richard Strauss, Bruno Walter, Karl Böhm. De 1957 à 1964, Herbert von Karajan, de 1982 à 1984, Lorin Maazel. En 1986, Claudio Abbado. Leur autorité était parfois quasi divine, excluant toute contestation. Karajan y acquit une réputation de père de droit absolu, de François-Joseph de la musique. Aujourd'hui, l'Opéra de Vienne se révèle l'un des rares au monde à posséder sa troupe de chanteurs permanente, attachée sentimentalement à leur Opéra. Beaucoup préfèrent aux ponts d'or d'une carrière internationale l'affection de leur public. En outre, l'Opéra de Vienne possède une programmation plus longue, plus régulière. Pas de saisons comme à l'Opéra de Paris. Ici, on privilégie un répertoire régulier. Bien entendu, moins de créations ou d'innovations (parfois tapageuses), de décors d'avant-garde (souvent déconcertants), moins de coups médiatiques donc, mais l'assurance de voir de solides spectacles bien rodés.

– ***L'Albertina :*** ce magnifique musée est malheureusement fermé jusqu'en l'an 2000.

LA RINGSTRASSE

Puisque nous voici à l'Opéra, délaissons quelque temps la vieille ville et remontons le Ring, bordé des monuments civils les plus marquants de Vienne. C'est en 1857 que François-Joseph décida de la destruction de l'ancienne enceinte de ville, de ses glacis et autres bastions, dont Napoléon Ier avait prouvé qu'ils ne servaient pas à grand-chose. C'était dans l'air du temps : à Paris, à l'époque, Haussmann défonçait les vieux quartiers pour ouvrir ses couloirs à blizzard. Célébrant la gloire impériale, la construction du Ring faisait en outre écho à la montée irrésistible, en Europe, de la grande bourgeoisie industrielle et commerçante, avide d'une architecture de prestige digne de son pouvoir, de ses ambitions et de son goût. Sans oublier quelques arrière-pensées d'ordre stratégique, puisque ces boulevards larges de 56 m devaient aussi permettre le déplacement rapide des troupes en cas d'émeutes populaires (le traumatisme du soulèvement de 1848 était encore bien vivace dans les mémoires). Question goût, il fut digne du conformisme de l'époque et de son manque d'audace architecturale. On eut droit à toutes les variétés de styles « néo », ce qu'on appela le style historiciste (cependant, bien éloigné de celui de Prague, qui mélangeait tout et de ce fait assez délirant, quant à lui !).
La partie la plus spectaculaire du Ring (qui fait 4 km dans toute sa longueur) se situe donc entre l'Opéra et la Votivkirche. Pour admirer les grosses parts de pâtisserie que sont les musées des Beaux-Arts et des Sciences naturelles, le palais de justice, le Parlement, l'hôtel de ville, le Burgtheater et l'université, prendre le tram n° 2 qui court tout le long du Ring.

★ ***Kunsthistorisches Museum (musée des Beaux-Arts) :*** Maria-Theresien Platz, 5. ☎ 521-77-0. M. : Mariahilferstrasse (U2). Tram : 1-2. Ouvert de 10 h à 18 h (sauf lundi). Bâtiment principal : galerie de peintures, tous les jours de 10 h à 18 h sauf le lundi, et le jeudi de 10 h à 21 h. Construit de 1872 à 1891, comme le musée d'Histoire naturelle, son hystérique et symétrique vis-à-vis, en un style grandiloquent néo-Renaissance italienne. Longue façade rythmée de pilastres à chapiteaux ioniques et surmontée d'un dôme avec quatre clochetons. L'intérieur se révèle encore plus époustouflant. Majestueux grand escalier avec la *Victoire de Thésée sur le Minotaure* de Canova. Monumentale rotonde au décor particulièrement chargé. Ors, marbres polychromes, imposantes colonnes, pilastres et chapiteaux corinthiens, sculptures diverses, c'est une débauche de luxe, étrange pour un empire qui commençait déjà à se désagréger, mais à la hauteur des fabuleuses collections présentées ici. Parce qu'il vous faudra compter au moins 5 à 6 h pour tout visiter (et encore, en courant !). En fait, le musée en regroupe trois en un : celui de peinture, celui des arts décoratifs et celui des antiquités. Mieux vaut donc effectuer la visite en deux fois. Agréable cafétéria dans la rotonde au premier étage.

– ***Le musée de peinture*** recèle des (nombreux) chefs-d'œuvre :

• Au deuxième étage.
La Mère de l'artiste de Rembrandt, J. Van Ruisdael, Frans Hals, *Allégorie de la peinture* de Vermeer, *Paysage dans le Suffolk* de Gainsborough, *Dame et officier* de G. Metsu. Grandes fresques de J. Vermeyen *(Batailles contre les Turcs)*.
Collection exceptionnelle de Brueghel l'Ancien (Rodolphe II passa sa vie à les rassembler). Plus de 30 % de ses œuvres sont ici. Le regard amusé de Brueghel descend sans cesse sur les hommes : exactitude du détail et réalisme. Son coup de pinceau expressif et plein d'esprit manifestait tout à la fois ironie et tendresse pour ses personnages. Brueghel liquide même parfois sa distance ironique et se place parmi ses personnages dont il n'a jamais cessé de nous faire comprendre combien il se sentait

proche ! Ainsi peut-on admirer *Rentrée des troupeaux, le Pilleur de nid, Montée au Golgotha.* Là, noter comme le Christ se révèle petit au milieu, tandis que l'attention se porte sur la Vierge (au premier plan à droite). Noter aussi combien le paysage serein à gauche devient de plus en plus tourmenté vers le calvaire. Puis *La Tour de Babel* où l'artiste se révèle particulièrement imaginatif, voire délirant dans les techniques de construction pour démontrer leur incompatibilité et combien il est vain de se poser en architecte de l'univers. *Jeux d'enfants,* véritable anthologie des jeux de l'époque. Dans le *Combat du Carême et du Mardi Gras,* plein d'annotations drôles comme le bon vivant sur son tonneau et le triste gars avec ses poissons faméliques. Puis viennent les œuvres les plus sublimes : *La Chasse aux loups, La Danse villageoise,* le *Repas de mariage.* Attendez, ce n'est pas fini, à côté, superbe triptyque de Rogier Van der Weyden, puis *Le Martyre des dix mille chrétiens* de Dürer. Toiles de A. Altdorfer, proche du style de Gustave Moreau. *Crucifixion* et, surtout, fantastique *Judith* de Lucas Cranach le Vieux. *Peintre peignant la Vierge* de J. Gossaert dit « Mabuse ». Dans les vitrines, remarquables portraits : *Le Cardinal Albergati* de Van Eyck, *Johann Kleberger* de Dürer, *Vierge à l'Enfant* de Holbein, etc.
Au 2e étage toujours, le ***Munz Kabinet*** (cabinet des médailles) : à voir surtout pour ses centaines de petits portraits peints (la Photomaton de l'époque) qui servaient de modèles pour les médailles.

• Au premier étage.
– Peinture baroque italienne : *L'Université de Vienne, Vue du Belvédère, Le Château de Schönbrunn, L'Église dominicaine* de B. Bellotto. Joli travail sur les ombres et les lumières. *La Dogana à Venise* de Canaletto, *Place Saint-Marc* de Guardi, Tiepolo, Guercino, Guido Reni, le *Mangeur d'éperlans* et *L'Archange saint Michel* de Luca Giordano. Intéressantes scènes allégoriques, avec des fonds superbes, comme dans *Héro et Léandre* de Domenico Fetti. *Prédication de saint Jean* de Bernardo Strozzi (style particulièrement enlevé, jeux de mains, visages tendus dans l'effort des explications et contre-arguments). Pietro Berettini da Cortona, Poussin, et, surtout, une remarquable *Pietà* d'Annibale Carracci, tant dans la composition que dans la posture inhabituelle, les beaux bleus, les gris, les angelots roses... Puis *Caïn et Abel* de Philippe de Champaigne.
– Salle espagnole : *Philippe IV d'Espagne* et *L'Infante Margarita Teresa* de Vélasquez, *L'Archange saint Michel* de Murillo, *Le Roi Charles II d'Espagne* de Juan C. de Miranda, peintre sans complaisance pour son sujet. *Couronnement du Christ, David et Goliath* et la célèbre *Vierge du Rosaire* du Caravage. *La Fuite en Égypte* de Gentileschi, Simon Vouet, Ribera.
Portraits d'Alonso S. Coello, puis Palma le Jeune, Bassano, Tintoret, Alessandro Allori, Sebastiano del Piombo. Remarquable *Sainte Famille avec Anne et Jean.* Puis Francesco Salviati, Moroni, Bernadino Luini, *Sainte Famille avec le petit saint Jean* de Raphaël et son atelier, une autre du Sodoma. Admirable Raphaël encore, *La Madone aux champs.* Splendides Perugino, dont le *Baptême du Christ, Saint Jérôme, Vierge à l'Enfant.* Une lumière dorée baigne admirablement les personnages. *Présentation au temple* de Fra Bartolomeo, *Déposition* d'Andrea del Sarto, Mazzolino, Dosso Dossi, *Portrait d'une jeune dame,* du Parmigianino.
– Grande salle : Bassano, *Vieillard et enfant,* et *Suzanne au bain et les vieillards,* le chef-d'œuvre du Tintoret, *Combat de gladiateurs* de Pâris Bordone.
– Salle Véronèse avec *Lucrèce, Les Rois Mages, Adam et Ève chassés du paradis.* Une curieuse *Ascension* (Christ entouré d'une nuée d'angelots) et une intéressante *Marie, L'Enfant et sainte Catherine* de Lorenzo Lotto.
Admirables *Trois Philosophes* et *L'Enfant à la flèche* de Giorgione. *Vierge à l'Enfant et saints* d'Antonello de Messine.
– Dans la dernière petite pièce, les primitifs religieux dont un magnifique *Saint Sébastien* de Mantegna, puis Cosme Tura, Antonio et Bartolomeo Vivarini, *Vierge avec enfant et deux anges* de Sebastiano Mainardi.
– Salle Titien : *Pape Paul III, Jacopo Strada Danae, Isabelle d'Este, Lucrèce, Madone à l'Enfant avec saint Stéphane, Jérôme et Maurice.*
– Peinture flamande : *Hélène Fourment, Simon et Éphigène, L'Empereur Maximilien Ier* de Rubens, *Charles IX* de Clouet, *Port* de Brueghel, *Dr John Chambers, Jane Seymour* de Holbein, David Teniers, *L'Apôtre Philippe, Simon, Le Prince Karl Ludwig von der Pfalz* de Van Dyck.

– ***Section des arts décoratifs :*** impossible d'énumérer toutes les richesses s'égrenant le long des nombreuses salles de ce véritable « musée dans le musée ». En voici les principaux fleurons :
Salle 19 : plats d'or incrustés de diamants et de pierres précieuses d'Anvers. Salle 20 : nécessaire de toilette en or de l'empereur Franz III. Stephan (XVIIIe siècle), retable en argent figurant une bataille, et *L'empereur Leopold Ier et le roi Joseph Ier,* sommet du

kitsch rococo ! Salle 24 : bijoux du XVIe siècle, incroyable plateau d'or en relief (Nuremberg, 1603). Salle 25 : jeux de société en bois marqueté, icônes. Salle 26 : émaux de Limoges (XVIe siècle) et exquise *Vierge avec Enfant et saint Jean,* sculptée dans un grand médaillon rond. Salle 27 : la merveilleuse salière en or réalisée par Benvenuto Cellini en 1540 pour le roi de France François Ier. Salle 28 : jeu sculpté en palissandre et acajou de 1537 d'une grande finesse d'exécution, incroyable « retable-B.D. » de 1540 à plusieurs volets avec une superbe Crucifixion centrale (noter les spectateurs en rond). Salle 29 : ravissants camées italiens. Salle 30 : exquise finesse de la *Flagellation du Christ* et de la *Conversation sacrée* de 1510 (en or et argent sculpté et gravé). Salle 31 : ivoires et travaux sur os ciselés et petits retables. Salle 32 : *Vierge et l'Enfant* de Luca Della Robbia. Salle 33 : astrolabes du XVIIe siècle, globes, boussoles, instruments de mesure. Salle 34 : étonnante allégorie des Vanités. Le décor peint serait de Holbein. Ne pas rater non plus l'hyper-gracieuse *Krumauer Madonna* (Prague, 1390). Noter la posture d'une tendresse, d'une légèreté admirables ! Salle 35 : splendide maquette. Modèle réduit de bateaux et galères en ivoire, or ciselé ou cuivre martelé. Salle 36 : olifant, orfèvrerie religieuse du XIe siècle gravée et niellée. Salle 37 : horlogerie, etc.

– ***Salles égyptiennes et de l'Antiquité :*** un des plus fascinants départements d'égyptologie que l'on connaisse. Ouvert tous les jours de 10 h à 18 h sauf le lundi.
Salle 1 : riche collection de statuettes votives bleues ou vertes, papyrus, stèles funéraires peintes, superbes sarcophages polychromes ou en basalte, bijoux polymorphes, masques funéraires. Salle 2 : poteries. Salle 3 : rare momie du taureau Apis, ainsi que celles de poissons, crocodiles, singes, chats et faucons. Superbes petits bronzes (ibis, mouflons). Salle 4 : remarquable collection de papyrus. Salle 8 : bas-reliefs, hiéroglyphes, pierres gravées polychromes, stèles, bijoux, vêtements, tissus. Reconstitution d'un petit mastaba, cercueil gravé d'hiéroglyphes, objets funéraires. Puis salles consacrées aux antiquités romaines et grecques : sculptures, sarcophages, mosaïques romaines *(Thésée et Ariane)*, bronzes étrusques, urnes funéraires, vases, cratères, amphores grecques, Tanagra, diplômes militaires romains en bronze, bijoux, stèles votives en mosaïque ou terre cuite, vases en or, etc.

★ ***Naturhistorisches Museum (musée d'Histoire naturelle) :*** en face du Kunsthistorisches. ☎ 521-77. Ouvert de 9 h à 18 h (sauf le mardi). En basse saison, 1er étage seulement, ouvert de 9 h à 15 h. Créé par l'empereur François Ier en 1765. Une quarantaine de salles pour d'importantes collections de minéralogie, préhistoire, paléontologie, anthropologie et zoologie. Parmi les musts présentés : le bouquet en pierres précieuses de Marie-Thérèse, une topaze immense de 117 kg, météorites et fossiles divers, moulage de la fameuse Vénus de Willendorf (22 000 ans avant J.-C.). Salle à l'attention des enfants tout particulièrement (microscopes, dioramas, reconstitution de l'activité d'une ferme). Belles collections d'oiseaux.

★ ***Burgtor :*** de l'autre côté du Ring. Porte monumentale édifiée en 1821 à l'emplacement de l'ancienne enceinte de ville. Aujourd'hui, mémorial de la guerre. Puis, dans son prolongement, le ***Volksgarten*** (jardin du Peuple). Dessiné en 1819. Belles perspectives. Superbe roseraie vers le Burgtheater. On y trouve le mémorial de Sissi (l'impératrice Élisabeth) ainsi que le temple de Thésée, véritable imitation des temples grecs du Ve siècle avant J.-C.

★ ***Le Parlement :*** Dr-Karl-Renner-Ring, 3. ☎ 401-10-22-11. Visites guidées du lundi au vendredi à 11 h et 15 h (sauf les jours de séance et le jours précédents). En juillet-août, à 9 h, 10 h, 11 h, 13 h, 14 h et 15 h sauf week-end. Grandiloquent édifice d'inspiration grecque, construit en 1873 pour accueillir le parlement regroupant tous les représentants des pays composant l'empire. Fronton richement orné (montrant la constitution accordée par François-Joseph) et abondance de colonnes. Au pied de la rampe, statue de Pallas Athena. Le thème de la Grèce avait été choisi pour démontrer les intentions démocratiques de l'empire. On imagine aisément à l'époque la cacophonie des pays s'exprimant chacun dans leurs langues respectives au sein de l'assemblée.

★ ***Burgtheater (Théâtre national) :*** Dr-Karl-Renner-Ring, 2. ☎ 514-44-26-13. Tram D, 1, 2 : descendre à Rathausplatz Burgtheater. Visites guidées en juillet-août, du lundi au samedi à 13 h, 14 h et 15 h. En avril, mai, juin, septembre et octobre, le jeudi à 16 h et le dimanche à 15 h. En face de l'hôtel de ville. Construit en 1874. La « Comédie-française » de Vienne. Mélange architectural des styles néo-Renaissance et baroque, avec un zeste de Second Empire français. Monumentaux escaliers latéraux (à l'époque, l'un pour le public, l'autre pour la cour impériale) qui échappèrent aux destructions de la dernière guerre. Ainsi, on peut admirer au plafond les fresques de Klimt et Matsch.

★ ***Rathaus (l'hôtel de ville) :*** Rathaus Platz (et Lichtenfelsgasse). ☎ 403-89-89. Visite guidée du lundi au vendredi à 13 h (sauf les jours de conseil municipal). Pour les groupes, réserver. Face au Burgtheater, en retrait d'un grand jardin, construit dans le style de l'hôtel de ville de Bruxelles. Cependant F. Schmidt, l'architecte, s'est contenté d'y faire vaguement référence. C'est assez académique, d'un style figé comme un devoir d'écolier consciencieux sans beaucoup de génie. Haute tour de près de 100 m, surmontée du *Rathausmann* (l'homme de fer), symbole de la ville.

★ ***L'université :*** Dr-Karl-Lueger-Ring, 1. Édifiée dans le style néo-Renaissance italienne (en hommage à ce qui annonçait l'âge d'or du savoir). Fondée en 1365, c'est la plus ancienne université de langue allemande. Anton Bruckner, Sigmund Freud, Marie von Ebner-Eschenbach, Karl Landsteiner (prix Nobel de médecine) y furent professeurs.

★ ***Votivkirche :*** à l'intersection d'Universitätsstrasse et du Ring. Construite à partir de 1856 pour commémorer l'échec de l'attentat contre l'empereur François-Joseph trois ans plus tôt. Style néo-gothique avec un plan de cathédrale française (deux flèches joliment ajourées, trois nefs) et une façade de style gothique germain. A l'intérieur, beau retable du XVe siècle. Elle a subi une cure de rajeunissement grâce au nettoyage de ses pierres noircies.

RETOUR AU CENTRE VILLE

Au cas où vous auriez échappé au Ring, voici la suite de l'itinéraire du centre-ville. A partir de l'université ou de la Votivkirche, rejoindre la Schottengasse jusqu'à l'intersection avec Freyung.

★ ***Église Notre-Dame-des-Écossais*** *(plan Centre, A1-2) :* Freyung et Herrengasse. D'abord il ne s'agit pas d'Écossais, mais de moines irlandais venus sur le continent à partir du VIIIe siècle pour réévangéliser l'Europe et redonner du souffle à un catholicisme qui dégénérait. A l'époque, s'agissant de l'Irlande, on disait parfois Nouvelle-Écosse. L'église fut édifiée au XIIe siècle, modifiée à l'ère gothique, puis au baroque et au XIXe siècle. Beau clocher à bulbe. A l'intérieur au baroque chargé, la plus ancienne statue de la Vierge de Vienne (XIIIe siècle) et de beaux retables. Fresques au plafond (scènes de la Passion). Une anecdote : le 15 juin 1809 eut lieu ici une cérémonie funèbre à la mémoire de Haydn, (enterré quelques jours plus tôt sous les bombardements napoléoniens) au son du *Requiem* de Mozart. Dans l'assistance, un certain Henri Beyle, touriste de passage, inconnu du grand public. Très ému, il écrivit par la suite son premier livre *Lettres sur Haydn*. Stendhal devait en écrire beaucoup d'autres par la suite...

★ ***Musée du Couvent des Écossais*** (Museum in Schottenstift) : Freyung 6. ☎ 534-98-600. Ouvert du jeudi au samedi de 10 h à 17 h, et le dimanche de 12 h à 17 h. Possibilité de visiter leur galerie de peinture avec d'intéressantes œuvres allant du XVIe au XIXe siècle. Dans la cour *(Schottenhof)*, très agréable salon de thé dans un jardin.

★ ***La place du Freyung*** est bordée d'imposants palais parmi les plus beaux de la ville. Freyung vient du mot *frei* (libre) et rappelle le droit d'asile accordé aux gens en fuite et autres routards du Moyen Age. Intéressantes diapos le soir avec l'église des Écossais en fond. A commencer par ***le palais Daun-Kinsky*** (Freyung, 4 et Herrengasse). Construit en 1713. Le plus élégant qu'on connaisse. Superbe façade dont tous les éléments s'harmonisent avec subtilité. Remarquable porte monumentale avec colonnes et atlantes. Au n° 7, demeure appelée ***la Commode,*** ancien prieuré du couvent des Écossais (1775). Au n° 8, une galerie récente à l'intéressante devanture rappelant le style Sécession. Au n° 4 de la Renngasse, ***palais Schönborn-Batthyány*** (de 1698). Fine décoration de façade.

★ ***Le palais Harrach :*** Freyung 3. ☎ 93-17-53. Ouvert tous les jours de 10 h à 18 h sauf le lundi. Expositions temporaires, objets d'art de la collection de sculptures et la collection d'armes et armures.

★ ***Le palais Ferstel*** *(plan Centre, A2) :* Herrengasse, 14. Entrée au 2, Freyung également. Un étonnant palais construit en 1856 par Heinrich von Ferstel. Surtout l'architecture intérieure où fusionnent sans heurt le néo-Renaissance italien et le néo-roman, avec des échappées de perspectives à travers cours et escaliers, vraiment osées. Le tout jouant avec la lumière abondamment. Au milieu, fontaine avec personnages de bronze. On y trouve aussi le célèbre café *Central* (voir chapitre : « Les cafés de Vienne »). Un monument très oriental dans son style (on se rapproche de Byzance).

★ ***Herrengasse :*** au n° 3, le ***palais Porcia.*** Construit en 1546. Un des rares palais de la Renaissance. Façade classique avec blason doré. Au n° 13, l'ancienne ***maison Liechtenstein.*** Au n° 9, le ***palais Mollard-Clary*** (de 1689). A l'intérieur, puits avec grille en fer forgé du XVIe siècle. Il abrite le ***musée de la Basse-Autriche*** (Niederösterreichisches Landesmuseum). ☎ 531-10-35-05. Ouvert du mardi au vendredi de 9 h à 17 h ; le samedi de 12 h à 17 h ; le dimanche de 9 h 30 à 13 h. Toute l'histoire de l'art de la région, de Kokoschka aux retables du XVe siècle, en passant par Altomonte et Rottmayr. Au n° 7, ancien palais du XVIe siècle, modifié au début du XIXe. Enfin, au n° 5, le ***palais Wilczek*** du XVIIIe siècle.

★ Dans la Wallerstrasse, au n° 4, le ***palais Esterház*** du VIIe siècle. Haydn y donna pendant trente ans de nombreux concerts. Au n° 8, le ***palais Caprara-Geymüller*** de la fin du XVIIe siècle. Beau portail à atlantes. Dans la Bankgasse, d'autres palais dont, au n° 9, le ***palais d'hiver Liechtenstein.*** Imposante façade avec beau portail monumental.

★ ***Juridicum (faculté de droit) :*** Schottenbastei et Helferstorfergasse *(plan centre, A1).* Nous l'indiquons comme modèle d'intégration d'une architecture de verre moderne presque réussie dans un quartier ancien. Conception en outre audacieuse puisque s'appuyant uniquement sur quatre piliers en béton et des colonnes d'acier sur lesquelles se greffent les étages. Grande légèreté de l'ensemble et belle impression d'évidement aux angles de l'édifice.

★ ***Minoritenkirche (église des Frères-Mineurs) :*** Minoritenplatz. Date du XIIIe siècle. Fut terriblement touchée durant le siège de 1683 par les Turcs. En forme d'église-halle. Façade-pignon avec beau portail et une curieuse abside avec tour octogonale à l'italienne. A l'intérieur, copie en mosaïque de *La Cène* de Léonard de Vinci.

★ ***Am Hof*** *(plan Centre, B2) :* large et charmante place, l'une des plus anciennes de Vienne. Prend des teintes dorées au soleil couchant. Située à l'emplacement du camp romain dont on peut voir encore des vestiges. Au milieu, *colonne de la Vierge* de 1667. Sur les flancs, les quatre malheurs qui frappèrent Vienne : la Famine (symbolisée par un dragon), la Guerre (un lion), la Peste (le basilic) et l'Hérésie (un serpent).

★ ***L'église des Neuf-Chœurs-des-Anges :*** Am Hof. De la fin du XIVe siècle. Baroquisée au début du XVIIe siècle. Longtemps église des Jésuites, aujourd'hui des catholiques croates. Une curiosité, la belle façade en retrait dont les deux ailes abritent des habitations qui relient bien l'ensemble au reste de la place. A l'intérieur, jolies fresques de Maulbertsch. Dans les chapelles à droite de la nef, au fond, celle de Saint-Ignace mérite un petit détour.

★ ***Le palais Collalto :*** Am Hof, 13, dans le prolongement de l'église. Édifié en 1680. Rappel émouvant : c'est ici que Mozart donna, à 6 ans, son premier concert.
A côté, au 12, jolie maison bourgeoise baroque de 1730. Fenêtres finement décorées.

★ ***Bürgerliches Zeughaus :*** Am Hof, 10. Une des plus belles casernes de pompiers qu'on connaisse. C'est l'ancien arsenal construit au XVIe siècle, remanié au baroque. Abondance de statues sur la façade. Un peu plus loin, au n° 7, petit ***musée des Pompiers*** *(Feuerwehrmuseum).* ☎ 53-199. Ouvert les dimanche et jours fériés de 9 h à 12 h (peut-être aussi le samedi de 10 h à 12 h, se renseigner).

★ ***Ruines romaines :*** Am Hof, 9. ☎ 505-87-47. Ouvertes de 11 h à 13 h, samedi, dimanche et jours fériés. Quelques vestiges de la première ville.

★ ***Uhrenmuseum (musée de l'Horlogerie) :*** Schulhof, 2. ☎ 533-22-65. Ouvert de 9 h à 16 h 30. Fermé le lundi. Gratuit le vendredi. Ruelle passant sous une voûte, à côté de l'église des Neuf-Chœurs. Installé dans un palais de 1690. Quatre siècles de production de montres, pendules et horloges, certaines vraiment magnifiques. Considérée comme la plus importante collection au monde. Horloge de tour de guet du XVe siècle, pendules astronomiques, cartels Empire, montres Biedermeier et de gousset, pendules à carillon, rares horloges japonaises du XVIIIe siècle, etc.

★ ***Judenplatz et alentour :*** cette place des Juifs était le centre du ghetto aux XIIIe et XIVe siècles. En 1421, lors de l'expulsion de la communauté juive, la synagogue fut détruite. Restent, au n° 8, le siège de la corporation des tailleurs et, au n° 2, la maison du grand Jordan *(Haus zum Grossen Jordan)* datant du XVe siècle. Au centre, ***statue de Lessing,*** écrivain allemand (1729-1781). A l'angle de la place et de Wipplingerstrasse, s'élève l'ancienne ***chancellerie de Bohême*** (de 1708). Façade côté Wipplingerstrasse encore plus jolie que côté Judenplatz. Portail à trois portes dessiné comme un arc de triomphe. Très beau balcon porté par des atlantes et abondante statuaire.
Ravissante Kurrentgasse, avec son alignement de demeures XVIIIe. Dans la Wipplingerstrasse, on trouve encore, au n° 6, l'***Altes Rathaus*** (1699 ; l'ancien hôtel de

ville, jusqu'en 1885). Beau rythme du décor de la façade avec ses fenêtres s'arrêtant à mi-baie et ses entablements de colonnes obliques. Ne pas rater dans la cour la jolie fontaine d'Andromède. Exquis travail de fer forgé supporté par quatre amours.

★ ***Église Maria am Gestade (Notre-Dame-du-Rivage)*** *(plan Centre, B1)* **:** Am Gestade et Salvatorgasse. Domine un ancien bras du Danube. Belle perspective du Tiefer Graben. Ruelle se finissant en goulot. Sur la droite, deux maisons du XVIe siècle. Au fond, la façade de l'église s'insère avec précision et harmonie dans ce cadre restreint. D'abord église romane, à laquelle succéda au XIVe siècle cette construction gothique bien intéressante. D'abord pour son élégante tour poivrière polygonale. Façade de moins de 10 m de large donnant une admirable impression d'élévation, à partir de l'auvent en forme de dais superbement orné, prolongé d'une longue verrière s'achevant sur un pignon à la balustrade délicatement ajourée. A l'intérieur, une originalité : la nef et le chœur sont d'égale longueur, mais pas dans le même axe (l'architecte épousa le tracé moyenâgeux des rues). De même, ce sentimental n'osa pas abattre les maisons du voisinage pour construire les transepts. Très belle voûte de la nef, dite à liernes. Tribune d'orgue Renaissance ainsi que l'autel de la chapelle Saint-Jean (à droite du chœur). Vitraux du chœur des XIVe et XVe siècles. C'est l'église de la communauté tchèque de Vienne.

★ ***Salvator Kapelle (chapelle du Saint-Sauveur) :*** Salvatorgasse, 5. Splendide portail Renaissance (un des rares subsistant à Vienne). Accès à la chapelle proprement dite par l'ancien hôtel de ville, sur Wipplingerstrasse.

★ ***Hoher Markt*** *(plan Centre, C2) :* place entièrement reconstruite après les bombardements de la dernière guerre. Ne possède, de ce fait, pas grand charme. Cependant, voir l'*Ankeruhr,* horloge de l'époque Jugendstil (1913), reliant deux immeubles. A midi, défilé de personnages historiques sur fond musical (Marc Aurèle, Charlemagne, etc.). Au milieu de la place, la ***fontaine du Mariage de la Vierge*** (1729) avec son baldaquin de bronze. Au n° 3, possibilité de visiter des vestiges de deux maisons romaines (IIIe siècle après J.-C.). ☎ 535-56-06. Ouvert de 9 h à 12 h 15 et de 13 h à 17 h. Fermé le lundi.

★ ***Ruprechtskirche (église Saint-Rupert) :*** Ruprechtsplatz. La plus ancienne église de Vienne, située sur une butte. Avec ses petites tuiles moussues et son lierre, elle ressemble à une église de campagne. Tour et nef romane du XIIe siècle. Dans la fenêtre centrale du chœur, vitrail du XIIIe (là aussi, le plus ancien de la ville). C'est l'église des Français de Vienne. Tout le quartier autour compose le célèbre « Triangle des Bermudes », le petit quartier de la Huchette viennois.

★ ***La synagogue*** *(plan Centre, C2) :* Seitenstettengasse, 2. ☎ 535-55-02. M. : Schwedenplatz. Ouverte du dimanche au jeudi de 10 h à 17 h. Sous Joseph II, si les religions non catholiques possédaient le droit de s'exprimer, en revanche, leurs lieux de culte ne devaient pas présenter de façades ostentatoires. Ce qui explique que la synagogue soit à l'intérieur des bâtiments de la communauté juive. Elle fut édifiée en 1826 et demeure la seule parmi la vingtaine de synagogues de Vienne qui ait échappé aux destructions de la sinistre nuit de Cristal du 9 novembre 1938. *Musée* au premier étage. Expositions par thèmes. Pour le moment, pas assez de place pour présenter le fonds permanent. En redescendant du musée, à droite, la synagogue de forme ovale, sur colonnes corinthiennes, avec dôme ajouré.

★ ***Musée juif de Vienne (Jüdisches Museum Wien) :*** Dorotheergasse 11 (Wien 1). Ouvert du lundi au vendredi de 10 h à 18 h, le mardi de 10 h à 21 h. Ouvert en 1995, il occupe, en plein cœur de la Inner Stadt, l'ancien *palais Eskeles* (XVe siècle), qui appartint de 1805 à 1807 à Constance Mozart, la veuve du célèbre musicien. Au début du XXe siècle, le palais abritait la galerie d'art la plus célèbre de la capitale où furent présentées pour la première fois au public les toiles d'Egon Schiele, Max Oppenheimer, Van Gogh, Renoir, Toulouse-Lautrec... Aujourd'hui, le musée présente des collections permanentes (objets liturgiques, peintures, documents) et des expositions temporaires sur des thèmes très variés de la culture juive askhénaze (les askhénazes sont les juifs d'Europe centrale et de l'Est).
La visite indispensable pour comprendre l'enracinement (plus de dix siècles pour certaines familles !) de la communauté juive dans l'histoire de l'Autriche, et sa contribution exceptionnelle à l'essor de l'industrie, des sciences, de la littérature, de la musique, des arts de ce pays. Au début du XXe siècle, et jusque dans les années 20-30, Vienne abritait une communauté juive nettement plus importante en nombre (10 % environ de la population totale) et en influence que dans les autres capitales européennes. Beaucoup de juifs viennois étaient venus des provinces reculées de l'Empire austro-hongrois (Moravie, Galicie, Bucovine...) et avaient fait souche dans la capitale autrichienne. Un premier geste de tolérance de Joseph II en 1781 leur donna les droits

essentiels. Les discriminations, vestimentaires notamment, furent abolies à ce moment-là. La liste des intellectuels, artistes, journalistes de renom serait trop longue à établir. D'Arthur Schnitzler à Sigmund Freud, en passant par Theodor Herzl (l'auteur de *L'État juif,* livre fondateur du futur État d'Israël, habitait au 6 Berggasse, non loin de Freud) et Stefan Zweig, les juifs autrichiens ont eu un rôle moteur prépondérant dans l'épanouissement et le rayonnement de Vienne au tournant du siècle. L'annexion de l'Autriche par Hitler en 1938 marqua la fin de cette période d'extrême créativité intellectuelle et le début du cauchemar pour des milliers de familles juives de Vienne. Avant la Shoah (l'Holocauste en langage courant), plus de 200 000 juifs vivaient à Vienne ; aujourd'hui la communauté est réduite à environ 7 000 membres. Parmi eux, le « chasseur de nazis » Simon Wiesenthal, a installé son organisation et son centre de documentation dans l'ancien quartier juif de la ville.

Le café Teitelbaum : petit café à l'intérieur du musée, où l'on sert des pâtisseries et des plats végétariens. Ouvert aux visiteurs du musée et au grand public. Endroit sympathique pour faire une halte.

■ **La librairie :** choix important de livres (beaucoup en allemand forcément) sur la culture juive austro-hongroise.

★ ***Fleischmarkt et alentour*** *(plan Centre, C2)* : l'une des plus anciennes places du centre. En 1220 était déjà signalée comme celle des bouchers. Plus tard, une petite colonie grecque vint s'y installer. Au n° 14, un beau décor *Jugendstil* à feuillages, arbres et stucs dorés (de 1898). A l'angle de Fleischmarkt et Rotenturmstrasse, le *Reinerhof,* bel immeuble de bureaux de 1909 (de A. Baron). Au n° 3, du même architecte, le *Steyrermühl,* autre édifice à usage commercial avec trois élégants bow-windows.

★ ***Griechenbeisl (auberge des Grecs) et église grecque :*** Fleischmarkt, 13. L'une des cartes postales les plus vendues de Vienne. Auberge très ancienne (début du XVe siècle), reliée à sa voisine (une belle demeure du XVIe) par des arcs-boutants. Au milieu, la *Griechengasse,* ruelle médiévale typique avec ses gros pavés et bornes anti-carrosses. Dans l'auberge (très touristique), noter le beau comptoir sculpté de la pompe à bière. Salle à manger voûtée, boiseries sombres.
A côté, l'église grecque du XVIIIe siècle, habillée en 1858 d'une façade et d'un clocher de style néo-romano-byzantin.

★ ***Heiligenkreuzer Hof*** *(plan Centre, C2)* : accès par la Grashofgasse ou au n° 5 Schönlaterngasse. Vaste cour entourée d'édifices du XVIIe siècle (mais son plan datait déjà du XIIe). Atmosphère de calme et de sérénité qui inspira les urbanistes de la Vienne rouge des années 20.

★ ***Schönlaterngasse (rue de la Belle-Lanterne) :*** une de nos rues préférées. Délicieusement romantique la nuit. Beaucoup de demeures médiévales dont les façades ont été baroquisées au XVIIIe siècle. Au n° 6, maison avec lanterne en fer forgé de 1680 (à l'origine du nom de la rue). Au n° 7, la *Basilikenhaus* (de 1212). Le « Basilic » n'était pas une plante, mais un reptile de légende très méchant. A côté, habita Robert Schumann. Au n° 9, ancien atelier de forgeron (qui ne ferma qu'en 1974), aujourd'hui petit *musée.* Ouvert de 9 h à 15 h (fermé le week-end). Se balader ensuite le long de Sonnenfelsgasse (au n° 15, beau porche Renaissance) et Bakerstrasse (au n° 7, jolie cour à arcades), bordées d'intéressantes habitations.

★ ***L'ancienne église des Jésuites :*** Dr.-Ignaz-Seipel-Platz. Haute façade encadrée de clochetons à bulbe. A l'intérieur, tout le faste baroque de la Contre-Réforme. Le sommet de cet art ! Chaire époustouflante, retable monumental, arches de la nef avec balcons, énorme colonne torsadée (dis, Sigmund, quelle interprétation, à ce sujet ?). L'ensemble couvert de fresques. Aujourd'hui, salle de concert.

★ ***Balade entre Saint-Stephan et Stadtpark :*** impossible d'énumérer toutes les choses à voir. C'est un quartier ressemblant beaucoup à celui du Marais à Paris, avec ruelles romantiques, superbes palais et hôtels particuliers. Voici néanmoins les plus significatifs.
– ***Église des Dominicains :*** Postgasse, 4. Succédant à une église gothique (victime d'un siège par les Turcs en 1529), cette importante église baroque fut élevée en 1631. Décor incroyablement chargé. Le moindre emplacement libre possède sa fresque. Tribune d'orgue particulièrement ornementée et chaire assez extravertie. Chapelle Saint-Vincent avec retable du XVIIIe siècle (*Couronnement d'épines* et, au-dessus, *Saint Vincent accomplissant un miracle*). Belle grille en fer forgé.
– ***La Domgasse :*** au n° 6, le ***Kleiner Bischofshof*** avec un blason massif. C'est là que s'ouvrit en 1683 le premier café viennois. Au n° 5, ***Figaro Haus.*** Demeure du XVIIe siècle pas encore rénovée façon trop *clean.* Mozart y habita de 1784 à 1787 et y composa *Les Noces de Figaro.* Aujourd'hui, c'est un petit musée. Ouvert de 9 h à 12 h 15 et de 13 h à 16 h 30. Fermé le lundi. Gratuit le vendredi.

– Perpendiculaire à Domgasse, la ***Grünangergasse,*** avec, au n° 4, le ***palais Fürstenberg*** (1720). Feuillages et lévrier décorent le porche. Élégant encadrement des fenêtres. Quant à la ***Blutgasse,*** ce fut l'une des premières tentatives (réussies) de restauration de ce vieux quartier. Ravissante la nuit avec ses pavés et arcs-boutants.
– ***Singerstrasse :*** au n° 17, le ***palais Rottal*** (de 1750). Au n° 16, le ***palais Neupauer-Breuner.*** Remarquable porche avec quatre atlantes sur pilastres et une belle fenêtre au-dessus. A deux pas, l'adorable ***Franziskanerplatz,*** bordée de vénérables demeures, vieilles boutiques, et de l'***église Saint-Jérôme*** (1603). Admirer le pignon, rare exemple du style Renaissance bavaroise. A l'intérieur, intéressants maître-autel (avec trompe-l'œil) et buffet d'orgue. Toujours sur la place, le *Kleines Café,* comme son nom l'indique, petit, intime...
– Délicieuses ***Ballgasse*** et ***Blumenstockgasse.*** Surtout la nuit dans le halo des réverbères. Grossièrement pavées, bordées de hautes demeures bourgeoises. Bornes anticarrosses.
– La ***Himmelpfortgasse*** propose également son pesant de beaux palais, comme au n° 8, celui du prince Eugène de Savoie (1697, ancien palais d'hiver). Très longue façade abondamment ouvragée avec trois porches monumentaux. Celui au n° 12 propose à gauche un cavalier piétinant un blessé et une ville enflammée. A droite, Thésée et la Méduse. Beau balcon à balustre. Au n° 13, le ***palais Erdödy-Fürstenberg*** (1724). Porche imposant avec atlantes. Élégantes fenêtres. Au n° 15, belles enseignes avec auvents baroques. Blason sur la fenêtre centrale. Enfin, deux rues en dessous, ne pas oublier l'***Annegasse.*** Chaque numéro se révèle digne d'intérêt. En particulier au n° 8, la maison Deybelhof et, au n° 14, la maison « A la Carpe bleue ».

AU SUD DU RING

★ ***Le pavillon de la Sécession :*** Friedrichstrasse, 12. ☎ 587-53-07. M. : Karlsplatz (U1 et U4). Ouvert du mardi au vendredi de 10 h à 18 h (16 h le week-end). Œuvre de J.M. Olbrich, ce pavillon se voulait l'antithèse des édifices académiques et grandiloquents du Ring. En réaction au conservatisme architectural triomphant, il apparaît donc comme une délicieuse et ironique provocation. De dimensions modestes, il constitue cependant l'un des plus fascinants exemples de ce mouvement de contestation de la fin du XIXe siècle. On y trouve toute sorte de références et clins d'œil. Notamment cette référence à la blancheur méditerranéenne opposée à la grisaille du Ring. Lorsque l'on est face à l'escalier, on savoure les remarquables proportions de l'édifice et l'élégante économie de la décoration florale. Superbe dôme constitué d'un treillis de feuilles de laurier en l'honneur de l'art nouveau. La devise sur la façade donne le ton d'ailleurs : « A chaque temps son art, à l'art sa liberté »... Au sous-sol, *Beethoven,* l'admirable fresque de Klimt sur le thème de la 9e Symphonie. Son chef-d'œuvre absolu !

★ ***Karlsplatz :*** très grande place agrémentée d'espaces verts et de bassins avec une statue de Henry Moore. Ne pas rater les pavillons du métro, l'église Saint-Charles, le musée d'Histoire de la ville de Vienne. La balade peut ensuite s'articuler avec la visite du Belvédère.

★ ***Les pavillons du métro Karlsplatz :*** là encore, de petits chefs-d'œuvre d'Otto Wagner. Aujourd'hui, superbement restaurés et classés monuments historiques. L'un abrite une petite salle d'exposition et l'autre un café. Exemples achevés du Jugendstil, ils présentent une admirable délicatesse, un raffinement du décor et une harmonie des proportions. Otto Wagner fut particulièrement sensible à leur insertion face à l'imposante et tyrannique église Saint-Charles.

★ ***Karlskirche (église Saint-Charles) :*** Karlsplatz. Édifiée de 1716 à 1737. Encore un acquis des grandes épidémies de peste ! En effet, elle fut construite pour célébrer la fin de celle de 1713. Pour être sûr que la catastrophe ne se renouvellerait pas, et attirer efficacement l'attention de Dieu le Père, J.B. Fischer von Erlach, qui gagna le concours pour la construction, mit le paquet. Certes, on peut la considérer aujourd'hui comme une énorme pâtisserie monstrueusement kitsch ou encore comme le chef-d'œuvre absolu de la monarchie impériale, dont elle exalterait la puissance à son zénith. Il est clair que, si l'architecture est le reflet culturel et idéologique de son époque, l'insipide pâtisserie d'Abadie, sur la butte Montmartre à Paris, est bien le témoin de la pauvreté de ce sinistre XIXe siècle, et l'église Saint-Charles de Vienne, bien au contraire, se révèle un magnifique exemple de la magnificence du XVIIIe européen. D'ailleurs, à y regarder de près, malgré un décor plutôt chargé, tout est logique et fort bien équilibré dans cette très riche architecture. Ainsi, tous les éléments architecturaux composant la façade furent-ils interprétés, et les admirateurs de Saint-Charles y virent-ils de nom-

breux symboles : à l'édifice baroque proprement dit, vient ainsi se superposer le temple antique à colonnes, proche du temple romain de Jupiter et de la Paix (on venait de signer le traité de Radstadt). Les deux colonnes s'inspirent de celles de Trajan à Rome, mais évoquent également des minarets (la victoire ultime sur les Turcs en 1683 n'était guère loin !). L'intérieur se révèle tout autant époustouflant. Plan en croix grecque avec une immense nef en ellipse au milieu. Coupole culminant à 72 m avec une extraordinaire impression d'élévation. Fresques de Rottmayr, le grand spécialiste. Au-dessus de la chapelle centrale de gauche, propagande pas absente des fresques puisqu'on y aperçoit un ange brûler un tas d'écrits et de bibles de Luther. Remarquable maître-autel rococo. Sur fond de marbre, s'élèvent en tourbillonnant des volutes de nuages portant saint Charles Borromée vers la Trinité rayonnante. A ce niveau de kitsch, ça devient de l'art !
L'église possède une fort belle acoustique. Essayer d'être présent lorsque des chœurs répètent (souvent le dimanche matin vers 9 h 30-10 h). Sinon concerts, en général les dimanche, lundi (et parfois samedi) soir à 19 h 30.

★ ***Le musée d'Histoire de la Ville de Vienne :*** Karlsplatz. Près du métro. A gauche de l'église (lorsqu'on est face à elle). ☎ 505-87-47. Ouvert de 9 h à 16 h 30. Fermé le lundi. Gratuit le vendredi. Sur trois niveaux, une bonne intro à l'histoire architecturale et à l'urbanisme de Vienne.
Au rez-de-chaussée : poteries, armes, bijoux, vestiges romains, petits bronzes. Statuaire de bois et bas-reliefs polychromes des XIVe et XVe siècles. Primitifs religieux. *Annonciation* de 1430, *Simon et Judas* de 1450. Fresque *(Madone et Enfant en majesté)*. Belle série du martyre de sainte Catherine (1440). Chapiteaux, gargouilles, vitraux.
Au premier étage : peintures, maquettes, vieilles enseignes, plan géant de Vienne de 1769, belles armoires peintes. Intéressants portraits de Franz Paul Zallinger (qui peint sans complaisance pour ses sujets). Délicate scène champêtre de Franz C. Janneck, paysage plein de lumière de Johann Brand, *L'Atelier* de Johann G. Platzer. Mesures, manuscrits, coffres, bannières, armes turques. Collection de blasons sculptés.
Au deuxième étage : le XIXe siècle. Beaux objets. Vues de Grinzing, peintures sur Vienne. *Pallas Athéna* et *Emilie Flöge* de Klimt. Jolies photos anciennes. Toiles de Max Oppenheimer, *Soldat mort* d'Anton Krycar, Robert Doxat, Rudolf Hausner *(Die Arch des Odysseus,* dans la manière Bosch-Dalí), *Blinde Mutter* d'Egon Schiele, *Mahler* par Rodin, etc. Intéressantes expos temporaires.

★ Autres édifices significatifs dans le quartier : le ***Musikvereinsgebäude*** (maison des Amis de la musique) au 5 Dumbastrasse. On trouve, dans ce bâtiment de style néo-Renaissance, la plus belle salle de concerts de la ville (voir notre rubrique « Concerts classiques à prix doux » dans les « Généralités »). Puis, ***l'ambassade de France*** au 4 Schwarzenbergplatz. Art nouveau typique (1901) avec des réminiscences architecturales françaises. Façade très intéressante. Enfin, au 2 Rennweg, le ***palais Schwarzenberg*** (de 1697) de Johann L. von Hildebrandt. Au 3 Rennweg, le ***palais Wagner,*** l'une des premières œuvres du célèbre « art nouveliste ». Là aussi, façade remarquable.

★ ***Le Belvédère :*** ouvert tous les jours de 10 h à 17 h, sauf le lundi. Un des ensembles architecturaux baroques les plus séduisants d'Europe. Par beau temps, une délicieuse promenade à ne pas manquer. Édifié à partir de 1714 par Johann L. von Hildebrandt pour le prince Eugène de Savoie, grand vainqueur des Turcs, esthète et humaniste. Conçu sur le modèle de Versailles. Composé de deux châteaux, le Belvédère inférieur (habitation) et le Belvédère supérieur (destiné aux réceptions). Entre les deux, un splendide jardin à la française en terrasses. Quand le prince mourut en 1736, le Belvédère fut acheté par les Habsbourg. Il abrita les collections de peinture de l'empire jusqu'à la construction du musée d'Art sur le Ring, et les jardins furent ouverts au public par l'impératrice Marie-Thérèse. L'archiduc François-Ferdinand y habita à partir de 1894. C'est d'ici qu'il partit en août 1914 vers son tragique destin. L'empereur François-Joseph y avait offert un appartement à Anton Bruckner (où il mourut d'ailleurs). Enfin, c'est au Belvédère supérieur que fut signé, le 15 mai 1955, le traité d'Indépendance de l'Autriche avec Antoine Pinay, Foster Dulles, McMillan et Molotov.
– ***Le Belvédère supérieur :*** Prinz Eugenstrasse, 27. ☎ 79-80-700. M. Südbahnhof. Nombreux trams de la place Schwarzenberg. Conseillé donc de commencer par le « supérieur » pour mieux redescendre vers la ville. Il abrite la galerie autrichienne des XIXe et XXe siècles. Ouvert de 10 h à 17 h. Fermé le lundi. Du jardin, remarquable façade, fort bien équilibrée et d'où les toits se détachent joliment dans le ciel. Encore une réminiscence des Turcs, leurs formes rappelleraient des tentes ottomanes. Bien sûr, abondance de sculpture et ornementation.
Riche décoration intérieure qui débute avec le somptueux vestibule (atlantes suppor-

tant des colonnes sur voûtes). Remarquable collection de peinture, du baroque agonisant jusqu'à l'art contemporain. En voici les points d'orgue (en attaquant au 2e étage par nos préférés) : *Le Baiser (Der Kuss)* de Klimt. Œuvre merveilleusement fusionnelle. Le couple semble s'inscrire dans une auréole. Cependant, noter comme, curieusement, l'héroïne semble un peu crispée (visage retenu, pieds serrés). Dans *Adèle Bloch-Bauer,* Klimt a réalisé un fort joli jeu de mains. Dans *Judith I,* on sent la mort d'une certaine aristocratie, beaucoup de lassitude (la guerre de 14 approche). *Quatre Arbres* d'Egon Schiele, cet extraordinaire expressionniste, haï de son temps, mort à 28 ans. Fascinant *Tod und Mädchen* (La mort et la jeune fille). Glauque à souhait ! *Enfant et mère* d'Oskar Kokoschka, ainsi que *Stilleben mit Hammel.* Puis, portrait de *Paul Hermans* par Edvard Munch.
Au premier étage (récemment rénové), luxueuse salle de réception. Abondance de porphyre, plafond en trompe l'œil, lustres de cristal. C'est ici que fut signé le traité mettant fin, en Autriche, à la présence des troupes d'occupation alliées. Bon panorama de la peinture autrichienne du XIXe siècle, avec quelques œuvres françaises. Notamment, *Chutes d'eau* de Jakob Philip Hackert, *Plage dans le brouillard* de Caspar D. Friedrich, les peintres du Biedermeier, von Amerling, Ferdinand G. Waldmüller, M. von Schwind, ainsi que Makart, Romako, etc. Puis *Mahler* et *Victor Hugo* par Rodin (plâtre-projet pour un monument), *Napoléon au Saint-Bernard* de David, Corot, autoportrait de Millet, *Chemin dans les jardins de Giverny* de Monet, autoportrait de Van Gogh, *Nu au bain* de Renoir, *Dame à la fourrure* de Manet, Fernand Léger, etc.
– ***Le Belvédère inférieur :*** Rennweg, 6. Ceux qui viennent du Belvédère supérieur, plutôt que redescendre par les jardins à la française (peut-être trop solennels pour certains de nos lecteurs), peuvent à la sortie du Belvédère faire une balade sympa dans un jardin botanique à moitié sauvage qui est parallèle aux grands jardins (accès par une petite porte). Nombreuses plantes et essences d'arbres originales.
Le Belvédère inférieur abrite le musée d'Art baroque et celui de l'Art médiéval. Fort belle grille sud.
– ***Le musée d'Art baroque :*** vous y retrouverez tous les grands, comme Paul Troger, Rottmayr, Franz Anton Maulbertsch, Martin Van Meytens, Nikolaus Palffy et aussi des petits, des obscurs sans énormément d'intérêt. Fantastique salon doré avec d'éblouissants jeux de miroirs et un délicat décor de fleurs et personnages antiques. *Apothéose du Prince Eugène* en marbre.
– ***Le musée d'Art médiéval :*** situé dans l'ancienne orangerie. Collections exceptionnelles de primitifs religieux. Belle *Crucifixion* du Tiroler Maler (1420). Statues de bois polychromes, ravissantes œuvres du Master von Schloss Liechtenstein, remarquables grands tableaux de Rueland Frueauf (*Passion et vie du Christ* datant de 1490). Admirable *Wiener Schnitzaltar* (après ce qualificatif, que va-t-il rester pour les autres ?), retable en bois sculpté polychrome de 1440. Noter la position originale des larrons. Effets de foule étonnants au pied de la croix. Puis intéressantes toiles de Michael Pacher, les *Rois Mages* du Meister der Anbetung (1490), *Christ aux stigmates* de Lucas Cranach, etc.

AU NORD-EST DU BELVÉDÈRE

Situé dans une boucle du canal du Danube, un quartier qui intéressera les férus d'architecture récente. Il fut principalement construit à la fin du XIXe siècle et propose pas mal d'édifices *Jugendstil* ou à caractère populaire.

★ ***La maison de Hundertwasser :*** Löwengasse et Kelgasse. M. : Wien Mitte (U3 et U4), puis tram « N » ou 10-15 mn à pied. Pour les amoureux d'architecture insolite, visite obligatoire. Hundertwasser, peintre non conformiste, imagina et construisit en 1983 cet ensemble HLM de 50 appartements (occupés par des artistes et intellos pour la plupart). Aujourd'hui, il n'y a plus guère de controverse, tant l'édifice a fait pour le renom de l'architecture moderne à Vienne. Hundertwasser a imaginé de confronter les masses de couleurs entre elles, les décrochements d'étages, angles de toutes ouvertures, fenêtres de toutes formes (dont aucune n'est au même niveau), étages qui ondulent, lignes brisées dans un décor assez délirant. Bref, une anarchie de formes et de couleurs bon enfant, ludique, écolo, rafraîchissante. A l'intérieur, les murs ondulent aussi, les planchers se soulèvent dans le même désordre chromatique. Attention, ça n'atteint tout de même pas le délire gaudien, ça reste raisonnable. Effet pervers prévisible, la maison a eu tant de succès qu'il n'est plus possible d'en admirer l'architecture intérieure, les locataires excédés tenant maintenant (avec quelques raisons) à la tranquillité de leur vie privée. Au rez-de-chaussée, boutique avec ouvrages sur l'œuvre du peintre architecte, cartes postales, etc.

★ ***Kunsthaus Wien :*** Untere Weissgerberstrasse, 13. ☎ 712-04-91. Ouvert tous les jours de 10 h à 19 h. Situé quelques rues au sud de la maison Hundertwasser. Pour s'y rendre, métro U1 ou U4 jusqu'à Schwedenplatz, puis tram « N » direction Radetzkyplatz. Musée assez original construit dans le même style que la maison Hundertwasser, dans lequel vous pourrez admirer l'œuvre du magicien de la couleur ainsi que celles d'autres artistes contemporains.

★ ***Le passage Sünnhof :*** Landstrasser Hauptstrasse 28. Dans le même quartier que la maison Hundertwasser. Long et pittoresque passage à travers un « Hof » du XVIIIe siècle. Côté rue, façade période Biedermeier (1823). En revenant sur la Landstrasser Hauptstrasse, on va couper la Kundmanngasse. Au n° 9, une maison imaginée par le philosophe Ludwig Wittgenstein, dans l'esprit de Loos (simplicité, dépouillement) et construite en 1926.

★ Sur ***Ungargasse,*** nombreux immeubles Art nouveau. Notamment au n° 2 (avec rotonde d'angle), au n° 4 (style plus épuré, dit Sécession tardive). Au n° 5, Beethoven travailla à sa 9e (vers 1823). Au n° 59, les anciens magasins Portois et Fix réalisés par Max Fabiani en 1898. Façade à damier et balcon en fer forgé Art nouveau. Sur ***Invalidenstrasse,*** nombreuses intéressantes habitations jusqu'au n° 11. Notamment aux nos 5 et 7. Plus bas, sur ***Reisnergasse,*** on en trouve d'autres. Notamment au n° 10 (superbes balcons) et au n° 27 (ravissante articulation portails plus balcons).

AU SUD DE LA RIVIÈRE VIENNE

★ ***Linke et Rechte Wienzeile :*** deux boulevards de part et d'autre de la rivière Vienne (souvent couverte) et bordés de fascinants immeubles *Jugendstil* ou historicistes. Accès par le métro Kettenbrückengasse (U4). A articuler, bien entendu, pour ceux qui n'ont pas beaucoup de temps, avec la visite du marché aux puces le samedi. Voici nos coups de cœur :
– *40 Linke Wienzeile :* cet immeuble d'angle dit « aux médaillons » se révèle l'un des plus beaux exemples d'architecture sociale qu'on connaisse (1898). Otto Wagner atteint ici la quasi-perfection. On songe à Sauvage qui travaillait à la même époque à Paris. L'équilibre, l'harmonie des formes et des volumes de l'angle de rue tiennent du génie. Très beau décor de stucs dorés.
– *38 Linke Wienzeile :* ici c'est la *Majolikahaus* (maison des majoliques) qui propose une somptueuse ornementation florale. Beau travail de fer forgé sur les balcons articulant les deux immeubles. Ravissante cage d'escalier à l'intérieur.
– Au coin, de l'autre côté, intéressant immeuble au décor haussmannien historiciste (avec atlantes). Au rez-de-chaussée, le *Café Savoy* avec un joli décor.
– Ancien *Institut de la prévoyance :* 48 et 52 Linke Wienzeile. A mi-chemin du style néo-classique et du réalisme socialiste. Édifié en 1913. Dernier étage à colonnes doriques, frises en bronze et statues de pierre. Aux nos 60 et 64, d'autres immeubles *Jugendstil.*
– Bel immeuble d'angle au coin de Magdalenstrasse et Eggerthgasse.
– Entre Rechte Wienzeile et Hamburgerstrasse, exceptionnelle *série d'édifices Art nouveau.* Notamment au n° 55 Rechte Wienzeile, au n° 59, au n° 63 (construit par le génial J. Plečnik). Au coin de Rechte Wienzeile et Hamburgerstrasse, la *maison Rüdigerhof* (façade particulièrement originale).
– Pour les amateurs, d'autres édifices intéressants dans les rues alentour. Dans la Köstlergasse, au n° 3, autre œuvre d'Otto Wagner (belle cage d'escalier). En face, immeuble de 1910 avec loggias très ornementées. Sur Millöckergasse et Linke Wienzeile, le *théâtre An der Wien.* Construit par l'auteur du texte de *la Flûte enchantée* en 1798. Beethoven y fit jouer *Fidelio.* Dans la deuxième moitié du XIXe siècle, il se consacra à l'opérette. Aux nos 2 et 4 Linke Wienzeile, immeubles *Jugendstil.* Au n° 20, Kettenbrückengasse, belle demeure de 1912 (hall d'entrée néo-classique).
– Les stations de métro de la U4 : *Pilgramgasse, Margaretengürtel* et *Kettenbrückengasse,* sont également l'œuvre d'Otto Wagner où tous les détails décoratifs sont conçus dans un sens utile, avec un souci aigu de la « forme nécessaire ».

★ ***Maison de la mort de Schubert :*** Kettenbrückengasse 6 (Wien 4). ☎ 57-39-072. Ouvert tous les jours, sauf le lundi, de 9 h à 12 h 15 et de 13 h à 16 h 30. M. : ligne U 4 ou bus 59 A, descendre à Grosse Neugasse ou Heumühlgasse. Du 1er septembre jusqu'à sa mort, le 19 novembre 1828 (il n'avait pas 32 ans !), Franz Schubert habita chez son frère Ferdinand, au 2e étage de cette maison. C'est ici qu'il écrivit ses dernières compositions, le *quintette à cordes en ut majeur D 956,* les dernières sonates pour piano et son ultime Lied *Der Hirt auf dem Felsen.* Parmi les quelques objets exposés, le piano de son frère Ferdinand, et des documents qui retracent les derniers jours du musicien malade du typhus. Il est enterré au cimetière central de Vienne, à côté de la tombe de Beethoven, le musicien qu'il admira le plus. Schubert ne connaîtra la consécration qu'après sa mort. Son passage sur terre fut des plus brefs, mais son œuvre, « céleste » selon certains, lui a survécu.

★ ***Le Naschmarkt et les puces :*** le célèbre marché aux fruits et aux légumes au métro Kettenbrückengasse. Ouvert de 6 h à 18 h ; samedi de 6 h à 13 h. Fermé le dimanche. Délicieusement cosmopolite. Petite porte de l'Orient, il propose le paprika hongrois, les yaourts et fromages blancs bulgares, le pain turc et toutes sortes de produits exotiques.
Le samedi matin se tient le plus riche marché aux puces de Vienne. Venir tôt pour chiner tranquillement et faire de bonnes affaires. Beaucoup de bibelots, porcelaines, cartes postales, vieux bouquins, vêtements. Prix tout à fait raisonnables. On y trouve même des casques à pointe. Sur un côté, des Tsiganes vendent des tas de babioles. Beaux moments lorsque, parfois, le vendeur essaie un violon avant de le vendre.

★ Nos lecteurs trekkeurs urbains impénitents s'aventureront dans le ***quartier de Margareten*** qui s'étend tout au long, au sud de la rivière Wien. Quartier populaire, peu touristique, à l'atmosphère encore authentique. On y trouve quelques-uns de nos meilleurs restos (voir chapitre : « Où manger ? »). Une curiosité : le *Margareten Hof,* à l'angle de Pilgramgasse et Margaretenstrasse, édifié en 1884. Avec restaurant en véranda (belle armature en fer forgé). Derrière, en coude, rue privée fermée par deux grilles en fer forgé.
Au n° 100 de la Margaretenstrasse, remarquable immeuble *Jugendstil,* l'un des plus intéressants de Vienne. Belle symétrie des éléments composant harmonieusement la façade, équilibre des lignes, grandes fenêtres en fer à cheval, élégant bow-window, dessin raffiné de la porte d'entrée. Voir aussi aux n°s 78 et 82.

★ Autre balade architecturale sympa : la ***Gumpendorferstrasse*** de bout en bout. Vers le métro Gumpendorferstrasse (U6), intéressante architecture du bureau de poste (au coin de la Wallgasse). Au n° 70, immeuble *Jugendstil* et au n° 74, façade avec des réminiscences baroques. A hauteur de la Fillgradergasse, escalier Art nouveau. Au 13, Gumpendorferstrasse, le *café Sperl,* l'un des plus charmants de Vienne. En face, au n° 12, belle façade Sécession.

★ ***Flakturm :*** dans le parc Esterházy, qui longe la Gumpendorferstrasse. C'est l'une des six massives tours de DCA dont la construction fut ordonnée par Hitler en 1942, pour défendre Vienne contre les attaques aériennes. Aujourd'hui, en plein centre, énorme verrue de béton (avec comme des oreilles de Mickey), dont on s'aperçut, à la fin de la dernière guerre, qu'elle était indestructible ! Impossible de la faire sauter sans détruire à nouveau la moitié de la ville, ni bien entendu de la grignoter au marteau piqueur (paraît-il, au moins un siècle de boulot !). Résultat, *ad vitam æternam,* une espèce de punition architecturale pour rappeler aux jeunes générations futures de ne pas se jeter sans réfléchir dans les bras du prochain étudiant en beaux-arts raté, reconverti dans la littérature douteuse... Au fait, ne les cherchez pas dans les guides, ces tours y figurent rarement, malgré leur aspect étrange, particulièrement insolite. Aujourd'hui, ce monstre abrite une ***Haus des Meeres*** (maison de la mer ; en fait un aquarium). Ouverte tous les jours de 9 h à 18 h. ☎ 587-14-17.

A L'OUEST DE LA VILLE

★ ***Le château de Schönbrunn :*** Schönbrunner Schlosstrasse. ☎ 811-13. Pour y aller : métro ligne U4, arrêt à la station Schönbrunn. Trams n°s 10, 58 et 60, arrêt à Hietzing.
Château construit après l'historique victoire de 1683 contre les Turcs avec l'ambition d'imiter Versailles. Même si le pari ne fut pas tenu (on se rabattit vite sur un projet plus modeste), il n'en reste pas moins une certaine réussite de l'architecture baroque (avec quelque 1 441 pièces !). A propos, une curiosité : le deuxième étage du château a été aménagé en appartements et ils sont loués par des travailleurs municipaux et des fonctionnaires (bel exemple d'utilisation intelligente de l'espace, et de lutte contre la crise du logement !). En vérité, extérieurement, Schönbrunn est bien moins beau que le Belvédère supérieur (longue façade sans grande originalité architectonique), mais ses teintes jaune et ocre et son merveilleux jardin en font, un jour de soleil éclatant, une très séduisante promenade.
– ***Un peu d'histoire :*** au milieu du XVIIIe siècle, le château fut surtout considéré par la famille impériale comme résidence d'été. Le petit Mozart y joua à l'âge de 6 ans et eut droit aux genoux et aux bisous de l'impératrice Marie-Thérèse. Napoléon y séjourna en

1805 (après la bataille d'Austerlitz) et en 1809 (après celle de Wagram). Le château connut son apogée en 1814-1815 durant le congrès de Vienne. Agé de 21 ans, le roi de Rome y mourut en 1832. L'empereur François-Joseph s'y installa de façon permanente. Son successeur, Charles Ier, qui ne régna que deux ans (et était appelé ironiquement « Charles Dernier »), y signa en 1918 la fin du pouvoir des Habsbourg. En 1945, le haut-commissaire britannique y résida. En 1961 s'y déroula la rencontre historique entre Kennedy et Khrouchtchev.

– ***Horaires :***

• *Le château :* appartements de 8 h 30 à 17 h tous les jours d'avril à octobre, de novembre à mars de 8 h 30 à 16 h 30. Berglzimmer : les samedi, dimanche et jours fériés, de 9 h à 16 h.

• *Collection de voitures historiques :* ☎ 877-32-44. D'avril à octobre, tous les jours de 9 h à 18 h. De novembre à mars, de 10 h à 16 h sauf le lundi.

• *Gloriette :* de mai à octobre, tous les jours de 9 h à 17 h.

• *Jardins :* tous les jours de 6 h à la tombée de la nuit.

• *Jardin zoologique :* ☎ 877-92-940. De mai à septembre, tous les jours de 9 h à 18 h 30.

• *Serre à palmiers :* ☎ 877-50-87-406. De mai à septembre, tous les jours de 9 h 30 à 16 h 30.

• *Serre à Papillons :* Sonnenuhrhaus. ☎ 877-50-87-421. De mai à septembre, tous les jours de 10 h à 16 h 30.

– ***Visite du château :*** choisir le circuit de 40 pièces, celui de 20 pièces est un peu décevant. Voici les plus intéressantes. Si le baroque domine à l'extérieur, le rococo s'affirme plutôt dans l'ornementation intérieure.

• L'antichambre de François-Joseph (n° 2) ou salle des billards. Quelques tableaux.

• Salle en noyer (n° 3) : plancher en bois marqueté. Lustre sculpté en bois recouvert d'or pur.

• Bureau de François-Joseph (n° 4) : ameublement XIXe. Portrait de l'empereur à droite et d'Élisabeth (Sissi) à gauche.

• Chambre mortuaire (n° 5) : c'est là que François-Joseph mourut en 1916 après 68 ans de règne, sur un simple lit militaire en fer.

• Chambre à coucher de François-Joseph et de Sissi (n° 9) : tissus réalisés à Lyon. Ameublement en bois sculpté.

• Salle avec un grand portrait de l'empereur François II avec trois couronnes (Hongrie, Bohême et Autriche). Curieux phénomène d'optique : son pied semble pointer vers le spectateur et le suivre quand il bouge !

• Chambre des enfants (n° 12) : portrait de Marle-Antolnette. A côté, ravlssant petit salon.

• Salles des Rosas : paysages par un peintre italien. Lustres en cristal de Bohême.

• Grande Galerie : rythmée par des pilastres à chapiteaux corinthiens. Abondance de stucs dorés, immenses fresques au plafond, glaces et lustres pesants. Avant que l'électricité n'y fût installée, il fallait au moins 1 100 bougies pour l'éclairer.

• Petite galerie : pour les banquets familiaux de moins de cinquante couverts et les fêtes d'enfants.

• Cabinet chinois : plancher en bois marqueté et panneaux laqués de style extrême-oriental. C'est ici que Marie-Thérèse tenait ses conseils secrets. Porte dérobée et trappe dans le sol pour faire monter le dîner.

• Salle du Trône.

• Salon bleu chinois : papiers peints chinois peints à la main et vases bleus du Japon.

• Chambre de Napoléon : c'est ici qu'il dormit durant ses séjours et que son fils, le duc de Reichstadt, mourut de tuberculose.

• Salon du Million : la plus belle pièce du château, entièrement lambrissée en bois de rose avec un prodigieux décor de miniatures persanes et hindoues. Il aurait coûté à l'époque un million de florins.

– ***Le parc du château :*** ouvert tous les jours de 6 h au coucher du soleil. Ce grand jardin à la française de 200 ha, ancien territoire de chasse de l'empereur Maximilien II, fut pratiquement ouvert au public dès le début.

• Vastes parterres de fleurs menant à la fontaine de Neptune (de 1780) au pied de la colline de la Gloriette.

• De part et d'autre, splendides bosquets avec allées en diagonale, parsemées de statues. A gauche (le dos au château), la fontaine des Naïades. A quelques pas, la « Belle Fontaine », à l'origine du nom du château (Schönbrunn). Au bout de l'allée, la cascade de l'Obélisque. Dans l'allée parallèle au château (à mi-chemin de l'obélisque et de la fontaine de Neptune), on découvre un ouvrage appelé « la ruine romaine », en fait un pastiche datant de la fin du XVIIIe siècle.

• *La Gloriette :* long portique de style classique, monument commémoratif d'une bataille remportée sur l'armée prusienne de Frédéric le Grand. Édifié en 1775, offre bien sûr une vue intéressante sur le château et le parc.

• *La grande serre (Palmenshaus) :* à l'opposé de l'obélisque, au même niveau, s'élève la plus grande serre d'Europe. Ouverte de 9 h à 16 h 30. Architecture de fer et de verre vraiment impressionnante et, de plus, fort élégante.

• *Petit musée des Carrosses :* ouvert de 10 h à 17 h (16 h en basse saison). Fermé le lundi. On peut y admirer le carrosse du couronnement de Napoléon Ier le jour où il se déclara roi d'Italie.

★ Toujours à l'ouest de la vieille ville et du Ring, avec Mariahilf, Neubau et Josefstadt, des quartiers encore centraux et assez intéressants. Bien sûr, les alentours de Burggasse et de Neustiftgasse ne seront pas inconnus aux lecteurs résidant à l'auberge de jeunesse centrale.

★ ***Le Spittelberg :*** situé entre Siebensterngasse, Burggasse et Sigmundsgasse, un quartier ancien restauré ces dix dernières années et qui a retrouvé magnifiquement tout son lustre d'antan. Situé sur une petite colline, il fut urbanisé au XVIIIe siècle. Un des rares exemples à Vienne d'un petit treillis de rues et ruelles homogènes architecturalement. Balade délicieuse de jour, encore plus de nuit, d'autant que tout le quartier a eu la bonne idée de se réserver aux piétons. Quelques cours intérieures valent le coup d'œil. Pas mal de restos assez chic et de bars étudiants. Nous n'allons pas décrire ici toutes les belles demeures baroques, mais voici les plus marquantes : sur Spittelbergasse, au n° 20, Christ sculpté sur la fenêtre centrale d'une maison de 1715. Au n° 18, élégant pignon baroque de 1708. Au n° 9, fenêtres ouvragées ravissantes, avec trompe-l'œil aux effets étonnants la nuit. Au n° 11, autres belles ouvertures et jolie Vierge dans une niche. En face, maison de 1695.
Au n° 13, Burggasse et Gutenberggasse, Vierge Marie en corniche (Zum Heiligen Joseph). La Gutenberggasse est également bordée de nobles édifices du XVIIIe siècle.

★ ***Sankt Ulrichs-Platz :*** Burggasse. L'église du début du XVIIIe siècle est environnée de jolies demeures bourgeoises. L'ensemble possède un certain charme. Ne pas manquer de jeter un œil sur la cour intérieure du n° 2.

★ Quelques ***immeubles Art nouveau*** : aux nos 2 et 4 Döblergasse (petite rue donnant entre Lerchenfelderstrasse et Neustiftgasse), deux immeubles dus au grand Otto Wagner. Œuvres plus tardives que celles de la Linke Wienzeile. Ici, le style de l'architecte s'est considérablement épuré, au point d'abandonner toute démarche décorative (plus de stucs ni de décors floraux) pour ne plus conserver que des lignes géométriques. Façades vraiment dépouillées.
Au n° 35 Lerchenfelderstrasse, remarquable façade (de 1912) avec des fenêtres superbement dessinées et rythmées, formant un genre de frise.
Au n° 38 Langegasse, vieille boulangerie *(Alte Backstube).* ☎ 431-101. Ouverte de 9 h à minuit (dimanche et jours fériés, de 14 h à minuit). Fermée le lundi et en août. Au n° 34 Langegasse, jolie maison baroque de 1696 avec porche richement ornementé (Trinité avec un Dieu le Père altier).

★ ***Kirche Am Steinhof (église Saint-Léopold) :*** Baumgartner Höhe, 1. Bus 48 A. Dans le quartier d'Ottakring. Une des œuvres majeures d'Otto Wagner (1905). Bâtie en forme de croix latine surmontée d'un dôme. Porche monumental articulé sur quatre colonnes avec des anges. Décor intérieur présentant des réminiscences byzantines. Beau maître-autel avec mosaïque. Vitraux intéressants. Église de l'asile d'aliénés. On notera que les bancs sont dépourvus d'arêtes vives afin que les malades agités ne se blessent pas.

AU NORD DU RING

★ ***La maison de Freud :*** Berggasse, 19. ☎ 319-15-96. M. : Schottenring (U2 et U4). Tram D, descendre à Schlickgasse. Trams 37, 38, 40, 41, 42, descendre à Schwarzspanierstrasse. Bus 40 A, descendre à Berggasse. Ouvert de 9 h à 18 h, tous les jours, de juillet à septembre. De 9 h à 16 h, d'octobre à juin. Cinq rues au nord du Ring, dans un quartier résidentiel. Immeuble bourgeois traditionnel. Freud y habita 47 ans (du 20 septembre 1891 au 5 juin 1938). Visite émouvante. A l'intérieur, on a l'impression que l'atmosphère n'a guère changé. Très belle cage d'escalier avec glaces gravées. Vous visiterez l'appartement destiné aux consultations et la célèbre salle d'attente. Auparavant, c'était le cabinet du docteur Victor Adler, fondateur de la social-démocratie autrichienne. De 1902 à 1910, s'y tiendront, une fois par semaine, les réunions de la société psychanalytique du Mercredi. Freud fut l'un des derniers à quitter l'Autriche le 4 juin 1939. Sa fille Anna avait été arrêtée en mars par la Gestapo et détenue une journée. Il fallut que les SS perquisitionnent par deux fois avec leurs méthodes classiques le 19 Berggasse pour que Freud se décidât enfin à s'exiler. C'est Marie Bonaparte (disciple et amie de Freud, elle fut l'une des premières initiatrices de la psychanalyse en France) qui organisa le départ, et Freud passa sa première nuit d'exil à Paris. Outre la salle d'attente, vous découvrirez deux pièces constituées de nombreux souvenirs, notamment les petites antiquités de sa collection personnelle dont beaucoup décoraient son bureau. Importante présentation de documents, souvenirs et photographies dont un certain nombre inédits. Un petit guide permettant de suivre la numérotation est fourni à la réception. L'appartement est peu meublé et vous ne verrez pas le célèbre divan (resté à Londres). A l'avenir, deux pièces devraient être arrangées avec des meubles et objets dispersés et progressivement récupérés depuis.

★ ***Maison d'enfance de Schubert :*** Nussdorfer Strasse 54 (Wien 9). ☎ 34-59-924. Trams 37 et 38 jusqu'à Canisiusgasse. Ouvert tous les jours de 9 h à 12 h 15 et de 13 h à 16 h 30 sauf le lundi. Schubert est né le 31 janvier 1797 dans la *maison de l'Écrevisse Rouge,* faubourg de Lichtental, au nord de Vienne. « Je ne suis venu au monde que pour composer », disait-il. En 1801, ses parents s'installèrent dans une demeure plus vaste, la *maison du Cheval Noir* (au 54, Nussdorfer Strasse). Péniblement acquise par Theodor Schubert, cette maison comportait sept pièces pour l'école paroissiale dirigée par son père, et un petit logement pour la famille dans lequel « Schwarmmel » (le Petit Champignon), comme le surnommait ses camarades de classe, passa le début de son enfance (1801-1808). On y donne parfois quelques concerts.

★ ***Musée d'Art moderne :*** Fürstengasse, 1 (Wien 9). ☎ 317-69-00. Tram D. Ouvert de 10 h à 18 h. Fermé le lundi. Abrité au sein du beau palais Liechtenstein, au milieu d'un parc. A l'intérieur, on a presque le vertige. Escalier de porphyre large comme une nationale. Volumes des salles immenses, notamment la salle F, assez époustouflante avec ses colonnes de marbre corinthiennes, ses dorures et sa fresque géante au plafond.
Grande richesse des collections permanentes. Impossible de tout énumérer, mais voici les toiles les plus intéressantes : *Spanish Stuffed Mode Plus* de R. Rauschenberg, *Untitled White Cow Advise* de John Chamberlain, beau *Mick Jagger* et *Orange Car Crash* d'Andy Warhol, *Target* et *Two Flags* de Jasper John. Également, œuvres de Dick Higgins, Christo, Martial Raysse, Niki de Saint-Phalle, Mark Tobey, Robert Motherwell *(The Spanish Death)*, Soulages, Giacometti, Dubuffet, Tapiés, Klee, Calder. Superbes Kandinsky, Man Ray *(Die Glücklichen Stunden),* Miró et un remarquable Magritte *(Die Stimme des Blutes),* George Grosz *(Cape Code Dunes),* Picabia, Lam, Matta, Max Ernst, Egon Schiele (portrait d'Eduard Kosmak), etc. Au rez-de-chaussée, l'une des extraordinaires machines de Tinguely.
Agréable cafétéria avec terrasse sur le parc.

A L'EST

★ ***Le Prater :*** accès par le métro Praterstern (U1) ou le tram 21. Tram 5 de la Westbahnhof (direct). Un des parcs d'attractions populaires les plus fameux du monde. Ancienne réserve de chasse, créée au XVIe siècle par Maximilien II. Ouverte au public en 1766 par Joseph II et transformée en parc (cette décision libérale, conforme au siècle des Lumières, fut violemment critiquée par l'aristocratie). Très rapidement apparurent les premières baraques de foire, suivies par les attractions et, au XIXe siècle, les cafés-concerts. En 1791, s'y envola la première montgolfière.
En 1896, la *Riesenrad* (grande roue) fut construite par un ingénieur anglais, à l'occasion de l'Exposition universelle. D'autres furent réalisées à Paris, Blackpool, Chicago, Londres (disparues depuis). Très abîmée durant les bombardements de 1945, elle fut cependant réparée et demeure ainsi la dernière survivante. Carol Reed put utiliser son mystère, sa beauté inquiétante pour une des plus fameuses séquences du film *Le Troisième Homme* (d'après le roman de Graham Greene). Quelques chiffres : l'axe central en acier mesure 50 cm de diamètre, 120 rayons très fins soutiennent la roue, les cabines culminent à 65 m, l'ensemble pèse 430 t, le tour complet dure 20 mn... Fonctionne d'avril à septembre, de 9 h à 23 h (en nocturne, superbe !), en février, mars, octobre et novembre de 10 h à 22 h ; en décembre et janvier, de 11 h à 18 h.
Beaucoup d'autres attractions populaires, train miniature, train fantôme, théâtre de marionnettes, etc. Pour lutter contre l'envahissement des jeux électroniques, on

rénove de vieilles attractions, type carrousel avec vrais chevaux. On trouve d'ailleurs au Prater les montagnes russes en bois les plus anciennes d'Europe.
Petit musée du Prater et planétarium. Plus loin, le stade municipal. Ne pas manquer de déguster un jarret grillé au ***Schweizerhaus*** ou de grignoter un *langos,* genre de beignet à l'ail.

★ ***L'île du Danube (Donauinsel) :*** métro Donauinsel. Elle mesure plus de 20 km de long. On y trouve un certain nombre d'installations nautiques et sportives. C'est la « plage » des Viennois.

★ ***Uno-City :*** Wagramerstrasse, Donaupark. Vaste complexe architectural abritant les organisations internationales de l'ONU, l'agence internationale pour l'énergie atomique, l'UNIDO, etc. Autour d'un édifice circulaire, quatre tours en forme de « Y ». Visite guidée. Se renseigner à l'office du tourisme.
A côté, le ***Donaupark*** abrite un parc de loisirs, un lac artificiel et la ***Donauturm,*** tour de 252 m (café-restaurant offrant un beau panorama à 170 m).

Vienne la rouge et l'architecture sociale

Entre 1918 et 1934, Vienne fut rouge. Entendez par là dirigée par la social-démocratie, mais celle-ci est différente de celles qu'on trouvait ailleurs en Europe (au pouvoir ou dans l'opposition). La social-démocratie autrichienne de l'époque est tout à la fois réformiste et radicale. Réformiste, puisqu'elle veut arriver au pouvoir par la voie électorale ; radicale, parce que cela ne l'empêche pas de mettre en place toutes les conditions nécessaires pour vivre mieux le présent, conditions préfigurant bien entendu ce que sera la société socialiste de demain pour l'éducation, la santé, le logement. En s'appuyant d'abord sur le rapport de force viennois (plus des deux tiers des voix pour eux) face au pays profond (de droite et conservateur). C'est ainsi que dans le domaine social, scolaire et culturel, elle met en place une politique hardie, ne se contentant pas de gérer benoîtement un peu mieux le capitalisme. C'est dans le domaine du logement que ce dynamisme prend un côté spectaculaire : bas loyers, protection des locataires, construction de logements sociaux. Avant 1920, la situation du logement était dramatique à Vienne. Près des trois quarts de la population s'entassaient dans des appartements sans aucun confort. Entre 1920 et 1933, 60 000 logements furent édifiés pouvant abriter 220 000 personnes. La plupart, des *Hofe,* sont de grands ensembles dont on confia la construction à de célèbres architectes (ou alors à des moins connus mais possédant des idées d'avant-garde). Hors de question de bâtir des cages à lapins type Val Fouré, Minguettes ou barre des 4000 à La Courneuve. L'art et l'imagination au pouvoir, quand c'est compatible avec les budgets de construction. C'est ainsi que ces ensembles devaient être en même temps fonctionnels et esthétiques avec un maximum d'espaces verts. Les architectes de l'époque ne se préoccupent d'ailleurs guère de savoir si leurs constructions s'intègrent au quartier, ce qui compte, c'est le bien-être des locataires. Ces ensembles prendront, c'est légitime, des noms faisant référence au mouvement ouvrier, à ses leaders ou penseurs, célébrant les démocrates célèbres et autres humanistes.

★ ***Karl Marx Hof :*** Heiligenstädtler Strasse, 82-92. M. : Heiligenstadt (U4 et U6). Tram D également, arrêt : 12 Februar Platz. Voici le plus célèbre ensemble prolétarien de la ville, symbole de la Vienne rouge. Près de 1 000 m de long et 1 600 logements. Œuvre de Karl Ehn (1927). Coincé entre route et chemin de fer, l'architecte réussit néanmoins à édifier un ensemble cohérent et harmonieux. Avec, bien sûr, le maximum d'équipements collectifs. Trois grandes cours intérieures et, au milieu, une place immense avec un superbe immeuble en fond. Avec ses teintes ocre et rouge, le design géométrique de la façade (réminiscences Arts déco), ses sculptures monumentales, ses larges passages en voûte, on dirait presque un décor de théâtre. D'ailleurs, on pense que les architectes de l'époque, plus ou moins consciemment, voulaient mettre en scène (au sens presque littéral) les ouvriers, véritables acteurs de l'Histoire (avec un grand H). Devant, une statue de jeune semeur (d'idées subversives ?), à mi-chemin du style néo-classique et du réalisme socialiste. Le Karl Marx Hof fut surnommé la « Forteresse rouge ». Bastion de la résistance aux fascistes au moment de la guerre civile de 1934. Le gouvernement de Dollfuss fit tirer au canon sur lui autant pour détruire ce symbole ouvrier que pour liquider les rouges. Puis il fut débaptisé, et les loyers doublèrent. Des cartes postales furent éditées avec les immeubles éventrés, ultime hommage inconscient à la politique des sociaux-démocrates. En 1977, le Karl Marx Hof fut déclaré monument historique. Il figure aujourd'hui sur les circuits touristiques comme œuvre Arts déco. Seulement ! Quelle injuste ironie de l'histoire... A propos, dernier clin d'œil nostalgique et sentimental sur les acquis de la Vienne rouge : les jardins ouvriers le long de la voie de chemin de fer vers la station de métro. Des bouts de campagne, propres, ordonnés, avec des cabanes pimpantes ou des petits chalets.

★ D'autres exemples intéressants d'urbanisme ouvrier : le ***Professor Jodl-Hof,*** édifié en 1925 (intersection de Guneschgasse, Sommergasse et Döblinger Gürtel). Situé juste au nord de la Franz Josefs Bahnhof. Noter les pittoresques petites tours, de forme presque cubiste, qui ornent les façades. Un peu plus au sud (visible du métro), le drôle de bâtiment bariolé avec sa tour futuriste se révèle être l'incinérateur de l'université. La décoration est l'œuvre du peintre F. Hundertwasser.
A l'est de la gare Franz Josefs, le quartier de Brigittenau propose le ***Vinarsky Hof*** et l'***Otto-Haas Hof*** (Stromstrasse 36 et Kaiserwasserstrasse). Nos lecteurs amoureux d'architecture urbaine apprécieront le jeu des moulures horizontales qui, sur les façades du premier, adoucissent souvent l'aspect sévère de l'ensemble. En revanche, l'Otto-Haas Hof, son petit voisin, est typique du style dépouillé et épuré d'Adolf Loos, l'un des architectes de cet ensemble.
Enfin, détour intéressant par le ***Karl Seitz Hof*** (entre Jedleseer Strasse, 66-94, Voltagasse et Dunantgasse). Pas loin d'Am Spitz. Pour s'y rendre, bus 33 B. Élégante façade principale en hémicycle, avec un grand portail donnant accès à la rue intérieure. Beaucoup d'espaces verts, tour d'horloge principale, jolies entrées d'immeubles ornées de céramiques.

Vienne et la mort !

Les Viennois possèdent une fascination légendaire pour la mort. Tautologie que de le réaffirmer ici. Est-ce d'avoir laissé Mozart être enterré comme un chien, vous ne trouverez personne ici souhaitant finir comme lui. Au contraire, on économise toute sa vie pour de belles funérailles dont tout le monde parlera bien entendu. « La mort doit être viennoise », a dit Alfred Polgar, écrivain du début du siècle. Mais Vienne n'est pas pour autant une ville triste. Une ville duelle plutôt. S'y confronteraient donc sans cesse les extrêmes : Mozart et Franz Lehár, le baroque et l'expressionnisme, l'architecture grandiloquente et prétentieuse du Ring au style Sécession... Éternelle et ouverte opposition de l'existence et du paraître, de la vie et de la mort... Ainsi dans les *Heurigen* s'éclate-t-on, mais, traditionnellement, au son de la *Schrammelmusik* (où l'on parle souvent de la mort, avec tendresse et ironie). Tout comme dans le domaine littéraire où jamais une société conservatrice ne produisit de littérature aussi contestataire, mais aucune n'accumula non plus autant d'écrivains suicidés. Quelques exemples : Ferdinand Raimund, Aldabert Stifter, Hugo von Hofmannsthal (mort d'apoplexie, alors qu'il se rendait à l'enterrement de son propre fils qui s'était suicidé), Stefan Zweig, Georg Trakl, Ludwig Wittgenstein, Otto Weininger (qui choisit pour mourir l'appartement où mourut Beethoven), Carlo Michelstaedter, Josef Weinheber... Et encore ne parlerons-nous pas de ceux qui sombrèrent dans la folie ou s'exilèrent ! Horvath, quant à lui, eut la mort la plus absurde : tué par la chute d'une branche d'arbre sur les Champs-Élysées ! A propos, durant tout l'été 1992, devinez quel fut le thème de l'expo au musée de la Culture autrichienne à Eisenstadt : *Triumph des Todes ?* (Triomphe de la mort ?). Sous-titrée : « Phénomènes et rituels de la mort dans l'art et la littérature. La mort comme partenaire de danse. La mort pour amante... » Ça ne s'invente pas ! Lorsque nous avons interviewé le conservateur, il nous a révélé avoir eu très peu de visiteurs étrangers, mais a dans le même temps concédé que c'était quand même un thème culturel de vacances peu attractif ! Ah, bon !
Bref, c'est à une balade pas triste du tout que nous vous convions. Et, par esprit ludique, nous avons regroupé dans ce chapitre une très grande partie des hauts lieux de la mort à Vienne. Mais toujours, nous l'espérons, sans nous départir d'un brin d'humour distancié, d'une dérision tendre. Voici donc notre Vienne délicieusement morbide...

★ ***Zentralfriedhof (cimetière central) :*** Simmeringer Hauptstrasse, 234. ☎ 76-55-44. Ouvert de mai à août de 7 h à 19 h ; en mars, avril, septembre et octobre, de 7 h à 18 h ; de novembre à février, de 8 h à 17 h. Tram 71, de la place Schwarzenberg jusqu'au terminus. Pour voir les tombes des musiciens célèbres, ne pas aller jusqu'au terminus, mais s'arrêter à Zentralfriedhof TÜR 2. Prendre l'allée centrale, c'est au milieu, à gauche. Le cimetière se révèle si grand (250 ha) que les trois dernières stations le desservent. C'est le Père-Lachaise de la capitale ; quasiment tous les gens célèbres y reposent, dont les plus prestigieux musiciens. Lieu de promenade insouciant des familles aussi, dont les centaines d'enfants jouent parmi les pelouses, prairies et bosquets. A ne pas manquer :
– ***Le « Walhalla »*** de la bourgeoisie viennoise : dans les grandes arcades, peu après l'entrée principale. Comme au Staglieno de Gênes ou au Monumentale de Milan, ce

sont de pompeux mausolées où la famille, l'épouse éplorée, les pleureuses de service sont statufiées au pied du patriarche, bien sûr très altier, ancien banquier ou capitaine d'industrie...
– ***Les tombes d'honneur :*** au bout de l'allée centrale prolongeant l'entrée principale, sur la gauche, avant d'arriver à l'église Dr Karl Lueger Kirche, il y a un panneau « Musiker ». C'est là que sont enterrés Beethoven, Brahms, Gluck, Schubert, Strauss père et fils, von Suppé, les peintres Alt, Makart, Amerling, l'acteur Curd Jürgens, etc. Les grands musiciens sont quasiment tous regroupés autour du cénotaphe de Mozart (qui est enterré au cimetière Saint-Marc).
Hors du bosquet des musiciens, sur la gauche de la crypte présidentielle, avant l'église, un cube en pierre marque l'endroit où repose Arnold Schönberg, inventeur de la musique sérielle. A côté, une simple plaque circulaire posée dans l'herbe : c'est la tombe du chancelier Bruno Kreisky (1911-1990).
– ***L'église Karl Lueger :*** édifiée en 1908 par Max Hegele, qui réalisa également le monumental porche d'entrée. En forme de croix grecque avec dôme central. Style assez lourdingue. Comparée à la Steinhof d'Otto Wagner de la même période, elle permet de mesurer le talent prodigieux de ce dernier.

★ ***Le vieux cimetière juif :*** accès par la porte 1 (Tor 1), au tout début du Friedhof. A environ 1 km à pied de l'entrée principale (ou reprendre le tram). L'*Israelitische Abteilung* occupe la partie nord-est du cimetière, soit un bon tiers de sa surface totale. De longues allées ombragées et vides, ainsi que des sentiers quadrillent cet immense secteur peuplé de milliers de tombes. Beaucoup sont abandonnées aux herbes folles, aux plantes sauvages et aux ronces. La nature envahissante a repris ses droits avec ses ribambelles d'oiseaux, ses chats errants, ses lapins et ses écureuils. Des images presque campagnardes dans un paysage émouvant et mélancolique. La plupart des tombes datent d'avant la Seconde Guerre mondiale, d'avant la Shoah (l'Holocauste). On voit très peu d'étoiles de David, contrairement aux tombes juives d'après 1948 (date de la création de l'État d'Israël).
Pour trouver la tombe de l'écrivain Arthur Schnitzler, il faut entrer par la Tor 1 (près du grand boulevard Simmeringer Hauptstrasse) puis tourner à droite, traverser une sorte d'hémicycle couvert de gazon. Marcher jusqu'au point de départ de l'allée du milieu, marquée d'un panneau noir sur lequel il est écrit « Gruppe 5 h ». A côté, il y a un plan usé du secteur juif du cimetière. La tombe de Schnitzler est la troisième tombe à droite après ce plan défraîchi.
Ne cherchez pas la tombe de Gustav Mahler car celui-ci est enterré au cimetière de Grinzing (au nord de Vienne), ni celle de Freud (mort en exil à Londres), ni celle de Stefan Zweig (mort au Brésil). Quant à Theodor Herzl, autre Viennois célèbre, il est enterré à Jérusalem, sur le mont qui porte son nom.
– Enfin, les amateurs d'archi jetteront un œil sur le crématorium, de l'autre côté de la Simmerringer Hauptstrasse. Construction originale de 1922.

★ ***Sankt-Marx Friedhof (cimetière de Mozart) :*** Leberstrasse, 6. Ouvert de juin à août de 7 h à 19 h ; en mai et septembre, de 7 h à 18 h ; en avril et octobre, de 7 h à 17 h ; le reste de l'année, jusqu'à la tombée de la nuit. Pour s'y rendre, deux façons. Train jusqu'à la station de Simmering Aspangbahn. De là, remonter la route de quelques centaines de mètres en direction de Vienne, jusqu'à l'autoroute qui passe au-dessus du cimetière. L'entrée est à gauche, au bout du mur de brique. Autre solution : prendre le tram 71 jusqu'à Litfastrasse. Puis rejoindre la voie de chemin de fer ; à 100 m à gauche, un passage public franchit la voie ferrée et permet de retrouver la route.
Le Sankt-Marx se révèle un des plus adorables champs de repos que l'on connaisse. Composé de taillis touffus, bosquets divers noyant les vieilles pierres tombales dans un océan de verdure. Pas de goélands, mais tous les oisillons des bois et de la campagne. Petites allées silencieuses, paisibles ; hors du monde dès que l'on quitte l'allée centrale. Tombe de Mozart bien indiquée. Si le génie n'est sûrement pas dessous, en revanche, il n'est pas loin. En effet, on a pu établir qu'il reposait dans le coin. Le petit-fils d'un ami de Mozart se rappela avoir été amené là dans son enfance par son père et témoigna quand des recherches furent entreprises pour retrouver la sépulture. On se rappelle que le jour des funérailles, à la cathédrale Saint-Étienne, il faisait un temps épouvantable. Aucun des amis de Mozart ne suivit le corbillard. Il partit seul (un chien le suivant quand même dans le film de Forman), le 6 décembre 1791. Il avait tout juste 35 ans. S'il fait un temps resplendissant, une douce chaleur de printemps, apporter son baladeur avec le *Requiem* (par la chorale Saint Martin-in-the-Fields) et s'étendre dans l'herbe fraîche au pied de la tombe abondamment fleurie, la tête dans un bosquet. Moment mémorable de paix et sérénité !

★ ***Wiener Bestattungsmuseum (Musée funéraire) :*** Goldegasse, 19. ☎ 651-63-10. M. : Südbahnhof. Ouvert de 12 h à 15 h. Fermé les samedi et dimanche. Avant d'être enterré, on s'occupe bien sûr de vous. A Vienne, vous allez le constater, on fait bien les choses !
Attention, pour la visite, nécessité de téléphoner pour indiquer votre venue. En effet, ce petit musée, en quelque sorte annexe culturelle des Pompes funèbres municipales, regroupe les visiteurs et constitue des tours guidés. Bien, ne ricanez plus ! C'est un remarquable musée, très sérieusement conçu et présentant des choses étonnantes, et même assez uniques dans leur genre. Nous ne décrirons ici que quelques musts pour ne pas déflorer l'intérêt de la visite. Entre autres, belle collection de tentures qu'on accrochait sur les immeubles et les paliers jusqu'en 1945, suivant le rang social du défunt (on avait le droit de recevoir une dernière fois ses amis en grande pompe). Une curiosité, s'il s'agissait d'une dame, hélas, restée « vieille fille », les tentures étaient bleues ! A part ça, collections d'uniformes, de cercueils luxueux, de corbillards, d'urnes funéraires, etc. Vous vous amuserez aussi de l'anecdote du « cercueil économique » de Joseph II, l'empereur éclairé, ainsi que de celle du signal d'alarme pour les gens qui avaient peur d'être enterrés vivants. Ravissant petit carrousel funèbre et maints objets insolites vous raviront (comme ce briquet, cadeau publicitaire d'un croque-mort, sur lequel il a fait graver « la cigarette libère des emplois »). Possibilité de faire emplette d'un ouvrage d'art ou de cartes postales historiques. En prime, un accueil tout à fait affable.

★ ***Wiener Kriminal Museum (musée du Crime ;** centre D1, hors plan) :* Grosse Sperlgasse, 24. ☎ 214-46-78. Ouvert de 10 h à 17 h. Fermé le lundi. Situé dans le quartier de Leopold, au nord-est de la vieille ville. Tram n° 21 qui remonte Taborstrasse. Tout nouveau. Installé dans une élégante demeure ancienne, avec ses portes à volets noirs caractéristiques. En remontant la chaîne, avant d'être pris en charge par les croque-morts, vous mourrez bien entendu. D'une crise de foie ou assassiné. Voilà donc un intéressant musée pour les amateurs du genre (germanophones, car tout est en allemand). Sur plusieurs niveaux, exposition des plus grands crimes du Moyen Age à nos jours et histoire des Landru et autres Dr Petiot autrichiens. Avalanches de détails sur les méthodes d'exécution, photos, articles de presse, comptes rendus de procès. Plus on s'enfonce dans le sous-sol, plus les affaires exposées deviennent sordides et certaines photos insoutenables aux âmes sensibles. Il faut cependant reconnaître que tout cela est remarquablement présenté. Mais ne conviendra vraiment qu'aux amateurs du genre.

★ ***Josephinum (musée d'Histoire de la médecine) :*** Währinger Strasse, 25. ☎ 403-21-54. M. : Schottentor (U2). Ouvert de 9 h à 15 h. Fermé les samedi, dimanche et jours fériés. Date de 1783. Ancienne école de formation de chirurgiens militaires. Depuis 1918, abrite l'Institut d'histoire de la médecine. Musée fameux pour sa collection de personnages en cire grandeur nature dont tous les viscères sont montrés de façon extrêmement précise. Ils avaient été commandés par Joseph II à des artistes italiens pour ses étudiants en médecine. Le caractère insolite de cette collection réside avant tout dans le décalage entre son aspect très réaliste bien sûr, et la douceur émouvante (voire la grâce) des personnages. Par ailleurs, on découvrira d'autres sections intéressantes : instruments de chirurgie, microscopes, documents divers, lettres de Freud, etc. Un musée que les futurs étudiants en médecine devraient systématiquement visiter avant d'entreprendre leurs études, afin de vérifier s'ils ont bien la vocation. Car le côté « boucherie humaine » y est pédagogiquement étalé au grand jour, même si les corps sont présentés dans d'élégantes vitrines du XIXe siècle en verre de Venise. C'est aussi une superbe leçon d'humilité sur la merveilleuse et misérable condition humaine. « Ce musée de cires n'est pas un musée des horreurs, car la vérité nous affranchit, et la connaissance de cette matière, dont nous sommes faits, la rend digne d'être aimée », écrit Claudio Magris dans *Danube.*
– *Première pièce du fond :* les vitrines les plus impressionnantes sont les n°s 152, 154 et 189. La n° 191 expose un homme écorché, allongé sur le dos, les yeux ouverts, le bras gauche levé et replié, comme s'il venait d'esquisser un mouvement. Le mannequin le plus étrange de cette collection est sans doute celui d'une femme nue, grandeur nature, allongée sur le dos et reposant sur un drap mauve, la couleur de la pompe ecclésiastique et de la mort. Elle porte de longs cheveux blonds. Ses yeux sont ouverts. Elle a même du rouge sur ses lèvres et un collier de perles autour du cou. Du bas du cou jusqu'au bas-ventre, on peut observer ses viscères : son poitrail et ses parois abdominales sont ouverts comme une boîte de chair dont on aurait enlevé violemment le couvercle. Belle illustration du célèbre couple Éros et Thanatos, étrange alliance de l'érotisme et de la mort.
– *Deuxième salle :* plus décharné encore ! Une collection de bras, de pieds, de mains. De hautes vitrines abritent des mannequins d'hommes écorchés. Réduits à l'état de

dépouille, ils prennent des pauses esthétiques et des expressions mélancoliques (mais pas douloureuses). Dans l'une des vitrines, un squelette semble sourire. Il est moins effrayant que les autres à cause de son reste de nez pointu.
– *Troisième salle :* six corps d'hommes, grandeur nature, debout, dans des vitrines en bois marqueté. Mêmes pauses artistiques et élégantes, mêmes regards songeurs. Le pire étant le n° 60 avec son regard si humain. Le n° 61, son voisin, a l'air plus angoissé. Le *Josephinum* c'est la version pour carabins de *La Nuit des morts-vivants.*

★ Déjà traités dans les chapitres précédents, on peut enrichir ce parcours « touristico-morbide » de la visite des momies de l'église Saint-Michel, du caveau impérial de l'église des Capucins (sommet inégalé de la grandiloquence funéraire), de la colonne de peste du Graben (et ses personnages terrifiants), du musée d'Anatomie pathologique (pour nos lecteurs-trices les plus pathologiques !), de la salle de l'attentat de Sarajevo au musée de la Guerre, etc.

Dans les pas du *Troisième Homme*

En 1945, Vienne est une cité dévastée, divisée, comme Berlin, en secteurs placés sous la responsabilité respective des quatre grandes puissances victorieuses, les Américains, les Français, les Britanniques, et les Russes. Le cœur de la ville (la Inner Stadt, soit le premier arrondissement actuel) est administré par chaque puissance à tour de rôle pendant un mois. Pour assurer la sécurité, des patrouilles de quatre hommes (un soldat par puissance) parcourent jour et nuit ce lugubre décor de vieille cité européenne en ruine. Plat, gris et boueux, le Danube coule le long de la zone russe. Au-dessus du Prater écrasé, envahi d'herbes folles, la grande roue tournoie sinistrement. Dans cette ville où les trafiquants du marché noir font fortune, Holly Martins, un romancier américain de seconde zone, part sur les traces d'Harry Lime, son ami d'enfance, à qui il voue une incompréhensible admiration. Celui-ci fait le mal en toute inconscience : il est accusé par la police de s'être livré à un trafic de pénicilline frelatée ayant entraîné la folie ou provoqué la mort de nombreux enfants.
Holly Martins rencontre Anna, une cantatrice tchèque qui fut la maîtresse d'Harry, et l'étrange baron Kurtz, complice de tous les méfaits d'Harry, qui en sait beaucoup plus qu'elle sur son cher disparu...
Le film commence dans les allées interminables du cimetière central de Vienne. On y enterre une personne supposée être Harry Lime, mort dans un banal accident de la circulation. Mais Holly découvre plus tard (et avant le colonel Calloway de la police) que son vieil ami est bel et bien le « Troisième Homme » qu'il recherche, qu'il est toujours vivant, caché quelque part dans la zone russe, tel une bête traquée. Une énigme de mort-vivant, incroyable et abracadabrante, que notre Holly, l'écrivaillon, va essayer de résoudre au rythme d'une quête déguisée en enquête, et semée d'innombrables obstacles. Mais, en route, le héros perdra petit à petit ses illusions, et finira par trahir l'amitié au profit d'un amour improbable. Sa traque viennoise s'achèvera par une inoubliable course nocturne dans les égouts de Vienne, l'une des scènes les plus prenantes du film. Et qui signe le génie de Carol Reed.

– ***Le film et le tournage :*** un des chefs-d'œuvre du cinéma mondial. Le genre ? Une histoire à suspense sur le thème de l'amitié et de la trahison. Parfaitement écrit et réalisé, il fut tourné en noir et blanc en 1949. Deux ans après *Le Trésor de la sierra Madre* (1947) de John Huston – le premier film américain tourné entièrement hors des studios d'Hollywood –, Carol Reed, réalisateur britannique, tourne à son tour dans un décor naturel (Vienne). Quelques scènes seulement (la querelle entre Holly et le major Calloway dans un vieux café viennois, et les retrouvailles d'Holly et d'Harry dans la cabine de la grande roue du Prater) ont été tournées en studio à Londres.

– ***Le livre :*** le film est l'adaptation à l'écran d'un roman de Graham Greene (voir le commentaire dans la rubrique « Livres de route » en début de guide). Mais l'auteur l'avoue d'entrée de jeu en préface du bouquin : « *Le Troisième Homme* fut écrit non pas pour être lu, mais pour être vu. » Greene devait d'abord écrire le scénario du film, selon le vœu du producteur. Mais il lui était impossible de « rédiger un scénario complet sans commencer par écrire une histoire, une nouvelle ». Il commença donc par écrire le roman, puis il s'attaqua au scénario. « En réalité, le film est meilleur que l'histoire écrite », reconnaît Greene. C'est habituellement le contraire qui se produit dans le 7e Art : les romans sont meilleurs que leurs adaptations au cinéma. Ici, coup de génie !

– ***Le scénario :*** écrit par Graham Greene et Carol Reed. « Nous couvrions des kilomètres de tapis par jour, en nous jouant mutuellement des scènes », raconte Greene.

– ***Le producteur :*** le Britannique Alexander Korda, de son vrai nom Sandor Laszlo

Korda, était le patron tout puissant de la célèbre London Film Productions (son logo montre la fameuse tour de Big Ben à chaque générique). Né en 1893 en Hongrie, quand ce pays était encore rattaché à l'Empire austro-hongrois, il fit ses débuts à Budapest puis émigra à Vienne (1920-1922), passa en Allemagne, s'exila à Hollywood, avant de se fixer à Londres. Korda voulait faire un film sur l'occupation quadripartite de Vienne après la Seconde Guerre mondiale, et demanda à l'illustre écrivain britannique d'écrire le scénario pour Carol Reed.

– ***Le réalisateur :*** Carol Reed (1906-1976) est l'un des grands noms du cinéma britannique de l'après-guerre. Il a réalisé de nombreux films dont *Notre agent à La Havane* (d'après un roman de Graham Greene encore), mais *Le Troisième Homme* restera certainement comme son chef-d'œuvre. Technicien méticuleux, il raconte les histoires de façon précise et les magnifie par un style cinématographique perfectionniste. Dans *Le Troisième Homme,* obsédé par les contrastes entre le noir et le blanc, le clair et l'obscur, Reed tourne beaucoup la nuit, opposant sans cesse les ombres et les lumières. Cela donne au film sa touche unique, cette « inquiétante étrangeté » si chère à Freud (un Viennois). Reed a fait un film prenant, presque métaphysique.

– ***Les acteurs :*** Carol Reed était hanté par Orson Welles à qui il proposa le rôle d'Harry Lime. L'acteur américain Joseph Cotten joue Holly Martins, et l'Anglais Trevor Howard est dans la peau du colonel Calloway. Alida Valli interprète le rôle d'Anna, la maîtresse d'Harry. On dit que l'histoire se répète. En effet, six ans après le succès de *Citizen Kane,* Orson Welles se retrouve à Vienne aux côtés de Joseph Cotten pour un nouveau film, en noir et blanc. Curieusement, on y retrouve les mêmes thèmes lancinants de l'amitié, de la lâcheté et de la trahison. Pendant le tournage, Welles logeait à l'hôtel *Astoria* et fréquentait assidûment le bar de l'hôtel *Sacher.* Trevor Howard aussi buvait sec. Un jour, entre deux prises, alors qu'il noyait son ennui à l'*Oriental Bar* (comme Graham Greene auparavant) dans sa tenue d'officier britannique, la police le prit pour un véritable officier des puissances alliées, et l'arrêta. Il passa une nuit au trou. Le tournage fut arrêté jusqu'à son retour sur le plateau.

– ***La musique :*** pas d'orchestre symphonique, aucun violon ni tambour, comme c'était courant à l'époque dans les grands films, mais une simple mélodie, lancinante et répétitive, jouée à la cithare par le merveilleux Anton Karas. Un air inoubliable ! L'une des musiques de film les plus originales des années 40-50.

Les lieux de tournage du film

On ne cite ici que les lieux visibles, tangibles, qui existent toujours aujourd'hui et que n'importe qui peut retrouver au fil d'une simple balade à pied dans la ville. Il est préférable d'avoir vu et revu le film au cinéma ou à défaut chez soi (en cassette vidéo) avant le voyage. Ceci pour mieux apprécier cette promenade dans les pas du *Troisième Homme.* Les lieux qui suivent apparaissent dans l'ordre où ils apparaissent dans le film.

★ ***Le cimetière central de Vienne :*** le film y commence et s'y achève. « On était en février, et au cimetière central de Vienne les fossoyeurs avaient dû se servir de marteaux-piqueurs pour ouvrir le sol glacé », raconte le major Calloway, narrateur du roman, et personnage clef dans le film.

★ ***Hôtel Sacher :*** on prononce « Sarreur » et non « Sachaire ». Luxueux palace qui servait d'hôtel de transit aux officiers anglais après la Seconde Guerre mondiale. Graham Greene y logea. Holly Martins, le personnage principal du film, y loge aussi « par miracle ». On voit très peu le *Sacher* dans le film hormis la porte et le hall d'entrée. Holly Martins ne s'y trouve pas souvent car il passe ses journées et une partie de ses nuits au dehors, à la recherche d'Harry Lime. Il donne ses rendez-vous en ville car « l'entrée du *Sacher* est interdite aux Autrichiens ». Voir aussi notre commentaire dans la rubrique « Hôtels littéraires ».

★ ***Café Mozart :*** où Holly Martins rencontre pour la première fois le très étrange baron Kurtz. Il s'appelle le *Old Vienna* dans le livre. Il existe bel et bien, sur Albertina Platz, mais ce n'est pas lui que l'on voit dans le film. En 1948, le café était encore en cendres, et entouré de tas de gravats. Reed tourna la scène sur cette même place, mais un peu plus loin, avec en arrière-plan le haut clocher du Stephansdom.

★ ***La maison d'Harry Lime :*** dans le livre, ce cynique mais brillant trafiquant américain demeure au 15 Stiffgasse. Dans le film, il habite un superbe palais dont la majestueuse porte d'entrée, encadrée par des statues de femmes enlacées, est celle du palais Pallavicini, sur la Josefs Platz, face au Hofburg.

★ ***Casanova Revue-Bar-Theater :*** l'un des plus vieux cabarets-spectacle de Vienne, situé Dorotheergasse, en face du *Graben Hotel.* On voit l'extérieur dans le film. Martins y retrouve Anna Schmidt, la maîtresse d'Harry, le baron Kurtz et Popesco, le « parrain » du réseau des trafiquants. Même ambiance sinistre et enfumée, même « exotisme de bazar », « mêmes photographies de demi-nudités sur le mur de l'escalier » qu'à l'*Oriental Bar* décrit par Greene dans son roman.

★ ***Schreyvogelgasse, 8 :*** c'est cette merveilleuse et étrange scène où Holly Martins, encore ivre, erre en solitaire dans la nuit, s'arrête, et interpelle en hurlant une ombre suspecte. Le fantôme, retranché dans l'obscurité d'un haut porche d'immeuble, reste muet, tandis qu'un mystérieux chat errant vient caresser la pointe noire et lustrée de sa chaussure. Une vieille dame mécontente du tapage nocturne ouvre sa fenêtre. Soudain un rayon lumineux perce la pénombre et dévoile le visage d'Orson Welles/Harry Lime, le « Troisième Homme » que l'on croyait mort et enterré !
Combien de cinéphiles n'ont pas rêvé devant l'art de l'ombre et de la lumière chez Carol Reed ! Cette fameuse porte, qui paraît grande dans le film, semble beaucoup plus petite dans la réalité. Carol Reed avait choisi pour cette scène l'un des plus beaux coins de la Inner Stadt, au pied de la Beethovenhaus. Une anecdote : quatre chats différents furent utilisés par le cinéaste pour cette scène.

★ ***La grande roue du Prater :*** toujours là. N'a pas tellement changé. C'est au *Prater* qu'Holly Martins retrouve enfin Harry Lime. Les extérieurs y furent tournés. Mais la célèbre scène (quel dialogue !) entre les deux hommes dans la cabine de la grande roue fut tournée en studio à Londres. La lourde et encombrante caméra 35 mm et le matériel nécessaire au tournage ne pouvaient pas entrer dans un si petit espace !

★ ***Les égouts de Vienne :*** trahi par son vieil ami, pourchassé par la police, Harry Lime s'enfuit par les égouts, telle une bête traquée, espérant trouver une possible sortie en zone russe. Mais le sous-sol de la capitale autrichienne, royaume des millions de rats et des parfums pestilentiels, n'est rien d'autre qu'un immense labyrinthe de canaux et de galeries humides qui se referme petit à petit sur lui comme un piège. Les images les plus captivantes du film y furent tournées.
Graham Greene avait déjà repéré les lieux : « Le grand égout central ressemblait, y compris l'odeur suave, à un fleuve où pénètre la marée. »
En 1948, il y avait une « Underground Police », une police du sous-sol chargée de surveiller l'énorme réseau d'égouts. Les agents secrets pouvaient donc circuler, sans contrôle, d'un secteur à l'autre. Car les Alliés, contrairement au dehors, ne s'étaient pas partagé les égouts en secteurs. Les entrées étaient déguisées en kiosques publicitaires, parsemant la ville. « Nul ne savait pourquoi », écrit Graham Greene, « les Russes refusaient qu'on les verrouillât ».
Dans le film, Lime pénètre dans les égouts en soulevant une à une, et à toute vitesse, les six plaques métalliques de forme triangulaire qui cachent l'entrée d'un escalier en spirale permettant d'accéder au réseau. Nous avons retrouvé cette bouche d'égout : elle se trouve près du pont de Friedensbrücke, sur le trottoir à l'angle d'Alserbachstrasse et de Rossauer Lände. Le décor autour est méconnaissable. De là, traversez le boulevard, descendez au bord du canal du Danube, sur le côté du pont. Vous verrez une sorte de galerie souterraine (à sec) qui s'enfonce sous la ville. C'est l'entrée du grand égout. Avec une lampe de poche, en marchant sur une centaine de mètres, on arrive sur le lieu même du tournage. Bonjour les bonnes odeurs ! Orson Welles n'arrêtait pas de maugréer pendant le tournage car ses vêtements puaient.

Hôtels littéraires

« La force littéraire d'un immeuble est comparable, dans bien des cas, à celle d'un homme », a écrit le poète Mac Orlan. A Vienne, les hôtels littéraires appartiennent bel et bien à la carte romanesque de la ville et à sa géographie imaginaire au même titre que les demeures de musiciens. Palaces flamboyants de la fin du siècle, ou pensions familiales sans prétention, ce sont des lieux provisoires et détachés du monde, où des écrivains de passage ont posé les yeux sur Vienne, observé, imaginé des histoires, refait le monde. Certains n'ont fait qu'y passer une ou plusieurs nuits. D'autres, subjugués par les lieux, ont séjourné plus longtemps, et s'en sont inspiré dans leurs livres. Dans la liste d'hôtels qui suit – elle est loin d'être exhaustive –, nous avons retrouvé les traces d'une poignée d'écrivains, célèbres pour la plupart, et tous grands voyageurs. Seuls les hôtels toujours debout ont été signalés. Ceux qui ont été volatilisés sous les bombes ou fermés pour diverses causes n'apparaissent pas. Bonne balade dans le sillage des oiseaux migrateurs de la littérature et de leurs nids provisoires.

★ ***Graben Hotel :*** Dorotheergasse, 3 (Wien 1). ☎ 512-15-31. Ex-pension *Grillparzer. En face du café Hawelka.* Franz Kafka et Max Brod y séjournaient quand ils venaient de Prague. Sur le mur extérieur, une plaque rappelle que Peter Altenberg, auteur des *Esquisses viennoises,* y vécut de 1913 à 1919. Insomniaque et fauché, il vivait dans une chambre mansardée où, le 6 janvier 1919, des amis le découvrirent délirant de fièvre. Deux jours plus tard, le poète sans demeure s'éteignait à l'hôpital, victime d'une pneumonie.
Le café du *Graben Hotel* porte aujourd'hui son nom, et une sculpture réaliste le représente au *Café Central.* L'écrivain américain John Irving n'a pas de statue à Vienne, mais sa fascination pour la capitale autrichienne (où il vécut une année autour de ses 20 ans) est devenue un iceberg obsessionnel chez lui, dont l'immeuble du *Graben Hotel* représente la partie la plus visible.
Dans *Le Monde selon Garp,* un chapitre s'intitule « La pension Grillparzer ». Irving écrit quelque part : « C'est dans le dénuement de la pension Grillparzer qu'il est possible d'entrevoir à quoi devait ressembler le monde selon Garp. »

★ ***Hôtel Sacher :*** Philharmonikerstrasse 4 (Wien 1). Un des plus somptueux hôtels de Vienne (et un des plus chers !). Du temps des Habsbourg, l'archiduc Otto aimait y faire de soudaines apparitions, entièrement nu, ne portant qu'un ceinturon et un sabre. Divine décadence ! Des années après, en hiver 1948, l'écrivain anglais Graham Greene séjourna 15 jours à l'hôtel *Sacher,* encore réservé aux officiers britanniques. Lui n'était pas nu, mais chaudement vêtu, et ne se séparait jamais de son stylo ni de son carnet. Il découvrit la capitale autrichienne ravagée par la guerre, et divisée en secteurs russe, américain, anglais et français.
Pendant le tournage du film *Le Troisième Homme,* l'acteur Orson Welles logeait à l'hôtel *Astoria* mais il venait régulièrement au bar du *Sacher* pour y siroter des « bloody mary », son cocktail préféré.
Autre admirateur de ce lieu prestigieux, l'écrivain américain John Irving évoque l'hôtel *Sacher* dans son roman *L'Hôtel New Hampshire.* John, le narrateur, y accompagne son père avant de repartir en Amérique. « Bien entendu le barman ne sut jamais que mon père résidait dans l'ignoble hôtel New Hampshire à quelques minutes de là... Il absorbait le bar du Sacher, s'offrait une dernière vision de l'hôtel Sacher et, bien sûr, il imaginait qu'il en était le propriétaire – qu'il y habitait. » Rentré aux États-Unis, on lui offrit un chien auquel il donna le nom de cet hôtel tant aimé : Sacher.

★ ***Hôtel Bristol :*** Kärtner Ring, 1. Un palace 5 étoiles où descendait l'écrivain Scott Fitzgerald.

★ ***Hôtel Imperial :*** Kärtner Ring, 16. Non loin du précédent. Un autre palace viennois où séjournèrent Rilke et Thomas Mann.

★ ***Hôtel Regina :*** Rooseveltplatz, 15 (Wien 9). Stefan Zweig y passa quelques nuits.

★ ***Hôtel du Cimetière des Anonymes :*** Albern, 11. « C'est au cimetière des Anonymes – *Friedhof der Namenlosen* – qu'on enterre les cadavres repêchés dans le Danube... », précise Claudio Magris, dans son beau récit intitulé justement *Danube.* Obnubilé par l'aspect jovial et positif des cimetières viennois, il signale que « même les chambres de l'hôtel du Cimetière des Anonymes évoquent une halle agréable au voyageur, des chambres accueillantes ».

A voir aux environs proches

★ ***Grinzing :*** ancien village de vignerons, désormais englobé dans le XIXᵉ arrondissement. Il a cependant conservé tout son charme avec ses maisons anciennes (du XVIᵉ et du XVIIIᵉ siècle), toutes pimpantes et croulant sous la vigne vierge. Charme quelque peu édulcoré lorsque les cars de touristes japonais et allemands envahissent les *Heurigen,* ces guinguettes où l'on sert le *Heuriger,* le vin blanc nouveau. Eh oui, c'est touristique, très touristique ! Pourtant, par une belle journée ensoleillée, le matin de bonne heure, ne pas manquer d'aller s'y balader. Ça tombe bien, le tram 38 s'y rend souvent de Schottentor (aller jusqu'au terminus). Il y a même une expression populaire : « Prendre le dernier 38 ! » qui veut dire rentrer chez soi après une soirée bien arrosée. Voir l'église et son pittoresque clocher à bulbe, et arpenter les délicieuses Sandgasse, Himmelstrasse et Cobenzlgasse (très jolie cour au nº 9).
– Proche de Vienne, Grinzing était un des lieux de promenade favoris de Schubert, au cours de sa brève existence. Juste après l'église du village, à gauche en montant la rue principale, au nº 1/25 de la Himmelstrasse, le visage du musicien a été sculpté sur un panneau du mur extérieur de façade d'une belle maison couleur jaune. Plus loin, une vieille auberge de 1530, la *Weingut Reinprecht Heuriger,* expose dans son porche

d'entrée une collection importante de tire-bouchons. Aucun lien *a priori* avec Schubert, si ce n'est que le compositeur, éternel promeneur solitaire, aimait aussi fréquenter avec ses amis les Heurigen de Grinzing où il appréciait la chaleur humaine et la simplicité des gens. « C'était un après-midi d'été », raconte son ami Bauernfel dans ses souvenirs, « nous étions allés avec Franz Lachner à Grinzing pour le vin nouveau que Schubert appréciait tout particulièrement... Schubert buvait verre sur verre et était arrivé à une sorte d'exaltation dans laquelle il parlait plus que d'habitude, nous développant ses plans d'avenir ».
Dans les années trente, avant son départ de Vienne et son exil à Londres, Sigmund Freud, déjà mondialement connu, aimait venir se reposer dans une maison de Grinzing en compagnie de sa femme et de ses enfants. C'est au château de Bellevue à Grinzing, le 24 juillet 1895, que Freud parvient pour la première fois à interpréter un rêve dans sa totalité : cinq ans après il publie *L'Interprétation des rêves.* Pour aller au Bellevue (Himmelstrasse), où se trouve une stèle Freud : bus 38 A jusqu'à la station Cobenzl, puis prendre à pied la Höhenstrasse en direction de Häuserl am Himmel. On atteint rapidement la Himmelstrasse que l'on descend sur environ 300 m jusqu'à un parking, d'où l'on accède à la stèle.
Au cimetière de Grinzing se trouve la tombe de Gustav Mahler (1860-1911), enterré à côté de sa fille. Sur la pierre tombale, aucune inscription, seulement son nom. *Ceux qui me cherchent savent qui j'étais, les autres n'ont pas besoin de le savoir...*

★ Autour de Grinzing, sur le versant de la Wienerwald, s'étendent d'autres villages vignerons, ***Sievering, Neustift*** et ***Nassdorf,*** moins touristiques, mais sans le charme de Grinzing.
Balade sympa aussi au village de ***Josefsdorf*** (au nord de Grinzing). Belle vue sur Vienne du Kahlenberg. A côté, ***Leopoldsberg*** avec une belle église du XVIIe siècle baroquisée. De là, un panorama encore plus prodigieux. Par beau temps, le regard peut porter jusqu'à la Slovaquie. Pour s'y rendre, bus 38 A.

Quitter Vienne

En voiture

– ***Bulletin d'état des routes :*** ☎ 711-99-7 (de 6 h à 20 h).
• *Bratislava* (Slovaquie) : 65 km seulement !
• *Graz :* 190 km.
• *Budapest* (Hongrie) : 265 km.
• *Salzbourg :* 298 km.
• *Prague* (République tchèque) : 311 km.
• *Ljubljana* (Slovénie) : 382 km.

En train

– ***Renseignements :*** ☎ 17-17 (24 h sur 24).
– ***Westbahnhof :*** en direction de la France, la Suisse, l'Allemagne, le Benelux, la Grande-Bretagne, etc.
– ***Südbahnhof :*** pour l'Italie, la Grèce, l'ex-Tchécoslovaquie et en été la Bulgarie et la Hongrie.
– ***Franz-Josefs Bahnhof :*** surtout des lignes locales. Trains pour Berlin (par Prague).
• *Pour Salzbourg :* durée 3 h. De Westbahnhof, 13 trains par jour.
• *Pour Paris-Est :* durée entre 13 h 30 et 15 h, selon la rapidité du train. On passe par Salzbourg, Munich et Stuttgart. De Westbahnhof, au moins 3 trains par jour, un le matin, un autre dans l'après-midi, et un autre train de nuit.
• *Pour Bratislava :* durée un peu plus d'une heure. 5 trains par jour au départ de la gare de Vienne-Sud.
• *Pour Budapest :* durée de 1 h 20 pour les rapides à 3 h pour les lents. 7 trains par jour au départ de la gare de Vienne-Ouest (Westbahnhof).
• *Pour Prague :* durée environ 5 h. 4 trains par jour au départ de la gare de Vienne-Sud (ost). De la gare Franz Josefs Bahnhof, 2 trains par jour.
• *Pour Berlin :* durée environ 12 h. Il y a un changement à Regensburg. Exemple : si le train quitte Vienne à 8 h 15, il arrive à Regensburg à 12 h 32 (changement donc), repart à 14 h 35 pour arriver à Berlin le soir à 21 h 20. Bon voyage.
• *Pour Varsovie* (Warszawa) : durée entre 8 et 9 h. Deux trains directs au départ de la gare de Vienne-Sud. Un départ le matin avec arrivée le soir, un autre le soir avec voyage de nuit.
• *Pour Moscou :* via Bratislava, Lvov et Kiev. Un sacré périple, pour ceux qui ont décroché le visa pour le pays des Russkoffs. Compter environ 24 h de voyage. Les trains

partent de la gare de Vienne-Sud. Exemple : si le train quitte la capitale autrichienne à 16 h, il arrivera le lendemain en milieu d'après-midi à Moscou, après avoir traversé les interminables plaines d'Ukraine. Et après direction Vladivostok... pour les plus téméraires.

En bus

– ***Renseignements :*** ☎ 71-101 (de 7 h à 19 h).
– ***Terminal des bus :*** Wien Mitte. Bundesbus et Postbus pour toutes les directions.

En avion

– ***Renseignements aéroport :*** ☎ 711-10-2231.
– ***Austrian Airlines :*** Kärntner Ring, 18. ☎ 717-99. De 8 h à 19 h ; samedi, dimanche et jours fériés, de 8 h à 17 h.
– ***Air France :*** ☎ 514-18-18.
– ***Pour se rendre à l'aéroport :*** bus du City Air Terminal *(plan Vienne Centre, D3, 3)*. Toutes les 20 à 30 mn environ. M. : Schnell-Bahn également toutes les heures, de Wien Mitte ou Wien Nord.

A voir autour de Vienne

Mayerling et la Forêt viennoise : de Vienne aux Alpes, s'étend une vaste forêt parsemée de jolis villages et de sites touristiques intéressants.

★ ***Mödling :*** petite cité de villégiature qu'aimèrent Schubert, Egon Schiele, Richard Wagner. Voir l'hôtel de ville Renaissance (avec étage à arcades) sur Schrannenplatz. Sur Hauptplatz, belles demeures Renaissance aussi et une colonne de peste de 1713. Église paroissiale St. Othmar. Curieux ossuaire roman à côté, affublé d'un clocher à bulbe.
– Aux environs proches, ***château de Liechtenstein,*** imposante construction du XIIe siècle.

★ ***Gumpoldskirchen :*** petit village fameux pour son vin blanc. Nombreuses guinguettes. Hôtel de ville du XVIe siècle. Pittoresques maisons basses de vignerons. Dans le coin, voir aussi ***Baden.***

★ ***L'abbaye de Heiligenkreuz :*** fondée au XIIe siècle, en partie détruite par les Turcs en 1683. Vaut le détour pour son superbe cloître aux 300 colonnes de marbre, marquant bien la transition du roman au gothique. Tombeaux des Babenberg.

★ ***Mayerling :*** un nom connu des romantiques du monde entier. C'est là que, le 30 janvier 1889, Rodolphe, fils de l'empereur François-Joseph, se suicida, après avoir donné la mort à son amante, la baronne Marie Vetsera. Deux jours avant, son père lui avait signifié le refus du pape d'annuler son mariage raté avec Stéphanie de Belgique et sa propre opposition à un divorce. C'en était peut-être trop pour Rodolphe, déjà en bisbille politique avec son père.
Une demi-douzaine de cinéastes s'intéressèrent à cette tragique histoire. La chambre où l'on découvrit leurs corps fut démolie et une église construite à l'emplacement. On peut y voir quelques souvenirs liés à cet épisode. C'était vraiment une famille à scoumoune. Y'a vraiment que François-Joseph qui soit mort tranquillement dans son lit...

★ ***Laxenburg :*** célèbre pour avoir été le lieu de villégiature d'été de la Cour impériale. Rodolphe y naquit en 1858. Grand parc où s'élève l'*Altes Schloss*. A l'intérieur, musée du Film. Sur une petite île, le *Franzensburg*, mignon pastiche de château du Moyen Age (possibilité de visiter). Beaux plafonds et intéressant mobilier.

LE BURGENLAND

La province la plus à l'est de l'Autriche. Elle lui appartient seulement depuis 1921. Lorsque, après la Première Guerre mondiale, elle se constitua, la ville de Sopron ainsi que ses alentours décidèrent par plébiscite de rester hongrois. Cette région s'enfonce aujourd'hui comme un coin dans le Burgenland. Cela explique sa forme bizarre et ce mince couloir de 4 km comme un étranglement au milieu. Au nord, autour du lac Neusiedl, c'est la plaine hongroise (Puszta) avec son architecture rurale typique. Tout cela témoigne que cette région fut âprement disputée tout au long de son histoire. Aujourd'hui, on trouve toujours dans la province de petites minorités hongroises (2 %) et croates (10 %). Lac unique en Europe : bien que mesurant 36 km de long, sa profondeur ne dépasse jamais 2 m. Ses rives abritent de nombreuses variétés d'oiseaux trouvant refuge dans les forêts de joncs et de roseaux. Le sud de la province est plus vallonné (le Geschtiebenstein culmine à 884 m). Les vins rouges du Burgenland sont très réputés. Province séduisante et authentique. Un proverbe raconte que si le monde s'écroule un jour, il faut venir dans le Burgenland car il s'y effondrera 50 ans plus tard !

EISENSTADT

IND. TÉL. : 02682

Capitale de la province, mais guère qu'à une quarantaine de kilomètres de Vienne. Peut donc même se visiter dans la journée en excursion. Mignonne petite ville avec un centre possédant pas mal de charme. Climat particulièrement doux. A l'époque de l'Empire austro-hongrois, Eisenstadt fut le fief de la puissante famille Esterházy. Pendant 30 ans, à partir de 1761, Joseph Haydn y tint le poste de maître de chapelle (mort à Vienne, il fut cependant inhumé à Eisenstadt).

Adresses utiles

– ***Code postal :*** A-7000.

Office du tourisme régional (Landesverband Burgenland Tourismus) : Schloss Esterházy. ☎ 633-84. Fax : 633-84-20. Pour tous renseignements sur la province.

Office du tourisme pour la ville d'Eisenstadt : Franz Schubertplatz 1. A côté de l'*hôtel Burgenland*. ☎ 67-390. Fax : 67-391. Ouvert de 9 h à 18 h. Personnel aimable et compétent. Bien documenté.

✉ ***Poste :*** Pfarrgasse, 2.

Où dormir ? Où manger ?

Hôtel Zum Eder : Hauptstrasse, 25. ☎ 62-645. Fax : 62-645-5. Dans la belle rue centrale. Chambres correctes. Resto le midi et le soir jusqu'à 23 h. Grande cour ombragée. Expositions de peintres locaux dans le restaurant.

Hôtel Franz Mayr : Kalvarienbergplatz, 1. En face de la Bergkirche. ☎ 62-751. Fax : 62-751-4. Accueil et resto dans une auberge traditionnelle mais hôtel dans un bâtiment plus moderne sans charme à 150 m. Chambres spacieuses, tapisserie kitsch.

Hôtel Familie Ohr : Ruster Strasse 51. A 25 mn à pied du centre-ville, possible de prendre le bus. ☎ 62-460. Fax : 64-481. Accueil convivial, chambres très confortables à un prix raisonnable. Resto.

Hôtel Burgeland : Schubertplatz, 1. Dans le centre. ☎ 696. Fax : 655-31. Ouvert à midi et le soir jusqu'à 22 h. Fermé samedi midi et dimanche. Moderne, classique. Restaurant possédant une bonne réputation. Salad-bar, soupe Burgeland, délicieux poisson blanc aux petits légumes frais. Goûter le « yaourt-crème » aux petits fruits de saison. Service impeccable. Piscine, salle de séminaire. Clientèle assez huppée.

Haydn Brau : Pfarrgasse 22. C'est la rue de la poste. Bar ouvert jusqu'à minuit (le dimanche jusqu'à 22 h). Vaste, grand jardin intérieur. Décoration boisée et chaleureuse. Possède sa propre brasserie. Resto également, carte en français.

Café Baustein : Pfarrgass. C'est le point de rencontre des jeunes branchés d'Eisenstadt. Bonne bande son. L'un des endroits les plus fréquentés d'Eisenstadt.

Café Central : dans la rue principale. Ouvert jusqu'à minuit. Agréable petite cour intérieure. Possibilité de grignoter snacks et gâteaux.

A voir

★ ***Le centre :*** essentiellement la ***Hauptstrasse,*** la rue principale piétonne. Bien léchée, bordée de nobles demeures basses anciennes dont certaines présentent de larges porches sculptés, des fresques ou des fenêtres à encorbellement.
Beau ***Rathaus*** (mairie) de 1648. Superbe colonne de Peste. A deux pas, ravissante maison baroque à double pignon. Au n° 23, un des porches les plus élégants (avec deux chérubins). Au n° 19, curieuse demeure en avancée (avec Vierge de 1696). Au n° 14, intéressante maison bourgeoise baroque. Dans la *Pfarrgasse* qui lui est parallèle, jolie maison au n° 8. Porche de 1779, Vierge et statues dans une niche.

★ ***Schloss Esterházy*** (le château) : ouvert du 25 avril au 31 octobre de 9 h à 18 h (fermeture de la caisse à 17 h). Fermé le week-end en basse saison. Édifié en 1663 par un architecte italien, à partir d'un ouvrage plus ancien du XIVe siècle. Transformé par l'architecte français Charles Moreau en 1794. Il est aujourd'hui encore la propriété de la fastueuse et riche famille Esterházy, plus exactement de la dernière descendante en ligne directe, Melinda. Masse imposante dont la façade est ornée de bustes des princes Esterházy et de généraux hongrois. Élégante cour intérieure au décor de pilastres toscans et de masques dans des cartouches.
Ne pas manquer de visiter la *salle Haydn,* l'ancienne salle des fêtes avec des fresques au plafond du XVIIe siècle. C'est ici que Haydn dirigeait l'orchestre du prince, jouant le plus souvent ses propres compositions. Visite guidée de 40 mn. Concerts de mai à octobre, en principe les mardi et vendredi matin. Se renseigner à l'accueil.
Le ticket d'entrée du château donne accès à la visite des écuries, situées juste en face. Blason des Esterházy, carrosses...

★ ***Le parc du château :*** grille d'entrée à 200 m à gauche du château. Entrée libre. Superbe Gloriette ou « temple de Leopoldine », également l'œuvre de Charles Moreau. Arbres centenaires, sentiers romantiques... Bref, un cadre idyllique. Prévoir facilement 1 h de balade.

★ ***La maison de Haydn :*** Joseph Haydn Gasse, 21 (on s'en serait douté !). Ouverte de Pâques à fin octobre de 9 h à 12 h et de 13 h à 17 h. Il y habita de 1766 à 1778. Nombreux souvenirs du maître : partitions, piano, masque mortuaire, témoignages divers. Haydn, né en 1732, mort en 1809 à Vienne, entra au service des Esterházy en 1761. Famille qui adorait la musique. Il composa énormément, notamment pour les fêtes de son employeur. Bien qu'attaché au château de façon permanente (on ne lui laissait même pas le temps d'aller à Vienne), il acquit rapidement une réputation internationale. Il ne put se rendre en Angleterre qu'en 1790 (trente ans après le début de son engagement !).

★ La ***Joseph Haydn Gasse*** possède en outre de fort belles demeures. Au n° 1, ancien couvent. Au n° 17, maison de 1750 aux fenêtres ouvragées. Tout au bout, la ***Franziskanerkirche*** des XIVe et XVIIe siècles. A l'intérieur, intéressants autels et chaire baroques.

★ ***Bergkirche :*** Kalvarienberg Platz, au bout de l'Esterházy Strasse. Ouverte de 9 h à 12 h et de 14 h à 17 h, d'avril à fin octobre. Édifiée au XVIIIe siècle. Elle abrite le mausolée de Haydn. Derrière l'église, en haut de quelques marches, mignonne petite chapelle des Grâces.

★ ***Burgenländischeslandes Museum :*** Museumgasse, 5. Ouvert toute l'année du mardi au dimanche de 9 h à 12 h et de 13 h à 17 h. A travers diverses animations, on traverse les époques qui ont marqué l'histoire et la géographie de cette province.

★ ***Jüdisches Museum :*** Unterbergstrasse, 6. Ouvert de la fin mai à la fin octobre, du mardi au dimanche, de 10 h à 17 h. Le souvenir de l'importante communauté juive d'Eisenstadt et plus généralement de celle d'Autriche est ici rapporté à travers des témoignages.

★ ***Diözesanmuseum :*** à côté de la Franziskanerkirche. Ouvert de mai à début octobre du mercredi au samedi de 10 h à 13 h et de 14 h à 17 h.

– Ne pas rater fin août-début septembre, la ***fête des 1 000 vins.*** Pendant une semaine, une foire aux vins arrose généreusement les touristes qui pourront goûter les meilleurs vins et flâner d'un *heurigen* à l'autre. Se renseigner à l'office du tourisme de la ville.

RUST

IND. TÉL. : 02685

Bourgade très ancienne, entièrement classée monument historique. Réputée pour ses vins depuis le XIVe siècle. Se promener dans les ruelles autour de la place principale pour admirer les nombreuses demeures basses à façades baroques et les porches splendides (notamment dans la *Hauptstrasse*). Joli *Rathaus* de couleur ocre rouge. Petite capitale des cigognes l'été. Nombreuses caves à vin.

– ***Code postal :*** A 7071.

🛈 ***Office du tourisme :*** dans la mairie. ☎ 502.

Où dormir ?

Sous le porche de l'hôtel de ville, panneau presque exhaustif des hôtels et pensions de Rust (photos et détails comme douche, baignoire ou balcons) avec possibilité de téléphoner directement et gratuitement 24 h sur 24.

⌂ ***Pension Alexander :*** Dorfmeisterg, 21. ☎ 301. A 2 km de Rust, vers Neusiedl. Coin ne possédant pas de charme particulier, mais très calme (quartier pavillonnaire). Petit hôtel moderne à l'architecture plaisante (bois, ardoises, fleurs abondantes). Excellent accueil. Chambres, la plupart avec balcon sur agréable jardin. Piscine. Copieux buffet au petit déjeuner.

⌂ ***Hôtel-restaurant Stadt Rust :*** Rathausplatz, 7. ☎ 268. Éminemment central bien sûr. Chambres simples, mais correctes et bon marché. Accueil et atmosphère assez conformistes. Terrasse pour se restaurer.

⌂ ***Sifkovits :*** Am Seekanal, 8. Sur le chemin du lac. ☎ 276 ou 360. Fax : 360-12. Hôtel de petit luxe offrant de spacieuses et confortables chambres (petit déjeuner compris dans le prix des chambres).

– Très nombreuses pensions, renseignements à l'office du tourisme.

⌂ ***Camping :*** au bord du lac Seebad. ☎ 595.Se munir absolument de crème antimoustiques.

Où manger ?

Les rues de Rust sont ponctuées de *heurigen* et de caves à vin. L'été, poussez les portes pour découvrir les cours intérieures. L'une d'entre elles nous est apparue particulièrement conviviale.

|●| ***Romerzeche :*** Rathausplatz, 11. ☎ 332. Cour fleurie avec des grandes tables en bois. On trinque avec ses voisins en mangeant des plats traditionnels : *Ungarisches Gulyas mit Knödel.*

|●| ***Backstube :*** Kirchengasse, 3. ☎ 6405. Juste à côté de la mairie. Assez chic. Particulièrement réputé pour son poisson. On a juste goûté les glaces : divines.

A voir

★ ***Fischerkirche (église des Pêcheurs) :*** accès par un petit escalier sur la Rathausplatz. Visite guidée. Église du XIIIe siècle reconstruite en gothique. Présente la particularité de posséder deux chœurs. L'un avec un petit autel noir et or de 1642. L'autre avec une pietà du XVe siècle et une jolie Vierge à l'Enfant couronnée. Intéressants vestiges de fresques romanes et gothiques.

★ ***Vogel Museum :*** Am Hafen, 2. ☎ 468. Sur la route du lac. Ouvert de 9 h à 12 h et de 13 h à 18 h, tous les jours d'avril à début novembre. Petit musée des oiseaux du lac, dont on mesure ici l'incroyable variété, ainsi que d'autres représentants de la faune locale (énorme sanglier).

Aux environs

MÖRBISCH AM SEE

Au sud de Rust, le dernier village avant la Hongrie. Très touristique en haute saison (nombreuses pensions, *Zimmer Frei* et hôtels). C'est une longue rue d'où partent d'étroites ruelles bordées de maisons basses chaulées de blanc dans une symphonie de rosiers grimpants, géraniums et de bouquets d'épis de maïs qui sèchent. Un charme certain !

– Visiter la ***Heimat Haus,*** Hauptstrasse, 55. Située dans une des ravissantes ruelles au centre du village. ☎ 02685/8354. Ouverte de Pâques à fin octobre, de 9 h à 12 h et de 13 h à 17 h. Petit musée ethnographique dans une maison ancienne typique (auvent sur deux colonnettes de pierre). Ameublement d'époque, bel ensemble (lit, armoire et tables de chevet) sculpté du XIXe siècle, cuisine traditionnelle, objets domestiques, cave avec exposition sur le vin et barrique de 1 460 l.
– En été, fameux ***festival populaire d'opérettes***, de mi-juillet à fin août, au bord du lac (prévoir à tout hasard une petite crème antimoustiques). Renseignements à l'office du tourisme. ☎ (02685) 81-81. Fax : 83-34.

NEUSIEDL AM SEE

Au bord du lac. Importante bourgade commerçante. Tour de guet du XVIe siècle. Dans l'église paroissiale du XVIIIe siècle, chaire en forme de bateau.

– ***Code postal :*** A-7100.

ℹ ***Office du tourisme :*** dans la rue principale. ☎ (02167) 22-29. Bon accueil et documentation variée sur la région.

Où dormir ? Où manger ?

⌂ ***Auberge de jeunesse :*** Herbergsgasse, 1. ☎ (02167) 22-52 (fax : même numéro). Ouverte du 1er mars au 31 octobre. Chambres de 3 ou 4 lits et quelques doubles. A 40 mn à pied du lac. Possibilité de manger midi et soir.

|●| ***Tittler :*** Obere Hauptstrasse, 13. ☎ 2504. Cuisine copieuse qui rappelle le passé étroitement lié à la Hongrie. Cadre propret, très central. Cour sans charme particulier. Bon et pas cher.

Où dormir dans les environs ?

A partir de Jois et en direction de Neusiedl, belle vue sur le lac.

⌂ ***Pension Kiss :*** Untere Hauptstrasse, 43. Dans le village de Jois. ☎ 02160/326. A 15 km de Neusiedl. Famille de viticulteurs. Accueil très familial. Discussion animée autour de leur bouteille de vin blanc. Pas cher, normal pour une pension privée.

A voir

★ ***Pannonisches Heimatmuseum :*** Kalvarienbergstrasse, 40. ☎ 02167/8173. Entrée libre. Ouvert du 1er mai au 31 octobre, de 10 h à 12 h et de 14 h 30 à... minuit selon les visites. Fermé le lundi. A ne pas manquer, l'un des plus fascinants musées ethnographiques d'Autriche. Œuvre de Karl Eidler, un très sympathique amoureux des vieilles choses qui les a recherchées et rassemblées pendant de nombreuses années. Résultat : un panorama complet de tous les métiers et arts populaires de la région. Des trouvailles rares exposées dans un cadre verdoyant et vraiment plaisant.
Impossible de tout citer. Pêle-mêle : instruments de musique du XIXe siècle, *cimbal* tsigane, vieux vestiaire de sacristie, vaisselle paysanne, collections étonnantes (lampes-tempête, serrures, berceaux, jouets, etc.). Petites pièces reconstituées (école, chambre de jeune fille, etc.), ruches, matériels de vigneron et agricole, harnais, roulotte des gens du voyage, buggies, charrettes, vieilles machines à tisser et à broyer le lin, atelier de cordonnier, enseignes, milliers d'outils et objets domestiques. Bref, un

extraordinaire travail de sauvetage. En prime, la gentillesse légendaire de M. Eidler dont vous n'oublierez pas la non moins légendaire barbe blanche... Magnifique ! Surtout, prévoir une petite heure pour boire avec M. Eidler un verre de l'amitié et s'enivrer de ces histoires. Entre 1981 et 1994, plus de 136 000 personnes ont franchi la porte du musée. Vous ne saurez plus en repartant si c'est grâce à M. Eidler que vous avez passé un bon moment ou si c'est grâce au voyage dans le temps proposé par le musée !

AU SUD DE NEUSIEDL AM SEE

ILLMITZ

En pleine Puszta. Campagne parsemée de puits à balancier et de huttes de roseaux. Réserve d'oiseaux. Plage réputée. En fait, pas de plage de sable, mais un doux gazon ombragé qui va jusqu'au bord de l'eau. Beaucoup de monde le week-end. Plage payante jusqu'à 17 h.

– Illmitz propose aux vacanciers plusieurs ***activités nautiques :*** planche à voile, surf (eh oui !), pédalo.

– Possibilité de ***traverser le lac en bateau*** jusqu'à Mörbisch toutes les heures de mi-avril à fin octobre. L'hiver, le lac appartient aux patineurs ou aux amateurs de char à voile.

– Le lac de Neusiedl est un paradis pour les amoureux de la petite reine tranquille. ***Location de vélos***. Pas de grosses montées fatigantes ! Marais, faune et flore très riches et vues du lac imprenables en randonnées cyclistes.

– Balades d'une heure autour du lac en ***calèche.*** Départ à côté de l'église.

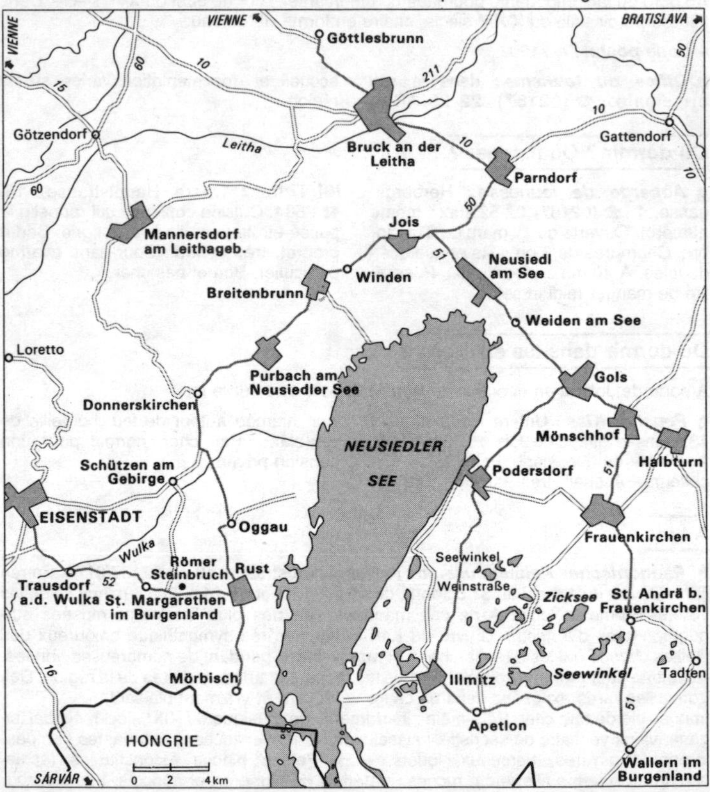

NEUSIEDLER SEE

Où manger, où boire un verre ?

|●| ***Pusstaschene :*** grande « grange » en bois et en roseaux. Construction typique de cette puszta hongroise. Ouvert tous les jours d'avril à octobre. Concerts tous les soirs à partir de 19 h sauf le lundi. C'est très convivial.

PODERSDORF

Ravissante plage de gazon. Entrée libre. Mêmes activités qu'à Illmitz. Ce sont les deux plages réputées les plus sympa autour du lac. Bassin plus profond à Illmitz.

APETLON

Village à l'architecture hongroise particulièrement affirmée. Sur la place principale, ravissante demeure baroque avec un puits à balancier devant.

FRAUENKIRCHEN

Très belle ***église de l'Assomption*** (Maria Himmelfahrt Kirche). Démolie par les Turcs en 1683, reconstruite en style baroque. Décor intérieur assez époustouflant. Monumental retable sculpté. Chaire croulant sous les ors, riches stucs et fresques au plafond. Vierge du XIIIe siècle et une autre allaitant curieusement (dans la chapelle à gauche du chœur).

Où manger ?

|●| ***Altes Brauhaus :*** en face de l'église. ☎ (02172)/2217. Cour intérieure avec un petit puits, ouverte sur un jardin très mignon. Joie de découvrir pendant le repas sur la cheminée du resto un couple de cigognes. Accueil souriant. Le fromage est un poil cher mais l'ensemble de la carte est à des prix tout à fait honnêtes.

HALBTURN

Au nord-est de Frauenkirchen, Halbturn est un village à l'architecture et à la géographie typiquement hongroise.

★ ***Le château :*** il appartient au baron Wald Bot. Le gouvernement du Burgenland en loue une partie de mai à octobre, pour organiser des expositions sur des particularismes de la province (genre expo sur la diversité de la faune autour du lac). C'est l'ancien château de chasse de l'empereur Charles VI. De style baroque très prononcé déjà par sa couleur bleu pastel, il est ouvert tous les jours de 9 h à 18 h. ☎ 02172/8577. A l'entrée du parc, jolie *chapelle* du même bleu pastel qui présente l'originalité d'avoir une magnifique loge impériale, imposante ; elle occupe d'ailleurs tout le chœur.

FORCHTENSTEIN

★ ***Burg Forchtenstein :*** au sud d'Eisenstadt. A environ 5 km de la ville de Forchtenstein, dans la montagne. Uniquement visite guidée. Ouvert d'avril à fin octobre de 8 h à 12 h et de 13 h à 16 h. Cette forteresse médiévale est toujours la propriété de la famille Esterházy. Belle vue sur la vallée à travers les meurtrières. Noter à l'intérieur du château le puits de 142 m de profondeur ! Nombreuses armes, costumes militaires...

LA STYRIE

La province la plus étendue du pays après la Basse-Autriche, appelée aussi « le cœur vert de l'Autriche ». Région de contrastes, elle connaît deux reliefs bien distincts : au nord, une région très montagneuse, puis une transition forestière. Vers la Slovénie, une région de douces collines, de coteaux chargés de vignes, des paysages chaleureux et sensuels évoquant la Toscane.

GRAZ

IND. TÉL. : 0316

Capitale de la Styrie, deuxième ville d'Autriche. Suffisamment grande, centrale, historique et prestigieuse, elle aurait fait une capitale de l'Autriche très crédible. Elle possède trois universités très renommées, rivales permanentes de celle de Vienne, ainsi qu'une riche vie culturelle (musique, opéra, théâtre, maisons d'édition). A notre avis, la ville la plus romantique d'Autriche. Sa vieille ville compose un des plus beaux ensembles Renaissance d'Europe centrale. Thomas Bernhardt venait s'y reposer des turpitudes viennoises et Peter Handke a choisi d'y vivre.

Un peu d'histoire

Région faisant partie de l'empire de Charlemagne. Puis, il y eut un petit château, *Gradec* (d'où viendra Graz), chargé de contenir les assauts slaves et hongrois. Au XIIIe siècle, c'est une ville à part entière avec ses propres juridictions. Une des branches des Habsbourg y établit son pouvoir et produisit quelques empereurs (notamment Frédéric III en 1440). Graz connut alors jusqu'au début du XVIIe siècle une très grande prospérité. Puis, la ville dut faire face aux grands dangers de ce siècle : les Turcs et la peste (en 1680, 20 % des Grazois périrent). Les Français occupèrent Graz par trois fois en 1797, 1805 et 1809. La première moitié du XIXe siècle fut heureuse, grâce à l'archiduc Jean qui développa les arts et l'université. La ville ne connut qu'une période sombre, le nazisme, auquel elle adhéra massivement. L'Anschluss fut fêté dans les rues par la grande majorité de la population. Il n'y eut même pas de punition architecturale puisque les tapis de bombes de la dernière guerre épargnèrent la vieille ville. Tant mieux pour les amoureux de Graz aujourd'hui. Ils sont nombreux à jouir de son romantisme germanique et de sa chaude « italianité ».

Adresses utiles

– ***Code postal :*** A-8020.

🛈 ***Office du tourisme*** *(plan C2) :* Herrengasse, 16. Ouvert de 9 h à 18 h. ☎ 83-524-11 ou 12. Fax : 83-79-87. Bureau du tourisme à la gare : ☎ 91-68-37.

■ ***Institut français*** *(plan C2, 1) :* Herrengasse, 3. ☎ 82-93-96.

■ ***Consulat de Belgique :*** Keplerstrasse, 105. ☎ 90-70-14.

✉ ***Grande poste :*** Neutorgasse, 46. Ouverte 24 h sur 24 tous les jours.

Renseignements train : Hauptbahnhof, Bahnsteig, 1. ☎ 91-68-37.

Renseignements bus : ☎ 913-50-00.

✈ ***Renseignements aéroport :*** ☎ 29-15-41.

Où dormir ?

Bon marché à prix moyens

⌂ ***Jugendgästehaus (A.J.*** *; plan A3, **10**) :* Idlofgasse, 74. ☎ 91-48-76. Fax : 91-48-76-88. A 15 mn à pied de la gare. Descendre Eggenberger Gürtel, puis à gauche dans Josef Huber Gasse. Grand parking.

⌂ ***Pension Rückert :*** Rückertgasse, 4 *(plan D1, **11**).* ☎ 32-30-31. Maison particulière dans un quartier tranquille. Prendre le bus 1 à partir de la place principale. Jeune fille très agréable à l'accueil.

⌂ ***Hôtel Strasser :*** Eggenberger-Gürtel, 11 *plan A3, **12**).* ☎ 91-39-77. Le plus proche de la gare. Parmi les chambres les moins chères de la ville. Grande bâtisse rose. Gentillet et pour l'accueil et pour la tenue générale.

🏠 ***Pension Iris*** *(plan C1-2,* ***13****) :* Bergmanngasse, 10. ☎ 32-20-81. Fax : 32-20-81-5. Au nord de la vieille ville, dans un quartier résidentiel. Assez accessible à pied (à travers le jardin public), à 10 mn du centre. C'est impeccablement tenu. Chambres très très spacieuses et bien meublées (parfois salon dans la chambre), certes un peu vieillot. Honnête niveau prix.

🏠 ***Hôtel Zur Stadt Feldbach*** *(plan D3,* ***14****) :* Hötzendorfstrasse, 58. ☎ 82-94-68. A côté du parc des expositions de Graz. Bon marché. Propret. Les prix n'incluent pas le petit déjeuner. Un peu bruyant. A prendre si tout est complet ailleurs.

🏠 ***Rosen-Hotel Steiermark*** *(plan D1,* ***16****) :* Liebiggasse, 4. ☎ 324-041. Fax : 38-15-03-62. Pas trop loin du centre. Sur le campus, dans une résidence universitaire confortable. Transformée en hôtel du 1er juillet au 30 septembre. A 10 mn à pied en traversant le jardin public.

Prix moyens à plus chic

🏠 ***Hôtel drei Raben*** *(plan A2,* ***15****) :* Annenstrasse, 43. ☎ 91-26-86 et 91-26-85. Fax : 91-59-596. Pas loin de la gare et du centre ville (dans le prolongement du Hauptbrücke). Pas de charme particulier, mais moderne, propre, confortable.

🏠 ***Graschi :*** Steinbergstrasse, 4. ☎ 58-32-13 et 58-35-94. A l'ouest de la ville. Au terminus du tram n° 7 ou pour ceux qui possèdent un véhicule. Sympathique petit hôtel dans une demeure particulière et chaleureuse. A peine une dizaine de chambres. Fort bien tenu. Atmosphère familiale. Bon resto.

🏠 ***Gasthof Häuserl im Wald :*** Roseggerweg, 105. ☎ 39-11-65. Fax : 39-22-77. Comme son nom l'indique, situé dans un coin très verdoyant. Pour ceux qui possèdent un véhicule et peuvent mettre quelques schillings de plus, un des endroits les plus sympa de la ville. Situé à environ 3 km, sur le chemin du sanctuaire de Maria Trost. Accès par Heinrich Strasse (rue importante donnant sur Glacis Strasse, boulevard enserrant la vieille ville). Auberge bien indiquée de Maria Troster Strasse (qui prolonge la Heinrich). Réservation très recommandée. Grande demeure fleurie à l'orée de la forêt. Parfois, on voit passer des cerfs. En tout cas, les belles nuits d'été, on entend coasser les grenouilles. Belles chambres confortables. Superbe restaurant (voir chapitre « Où manger ? »).

Plus chic

🏠 ***Hôtel Erzherzog Johann*** *(plan C2,* ***17****) :* Sackstrasse, 3. ☎ 81-16-16. Fax : 81-15-15. Dans l'une des plus belles rues, quasiment sur la place principale. Ancien palais baroque. Beaucoup de charme. Chambres meublées XIXe siècle, s'ordonnant autour d'un atrium avec des plantes vertes partout. Restaurant possédant une excellente réputation.

🏠 ***Grand Hôtel Wiesler*** *(plan C2-3,* ***18****) :* Grieskai, 4. ☎ 90-66. Fax : 90-66-76. Sur la rive droite de la Mur. Bon, Alfred Hitchcock y est descendu. C'est pas pour ça qu'on y dort mieux. En revanche, l'épaisseur de la moquette, la hauteur des plafonds, la taille des lustres témoignent d'un luxe certain qui lui vous aidera certainement à bien dormir. Hyper classe mais un peu froid.

Très chic

🏠 ***Schlossberg Hotel*** *(plan C2,* ***19****) :* Kaiser-Franz-Josef-Kai, 30. ☎ 80-70. Fax : 80-70-160. Hôtel de charme, au pied de la colline du château. Superbe hall à voûtes et colonnes. Ameublement de style. Chambres toutes personnalisées. Terrasse, sauna, solarium, piscine. Vue remarquable sur la forêt de toits et leurs tuiles patinées.

Campings

🏠 ***Waldcamping Riederhof :*** ☎ (0316) 28-43-80. Ouvert toute l'année. Près d'une immense forêt de 12 ha. Propre, agréable et pas trop grand (55 emplacements).

🏠 ***Camping Central :*** Martinhofstrasse, 3. ☎ (0316) 28-18-31. Ouvert uniquement l'été. Dans le quartier de Strassgang. Pour s'y rendre, bus n° 32. Piscine, animations pour les petits et grands, cinéma en plein air. Beaucoup de place (parc de 4 ha).

Où manger ?

Bon marché

🍴 ***Lend Platzl*** *(plan B1,* ***30****) :* Lend Platzl, 11. ☎ 91-65-67. Ouvert de 10 h à 1 h tous les jours. Sur l'autre rive, à peine 15 mn à pied du centre. Quartier peu touristique. Resto populaire avec une grande terrasse en été. Jolie salle à manger. Carte assez fournie. Spécialités de la Styrie, comme le *Geröstete Leber,* le *Zwiebelrostbraten,* le *Brettljause,* etc. Prix fort modérés. Deux petits menus.

🍴 ***Hermann-Moser*** *(plan D2,* ***31****) :* Opernring, 8. ☎ 82-60-83. En face de l'Opéra. Petite terrasse. Rien de transcendant mais l'un des endroits les moins chers de la ville pour manger.

🍴 ***Krebsen Keller*** *(plan C2,* ***32****) :* Sackstrasse, 12. ☎ 82-93-77. Fax : 83-56-21.

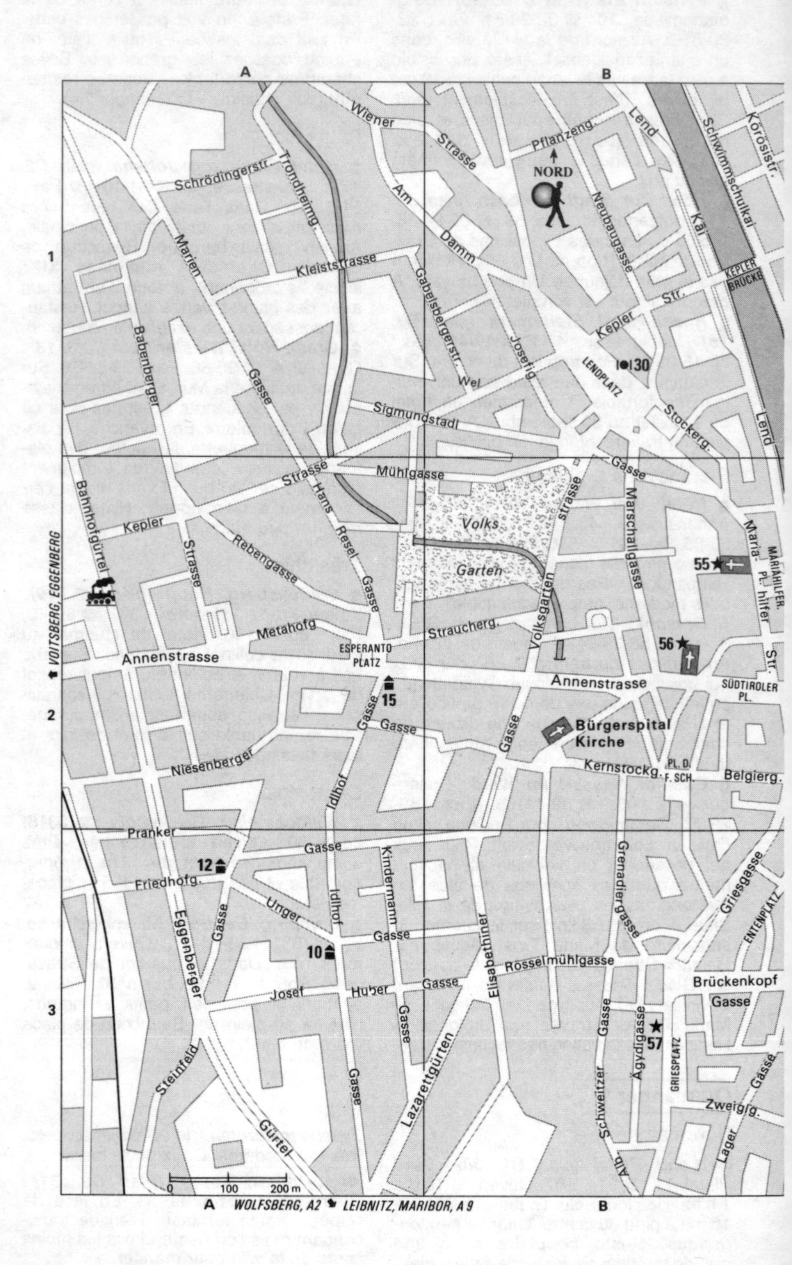
A
B
1
2
3
NORD
Wiener
Strasse
Pflanzeng.
Lend
Schwimmschulkai
Körösistr.
Schrödingerstr.
Trondheimg.
Am
Damm
Neubaugasse
Kai
KEPLER BRÜCKE
Marien
Kleiststrasse
Gabelsbergerstr.
Kepler
Str.
Babenberger
Gasse
Josefig.
LENDPLATZ
30
Wel
Sigmundstadl
Stockerg.
Lend
Strasse
Mühlgasse
Gasse
Bahnhofgürtel
Kepler
Hans
Volks
strasse
Marschallgasse
Maria-
Rebengasse
Resel
Garten
55
MARIAHILFER PL.
hilfer
Strasse
Gasse
Volksgarten
VOITSBERG, EGGENBERG
Metahofg
Straucherg.
56
Str.
Annenstrasse
ESPERANTO PLATZ
Annenstrasse
SÜDTIROLER PL.
15
Gasse
Gasse
Bürgerspital Kirche
Gasse
Niesenberger
Kernstockg.
PL. D. F. SCH.
Belgierg.
Idlhof
Pranker
Gasse
Kindermann
Grenadiergasse
Griesgasse
12
Friedhofg.
ENTENPLATZ
Unger
Idlhof
Elisabethiner
Eggenberger
Gasse
Gasse
10
Rösselmühlgasse
Josef
Huber
Gasse
Brückenkopf
Gasse
Gasse
Gasse
57
Steinfeld
Ägydigasse
GRIESPLATZ
Gasse
Schweitzer
Gasse
Lazarettgürtel
Zweigig.
Gürtel
Lager
Alb.
0
100
200 m
WOLFSBERG, A2
LEIBNITZ, MARIBOR, A 9

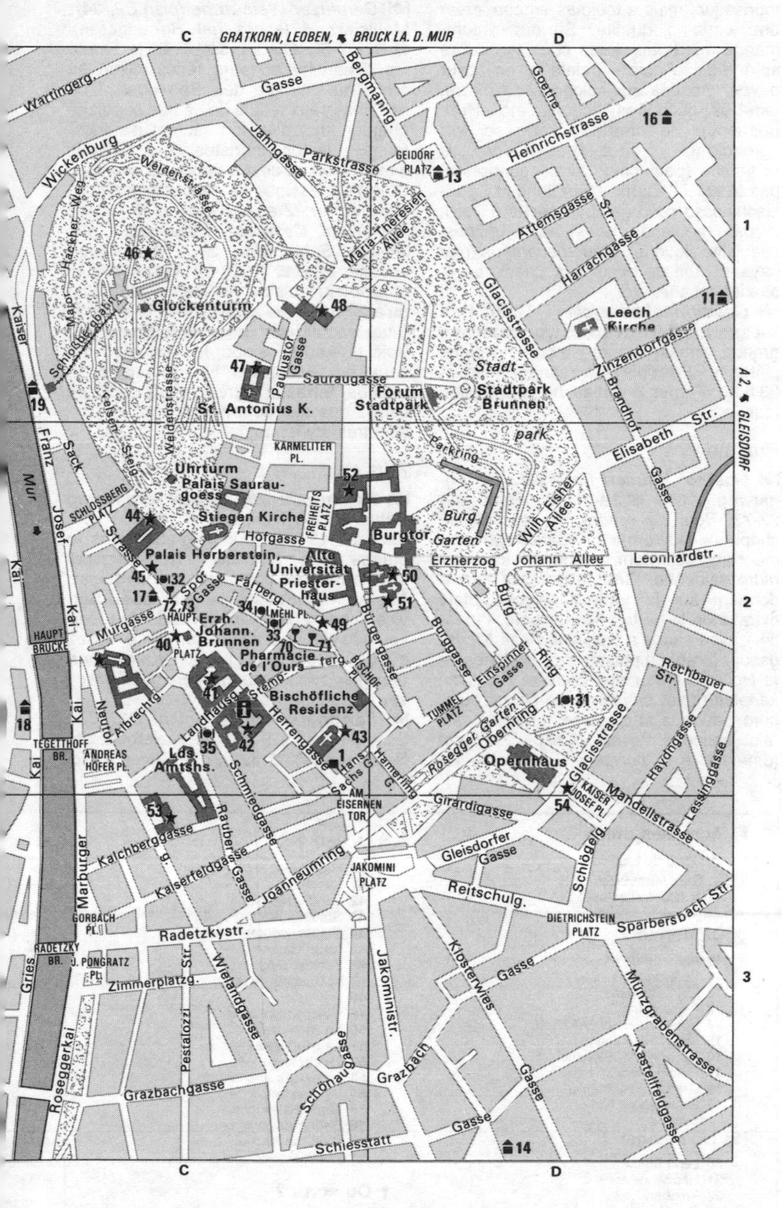
GRATKORN, LEOBEN, BRUCK LA. D. MUR
A 2, GLEISDORF
Glockenturm
St. Antonius K.
Forum Stadtpark
Stadtpark Brunnen
Stadtpark
Uhrturm
Palais Saurau-goess
Stiegen Kirche
Palais Herberstein
Alte Universität
Priesterhaus
Burgtor
Burggarten
Erzh. Johann. Brunnen
Pharmacie de l'Ours
Bischöfliche Residenz
Lds. Amtshs.
Opernhaus
Leech Kirche
Mur
Wickenburg
Wartingerg.
Parkstrasse
Heinrichstrasse
Attemsgasse
Harrachgasse
Glacisstrasse
Zinzendorfgasse
Elisabeth Str.
Leonhardstr.
Herrengasse
Bürgergasse
Burggasse
Sporgasse
Hofgasse
Murgasse
Schmiedgasse
Raubergasse
Kalchberggasse
Kaiserfeldgasse
Joanneumring
Opernring
Girardigasse
Mandellstrasse
Gleisdorfer Gasse
Reitschulg.
Sparbersbach Str.
Radetzkystr.
Zimmerplatzg.
Wielandgasse
Jakoministr.
Klosterwies Gasse
Münzgrabenstrasse
Kastellfeldgasse
Schönaugasse
Grazbach Gasse
Grazbachgasse
Schiesstatt
Roseggerkai
Marburger Kai
Jakomini Platz
Dietrichstein Platz
Am Eisernen Tor
Hauptbrücke
Tegetthoff Br.
Radetzky Br.
Karmeliter Pl.
Freiheits Platz
Schlossberg Platz
Hauptplatz
Geidorf Platz
Kaiser Josef Pl.
Andreas Hofer Pl.
Gorbach Pl.
J. Pongratz Pl.
Tummel Platz
C
D
1
2
3

GRAZ (CENTRE)

Ouvert tous les jours jusqu'à minuit. A deux pas de la place principale. Très touristique, mais a toujours su conserver une certaine qualité. Surtout recommandé aux beaux jours pour son cadre splendide. Ancien palais avec cour pavée, arcades sur colonnes de pierre, fenêtres géminées, loggia, etc. Bref, beaucoup de charme. Terrasse fort agréable (ça va de soi !) et salle voûtée et fraîche (pour ceux qui ne supportent pas le soleil). Carte assez longue : goulasch, *osso collo* (jambon séché à l'air), *ražnicí* (boulettes de viandes grillées, spécialité slovène), *Bauernschmaus* (plat paysan), rôti de bœuf aux quenelles et airelles rouges, etc.

Gambrinuskeller *(plan C2, **33**)* : Prokopig, 1. ☎ 81-01-81. Hyper central, grande terrasse ombragée sur une place piétonne. Possible d'y manger jusqu'à 23 h 30. Fermé le dimanche. Carte bien fournie.

Prix moyens

Gasthof Häuserl im Wald : Roseggerweg, 105. ☎ 39-11-65. Fax : 39-22-77. Pour s'y rendre, se reporter au chapitre « Où dormir ? ». Cadre extrêmement agréable pour une délicieuse nourriture styrienne. Grande terrasse fleurie donnant sur la forêt. Quelques plats extraits de la carte : filet de porc « triestin » avec sauce à l'ail, filet steak Madagascar (bœuf au poivre vert), *Kalbsteak à la Holstein* (veau aux œufs et riz), *Balkanplatte* (plat paysan avec choucroute, porc, saucisse et quenelles), filet de carrelet sauce à l'aneth, *Kaiser-Schmarrn* (omelette à la compote). Spécialité de truite. Conseillé de réserver. Une de nos meilleures adresses.

Gamlitzer Weinstube *(plan C2, **34**)* : Mehlplatz, 4 (accès par Herrengasse). ☎ 82-87-60. Ouvert jusqu'à 23 h. Fermé les dimanche et jours fériés. Situé au cœur du Triangle des Bermudes. L'un des nombreux restos de ce très populaire quartier ancien piéton. Autant d'autochtones que de touristes. Les Grazois aiment bien ce coin à terrasses animées. Cuisine classique à prix acceptables : *Steirischer Ziegenkäse, Gebackene Melanzani, Cevapčići, Käsespätzle,* etc.

Zur Schmiedn : St. Peter Hauptstrasse, 225. ☎ 40-28-32. Ouvert à midi et le soir jusqu'à minuit. Repas servis jusqu'à 22 h. Fermé le dimanche et le lundi. Situé au sud-est de la ville. Bus n° 36. Voici une adresse pour les courageux ou ceux qui fuient les lieux touristiques. Grande terrasse agréable où vous ne verrez que des gourmands grazois. Cuisine très styrienne.

Plus chic

Restaurant de l'hôtel Erzherzog Johann : Sackstrasse, 3. ☎ 81-16-16. Fax : 81-15-15. Parking gratuit dans le garage près de l'hôtel. Très élégante salle à manger dans l'atrium *(Wintergarten)* au milieu des plantes grasses. Service impeccable. Recommandé de réserver. Cuisine traditionnelle. Carte assez courte. Quelques plats : *Kalbsleber, Gepökelte Rinderzunge, Spargel Schweizer Art,* etc. Vin pas trop cher.

Landhaus-Keller *(plan C2, **35** :* Schmiedgasse, 9 (accès également par Herrengasse). ☎ 82-03-76. Ouvert à midi

Adresses utiles

Office du tourisme
Gare ferroviaire
1 Institut français

Où dormir ?

10 Auberge de jeunesse
11 Pension Rückert
12 Hotel Strasser
13 Pension Iris
14 Hotel Zur Stadt Feldbach
15 Hotel drei Raben
16 Rosen-Hôtel Steiermarkt
17 Hotel Erherzog Johann
18 Grand Hotel Wiesler
19 Schlossberg Hotel

Où manger ?

30 Lend Platzl
31 Hermann-Moser
32 Kresben Keller
33 Gambrinuskeller
34 Gamlitzer Weinstube
35 Landhaus Keller

★ A voir ?

40 Hauptplatz
41 Landhaus
42 Landeszeughaus
43 Stadtpfaukirche
44 Stadtmuseum
45 Neue Galerie
46 Schlossberg
47 Volkskunde Museum
48 Paulustor
49 Glockenspielplatz
50 La cathédrale
51 Le mausolée
52 Le château
53 Le musée Joanneum
54 Le marché paysan
55 Maria Hilfekirche
56 Barmherzigenkirche
57 Welsche Kirche
58 Franziskaner Kirche

Où sortir ?

70 Le M1
71 Café Glockenspiel
72 Café Nordstern
73 König

et le soir jusqu'à minuit. Fermé le dimanche. A l'intérieur, cadre particulièrement réussi. Mais le véritable must, c'est de dîner en terrasse dans la cour du Landhaus, avec son merveilleux décor Renaissance en toile de fond (penser à réserver, surtout le soir). On peut même manger sous un antique pressoir. Quelques spécialités : *Sauere Rahmesuppe* (soupe aigre-douce), *Schnitte vom Styria beef* (champignons et quenelles), *Erdäpfelstrudel* (avec choucroute cuite dans le vin), *Tafelspitz* (pot-au-feu), boudin noir au cidre, etc.

A voir

★ ***Hauptplatz*** *(plan C2, **40**)* : depuis le XIIe siècle, le cœur triangulaire de la ville. C'est là que, suivant la nature des délits commis, on vous plaçait sur un âne en bois, dans la cage des fous, au pilori ou sur l'échafaud. Au milieu, la statue du bien-aimé Jean, prince de Styrie (mort en 1359).
Tout autour, quelques-unes des plus remarquables demeures de la ville. En particulier, à droite du Rathaus (au n° 3), la *maison Weiss* de 1710. Plus loin, la *pharmacie Adler* édifiée en 1535. A l'époque, on y vendait des épices. Bel encorbellement de pierre et colonnes. A l'intérieur, voûtes et boiseries marquetées. Au n° 6, la *maison Zur Blauen Kugel* du XVIe siècle avec son saint Christophe.
Au coin de la Sporgasse (face au café Nordstern), le *Luegg,* les deux plus jolies maisons avec leurs façades richement ornementées de stucs. Fermant la place, l'hôtel de ville *(Rathaus)* reconstruit à la fin du XIXe siècle.

★ ***Landhaus*** *(plan C2, **41**)* : Herrengasse, 16. C'est le siège du gouvernement régional, chef-d'œuvre Renaissance. La sévère façade ne permet pas de deviner la magnifique cour intérieure à arcades. Un architecte italien en fut le principal maître d'œuvre en 1557, ceci explique l'air très latin de l'ensemble. Plusieurs curiosités : le remarquable baldaquin en fer forgé du puits, ainsi que la gargouille en bronze particulièrement originale et la pendule dont les aiguilles sont inversées...
Possibilité de visiter la *salle de la Diète* (Landstube), qui abrite depuis 400 ans le parlement provincial (visite en dehors des journées de cession du parlement ; jours et horaires à l'office du tourisme). Très belle cheminée monumentale, décors de stucs de la période baroque, dorures, lustres de cristal. A côté, petite chapelle avec ravissant retable noir et doré.

★ Au 3, Herrengasse, la ***Gemaltes Haus,*** l'une des dernières maisons peintes de la ville. Façade réalisée au début du XVIIe siècle par un artiste italien.

★ ***Landeszeughaus*** *(plan C2, **42**)* : Herrengasse, 16. Dans le prolongement du Landhaus, c'est l'arsenal, édifié en 1649. Ouvert de 9 h à 17 h ; samedi, dimanche et jours fériés, de 9 h à 13 h. Ouvert d'avril à fin octobre. Splendide portail. Ce fut l'un des plus importants dépôts d'armes au monde, et le seul subsistant aujourd'hui dans son état original, avec son stock intact. Les amateurs d'armes et armures médiévales seront à la noce. Plus de 30 000 pièces, dont 8 000 armes à feu : mousquets, arquebuses, pistolets ouvragés, poires à poudre, moules pour fondre les balles, etc. Magnifiques armures ciselées comme des pièces d'orfèvrerie. Une pièce absolument remarquable : l'armure de cheval d'un Stubenberg du XVIe siècle.

★ ***Stadtpfarrkirche*** *(plan C2, **43**)* : pour achever la visite de cette très riche Herrengasse, allons admirer cette intéressante église paroissiale du « Sang très pur ». Datant du gothique, elle fut baroquisée au XVIIIe siècle et hérita de son ravissant clocher à bulbe (entièrement en bois). A l'intérieur, ne pas manquer l'*Assomption de la Vierge* du Tintoret (dans la nef latérale droite). Une curiosité : la verrière de gauche dans le chœur, le quatrième panneau à droite (en partant du bas). Scène de flagellation avec, parmi la foule, deux sinistres spectateurs... Hitler et Mussolini. L'artiste qui refit les vitraux après les destructions de la dernière guerre renouait ainsi avec une grande tradition médiévale qui consistait à peindre ou sculpter des personnages contemporains dans les œuvres. L'initiative ne fut découverte que quelques années après, par hasard, et fit grand bruit.

★ ***Sackstrasse*** *(plan C2)* : rue qui part de la Hauptplatz, bordée de palais aux splendides portails. Ne pas manquer de jeter plus qu'un œil aux cours intérieures. Notamment au n° 12 (restaurant *Krebsen Keller*). Au n° 16, le *palais Herberstein* et son escalier monumental. Au n° 22, un des plus beaux porches, avec aigles couronnées et Vierge dans niche (maison *Alte Münze,* ancien hôtel de la Monnaie au XVIIIe siècle). En face du *Stadtmuseum* (musée municipal), le *palais Attems* de 1702, avec une façade abondamment ornementée. A l'intérieur, très bel escalier. A côté, l'église de la Trinité de la même époque.

★ ***Stadtmuseum (musée municipal**; plan C2, **44**)* : Sackstrasse, 18. ☎ 82-25-80. Abrité dans un élégant palais. Ouvert de 10 h à 18 h (nocturne jusqu'à 21 h le mardi et fermeture à 13 h le dimanche). Fermé le lundi. En rénovation en 1995, il devrait être flambant prêt pour 1996. Cependant les horaires risquent d'être modifiés. Soyez indulgent. Immense maquette de la cité. Peintures, aquarelles sur la ville, dont de très belles œuvres de Conrad Kreuzer (milieu du XIXe siècle). Velouté, grand touché de nuances, finesse d'exécution remarquable. Intéressant travail de Joseph Kuwasseg également. Vieux plan de la ville. Ancienne pharmacie reconstituée. Chambre meublée en style Biedermeier et copie d'une fresque à l'extérieur de la cathédrale figurant les trois catastrophes qui frappèrent la ville en 1480 : les sauterelles, les Turcs, la grande peste... Pour finir (ou commencer), vestiges de la période préhistorique introduisant le cycle sur le développement de la ville.

★ ***Neue Galerie (Nouvelle Galerie**; plan C2, **45**)* : Sackstrasse, 16. Entrée libre pour les étudiants. Surtout n'oubliez pas votre carte, presque tous les musées de Graz sont gratuits pour les étudiants. Ouverte de 10 h à 18 h (de 10 h à 13 h le week-end). Installée dans le *palais Herberstein* dont on peut admirer la magnifique cage d'escalier. Dans l'élégante cour du palais, quelques sculptures modernes. La galerie possède des esquisses et autres pièces assez remarquables d'Egon Schiele, elles ne sont cependant pas toujours exposées, sur demande expresse uniquement, vous y aurez accès (prendre rendez-vous). Pour la galerie, accrochez-vous, l'art moderne dans toute sa puissance, on se demande parfois si le radiateur appartient également à la collection. Des pièces de Sylvie Fleury, d'Erwin Wurm... On a envie de dire, comme Les Inconnus, c'est tout Paalachi ! (surtout devant les saucisses blanches sous verre).

★ ***Schlossberg** (plan C1-2, **46**)* : colline dominant Graz à 123 m. Ses fortifications résistèrent aux troupes napoléoniennes lors de la prise de la ville en 1809. Malheureusement pour les Grazois, le traité de Vienne qui suivit impliquait sa démolition et ils durent racheter le droit de conserver la tour de l'Horloge (*Uhrturm,* aujourd'hui l'un des symboles de la ville). Elle date de 1560. Une curiosité : l'aiguille indiquant les heures est plus grande que celles des minutes. Accès par un escalier assez raide qui part de la place devant l'église de la Trinité *(Schlossbergplatz),* par le funiculaire un peu plus loin ou par la route. D'en haut, le panorama sur les vénérables toits rouge-brun de la ville se révèle bien entendu superbe. Petit musée militaire. Resto et cafés très sympa sur la colline.

★ ***Volkskundemuseum (musée des Traditions populaires**; plan C1, **47**)* : Paulustorgasse, 13. ☎ 83-04-16. Ouvert de 9 h à 17 h (week-end et jours fériés jusqu'à 12 h). Dans la rue prolongeant Sporgasse et allant vers la porte de ville Paulus. A côté de l'église orthodoxe. Abrité dans un ancien couvent, un intéressant petit musée ethnographique. Cour de ferme reconstituée avec puits, pressoir, machines agricoles, ruches, etc. Salle avec objets domestiques (vieilles huches, traîneaux sculptés, barattes en bois). Maison paysanne remontée avec son rugueux escalier, l'âtre en pierre, le lit-bateau, les plafonds noircis. On y sent encore l'odeur âcre du feu imprégnée dans le bois. Belles armoires peintes, chapeaux traditionnels.
Dans le bâtiment en face, boîtes ouvragées, jouets, broyeur de lin, ex-voto, jeux d'enfants, etc. Curieux Christ en croix habillé en paysanne (avec de la poitrine !), appelé ici *Heilige Kümmernis* (Sainte Affliction) et dont l'origine donne lieu à diverses interprétations. Belle série de meubles paysans peints et sculptés.

★ Au bout de Paulustorgasse, ***Paulustor** (plan C1, **48**),* porte de ville de l'ancienne enceinte avec vestige de rempart (date de 1623). Au-delà s'étend l'ancien glacis, opportunément transformé en parc. Belle fontaine *(Stadtparkbrunnen)* avec personnages fondus à Paris. On y trouve également le *Forum Stadtpark,* centre culturel très populaire. Au-delà du parc, la *Leech Kirche* proposant de beaux vitraux du XIVe siècle et une ravissante Vierge au tympan du porche.
Retour sur Paulustorgasse pour retrouver l'imposant *palais Wildenstein* de 1786. Façade rythmée par colonnes corinthiennes et fenêtres abondamment ouvragées. Arrêt-image sur la *Karmeliterplatz.* Colonne de peste de 1685.

★ ***Sporgasse** (plan C2)* : l'une des rues les plus pittoresques. Aux XIVe et XVe siècles, elle se consacrait à la fabrication des armes (*Sporgasse* : rue des fabricants d'éperons). Quasiment chaque maison présente un intérêt. Au n° 25, élégante cour intérieure avec galeries à colonnes. Porte au blason finement sculpté et joli travail de ferronnerie (*palais Saurau Goëss* de 1730). Au n° 28, *auberge du Plateau d'or,* bel édifice Renaissance à façade ocre rouge. Au n° 22, adorable petite cour des Chevaliers teutoniques, avec étages à arcades et élégant escalier. Au passage, dans Hofgasse une rue perpendiculaire, *Edegger Tax,* la plus ancienne boulangerie de Graz (1569) avec une exquise devanture en bois ciselé et marqueté. Au n° 13, tympan de porte intéressant. Au n° 10, voir l'intérieur de la *pharmacie* (vieux comptoir, casiers en bois verni, boîtes à potions). Au n° 3, splendide façade *Jugendstil.*

★ ***Glockenspielplatz*** *(plan C2,* ***49****)* et ses alentours : autre réjouissante balade. Au n° 4, voir la *Glockenspielhaus* avec sa pendule et son carillon au-dessus de la lucarne. Au n° 5, *Bischofplatz,* belle maison d'angle de 1600. Au n° 1, le *palais Inzaghi* de 1775.

★ ***La cathédrale*** *(plan C-D2,* ***50****) :* Bürgergasse. De style gothique tardif. Aspect un peu massif. Portail principal dit « en accolade ». Fresque des Fléaux de 1481 (reproduite au musée municipal), malheureusement fort abîmée. Dans le chœur, retable baroque monumental. A l'opposé, l'orgue de style rococo avec plus de 5 000 tuyaux. Luxueuse tribune impériale qui fut reliée dans le temps au palais de l'autre côté de la rue. Chaire copieusement ornée de dorures. Lustres en cristal de Murano. Banc sculpté et marqueté du XVIIIe siècle. De part et d'autre du chœur, superbes coffres en bois incrustés d'ivoire (scènes d'un poème de Pétrarque). Une curiosité : le luxe incroyable des confessionnaux !
A côté de la cathédrale, le ***mausolée*** *(plan* ***51****)* commandé par l'archiduc Ferdinand en 1614, compromis entre le maniérisme autrichien et le style baroque italien. Sur le fronton, sainte Catherine. Chapelle funéraire avec un riche décor de stucs. Dans la crypte impériale, sarcophage de marbre rouge avec les gisants de l'archiduc Charles II et de son épouse. Une anecdote : en fait, l'archiduc n'y est pas. Il refusa avant de mourir d'être enterré avec elle, car il avait trop eu à souffrir de son caractère. Attention aux horaires : ouvert de 10 h à 12 h et de 13 h 30 à 15 h. ☎ 82-16-83.
En face de la cathédrale, l'ancienne université catholique. A l'intérieur, cour de style jésuito-Renaissance.

★ ***Le château (Burg*** *; plan C-D2,* ***52****) :* accolé au *Burgtor,* une des deux seules portes qui subsistent des anciens remparts. Du château initial, construit au XVe siècle, il reste à vrai dire peu de chose, mais qui vaut la visite. Entre la première et la deuxième cour, à gauche, tour de 1499. Ne pas manquer l'admirable escalier à double révolution. Véritable prouesse architecturale, puisqu'il ne s'appuie pas du tout sur des axes centraux. Noter les signes gravés dans le marbre. On pensa un temps à des signes cabalistiques, alors que ce n'était que le code laissé par chaque maçon pour être payé !
Dans la deuxième cour, aile Renaissance avec sgraffites d'origine.

★ ***Le musée Joanneum*** *(plan C2-3,* ***53****) :* Neutorgasse, 45. ☎ 80-71-47-80. Ouvert du mardi au vendredi de 9 h à 17 h. Les week-ends et jours fériés de 10 h à 13 h. Fermé le lundi. Erzherzog Johann (frère de l'empereur François Ier), d'esprit très ouvert, était particulièrement intéressé par les sciences et la culture. Il a fait don de sa collection personnelle à la Ville de Graz en 1811. Elle fut alors exposée là où se trouve aujourd'hui les départements de *Géologie, Paléontologie, Minéralogie, Zoologie* et *Botanique.* Karl Lacher a voulu poursuivre cette initiative. Lui-même, passionné par la culture, a parcouru la Styrie (qui comprenait alors une partie de l'actuelle Slovénie) pour essayer de dénicher des œuvres, communes mais qui pourraient connaître leur heure de gloire dans 100 ou 200 ans et constituer ainsi un musée d'Histoire de l'art de la Styrie. L'empire, qui n'hésitait pas à soutenir ce genre d'initiative, lui a donné les fonds nécessaires à la construction de son musée. Le bâtiment actuel a donc été directement conçu pour devenir un musée, pour pouvoir y intégrer les pièces actuelles. C'est extrêmement rare et cela lui confère une atmosphère très agréable, une harmonie heureuse dans la succession des pièces. Il renferme de nombreux chefs-d'œuvre d'art médiéval qu'il est impossible de citer tous ici. Notamment, une superbe collection de sculptures, retables et vitraux. Tableaux de l'assassinat de Thomas Beckett (vers 1470), le triptyque de Mariazell (véritable BD de l'époque), *Vierge à l'Enfant* du début du XIVe siècle, *Kermesse* de Pieter Brueghel le Jeune, splendide calice de l'Alliance, vestiges du carrosse de l'épouse de Frédéric III, chambre de Marie-Thérèse (de 1760), superbe ferronnerie d'art.

★ ***Le marché paysan*** *(plan D2-3,* ***54****) :* Kaiser-Josef-Platz. Très vivant et coloré, c'est le plus important de la ville. Ouvert tous les jours jusqu'à 13 h (sauf le dimanche). Situé au sud-est, à côté de l'opéra. Plusieurs centaines de fermiers viennent y vendre leurs bons produits. L'occasion de rapporter de l'huile de graine de potiron, de l'*Holunderblütensaft* (extrait de fleur de sureau), des *Taybeeren* (genre de framboises), etc. Possibilité de se restaurer sur le pouce au ***Meltschocks*** (poisson frit, poulpe, poulet, salades diverses, etc.).

★ ***Le quartier médiéval*** *(plan C2) :* quelques rues charmantes autour de l'église des Franciscains *(Franziskaner Kirche).* Appelé aussi quartier du bœuf, car maquignons et bouchers y avaient leurs activités. Aujourd'hui encore, c'est ici qu'on trouve le plus de boucheries. Parcourir la Neue-Weltgasse et la Kapaunplatz à la recherche des vénérables demeures. Rue exceptionnellement large derrière l'église des Franciscains, car c'est un ancien bras de la rivière.

★ ***Franziskaner Kirche*** *(plan C2,* ***58****)* : édifiée au XIIIe siècle. Son clocher-tour fit partie des fortifications et servait de poste d'observation militaire (à la base, mur de 2 m d'épaisseur). Partie supérieure datant de 1643. A l'intérieur, beaux vitraux modernes (l'église fut endommagée lors de la dernière guerre). Vaisseau gothique avec voûtes en palmier. A gauche du chœur, ravissant petit retable vénitien du XVIIe siècle. A droite, le *Maria Schutz Altar* (1727), copie d'une œuvre de Lucas Cranach. Accès à l'ancien cloître de style gothico-primitif. Orné de pierres tombales, avec un joli jardin de curé au milieu.

★ ***Maria Hilferkirche*** *(plan B2,* ***55****)* : sur l'autre rive, en face de la Schlossbergplatz. Pendant longtemps l'église des papes, des archiducs, des empereurs et lieu de pèlerinage très populaire. De style Renaissance, mais dont la façade fut superbement baroquisée au XVIIIe siècle. A l'intérieur, intéressant maître-autel. A côté, *couvent des Minorites* avec une splendide chapelle du Trésor. Au plafond, une vue de Graz peinte. L'ancien réfectoire, avec un remarquable plafond peint, sert aujourd'hui de salle de concert *(Minoritensaal)*.

★ ***Barmherzigenkirche*** *(plan B2,* ***56****)* : dans l'Annenstrasse. C'est l'église de la garnison, pour les amateurs de baroque : chaire massive, croulant sous les ors. Confessionnaux en belle marqueterie. Petite chapelle en entrant à droite édifiée à la gloire de Notre-Dame de Lorette.
Juste à côté, jeter un œil à la *pharmacie* au n° 4, décor chargé de stucs, belles fresques au plafond.

★ Croquignolette ***Welsche Kirche*** *(plan B3,* ***57****)* : sur Griesplatz. Cette église, au décor conçu pour la petite colonie d'artistes italiens des XVIIe et XVIIIe siècles, possède d'intéressantes fresques sur la vie de saint François de Paul.

★ Pour les amateurs de modern style, Graz possède quelques beaux spécimens. Notamment, l'élégante rangée de demeures, appelée ***Nürnberger Häuser*** (à côté de Maria Hilferkirche).

A voir aux environs immédiats

★ ***Le château d'Eggenberg :*** à environ 3 km à l'ouest de Graz. Suivre l'Annenstrasse. Ouvert de 9 h à 17 h. Visite guidée « sur l'heure ». Une élégante allée mène à l'un des plus beaux châteaux de Styrie. Édifié au XVIe siècle par des architectes italiens et légèrement baroquisé plus tard. Dans la cour intérieure, trois hauteurs d'arcades. L'une des originalités du château fut d'avoir été construit suivant un curieux jeu de numérologie. Les quatre tours symbolisent les quatre éléments (l'eau, l'air, la terre, le feu) ainsi que les points cardinaux. Il comporte 365 fenêtres (autant que de jours de l'année), 24 salles de réception (pour les heures de la journée), éclairées par 52 fenêtres (les semaines dans l'année).
Visite des appartements au riche décor baroque. Grande salle des planètes, la plus prestigieuse. Plafonds à fresques avec stucs. Lustres avec chandelles (allumées parfois pour les concerts). Toutes les autres salles sont tout aussi joliment meublées et décorées.
Musée archéologique au rez-de-chaussée avec une pièce unique : le char votif de Strettweg, tout en bronze et datant du VIIIe siècle avant J.-C. Nombreux vestiges romains. Petit *musée de la Chasse* également.

★ ***L'église de Mariatrost :*** à 7 km environ au nord-est (en direction de Weiz). Pour s'y rendre, prendre la Heinrichstrasse qui part à droite du Stadtpark (à l'intersection de Glacisstrasse et de Parkstrasse). Lieu de pèlerinage très populaire (et particulièrement prisé pour se marier), l'église de Mariatrost domine superbement la vallée. Construite au XVIIIe siècle, elle offre aussi une remarquable perspective de son élégant chevet. A l'intérieur, plafond, absides et chapelles entièrement couverts de fresques. Chaire or et marbre très ornementée. Beaux confessionnaux en bois marqueté. Superbe tribune d'orgue. Vierge très vénérée de 1465.

Où sortir ? Où boire un verre ?

🍸 ***Le « Triangle des Bermudes »*** *(plan C2)* : eh oui ! c'est très mode, après Vienne, chaque grande ville autrichienne se doit de posséder son Triangle des Bermudes. Là aussi, quelques ruelles de la vieille ville (concentré gentil des rues de la

Huchette et de la Harpe à Paris, sans les souvlakis !), comme la *Mehlplatz* (place de la Farine), la *Prokopigasse* et la *Färberplatz*. Rues piétonnes envahies par les terrasses des tavernes et des restos, dans l'un des plus jolis quartiers de la ville. Dès les beaux jours, joyeusement animé dans une atmosphère très bon enfant.

🍸 ***Le M1*** *(plan C2, **70**:* place Färber. Clientèle assez branchée. Endroit magique. Deux terrasses sur les toits de l'immeuble donc deux points de vue différents. Idéal pour admirer les coupoles scintillantes de Graz. Ouvert de 10 h à 12 h (le dimanche de 16 h à minuit).

🍸 Au n° 5, Prokopigasse, on trouve une fameuse ***vinothèque*** très fréquentée par les étudiants.

🍸 ***Café Glockenspiel*** *(plan C2, **71** :* Glockenspiel 4. ☎ 83-02-91. Fermé le dimanche. Au cœur du triangle des Bermudes. Tout (glaces, pâtisseries) y est délicieux. Vieille maison verte qui tire son originalité de sa « pendule ». Attendez que l'heure tourne, vous serez enchanté par l'animation des personnages en bois au-dessus de vos têtes et la douce musique du carillon...

🍸 ***Café Nordstern :*** Sackstrasse et Sporgasse *(plan C2, **72**)*. Entrée, côté Sackstrasse, vraiment négligée. Au premier étage. Permet de faire un break pour contempler au calme l'animation de la Hauptplatz l'après-midi et les ravissantes façades en stuc.

🍸 ***König :*** Sackstrasse, 14. Très vieux café *(plan C2, **73**)*. Voûtes et panneaux de bois sombre. Un côté désuet et chaleureux tout à la fois. Excellents gâteaux maison.

A voir aux environs

Voici quelques sites dignes d'intérêt autour de Graz, dans un rayon d'action raisonnable. Entre autres, le musée en plein air de Stübing, les haras de Piber, l'église de Bärnbach, le château de Riegersburg et la Styrie toscane.

STÜBING

★ ***Österreichisches Freilichtsmuseum (musée en plein air) :*** à 15 km au nord de Graz, sur la route de Bruck an der Mur. ☎ (03124) 537-00. Ouvert du 1er avril à fin octobre de 9 h à 17 h (admission 1 h avant). Fermé le lundi. Pour s'y rendre, bus de Lendplatz ou train jusqu'à Stübing, et, courage, 2,5 km à pied ! Afin de garder une certaine cohérence entre les 86 fermes et bâtiments traditionnels et leur environnement d'origine, le fondateur du musée a reproduit sur les 50 hectares de vallée boisée du musée les données géographiques de l'Autriche. Il a donc organisé la visite d'est en ouest. Les premiers bâtiments du circuit représentent donc les fermes typiques du Burgenland et les derniers ceux du Vorarlberg. Possibilité de passer en revue toutes les belles divergences architecturales des provinces sur un site de rêve. Compter au moins 3 h pour admirer la vieille école, le moulin, les vénérables boutiques d'antan, les fumoirs du XIVe siècle, la ferme en rond de Carinthie, les fermes de montagne, etc. Superbes intérieurs et mobilier. Parfois différentes coutumes ou travaux artisanaux sont remis à l'ordre du jour (travaux sur rouet, sur métier à tisser ou sur tour de potier).

L'ABBAYE DE REIN

Au sud du musée en plein air. 15 moines cisterciens dont six prêtres habitent dans le monastère qui entoure cette splendide abbaye baroque. Dès l'entrée, dans l'église, on se sent attiré par la lumière dégagée par l'autel. Décor intérieur superbe. Couleur vanille-fraise. Véritable salle de spectacle, fresques au plafond et dans les galeries, stucs à volonté... Orgue rococo, ne vous y trompez pas, c'est du faux.

– Magnifique promenade : de l'abbaye repartir vers le village de Gratwein. Avant d'entrer dans le village, emprunter le sentier sur la droite. Ça grimpe sec sur 600 m. En haut de la montagne (Ulrichsberg), très ancienne et adorable petite ***église baroque*** (Sankt Ulrichkirche) bénie par le pape Pie II en 1453. La messe y est célébrée une fois par an, le jour de la Saint-Ulrich. Au sommet, perspective inoubliable sur les vertes montagnes styriennes.

BÄRNBACH

★ ***Barbarakirche :*** dans ce village, aux environs de Köflach et Piber, possibilité d'admirer l'une des œuvres les plus significatives du peintre F. Hundertwasser. Décoration tellement gaie que ça donne presque envie de retourner à la messe. L'artiste rénova totalement cette vieille église de campagne en jouant sur les aplats de couleurs et divers symboles plus ou moins mystérieux. Le résultat en est cette fantaisie graphique extrêmement originale pour ce bout de campagne. Presque le produit des amours de Gaudí et de Walt Disney !

★ ***Le musée du Verre :*** ☎ 031-42/62-141-49. Visite guidée d'un atelier de fabrication de pièces en verre (on observe l'artisan travailler : le verre est chauffé à plus de 1 400 °C puis soufflé pour lui donner sa forme définitive). Rappel d'un savoir-faire vieux de 200 ans. Du lundi au vendredi, visite à 10 h, 11 h, 12 h et 14 h. Chacun pourra ensuite acheter au magasin d'usine la pièce en verre de son choix (peinte à la main, fabriquée en série, plats originaux, œuvres d'art, etc.). Prix tout à fait intéressants.

LES HARAS DE PIBER

A une quarantaine de kilomètres à l'ouest de Graz (et à 3 km de Köflach). ☎ (03144) 33-23. Visite guidée tous les jours de Pâques à fin octobre. En principe à 9 h, 10 h, 13 h 30 et 15 h 30. Bien respecter ces horaires si l'on veut voir quelque chose ; la vocation touristique de cet établissement est secondaire et le reste du temps ça bosse dur ! Pour s'y rendre, bus ou train jusqu'à Köflach et bus pour Piber. C'est ici que sont élevés les célèbres chevaux lipizzans pour l'Ecole espagnole de Vienne. Cette école les dresse ensuite à l'exécution de figures classiques (pas, polka, gavotte, quadrille et... valse). Auparavant, le haras se trouvait à Lipizza en Slovénie. Lorsque l'Autriche perdit son empire, il fut rapatrié à Piber. D'origine espagnole et arabe, le lipizzan est élevé depuis le XVIe siècle. Il possède d'intéressantes caractéristiques. Par exemple, il naît avec une robe noire ou gris foncé. Elle mettra environ 8 ans à devenir complètement blanche. Sa longévité est légendaire. En effet, la nature s'est montrée plus généreuse avec les étalons, dont l'espérance de vie atteint parfois 36 ans, alors que les juments, elles, s'éteignent vers 30 ans.

LE CHÂTEAU DE RIEGERSBURG

A une soixantaine de kilomètres à l'est de Graz. Juste au nord de Feldbach. Ouvert de 9 h à 17 h. ☎ (03153) 2130 ou 346. A ne pas confondre avec l'autre château du même nom, situé au nord de la Basse-Autriche, près de Hardegg. Situé sur un impressionnant rocher à pic. Absolument imprenable (d'ailleurs, il ne fut jamais pris), il servait de refuge pour les populations menacées par les Turcs. Du village, il vous faudra franchir 7 portes fortifiées pour l'atteindre. Cette forteresse appartient aujourd'hui au prince Friederich Liechtenstein. Ceci explique la présence des armoiries du Liechtenstein dans la première salle. La salle des Turcs renferme des précieux souvenirs de ses voyages en Afrique et en Asie (trois armements samouraï du Japon). Puis, on a été saisi de frissons d'angoisse dans la salle des sorcières devant la cruauté des armes utilisées pour les tuer. En particulier, la « Vierge de fer », instrument d'exécution absolument atroce... Rien que d'y penser on en a encore la chair de poule ! Le pilori, juste à côté, devient d'un commun ! Ensuite, visite guidée de la chapelle (remarquable retable), la salle des chevaliers (plafonds à caissons sculptés, portes et encadrement en bois marqueté, monumental poêle vert en faïence avec, bien sûr, vous les reconnaissez, les armoiries du Liechtenstein), la salle blanche, etc.

– A partir du château et vers le village, à 100 m, démonstrations de vols de rapaces (aigles, vautours, faucons, etc.). ☎ (03153) 73-90. Ouvert de Pâques à fin octobre, du lundi au vendredi à 11 h et 15 h.

Où dormir ? Où manger ?

🏠 ***Auberge de jeunesse :*** « Im Cillittor ». ☎ (03153) 217. Située à la troisième porte fortifiée en montant vers la forteresse. Ouverte du 1er mai au 31 octobre. Cadre vraiment chouette, avec une superbe vue. Cependant, pensez à réserver, vous ne serez pas le seul à être séduit.

🏠 ***Lassl Hof :*** à l'entrée du village. ☎ (03153) 201. Pension et resto. Mobilier et décor modeste mais propre et accueillant. Un patron à la bonne humeur légendaire, une cuisine copieuse. Le tout à un prix abordable.

🏠 ***Gasthof zur Riegersburg :*** en plein centre du village. ☎ (03153) 216. Terrasse sur la place très animée. Assez chic et cher. Agréable car ambiance familiale et personnel disponible. Également resto.

LA STYRIE TOSCANE

(Ou la Toscane styrienne, au choix !) Au sud de Graz s'étend une région de douces collines et de coteaux où alternent bois, bosquets et vignobles. Comme en Toscane, les fermes se détachent sur le ciel, entourées de peupliers pour se protéger. La seule différence : les châtaigniers remplacent les oliviers. Sinon, les matins y sont lumineux et, en automne, les collines prennent des teintes mordorées, parfois flamboyantes. De fin juillet à début novembre (à la Saint-Martin précisément), les vignerons mettent en place les *Klapotetz,* genre de grandes crécelles en bois montées sur des perches, destinées à éloigner les oiseaux trop gourmands.
Nombreuses caves et tavernes de dégustation *(Buschenschenk).* En général, lieux très sympa. En plein air ou sous une treille, de bonnes grosses tables où l'on peut se restaurer. Bonne gastronomie locale, composée de *Verhackert* (viande fumée hachée), pâtés divers, fromages et pain maison. Une particularité : pas d'assiette. On mange sur une planchette en bois (repas appelé *Brettljause*). Possibilité parfois d'acheter la fameuse huile de graine de citrouille *(Kürbiskernöl)* qu'on trouve aussi au grand marché de Graz. En automne, on boit aussi le *Sturm,* un jus de raisin à demi fermenté accompagné de châtaignes grillées.
La Styrie est composée de trois grandes régions viticoles. Celle du Sud-Est, autour de Fürstenfeld, Klöch et Radkersburg. Deux routes des vins : la *Thermenland Weinstrasse,* entre Riegersburg et Fürstenfeld, et la *Klöcher Weinstrasse* de Fehring à Radkersburg. Dans la région de Klöch, on produit un fameux traminer.
Au sud de Graz, la Styrie méridionale offre ses routes du vin : la *Sausaler,* la *Rebenland* et la *Südsteirische Weinstrasse.*
Enfin, au sud-ouest de Graz, la célèbre *Schilcher Weinstrasse.* Le *Schilcher* est un vin bien styrien, fruité, rafraîchissant, et en même temps légèrement aigre ou acidulé. Considéré comme le plus ancien cépage de la région (déjà cultivé par les Celtes).

★ ***Südsteirische Weinstrasse :*** c'est la route où il y a le plus de vignerons. Arrivée remarquable sur ***Ehrenhausen.*** Juste avant le pont, vue superbe sur un ensemble de demeures baroques et leur avalanche de tuiles rouges, l'église et son élégant clocher, le charmant *Rathaus,* le mausolée sur la colline. Le tout au milieu d'une dense végétation. Puis, schuss plein sud, direction ***Steinbach*** où l'on ne tarde pas à se perdre dans un treillis de petites routes adorables. La belle Styrie toscane avec ses collines dorées au soleil couchant, ses vallons profonds, ses chemins livrant un point de vue des deux côtés, ses tronçons de routes plus étroits que la voiture. Très grande sensualité du paysage. A Lengegg, pas mal de *Buschenschenken.*

★ Un peu plus haut, à l'ouest de Leibnitz, relief assez accidenté de la ***Sausaler Weinstrasse.*** Notamment de Kitzeck à Höch et Sankt Andrä.

★ Après la Sausaler Strasse qui constitue l'un des itinéraires les plus enivrants que l'on connaisse, et en continuant vers Sankt Oswald, Lavamünd, on se trouve juste avant la bifurcation vers Sankt Vincent devant un paysage à vous couper le souffle. Inutile de le décrire davantage, laissez-vous surprendre. D'un paysage sinueux de sensuelles collines enchevêtrées, on se retrouve brutalement face à un lac complètement authentique, naturel. Beaucoup moins touristique (les infrastructures en témoignent) que ceux de la Carinthie, il n'en est pas moins tout autant séduisant. Un de nos coups de cœur. Un endroit qu'on souhaiterait protéger du béton !

★ A Eibiswald débute, vers le nord, la ***Schilcher Weinstrasse.*** C'est là qu'on récolte le *blauer Wildbacher* qui sert à faire le fameux vin Schilcher. Au milieu du circuit, château fort de *Landsberg* à Deutschlandsberg.

STAINZ

Jolie petite ville étape sur la Schilcher Weinstrasse.

★ ***Le château :*** construit en 1229, il fut restauré en style baroque au XVIIe siècle. *Musée* intégré à certaines pièces du château. Ouvert de 9 h à 17 h et du 1er avril au 31 octobre. Le musée abrite chaque année des expos temporaires sur les coutumes et traditions liées à la culture styrienne. Le château est situé sur une colline et offre un très jolie panorama sur cette région viticole.

LA CARINTHIE

C'est le Land le plus méridional d'Autriche. Il se présente, à l'est, sous la forme d'une grande cuvette verdoyante entourée de montagnes et, à l'ouest, d'un massif montagneux percé de deux belles vallées. Ce qui explique pourquoi la Carinthie possède la plus grande étendue de forêt du pays (presque 50 % du Land). En outre, par une curiosité géophysique, grâce à la conjonction du Föhn (prononcer « feun », un vent chaud) et de cette haute barrière de montagne protectrice à l'ouest, les eaux de ses lacs se révèlent très chaudes (en moyenne de 25 à 28 °C). Elle n'en possède pas moins de 1 270. Vous l'aviez sûrement deviné : la Carinthie est devenue la Riviera de l'Autriche et, sur les rives du Wörthersee, les prix sont ceux de la côte d'Azur. C'est la faute à Brahms qui écrivait à ses amis que la Carinthie était « comme une marche vers ce que la nature a de plus beau et de plus grandiose... » Aujourd'hui, le Land propose également un bon réseau de stations de ski alpin, de ski de fond et bien sûr, avec ses multiples lacs, un tas d'occasions de patinage sur glace.

Un peu d'histoire

Elle ressemble pour sa plus grande partie à celle des autres Länder. Ainsi, les Celtes vinrent de Gaule attirés par le microclimat et lui laissèrent son nom (*Carant* voulant dire « ami » en celte, et *Carinthie* « terre des amis »). Puis occupation romaine, ravages des invasions barbares, province de l'Empire carolingien, partie du royaume de Bohême, avant de tomber dans l'empire des Habsbourg. Au lendemain de la Première Guerre mondiale, la toute nouvelle Yougoslavie lorgnant un peu trop sur la Carinthie (beaucoup de Slovènes y habitaient), un référendum fut organisé en 1920. La majorité des Carinthiens décidèrent de rester avec l'Autriche. Pendant la période nazie, la Carinthie manifesta un nationalisme très pangermaniste. Même si aujourd'hui les Slovènes ne représentent plus guère que 4 % de la population, la très conservatrice et catholique Carinthie se fait aujourd'hui le chantre de la lutte contre l'immigration. Elle a porté, à la tête de la présidence du gouvernement provincial, un jeune démagogue d'extrême droite, Jörg Haider, qui base l'essentiel de son discours et de son action politiques sur la xénophobie. Vienne la social-démocrate et tous les amis de l'Autriche s'inquiètent, bien entendu, de cette irrésistible montée en puissance de Haider, mais il n'en reste pas moins qu'un peu plus de 50 % de Carinthiens ne votent pas pour Haider et que, pour eux, Carinthie veut toujours dire « terre des amis »...

KLAGENFURT

IND. TÉL. : 0463

Capitale du Land, c'est une ville agréable à l'atmosphère très provinciale. Ville étape qui propose la visite de ses musées, son centre médiéval et baroque où, grâce aux architectes italiens de l'époque, flotte un petit air méditerranéen.

Adresses utiles

– ***Code postal :*** A 9020.

🛈 ***Office du tourisme :*** à la mairie *(Rathaus)*, Neuer Platz *(plan A1-2)*. ☎ 537-222 ou 223. Fax : 537-295. Ouvert de 8 h à 20 h l'été et de 8 h à 18 h hors saison. Visite guidée de la vieille ville en juillet et août tous les jours à 10 h (sauf le dimanche). Renseignements : ☎ 537-224.

🛈 ***Kärntner Tourismusgesellschaft (office du tourisme régional) :*** Casinoplatz, 1, A-9220 Velden. ☎ 4274-52100. Fermé le dimanche. Excellente documentation et personnel compétent.

■ ***Consulat de France*** *(plan ,* ***1*** *:* Hirschstrasse, 5. ☎ 327-23.

✉ ***Poste :*** Dr.-Herrmann-Gasse.

■ ***Zentral Sparkasse und Kommerzial Bank (plan A2, 2) :*** Lidmanskygasse et Karfreitstrasse. Ouvert de 7 h 45 à 12 h 15 et de 13 h 45 à 16 h (vendredi de 7 h 45 à 14 h 30). Pour retirer de l'argent avec sa carte VISA.

🚂 🚌 ***Gare et terminal des bus :***

proches, sur Südbahn Gürtel. Renseignements de la gare : ☎ 17-17. Trains pour Vienne, Villach, St. Veit, Bruck, Salzbourg (par Villach). Bus pour quasiment toutes les directions de la province (plus Ljubljana).

Où dormir ?

Bon marché

⌂ ***Jugendherberge (A.J.) :*** Neckheimgasse, 6, Universitätsviertel. ☎ 23-00-19. Ouverte du 1er février au 15 décembre. Toute nouvelle A.J. située sur le Wörther See, à côté de l'université. Pour s'y rendre de la gare, bus A jusqu'à Heiliger-Geist Platz, puis bus S jusqu'à « Touristen Zentrum-Minimundus ». Il ne vous restera qu'une dizaine de minutes de marche. Chambres de quatre personnes.

⌂ ***Jugendherberge (A.J.** ; plan B2, **10)** :* Kolping, Enzenbergstrasse, 26. ☎ 569-65. Fax : 569-65-32. Ouverte de début juillet à début septembre. A.J. d'été. Un peu à l'est de Klagenfurt. De la gare, descendre Bahnhofstrasse jusqu'à 8 Mai Strasse, puis à droite.

⌂ ***Hôtel Stadt Eger** (plan A2, **11**) :* Karfreitstrasse, 20. ☎ 543-20. Fax : 547-09. Très central. Hôtel-restaurant un peu vieillot, mais globalement bien tenu. Surtout, vraiment pas cher pour l'Autriche.

⌂ ***Hôtel Liebetegger** (plan B1, **12**) :* Völkermarkter Strasse, 8. ☎ 569-35. Fax : 569-36. Trois rues à l'est de la vieille place. Correct. Attention le prix des chambres n'inclue pas le petit déjeuner.

Prix moyens

⌂ ***Hôtel Bulmenstöckl** (plan A2, **13**) :* 10 Oktober Strasse, 11. ☎ 577-93. Hyper-central. A deux doigts de la place principale. Cadre absolument charmant. Petit patio fleuri sur arcades non moins fleuries. Chambres correctes.

⌂ ***Hôtel-pension Aragia** (hors plan) :* Völkermarkter Strasse, 100. ☎ 312-22. Fax : 31-30-413. A l'entrée de la ville, sur la route de Graz. A quelques minutes du centre en voiture (15 à 20 mn à pied). Petit hôtel sans charme particulier. Bien tenu. Relativement cher. Un bon dépannage si tout est plein ailleurs. Resto.

Plus chic

⌂ ***Hôtel Palais Porcia** (plan A1-2, **14**) :* Neuer Platz, 13. ☎ 51-15-90. Fax : 51-15-90-30. Sur la place principale. Beaucoup de charme. Clientèle chic. Chambres chères. Mobilier baroque très luxueux.

Campings

⌂ ***Campingplatz Strandbad :*** Klagenfurt-See. ☎ 211-69. Fort bien situé. Sur le Wörther See. Confortable et prix raisonnables.

⌂ ***Campingplatz :*** Klagenfurt Süd, Keutschacher Strasse, 47. ☎ 28-17-79. Au sud de la ville, dans le quartier de Viktring.

Où manger ?

|●| ***Zum Augustin** (plan A1, **20**) :* Pfarrhofgasse 2. ☎ 51-39-92. Plein centre ville. Jolie cour intérieure fleurie et ombragée. Plats très copieux et présentés avec goût. Spécialités carinthiennes. On vous conseille le *Schultermeisel*, le *Tafelspitz* ou encore le *Gekochter Brustkern*. Plus une clientèle d'habitués que de touristes.

|●| ***Zum Heiligen Josef** (plan A-B1, **21**) :* Osterwitzgasse 7, tourner à gauche avant la Kapuzinerkirche. ☎ 51-49-87. On arrive dans d'étroites ruelles piétonnes. Quartier calme et agréable. Ambiance tamisée aussi bien en terrasse qu'à l'intérieur. Plats typiques de la Carinthie. Romantique à souhait.

|●| ***Zauberhütte** (plan A1, **22**) :* également dans l'Osterwitzgasse. Même style que le précédent, même niveau de prix. Carte bien fournie. Accueil très sympa.

Où boire un café ? Où manger une bonne pâtisserie ?

Y ***Café Carmel** (plan A1, **23**) :* Alterplatz, 17. Accueil indifférent. Terrasse sympa, intérieur confortable. Bonne pâtisseries et plus de 20 parfums de glaces différents.

Y ***Café Musil** (plan A2, **24**) :* 10 Oktober strasse, 14. Pâtisserie exquises. Cadre cossu, charmant, intime. On y resterait des heures dans la douceur de l'après-midi.

A voir

★ ***Neuer Platz*** *(plan A1-2)* : place Neuve. Élégante place, le cœur de la ville où bat celui d'un dragon, le *Lindwurmbrunnen.* Emblème de la cité taillé dans du schiste noir en 1582. Autour, belle grille en fer forgé du XVIIe siècle. Au n° 13, belle façade rococo de l'ancien palais Porcia. La mairie occupe aussi un palais de 1580, qui hérita au début du XIXe siècle d'une façade néo-classique. La *Kramergasse* aligne d'intéressantes demeures de styles très différents. C'est la plus ancienne rue de la ville. Au n° 6, l'immeuble Palmers avec une façade « historiciste ». En face, rosiers en stuc sur l'édifice.

★ ***Alter Platz*** *(plan A1)* : on atteint la Vieille Place par la Kramergasse. C'était le centre de la première ville médiévale, croisement des axes menant aux quatre portes de la ville. Maquette en bronze de l'ancienne cité et colonne de peste de 1680. Impossible de citer toutes les belles maisons entourant la place. Au n° 1, l'ancien *Rathaus* (mairie) avec horloge, fresque et cour à arcades. Au n° 34, cour à arcades. Au n° 30, le *palais Goëss* du XVIIIe siècle avec portail baroque et balcon en fer forgé. Au n° 31, la maison *zur goldenen Gans* (A l'Oie d'or ; 1489), la plus ancienne de la ville.

★ ***Wienergasse*** *(plan A1, 30)* : au n° 6, maison du XVe siècle avec têtes de lion autour des fenêtres. Au n° 7, entrée curieusement voûtée sur une arête seulement ; bel escalier à colonnes et rampe de pierre. Au n° 10, façade et fronton particulièrement élégants ; deux cours (c'était la maison de ville des abbés d'Ossiach) : la deuxième est superbe, avec arcades sur colonnes ou énormes consoles de granit. Au n° 8, belles arcades aussi.

La ***Herrengasse*** présente également une harmonieuse homogénéité architecturale. Au n° 6, remarquable cour avec les armes des anciens proprios (les comtes Inzaghi).

★ ***Stadtpfarrkirche*** *(plan A1, 31)* : Pfarrplatz. C'est l'église paroissiale. Belle fresque de la voûte. Chaire baroque, clocher du XVIIIe siècle de 92 m de haut.

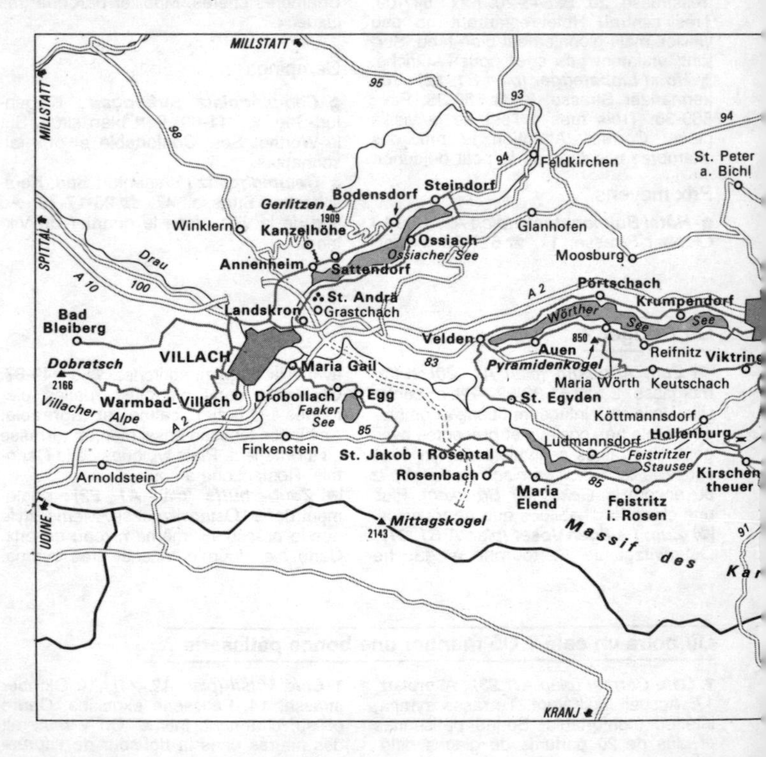

★ ***Landhaus*** *(plan A1, **32**) :* ☎ 53-72-24. Ouvert d'avril à septembre, du lundi au vendredi de 9 h à 12 h et de 13 h à 18 h. Bel ensemble Renaissance baroquisé au XVIIIe siècle. Plan en fer à cheval, avec deux tours à bulbe encadrant un bâtiment à arcades. En été, beaucoup de concerts dans ce décor de rêve. A l'intérieur du Landhaus, voir la salle des blasons (pas moins de 655).

★ ***Le Musée diocésain*** *(plan B2, **33**) :* Lidmanskygasse 10 (et Domgasse). ☎ 50-24-98. A deux rues de la Neuer Platz. Ouvert du 1er mai au 17 juin et du 15 septembre au 15 octobre de 10 h à 12 h ; du 15 juin au 14 septembre, de 10 h à 12 h et de 15 h à 17 h. Fermé le dimanche. Situé au 3e étage. Riche musée d'art religieux dans une présentation très agréable. Parmi les nombreuses « pièces » exposées, on remarquera surtout un Christ en croix du XIe siècle avec une pose presque élégante (voire mondaine), un retable à volets de 1426, de belles statues en bois brut ou polychrome des XIIIe, XIVe et XVe siècles et le *Magdalenschabe,* morceau de vitrail le plus ancien d'Autriche (1170).
Nativité en bas-relief doré et polychrome (*Geburt Christi,* de 1515), *Mort de la Vierge (Marientod),* bel ensemble sculpté de 1500, bréviaires entièrement manuscrits avec enluminures de 1400, bible de 1547. Assez rare, un linge d'autel du XVIe siècle, reliquaires, etc.

★ ***La cathédrale Saint-Pierre-et-Saint-Paul*** *(plan B2, **34**) :* place de la Cathédrale. Édifiée d'abord comme église protestante en 1582, puis donnée aux jésuites. A ne pas manquer pour sa décoration baroque et rococo assez délirante. Monumental maître-autel, chaire époustouflante, débauche de fresques et stucs.

★ ***Landesmuseum für Kärnten (musée régional*** *; plan B2, **35**) :* Museumgasse 2. ☎ 536-305-52. Ouvert tous les jours de début mai à fin juillet de 9 h à 16 h. Fermé le lundi. Les dimanche et jours fériés de 10 h à 13 h. Sections de géologie, histoire naturelle (relief du Glossglockner), minéralogie, faune (papillons du Pérou aux couleurs

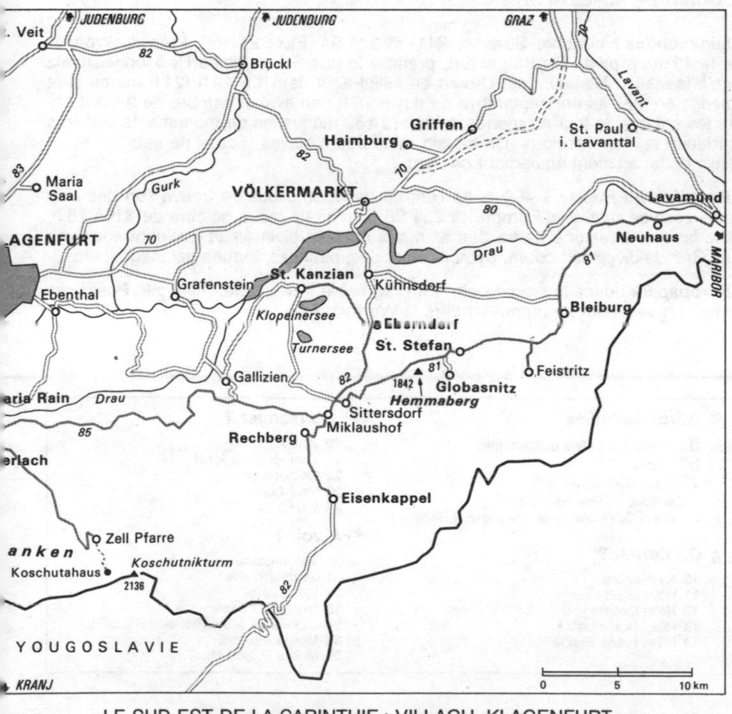

LE SUD-EST DE LA CARINTHIE : VILLACH, KLAGENFURT ET LE MASSIF DES KARAWANKEN

éclatantes) et flore. Salle d'histoire : trouvailles néolithiques, mosaïques et fresques romaines. Char votif en plomb. Coffres de mariage, vitraux, retables, etc. D'autres salles consacrées aux arts et traditions populaires, meubles paysans, broderies, costumes, instruments de musique.

★ ***Le musée Robert Musil*** *(plan B2, **36**)* : Bahnhofstrasse, 50. Juste avant la gare (prendre le bus A jusqu'à la station Hauptbahnhof). ☎ 50-14-29. Ouvert en principe du lundi au vendredi de 10 h à 12 h et de 14 h à 16 h. Le samedi de 10 h à 12 h. Vérifier à l'office de tourisme. Certains travaux risquent de chambouler les horaires pour 1996. Maison natale de Robert Musil. Sa famille est restée à Klagenfurt jusqu'en 1881. Beaucoup d'objets personnels, notamment sa machine à écrire. Pour les amoureux du grand Musil : curriculum vitae, souvenirs, témoignages, livres, manuscrits, photos, etc.

★ ***Bergbaumuseum (musée de la Mine) :*** au bout de la Radetzky Strasse (ouest de la ville). Prendre le bus P à partir de la Heiligengeistplatz jusqu'à la dernière station. Entrée par un joli jardin botanique dont l'accès est libre. ☎ 53-74-32. Ouvert tous les jours de 9 h à 18 h. Dédale de galeries souterraines un peu suintantes mais dont la fraîcheur est agréable l'été. Expositions de milliers de minéraux (or, fer, plomb, zinc, phosphate, quartz, etc.), témoignages et documents sur l'histoire de la mine en Carinthie.

★ Juste à côté du musée, ***église baroque*** perchée sur une colline. Les stations du chemin de croix sont exprimées par des chapelles qui ponctuent le chemin jusqu'à l'entrée de l'église.

A L'OUEST DE KLAGENFURT

★ ***Minimundus :*** Villacher Strasse, 241. ☎ 211-94. Fax : 211-60. Près du Wörther See (à 10 mn à pied). De Klagenfurt, prendre le bus S à partir de Heiligengeistplatz jusqu'à la station Minimundus. Ouvert en juillet-août de 8 h à 19 h (21 h mercredi et samedi) ; en mai, juin et septembre de 9 h à 18 h ; en avril et octobre de 9 h à 17 h. Pour les enfants, le tour du monde à travers 162 maquettes de monuments célèbres autrichiens et internationaux. Un bassin avec des modèles réduits de bateaux et un chemin de fer animent également ce parc.

★ ***Reptilienzoo Happ :*** à 400 m de l'entrée de Minimundus se trouve l'un des plus grands zoos de reptiles d'Europe. ☎ 234-25. Ouvert de mai à octobre de 8 h à 18 h. Assez fascinant car une partie des animaux sont en plein air et évoluent sous vos yeux. Grande diversité : cobra, python, crocodile, piranhas, tortues galapagos, etc.

★ ***Europapark :*** dans le même coin. Parc agréable, resto, café, mini-golf. Possibilité de louer un vélo pour se promener vers le Wörther See.

■ Adresses utiles

- Information (office du tourisme)
- Poste
- Gare ferroviaire
- **1** Consulat de France
- **2** Zentral Sparkasse und Kommerzial Bank

Où dormir ?

- **10** AJ (Kolping)
- **11** Hôtel Stadt Eger
- **12** Hôtel Liebetegger
- **13** Hôtel Blumenstöckl
- **14** Hôtel Palais-Porcia

Où manger ?

- **20** Zum Augustin
- **21** Zum Heiligen Josef
- **22** Zauberhütte
- **23** Café Carmel
- **24** Café Musil

★ A voir ?

- **30** Wienergasse
- **31** Stadtfarrkirche
- **32** Landhaus
- **33** Musée diocésain
- **34** Cathédrale Saint-Pierre-et-Saint-Paul
- **35** Musée régional
- **36** Musée Robert-Musil

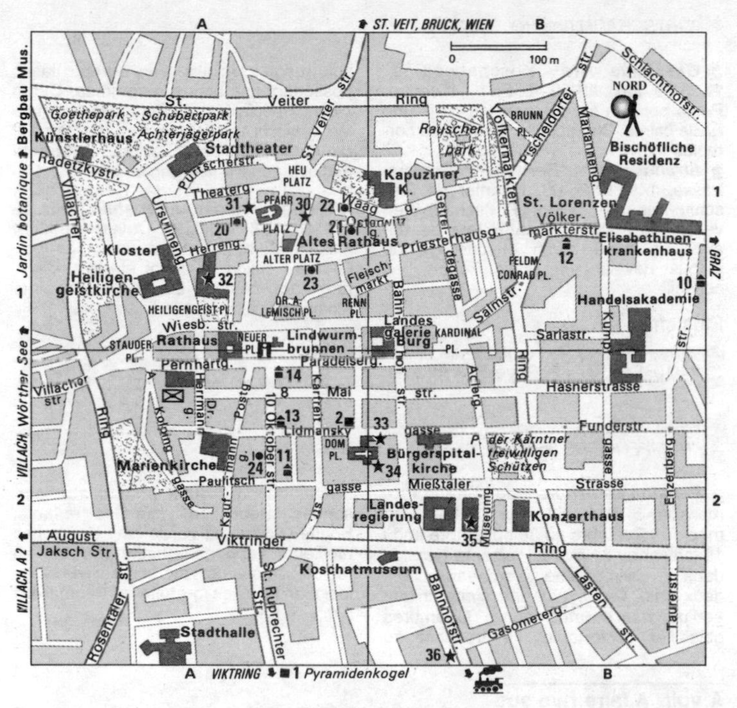

KLAGENFURT (CENTRE)

AUX ENVIRONS PROCHES

WÖRTHER SEE

Lac de 17 km de long avec une largeur maximale de 1,5 km. Température clémente de l'eau : 21° en moyenne entre juin et septembre. Ses rives sont donc particulièrement recherchées. Surnommé la Riviera autrichienne depuis le siècle dernier. Beaucoup de monde en été. Hôtels et restos assez chers. Krumpendorf (plus familial), Velden et Pörtschach (plus chic et branché) sont les stations balnéaires les plus renommées. Les plages sont douces et agréables, en général c'est du gazon tendre. Mais elles sont quasiment toutes payantes.

Adresses utiles

🛈 ***Office du tourisme de Pörtschach :*** Hauptstrasse, 153. ☎ (04272) 23-54. Fax : 3770.

🛈 ***Office du tourisme de Krumpendorf :*** Hauptstrasse (et Moosburger Strasse). ☎ (04229) 23-13. Fax : 3171. Toutes les stations balnéaires autour du lac sont accessibles par le train. Un bateau les dessert également toutes les heures.

Où dormir ? Où manger ?

Voici quelques adresses pour ceux (celles) de nos lecteurs(trices) souhaitant y séjourner. Hôtels en bord de lac en général assez chers, mais on en trouve à quelques encablures à prix fort acceptables. Pas mal de pensions à 250 F pour deux (évidemment, en été, prises d'assaut).

A PÖRTSCHACH (Ind. tél. : 04272)

Gasthaus Ria : Koschatweg, 2. ☎ 23-59. Fax : 23-59-40. En plein centre. Petite pension à 300 m du lac dans une ruelle calme. Bon accueil. Chambres correctes.

Strandpension Bernauer : Seeferstrasse, 140. ☎ 26-06. Quartier de Pritschitz, un peu avant Pörtschach (en venant de Klagenfurt). Agréable maison avec un beau jardin et une grande pelouse dévalant vers le lac. Réservation conseillée.

Plus chic

Casa Rossa : Hauptstrasse, 211. ☎ 24-10. Fax : 37-72. Ouvert à midi et le soir jusqu'à minuit. Restaurant italien possédant une bonne renommée. Cadre *clean.* Spécialités traditionnelles comme les *gnocchi con spinaci* et gorgonzola, carpaccio, calmars grillés, spaghetti mafiosi, *agnello alla griglia,* etc.

Hôtel Schloss Leonstain : Hauptstrasse, 228. ☎ 281-6. Ouvert à midi et jusqu'à 22 h, de mai à fin septembre. Grandes salles au décor élégant. Clientèle très chicos. Excellente cuisine. Moins cher le midi que le soir.

A KRUMPENDORF (Ind. tél. : 04429)

Pension La Promenade : Strand Promenade, 5. ☎ 27-63. Fax : 37-84. Fermée du 15 octobre au 30 novembre et du 15 janvier au 31 mars. Plaisante pension dans un environnement verdoyant. Lac à deux pas. Tenue par une sympathique équipe franco-autrichienne. Chambres gaies et confortables. Intéressant au niveau du prix : suite pour quatre personnes. Réduction pour les enfants. Bonne cuisine, ça va de soi ! Un de nos meilleurs rapports qualité-prix sur la région. Demander au serveur de vous indiquer la plage gratuite et tranquille à 2 mn du resto.

A voir. A faire rive sud

– La ***rive sud du Wörther See*** est beaucoup moins guindée et offre les mêmes divertissements sur le lac.

– La fête du village de ***Reifnitz*** a lieu les 21 et 22 juillet. Ambiance carrément franchouillarde. En plein air, orchestre délirant et bière à flots.

★ ***Maria Worth :*** petite église toute blanche dressée sur une presqu'île sur le Wörther See.

★ ***Pyramiden Kogel :*** à Keutschach, sur la rive sud du lac. Ouverte en juillet et en août de 9 h à 22 h ; en mai, juin et septembre jusqu'à 19 h ; en octobre et à Pâques, de 10 h à 18 h. Une tour de 54 m avec plate-forme d'observation, d'où l'on bénéficie, bien entendu, d'un panorama privilégié sur les différents reliefs de la Carinthie.

AU NORD DE KLAGENFURT

Ici s'étend l'un des plus beaux paysages de Carinthie. Pays de granges énormes. Toits à quatre pentes. Fenêtres en briques rouges ajourées permettant l'aération. Églises toutes blanches avec clochers effilés. Campagne doucement vallonnée et sereine.

MARIA SAAL

★ ***Kärntner Freilichtsmuseum (musée en plein air) :*** ☎ (04223) 28-12. Situé au nord de Klagenfurt, sur la route de St. Veit. Ouvert de mai à septembre de 10 h à 18 h. Nombreuses maisons typiques de la région installées dans un superbe environnement. Fermes, étables, granges dont certaines datent du XVIIe siècle. Quelques moulins et, surtout, une scierie du XIXe siècle qui fonctionne avec une roue à eau. Beaux meubles paysans.

– Dans le village de Maria Saal, voir l'***église*** du XVe siècle. Quelques vestiges romains dans la construction. A l'intérieur, splendide retable de Saint-Modeste.

★ *LE CHÂTEAU DE HOCHOSTERWITZ*

A 21 km au nord-est de Klagenfurt. Prendre la route de St. Veit. A St. Donat, route à droite, c'est à 6 km. ☎ (04213) 20-20. Ouvert de 8 h à 18 h. Accroché à son rocher abrupt, il offre une image saisissante. Merveille d'architecture militaire, son originalité réside surtout dans l'impressionnante rampe pour y accéder. Pas moins de 14 portes. Il fut construit en 1570 pour défendre la région des attaques turques. Visite des collections d'armes et armures. Nombreux souvenirs des Khevenhüller, les proprios. Café-restaurant.

★ ***Archäologische Freilichtmuseum :*** sur la montagne Magdalensberg, à plus de 1 000 m d'altitude. Entre Klagenfurt et Sankt Veit, prendre à droite à St. Donat. C'est juste après Hochosterwitz. ☎ 04762/338-07. Ouvert de mai à mi-octobre, tous les jours de 9 h à 12 h et de 13 h à 17 h. Musée en plein air des fouilles archéologiques de Carinthie. Village celto-romain. Vestiges de l'occupation romaine : un tableau de danseuse et des objets datés du Ier siècle avant J.-C. Superbe mosaïque du Ve siècle après J.-C., etc.

SANKT VEIT AN DER GLAN

IND. TÉL. : 04212

Ce fut, entre le XIIe siècle et le début du XVIe, l'ancienne capitale de Carinthie. Les ducs allèrent ensuite régner à Klagenfurt. Jolie petite cité médiévale méritant le détour et délicieuse occasion pour y résider une nuit.

Où dormir ?

⌂ ***Hôtel Mosser :*** Spitalgasse, 6. ☎ 32-23. A 30 m de la place principale. Plaisant, propre et moderne. Resto avec terrasse.

⌂ ***Hôtel-pension Weisses Lamm :*** Unterer Platz, 4. ☎ 23-62. Fax : 23-62-62. Dans un bel édifice du XVe siècle. Cour à arcades gothiques. Chambres confortables et assez chères. Restaurant (très touristique en haute saison).

⌂ ***St. Veiter Camping Bad :*** Grillparzerstrasse, 2. ☎ 21-90. A côté de la piscine. Propre et confortable.

Où manger ? Où boire un verre ?

I●I ***Nagele :*** Spitalgasse, 13. ☎ 25-33. C'est un poil excentré mais grand jardin intérieur fleuri. Cuisine de la Carinthie à un prix correct.

I●I ***Altes Brauhaus :*** Bräuhausgasse. ☎ 29-42. Tout un ensemble : restaurant, pizzeria, café, discothèque. Frais et délicat. Le service est rapide. Le cadre est plaisant : beaucoup de plantes vertes. Les prix sont abordables.

I●I ***Pukels Heim :*** Erlgasse, 11. ☎ 24-73. Demeure particulière fleurie et pimpante pour une bonne petite cuisine régionale. Très conseillé de réserver.

Ỹ ***Kultur Café :*** Erlgasse, 4. ☎ 23-26. Bel espace avec tableaux post-modernes. Extérieur peu avenant mais cour agréable pour boire un verre. Clientèle un peu branchée. Bonne bande son.

A voir

★ ***Hauptplatz :*** l'une des plus belles places que l'on connaisse. D'une remarquable homogénéité architecturale. A l'entrée, dominée par la *Carinthia Haus* du XVe siècle, porche sur colonnes et balcons sur deux étages. Au milieu de la place, colonne de peste (1715) et deux fontaines du XVIIe siècle.
Le *Rathaus* propose sa ravissante façade ouvragée. Au-dessus du porche, plaque gothique de 1468 (armoiries de la ville), statue symbolisant la Justice et un fronton

orné d'aigles couronnées. A l'intérieur, jolie cour Renaissance avec arcades décorées de sgraffites. Voir aussi la grande salle rococo du premier étage.
Au rez-de-chaussée, ***office du tourisme.*** ☎ 55-55-13. Personnel très compétent. La *Sudetgasse* mène ensuite à une porte de ville et à l'ancien rempart. Au nº 14, à l'angle, Vierge en majesté de 1450.

★ ***Stadtpfarrkirche :*** l'église paroissiale, à deux pas de la place. Possède des origines romanes et un chœur gothique. Trois nefs avec arches en plein cintre. Maître-autel baroque exceptionnel, ainsi que ceux dans la nef. Mise en scène très théâtrale. A gauche du chœur, vestiges de fresques. Chaire splendide avec les quatre évangélistes. Retable de gauche avec pietà. Retable de droite avec un saint Sébastien. Tribune d'orgue richement décorée. Tout autour de l'église, jolies pierres tombales encastrées. Petite chapelle romane ronde devant.

★ De la Hauptplatz, prendre ensuite la ***Postgasse.*** On parvient à une coquette demeure gothique avec échauguette. Rejoindre la Burggasse jusqu'à ***Herzogsburg,*** l'ancien arsenal (1523). Belle cour à arcades, tour et musée municipal. Emprunter la ***Grabenstrasse,*** vestiges importants des remparts.

Que voir d'autre dans la région ?

A HUTTENBERG

★ ***Heinrich Harrer Museum :*** à l'entrée d'Hüttenberg. Ouvert tous les jours de 9 h à 17 h et du 1er avril à fin octobre. Intéressant musée ethnographique, fruit des longs voyages du professeur Harrer. Pas moins de 400 objets insolites du Tibet, de l'Inde, de la Nouvelle Guinée, du Surinam, etc. Imposant temple du Tibet pour ceux qui souhaitent se dépayser ou méditer.

★ ***Bergbaumuseum (musée de la Mine à Hüttenberg) :*** ☎ 04263/427. Ouvert d'avril à fin septembre tous les jours de 9 h à 17 h (dernière admission 16 h). Visite guidée toutes les heures en allemand ou en anglais. Mine de cristal fermée depuis 1978. 978 mineurs y travaillaient. Il s'agissait alors d'un des plus importants gisements de cristal au monde. L'histoire de l'extraction est retracée depuis son origine. Plus de 176 sortes de cristal étaient exploitées. Juste à côté, ancien village de mineurs : les corons autrichiens. A la place de la brique rouge, c'est du bois. C'est la seule différence. La taille, la proximité des maisons vous replonge dans l'univers de Germinal.

★ ***La cathédrale de Gurk ou cathédrale de l'Assomption :*** au sud-ouest de Friesach. Ouverte de 9 h à 18 h. Une des plus belles églises romanes d'Autriche. Deux clochers à bulbes baroques. Construite en 1140, l'extérieur fut restauré en style baroque au XVIIe siècle. Superbe maître-autel. Sous le porche d'entrée, fresques gothiques originales *(Ancien et Nouveau Testament)* du XIVe siècle. Crypte aux cent colonnes. Pour les visites guidées : demander au kiosque à l'entrée.

★ ***La brasserie de Hirt :*** à 5 km au sud de Friesach, la dernière brasserie privée d'Autriche. ☎ (04268) 20-50. Ouverte lundi, mardi, mercredi et samedi de 7 h à 11 h et de 12 h 30 à 16 h. Visite guidée (sur réservation).

★ ***Ossiacher See :*** lac de 11 km de long, lieu de villégiature extrêmement populaire chez les Autrichiens. Très touristique, autant le savoir (l'eau pouvant atteindre 28° C, il y a quelques bonnes raisons !).

★ A ***Treffen,*** petit village à l'ouest du lac, les amoureux de poupées ne regretteront pas le petit détour au ***Elli-Riehl Puppenwelt***. Une brave mamie a passé sa vie à confectionner d'adorables petites créatures pimpantes et rieuses et à les mettre en situation. ☎ (04248) 23-95. Ouvert de juin à septembre de 9 h à 18 h ; de mi-avril à fin mai et la première moitié d'octobre, de 14 h à 18 h.

★ Au château de ***Landskron,*** à côté de Villach, démonstrations de vols de rapaces (aigles, vautours, faucons, etc.). ☎ (0442) 428-88. En juillet-août à 11 h, 15 h et 18 h ; mai, juin et septembre, à 11 h et 15 h. Superbe panorama sur l'Ossachier See.

Où dormir ? Où manger dans la région ?

🏠 ***Jugendherberge (A.J.) :*** Briefelsdorf, 7, à Feldkirchen. A 8 km de l'Ossiacher See. ☎ (04277) 26-44. Ouverte de fin-avril à mi-octobre.

🏠 ***Jugendherberge (A.J.)* :** Dinzlweg, 34, à Villach-St. Martin. ☎ (04242) 563-68. Ouverte de janvier à fin octobre et la deuxième quinzaine de décembre.

🏠 ***Jugendherberge (A.J.)* :** Zur Seilbahn 5, à Spittal. ☎ 04762/27-01. Attention, l'A.J. n'est pas directement dans la vallée, elle est au contraire dans la montagne. C'est très chouette mais accès possible uniquement avec le bus.

🏠 ***Österreichischer Jugendherbergsverband* :** à Spittal. ☎ 04762/32-52. Plus près du centre-ville de Spittal que la précédente.

🏠 ***Gasthof Lauritsh* :** Max-Lauritsh Strasse, 49, Landskron-Gratschach. Au pied du château de Landskron, en face d'une jolie chapelle. ☎ (04242) 424-40. Grosse auberge traditionnelle. Ça sent bon le cidre alentour. Chambres correctes, prix raisonnables. Resto à clientèle populaire. Aux beaux jours, on dîne dehors. Beaucoup de monde autour des longues tables.

🏠 ***Gasthof Tell* :** Marktplatz, 14, à Paternion. ☎ (04245) 29-31. Fax : 30-26. C'est une gentille bourgade à mi-chemin de Villach et Spittal, dans la vallée de la Drau. Sympathique auberge de campagne. Chambres confortables au cadre chaleureux. Cuisine traditionnelle de Carinthie. Agréable salle à manger avec voûtes. Terrasse en été. Possibilité de demi-pension. Réduction enfants en basse saison.

🍽 ***Restaurant panoramique du château de Landskron* :** ☎ (04242) 415-63. Salle à manger avec cadre et atmosphère assez chic. Café-snack en terrasse avec vue superbe. Ouvert tous les jours jusqu'à 22 h. On s'excuse, on a goûté la vue, pas les plats !

🍽 ***Schoffmann* :** Süduferstrasse, 4, à Landskron. Dans la rue principale du village. Dans une maison très ancienne, auberge très populaire localement. En activité depuis 1757. Atmosphère animée. Cuisine très classique (cochonnailles et grillades).

EISENKAPPEL

A 40 km au sud de Klagenfurt, plusieurs éléments se sont conjugués pour nous faire aimer Eisenkappel. Tout d'abord l'affabilité et la sympathie des autochtones. Dès notre arrivée, des habitants nous ont témoigné leur gentillesse et nous ont expliqué autour de quelques bières leur attachement pour leur village. Il résulte d'un héritage géographique particulièrement clément. Au cœur des montagnes Karawanken, Eisenkappel s'enfonce sur 6 km dans cette chaîne. Village très étendu, il tire sa fierté d'un air d'une très grande pureté. Aucune industrie, la pollution est donc très limitée. Le ciel reste d'un bleu éclatant, sans nuages, 300 jours sur 365. Cet air vif et pur attire les curistes qui y soignent leurs maladies respiratoires et pulmonaires. En outre, les activités possibles sont multiples (balades en forêts, randonnées un peu plus intensives en montagne, pêche, baignade...).

Eisenkappel peut également être une étape intéressante avant la Slovénie. La frontière est toute proche.

Où dormir ? Où manger ?

🏠 ***Pension Germadnik* :** Vellach, 59. ☎ 04238/4273. Petite auberge, quelconque mais conviviale. Petit déjeuner copieux. Resto pour les pensionnaires. Auberge très vivante le soir. Ambiance bon enfant. Bon marché.

🏠 ***Pension Berghof Brunner* :** Fam Haderlage. ☎ 04238/301. A 700 m d'altitude. Cadre verdoyant, ambiance chaleureuse. Tenue impeccable. Décoration rustique et chaude. Accueil de qualité. Grande terrasse panoramique, sauna, solarium... Très bon resto.

A voir

★ ***La grotte* :** c'est le principal attrait touristique. ☎ 04238/8239. Elle est féerique. Il s'agit d'une grotte naturelle. Les stalactites et stalagmites à travers lesquelles vous déambulerez sur une belle musique de fond sont illuminées par un savant jeu de lumières. Visite guidée toutes les heures à partir de 9 h 15 et jusqu'à 15 h 30. De la place principale, un bus conduit les visiteurs sur le site. Pas d'accès direct en voiture.

LA VALLÉE DE LA GAIL

De Villach à Kötschach, voici un chouette itinéraire longeant une riante vallée au pied des Alpes carniques. Traversée de ravissants villages et possibilité d'aller à la rencontre d'autres, sur les petites routes de l'arrière-pays. Vraiment l'Autriche profonde et naturelle, encore peu touristique. Beaucoup d'églises intéressantes pour ceux qui ont du temps.

SANKT STEFAN AN DER GAIL

Pour son église paroissiale au riche décor baroque. Voûte en palmier dont les branches jaillissent des piliers. Splendide retable avec bas-reliefs sculptés, dorés et polychromes. Lapidation de saint Étienne particulièrement bien rendue. Au-dessus, saint Laurent sur le gril. Chœur voûté en lierne. Dans le transept gauche, chaire et retable imbriqués. Porte d'entrée sculptée.
A 100 m, vers la sortie du village, jolie croix de carrefour avec fresques.

VORDERBERG

Petit village mignon tout plein. A l'ouest de la Gail. *Église* intéressante pour son retable gothique. Après l'église, tourner à gauche vers l'église de *Maria Graben*. C'est le point de départ d'une balade dans les gorges des Alpes carniques. Sur la place principale du village, *resto* très sympa. Prendre une assiette froide : charcuterie, fromage du pays ; bon, copieux et pas cher. L'hôte (surtout sa fille) vous indiquera les randonnées autour de la Gail.

EGG

Près du petit lac de *Presseger See* aux très chaudes eaux, bordé de quelques plages (toutes gratuites), Egg, village tout mignon, avec une église gothique du XVe. Si c'est fermé, les *addicts* iront chercher la clé au n° 35 de la rue principale (dernière maison blanche, sur la gauche, à la sortie du village, vers Hermagor). A droite de la nef, prie-Dieu de 1491 orné d'une prédelle de retable. Vestiges de fresque. Trois petits retables baroques.

KIRCHBACH

L'une des entrées de l'ancien cimetière propose une fresque de 1474 (saint Martin partageant son manteau). A l'intérieur de l'église, décor baroque noir et or. Au plafond, une autre fresque avec saint Martin (à notre avis, le nom de l'église doit être Saint-Martin !). Un peu plus loin, à Reisach, croix de carrefour avec fresques de 1510.

SANKT DANIEL

Village où l'église du même nom marque bien la transition entre le roman et le gothique. Toute jaune et blanche. Belles proportions. Voûtes étoilées et chaire sculptée et peinte. Dehors, fresque du Jugement dernier très dégradée.

KÖTSCHACH

IND. TÉL. : 04715

Importante bourgade-carrefour. Routes pour Lienz, le Grossglockner et Udine. Station climatique et de sports d'hiver. Étape agréable avant d'attaquer la montagne. Beaucoup d'hôtels et de pensions.

– ***Code postal :*** A 9440.

Où dormir ? Où manger ?

⌂ ***Pension Hernler :*** au centre du village. ☎ 86-12. Demeure traditionnelle. Style grand chalet, au milieu d'un jardin fleuri. Chambres correctes.

⌂ ***Camping Alpen :*** Kötschach-Mauthen. ☎ 429. Bien situé. Location de bungalows également. Sur la route, vers Mauthen.

Plus chic

☗ ***Hôtel Romantique Post :*** place principale, presque en face de l'église, un peu à droite. ☎ 221. Fax : 222-53. Hôtel de tourisme de bon goût et confortable. On y parle le français. Chambres plaisantes. Jardin, petite piscine, sauna, terrasse. Restaurant avec salle à manger agréable. Carte traditionnelle pas très bon marché, mais on y trouve quelques plats abordables. Spécialités locales.

Très chic

☗ ***Sissy Sonnleitner :*** rue principale, Kötschach-Mauthen (à Mauthen). ☎ 269 et 378. Fax : 378-16. Dans une fort jolie maison jaune et bleu, n° 24, au décor particulièrement raffiné, découvrez peut-être le meilleur restaurant de Carinthie. Service hors pair, d'une gentille discrétion rare. Cuisine inspirée, légère, inventive, délicate... Bref, ne sombrons pas dans le dithyrambe ! Propose plusieurs formules, notamment un menu de gourmets ou « romantique ». Quelques plats : *Zander vom Huh, Kalbsschulter (mit Marsala und Sabei, Karfiol und Maïkucherin), Krauter ravioli, mascarpone raviole in Zungensauce,* etc. Fort belle carte de vins autrichiens, italiens et français d'où l'on vous a extrait un meursault genévrières 88 premier cru, et un montrachet Marquise de Laguiche. Vin au verre très abordable (« caraf » dans le texte). Chambres à louer fraîches et colorées. Demi-pension possible.

A voir

★ ***L'église Notre-Dame :*** édifiée au XVIe siècle. Propose des voûtes splendides avec un décor assez rare : un véritable « treillis végétal » en stuc. Chœur polygonal orné d'une remarquable fresque de 1499. Chaire du XVIIIe siècle sculptée par un prêtre local. Grand retable du siècle dernier.

★ ***L'église de Laas :*** à 3 km (par la B110). En grès rouge, de style gothique tardif (XVIe siècle). Portail en accolade. Dans le chœur, vestiges de fresques de 1535. Jolie porte en gothique fleuri à gauche. Tribune ornée de Jésus et des apôtres. Sur le plafond, les mêmes arabesques en stuc qu'à Kötschach.

★ ***Le Lesachtal :*** pour ceux qui ont le temps, belle excursion dans une vallée peu touristique, assez sauvage même. Architecture rurale traditionnelle. La route s'élève d'abord en corniche dans l'étroite vallée. Forêts de sapins. Puis montée en lacet vers St. Jakob. Là, la vallée s'évase, devient riante. Nombreuses demeures typiques annonçant l'Ost Tirol. Églises toutes blanches aux toits effilés et rouges, comme à Birbaum, St. Lorenzen, Liesing...

OBERTILLACH

Village perdu dans les montagnes. Le paysage est d'un bon vert gras toute l'année. Les maisons sont couvertes de fresques. Leur architecture est conforme avec celle du Tyrol. Tout y est souriant.

Où dormir ? Où manger ?

☗ ***Gasthof Edelweiss :*** maison n° 23. ☎ 04847/5217. Chalet en bois avec d'énormes géraniums aux fenêtres. Grandes baies vitrées dans la salle de restaurant. Très vivant l'hiver. Réservation conseillée.

LE TYROL ORIENTAL (OST TIROL)

Cinq fois plus petit que le Tyrol septentrional auquel il est relié administrativement, le Tyrol oriental est le produit des bouleversements géographiques qui ont suivi la Grande Guerre. En 1919, le Tyrol du Sud fut rattaché à l'Italie et la bourgade qui donnait d'ailleurs son nom au Land y resta (Tirolo, près de Merano). Un petit « doigt » du Salzbourg le sépare de l'autre partie du Land et seul le Felbertauerntunnel relie Lienz à Kitzbühel.

LIENZ

IND. TÉL. : 04852

Le chef-lieu du Tyrol oriental se niche au milieu d'un grand bassin fertile. Au nord se dresse, quasiment sans transition, la barre abrupte du massif du Felbertauern. Au sud, les Dolomites. Les Romains appréciaient déjà la région, puisque, à quelques kilomètres de la ville, on a retrouvé des vestiges significatifs d'Aguntum, un municipe important de la province romaine de Noricum. Cruellement atteinte par les bombardements de la dernière guerre, Lienz n'en possède pas moins un charme discret et feutré et une belle place centrale où flotte une atmosphère assez méditerranéenne. C'est en tout cas un centre très important de sports d'hiver (notamment de ski de fond).
Bien prononcer le e : « lieunz » pour éviter la confusion avec le Linz du nord du pays et pour éviter de vous faire reprendre à tout bout de champ !

Adresses utiles

– ***Code postal :*** A-9900.

ℹ ***Office du tourisme :*** Europlatz, 1. A côté de Hauptplatz. ☎ 652-65. Fax : 65-26-52. Bon accueil et bien documenté. Ouvert de 8 h à 18 h ; samedi, de 9 h à 12 h et de 17 h à 19 h ; dimanche, de 10 h à 12 h.

ℹ ***Office du tourisme régional du Tyrol (Ost Tirol Werbung) :*** Albin-Egger Strasse, 17, à 20 mn à pied de la place principale. ☎ 653-33. Ouvert de 8 h à 17 h (sauf week-end).

✉ ***Grande poste :*** en face de la gare.

Gare : Bahnhof Platz. Consigne. Change jusqu'à 18 h. Location de vélos. Trains pour toutes les directions : Salzbourg, Graz, Vienne, Innsbruck et nombreuses destinations internationales. Renseignements : ☎ 17-00 ou 17-17.

Terminal des bus : à côté de la gare. Renseignements : ☎ 670-67. Pour Kitzbühel (par Matrei et Mittersill), Kaiser-Franz-Josefs-Höhe, Zell am See, Salzbourg, Heiligenblut, Spittal, Kötschach-Mauthen (par Obertilliach), Hermagor, etc.

Où dormir ?

Bon marché

Hôtel Glocklturm : Pfarrgasse, 2. ☎ 621-64. Juste de l'autre côté du pont, avant d'arriver à l'église St. Andrä. Chambres correctes de 250 FF (demander sans douche, ni w.-c.) à 450 FF (petit déjeuner compris).

Gasthof Goldener Stern : Schweizergasse, 40. ☎ 621-92. Dans la rue principale menant de la place principale à l'église paroissiale. Hôtel traditionnel, façade ocre rouge. Fleuri, tenue impeccable. Chambres croquignolettes. Trois générations s'activent aux fourneaux pour votre plus grande satisfaction. Une de nos meilleures adresses sur Lienz pour le rapport qualité-prix. Les prix des chambres oscillent entre 220 FF (sans douche ni w.-c.) à 320 FF.

Gasthof Goldener Fisch : Kärntner Strasse, 9. ☎ 621-32. Pension assez centrale. Possibilité d'avoir des chambres pas chères en demandant sans douche ni w.-c. Bien pratique car grand parking. Le petit déjeuner est servi sous forme de buffet, c'est donc hyper copieux pour les affamés au réveil. Également resto : les prix sont très corrects. Plus une clientèle d'habitués de l'auberge que de touristes.

Camping Komfort « Falken » : Eichholz, 7. ☎ 640-22-40. Fax : 640-226. Situé de l'autre côté de la Drau. En sortant de la gare, prendre à gauche jusqu'au pont, traverser puis suivre un peu Amlacherstrasse.

Beaucoup de ***Privatzimmer.***

Plus chic

Hôtel Garni Eck : Hauptplatz, 20. ☎ 647-85. Meubles anciens dans le hall et la salle à manger, mais les chambres sont plus banales. Bon accueil. Hôtel fort bien situé. Compter 400 à 500 FF la double.

Très chic

Hôtel Traube Lienz : Hauptplatz, 14. ☎ 644-44. Fax : 641-84. Sur la place principale. Pas mal de charme. Au XVIe siècle, on signalait déjà une auberge à cet endroit. Meublé à l'ancienne avec beaucoup de goût. Chambres particulièrement confortables. Piscine. Pour un petit supplément, on peut même obtenir une « spéciale romantique » avec mobilier antique. Fort belle salle à manger voûtée aux tons très doux. A la carte : agneau des Alpes de Villgarten, champignons et baies sauvages cueillies le jour même, herbes culinaires du jardin, poisson venant de la propriété. Tout est mis en œuvre pour garantir la fraîcheur de la cuisine. Belle carte des vins. Hôtel chic et cher.

Où manger ?

Brotzlerstube : Beda Weber Gasse, 38. ☎ 621-38. A côté de la Pfarrkirche. Auberge traditionnelle. Pas de cachet particulier. Boulangerie, pâtisserie, resto et café dans le même bâtiment. Propre, pas trop cher et sympa.

Gasthaus Alder Stüberl : Andrä-Kranz Gasse, 5. ☎ 625-50. A deux pas de la place principale. Carte en français, anglais et italien. Le service est gracieux. Petite terrasse l'été.

Restaurant Tiroler Stub'n : Südtiroler Platz, 2. ☎ 636-63. Un bon gros chalet en bois fleuri. L'hiver, on y trouve les classiques : feu de cheminée, musique tyrolienne, etc. On aimerait y passer une longue soirée à se prélasser et à manger les spécialités tyroliennes. Hyper agréable.

A voir

★ ***Le château de Bruck (Schloss Bruck) :*** à 2 km du centre, en direction de Matrei. Bien indiqué. Ouvert de 10 h à 17 h du dimanche des Rameaux à fin octobre (de mi-juin à mi-septembre, ferme à 18 h). Construit au XIIIe siècle, puis agrandi au XVIe siècle. Il abrite des collections d'exceptionnelle qualité. D'abord une partie ethnographique avec de pittoresques portraits de paysans du XIXe siècle, souvenirs et témoignages divers (fêtes, chorales), instruments de musique, costumes typiques, gravures, manuscrits, beau livre de 1604, différents protocoles des XVIIe et XVIIIe siècles, coiffes paysannes très anciennes. Édit de Maximilien Ier établissant Lienz capitale provinciale en 1515. Splendide reconstitution d'une chapelle avec fresques et tribunes de bois sur trois côtés (accès par l'étage supérieur).
Admirable « tenture-BD » de 34 m² fabriquée en 1598 et racontant la vie et la passion du Christ. Ameublement paysan, armoires peintes, ferronnerie d'art (belle enseigne de serrurier). Dans la dernière salle, objets domestiques, céramiques, bois gravés, lits, collection originale de crèches.
Au dernier étage, présentation d'un très grand peintre autrichien, Albin Egger-Lienz (1868-1926). Démarche artistique extrêmement réaliste. Il voulait exprimer la dureté du travail des hommes. Superbes portraits de paysans et de gens du peuple. En particulier, *der Sämann* (le semeur), la « Révolte » *(Haspinger)* de 1909, *Kriegsfrauen, Weihwasser nehmender Bauer,* etc. Cafétéria avec terrasse agréable. Resto à l'intérieur en revanche assez cher.
A noter : la maison natale du peintre Albin Egger se trouve dans la Schweizergasse.

★ ***Hauptplatz :*** fort belle place. Très méditerranéenne avec ses façades pimpantes et fleuries, ses palmiers, son *Rathaus* au décor d'opérette. Ancien château du XVIe siècle restauré, avec deux tours rondes à bulbe. Nombreux cafés avec larges terrasses. C'est presque l'Italie, dis mon frère !

★ ***L'église franciscaine :*** Muchargasse. Une seule nef romane, mais chœur gothique. Vestiges de fresques du XVe siècle. Pietà polychrome (près de la chaire) et grand Christ en croix.

★ ***L'église St. Andrä :*** de l'autre côté de l'Isel, au bout de la Schweizergasse. C'est celle de la paroisse, avec son curieux cimetière (fresques derrière chaque tombe). Vaste édifice gothique. Dans le chœur, plafond abondamment stuqué et intéressant Christ en gloire du XVIIIe siècle. Monumental retable sur colonnes de marbre rouge. Tabernacle richement décoré. A droite, fresques de 1454. Dans la crypte, belle pietà du XVe siècle. Statues de la Vierge en marbre rouge sculpté.

A voir aux environs

★ ***Aguntum :*** à 5 km près de Dölsach, site du municipe romain d'Aguntum. Petit ***musée*** présentant également des témoignages et vestiges des sculptures celtes et illyriennes. Ouvert de 9 h à 17 h ; samedi de 9 h 30 à 12 h et de 13 h à 17 h ; dimanche et jours fériés de 10 h à 12 h 30 et de 13 h 30 à 16 h 30. Fermé le lundi.

★ ***Lavant :*** à une dizaine de kilomètres, deux ravissantes églises de pèlerinage dans un environnement extra. On a retrouvé également des vestiges d'une basilique paléochrétienne (fondations, quelques colonnes). Lieu de pèlerinage célèbre.

★ Superbes balades aux environs.
– D'abord dans ***le massif du Zettersfeld*** (à 1 820 m). Accès par téléphérique du quartier de Grefendorf (juste à la sortie de Lienz). Plus simplement, promenade sympa aux villages de *Gaimberg* et de *Nussdorf* au pied du Zettersfeld. L'accès à Zettersfeld se fait aussi par une route à péage.
– ***Pic du Hochstein :*** à l'ouest de la ville, un télésiège peut vous mener en deux étapes au Hochstein à 1 511 m. Départ du quartier de Schlossberg (à côté du château de Bruck). Route à péage de Bannberg à Hochstein.
Pour toutes ces balades et les itinéraires balisés, bonne documentation à l'office du tourisme.

★ ***La vallée de la Virgental :*** cet itinéraire est particulièrement agréable en automne où les couleurs donnent des reflets mordorés à la nature. Cependant la découverte de cette vallée est un moment charmant quelle que soit la saison que vous choisirez. Pas de péage pour y accéder. C'est à 40 km de Lienz. Prendre la direction de Matrei et s'enfoncer dans la vallée. Plusieurs curiosités. A Matrei, l'église de Saint-Nicolas est un joyau de l'art roman, vieille de 800 ans, elle tire sa célébrité de ses fresques et de la disposition sur deux étages de son chœur. A Obermauen, la très vieille église Notre-Dame date du XVe siècle et offre des fresques de Simon von Taisten magnifiquement conservées. L'hiver, naturellement tous les plaisirs de la montagne : super domaine skiable à près de 2 000 m d'altitude, chalet, etc., vous sont offerts.

LA ROUTE DU GROSSGLOCKNER

C'est le populaire itinéraire pour relier Lienz à Salzbourg, par Heiligenblut et Zell am See. Il traverse le parc national des Hohe Tauern. Portion à péage dans sa partie la plus haute (environ 350 SCH pour la voiture). Route la plus élevée d'Autriche offrant de grandioses panoramas, notamment sur le Grossglockner (3 797 m) et le Pasterze, plus grand glacier du pays. Fermée de début novembre à début avril et de 22 h à 5 h. Là-haut, il n'est pas rare qu'il tombe jusqu'à 20 m de neige. Les travaux de déblaiement durent au moins 3 semaines. S'il fallait charger la neige dégagée dans un train de marchandises, celui-ci devrait faire 140 km de long ! 1 300 000 personnes empruntent chaque année la Grossglocknerstrasse... Elle fut construite en cinq ans seulement, de 1930 à 1935, mais ce fut, paradoxalement, grâce à la violente crise économique de l'époque qui permit l'emploi de 3 000 chômeurs.
En haute saison, de Lienz et Zell am See, le « Glocknerbus » assure plusieurs liaisons quotidiennes jusqu'au Franz-Josefs-Höhe (sommet François-Joseph). Voici quelques sites intéressants rencontrés en cours de route.

★ D'***Iselsberg,*** belle vue sur Lienz.

GROSSKIRCHEIM

Petit village ravissant traversé par la rivière Möll. Étape culturelle avant d'attaquer les montagnes du Glossglockner. Ancien village minier, Grosskircheim connu son heure de gloire au XVe siècle. C'était alors le principal centre d'extraction d'or de la région. Aujourd'hui, un petit ***musée*** dans le château du village retrace l'histoire de cette période fastueuse. Quelques acharnés s'évertuent à chercher dans la Möll l'or qui a fait autrefois la richesse de Grosskircheim.

Hôtel Schlosswirt : cadre idyllique. C'est vrai que c'est un peu cher mais qu'est-ce que c'est agréable. Hyper confortable. Sauna, tennis, pistes de ski, patinoire, piscine, club hippique à proximité. Resto également.

★ ***Musée de la Mine d'or :*** fermé le dimanche. Visites guidées à 10 h, 11 h, 13 h 30, 15 h et 16 h 30.

HEILIGENBLUT

Station populaire de sports d'hiver. De 1 300 à 2 902 m, 2 téléphériques, 2 télésièges et 9 téléskis. En été, bonne base pour des excursions dans le *parc national des Hohe Tauern.* Ne pas manquer la visite de l'église du XVᵉ siècle. Elle conserverait dans son beau tabernacle une ampoule reliquaire du Saint Sang (d'où le nom du village). Grand retable en bois polychrome du XVIᵉ siècle d'un élève de Michael Pacher. A gauche, retable de Sainte-Véronique. Sur l'autel principal, douze panneaux peints.

ℹ ***Office du tourisme :*** ☎ (04824) 20-01-21. Fax : 20-01-43.
⌂ ***Jugendherberge (A.J.) :*** fermée en octobre-novembre. Nombreux hôtels, pensions, *Zimmer* et campings confortables.

ROSSBACH

A 1 700 m. Début de la route à péage. 2 km plus loin, possibilité de voir les ruines de la voie romaine sur les parois de la montagne.
– Départ de la route du glacier menant au sommet François-Joseph, à 2 369 m. En 1856, l'empereur effectua l'ascension en 4 h. Beau panorama sur le Glockner, ça va de soi ! Point d'information et audiovisuel. Funiculaire menant au bord du glacier. Possibilité de suivre le chemin de *Gemsgrube* (fossé aux chamois), parcours d'initiation à la connaissance des glaciers parsemé de panneaux explicatifs.

FRANZ JOSEFS-HÖHE

Tout simplement génial. Indispensable de prévoir 3 h de balade. Parking gigantesque, café, snack. Pas de problème pour la logistique. La route monte à 2 400 m d'altitude. A pied, possibilité de continuer à monter afin de stimuler des sensations vertigineuses. Panorama en direct live sur le Glossglockner. 300 m plus bas, le glacier de la Pasterze est le plus vaste d'Autriche. Une première balade d'une heure aller-retour vous amène au premier gîte : « Hoffmannshütte ». En poursuivant pendant 2 h, vous arrivez à l'« Oberwaldhütte ». Tous ces gîtes sont équipés d'une cuisine et de couchages. Au cours de la promenade, des marmottes insolentes viendront solliciter votre générosité. Elles sont vraiment craquantes et pas du tout sauvages. Pas besoin de s'appeler Maurice Herzog pour s'aventurer sur ces sentiers.

TUNNEL DU HOCHTOR

A 2 506 m. En son milieu, « frontière » entre la Carinthie et Salzbourg. Du Moyen Age au XVIIᵉ siècle, le Hochtor fut l'une des principales routes commerciales entre l'Allemagne et Venise. A la sortie, impressionnante vision sur les pics et les glaciers.

L'EDELWEISSSTRASSE

Mène à 2 571 m au pic de l'Edelweiss pour ceux qui souhaiteraient encore plus de panoramas somptueux. On a compté : plus de 30 cimes à plus de 3 000 m et près de 20 glaciers. Hôtel, resto et snack.
Au pied du pic (Oberes Nassfeld), ***Centre des visiteurs*** et sentier botanique. Expo et montage diapo. A 3 km, le *Hexenküche*, l'un des meilleurs arrêts photo. Une anecdote : lorsqu'il y a quelques années, on restaura la route, on découvrit les restes d'hommes enchaînés les uns aux autres par le cou. En effet, par ce col passaient également, au XVIIᵉ siècle, les criminels condamnés à Salzbourg aux galères et se rendant à Venise. Un peu plus loin, chemin de découverte de la nature de Piffkar.

FERLEITEN

Péage de la route du Glockner (à 1 145 m). ***Parc animalier*** alpin où l'on peut découvrir les animaux d'Europe centrale : lynx, loups, ours bruns, bisons, etc.

★ *ZELL AM SEE*

Au bord d'un lac, importante ville carrefour dans une région de sports d'hiver. Coin assez bétonné. On est dans le Land de Salzbourg. Très touristique, été comme hiver, prix élevés. Au centre-ville, une tour du XIIe siècle abrite un petit ***musée municipal des traditions populaires***. Tout autour, de belles demeures. Au cimetière, on trouve M. Ferdinand Porsche (1875-1951), inventeur de la célèbre Coccinelle.

⌂ ***Jugendherberge (A.J.) :*** Seespitzstrasse, 13. ☎ (06542) 71-85. Fermée du 15 octobre au 15 novembre. Du train, bus vers Schüttdorf et descendre à Karl Vogt Strasse.

★ *DE ZELL AM SEE A INNSBRUCK*

Large route très fréquentée (nombreux camions) passant par de belles vallées assez urbanisées cependant : on a du mal à distinguer l'ancienne architecture rurale de tous les chalets « néo ». Portion à péage de la Gerlosstrasse, peu après Krimml.

LES CHUTES DU KRIMML (KRIMMLER WASSERFÄLLE)

Dans la vallée de Pinzgau (à 53 km de Zell am See). Ce sont les plus hautes chutes d'Europe. Elles tombent en trois cascades d'une hauteur de 380 m. On les atteint à pied en plus d'une heure. Accès payant. De la cascade inférieure, possibilité de monter aux autres par un chemin sinueux à travers la forêt. Quelques points de vue arrosés aménagés sur les chutes. Beaux effets de lumière le matin. C'est très très touristique. Elles sont surprenantes par le débit et les embruns qu'elles projettent. Ne pas hésiter à aller le plus haut possible, prévoir environ 3 h (avec les pauses) aller-retour. Le site a obtenu le prix européen pour la protection de la nature.

ℹ ***Office du tourisme de Krimml :*** ☎ (06564) 239. En hiver, toute la région de Krimml-Wald et Gerlos offre près de 75 km de pistes de ski, 50 km de pistes de ski de fond et 35 remontées mécaniques, notamment sur les pentes du Königsleiten (2 315 m).

ZELL AM ZILLER

Première grande cité du Tyrol. Église paroissiale à plan circulaire avec dôme, élevée en 1772. Elle a conservé son ancien clocher romano-gothique tout effilé. A l'intérieur, délire rococo tyrolien allant vers le néo-classique. Superbes retables particulièrement colorés et immense fresque sur la coupole.

MAYRHOFEN

Petit village de montagne des environs devenu énorme ville commerçante et très touristique.

HAINZENBERG

Peu avant Zell am Ziller. Ne pas manquer sa ravissante *église Maria Rast* : harmonieuse architecture et remarquables fresques.

★ *STUMM*

Peu avant d'arriver à l'autoroute d'Innsbruck. Offre son église à une nef avec un beau plafond en trompe l'œil, un maître-autel rocaille avec une peinture du XVe siècle, une double tribune d'orgue et d'intéressants bas-reliefs. A gauche, la *Peste*, et à droite, la *Lapidation de saint Étienne*.

A.J. : à Stummerberg, à côté de Stumm, Haus 68. ☎ (05283) 293-65. Ouverte toute l'année.

Pour les stoppeurs, les cyclistes et les autres, deux autres **A.J.** avant d'arriver à Innsbruck :

– A Uderns, Finsingerhof, Finsing 73. ☎ (05288) 20-10. Et à Wiesing. ☎ (05244) 26-58. Ouvertes toute l'année.

LE TYROL

Un peu le symbole de l'Autriche, pour le renom de son folklore, de ses traditions intactes, de sa culture et son architecture typique. D'ailleurs, c'est le Land qui reçoit le plus de touristes. En outre (mais est-ce bien un hasard ?), il y fait sûrement bon vivre puisque la population est passée, de 1869 à maintenant, de 237 000 à 621 000 habitants.
La moitié du Land est composée de montagnes (700 sommets à plus de 3 000 m !), glaciers et alpages, un tiers couvert de forêts et seulement un dixième cultivé. Rien d'étonnant donc à l'engouement des voyageurs pour le Tyrol !

Quelques éléments d'histoire

Sous l'empereur Auguste, les Romains construisirent leurs premiers camps (Veldidena à Innsbruck et Aguntum près de Lienz), les premières routes aussi (notamment celle du Brenner). Après l'effondrement de Rome, des Bavarois vinrent s'y installer. Puis, se constituèrent les comtés en Autriche. Au XIIe siècle, celui du Tyrol se forma avec le comte Meinhard II et hérita son nom d'un château près de Merano (ex-Tyrol du Sud, aujourd'hui en Italie).
En 1363, le comté tomba dans l'escarcelle des Habsbourg. Sous le règne de Maximilien Ier, le Tyrol atteignit une très grande puissance (l'empereur fut d'ailleurs enterré à Innsbruck). Les Tyroliens épousèrent la cause du protestantisme, mais pas leur élite. La Contre-Réforme fut donc menée rondement (et triompha au concile de Trente en 1563). Les Tyroliens gagnèrent à plusieurs reprises la réputation de défendre chèrement leur liberté, notamment en repoussant une invasion des Bavarois en 1703, puis en résistant vaillamment aux troupes napoléoniennes et bavaroises en 1809. En effet, par la paix de Presbourg, le Tyrol avait été attribué à la Bavière. Un aubergiste patriote, Andreas Hofer, lança son fameux appel à la révolte et les Tyroliens se soulevèrent massivement.
En 1919, le Tyrol perdit sa partie sud et le col du Brenner marqua la frontière. C'est là que Hitler et Mussolini se rencontrèrent en 1940.

INNSBRUCK

IND. TÉL. : 0512

La capitale du Land tire son nom de sa rivière (le pont sur l'Inn) à l'intersection des deux grandes voies de communication du Tyrol, depuis la nuit des temps (la vallée de l'Inn et l'axe nord-sud par le Brenner, entre l'Allemagne et l'Italie). C'est, avec plus de 100 000 habitants, l'une des grandes cités alpines (avec Bolzano et Grenoble). Elle abrita deux fois les jeux Olympiques (en 1964 et 1976). Aujourd'hui, grand centre de tourisme grâce à sa proximité des champs de neige, mais également à son splendide centre-ville médiéval et ses exceptionnels musées et églises.
L'été, c'est aussi un excellent point de départ pour de multiples randonnées sympa et de tous niveaux. Innsbruck, si elle est moins connue que Salzbourg sur le plan musical, organise pourtant de nombreux concerts, parfois les mêmes qu'à Salzbourg... et deux fois moins chers.

Adresses utiles

SERVICES

– ***Code postal :*** A 6020.
🛈 ***Office du tourisme*** *(plan C2, 🛈) :* Burggraben, 3. ☎ 598-50. Fax : 59-85-07. Le vrai office du tourisme est situé au 2e étage (et non au rez-de-chaussée). Ouvert toute l'année, du lundi au vendredi de 8 h à 18 h et le samedi de 8 h à 12 h. On y donne une bonne carte où sont positionnés tous les hôtels et leurs prix. Distribue également quelques brochures. Infos sur la ville.
🛈 ***Innsbruck Information :*** Burggraben, 3, au rez-de-chaussée. ☎ 53-560. Fax : 53-56-43. Ouvert tous les jours du lundi au samedi de 8 h à 19 h (le dimanche de 9 h à 18 h). C'est le point d'information principal mais c'est surtout un point de vente. Pas grand-chose de gratuit : réservation d'hôtels (commission perçue), vente de billets de concerts, de cartes de

la ville, de tours de ville en bus. On peut y acheter la « Museum Card ». Elle donne le droit d'entrée à 11 musées de la ville et de Hall. Pas de limite dans la durée d'utilisation. Point de change. Pas follement accueillant.
– Autres offices de tourisme à la gare (réservations d'hôtels payantes), ainsi qu'à chaque entrée de ville (ouest, sud et est).
■ ***Tirol Info :*** Wilhelm-Greil Strasse, 17. 53-20-170. Fax : 53-20-174. Ouvert de ☎ 8 h 30 à 18 h, samedi de 9 h à 12 h. Toutes les infos sur le Tyrol en général.
🖂 ***Grande Poste*** *(plan C3, 🖂)* : Maximilianstrasse, 2. Ouverte 24 h sur 24. Bureau à la gare également.
■ ***Change :*** à la gare centrale. Ouvert tous les jours de 7 h 30 à 20 h.
■ ***Hage Bank :*** Hofgasse et Herzog-Friedrich Strasse *(plan C1)*. Dans la vieille ville. Pour retirer de l'argent avec sa carte VISA.

TRANSPORTS

Gare (Hauptbahnhof ; *plan C3,*) : Südtiroler Platz. ☎ 17-17. Pour informations.
Bus : ☎ 57-66-00 (renseignements).
✈ ***Aéroport :*** Fürstenweg, 180. ☎ 225-25. A 4 km du centre ville. Bus F toutes les 20 mn environ d'Anichstrasse.
✈ ***Austrian Airlines :*** Adamgasse, 7a. ☎ 58-29-85.
■ ***Lufthansa :*** Studtiroler Platz, 1. ☎ 59-800.
■ ***Location de vélos :*** à la gare et aussi à *All-Round Sport,* Anzengruberstrasse, 60. ☎ 34-14-94. Ouvert du lundi au vendredi de 9 h à 12 h et de 14 h à 18 h (samedi de 9 h à 12 h). Location de vélos à tous les prix et de tous les types. Bon accueil. Réductions à partir de 3 jours.

Où dormir ?

On rappelle que l'office du tourisme délivre un petit document où tous les hôtels, pensions et AJ sont répertoriés, pointés sur une carte et où les tarifs sont indiqués. Très pratique et fort bien fait.

AUBERGES DE JEUNESSE ET SUMMERHOTELS

Pas moins de 6 auberges de jeunesse. Ce n'est pas trop car, en haute saison, il y a du monde, beaucoup de monde. Attention, certaines d'entre elles ne prennent que les possesseurs de cartes.

MK-Jugendzentrum *(plan D1-2, **10**)* : Sillgasse, 8A. ☎ 57-13-11. C'est une AJ d'été, ouverte de juillet à début septembre, mais elle est hyper-centrale et pratique. A deux pas de la vieille ville. Petit déjeuner compris. Réception

■ Adresses utiles

- Office du tourisme
- 🖂 Poste centrale
- Gare ferroviaire

Où dormir ?

- **10** MK-Jugendzentrum
- **11** Jugendherberge Schwenhaus
- **12** Internationales Studentenhaus
- **13** Pension Zach
- **14** Hôtel Delevo
- **15** Hôtel Weisses Kreuz
- **16** Hôtel Roter Adler

Où manger ? Où boire un verre ?

- **20** Resto universitaire
- **21** Cafétéria de l'hôtel Central
- **22** Goldener Adler
- **23** Ottoburg
- **24** Altstadtstüberl
- **25** Restaurant de l'hôtel Europa Tyrol

Où boire un verre ? Où sortir ?

- **30** Café Piano
- **31** Prometheus
- **32** Hofgarten Café
- **33** Café Filou
- **34** Krahvogel
- **21** Café Central

★ A voir

- **40** Altes Landhaus
- **41** Goldener Adler
- **42** Goldenes Dachl
- **23** Ottoburg
- **43** Hofkirche
- **44** Tiroler Volkskunst Museum
- **45** Hofburg
- **46** Tiroler Landes museum Ferdinandeum
- **47** Palais des Congrès

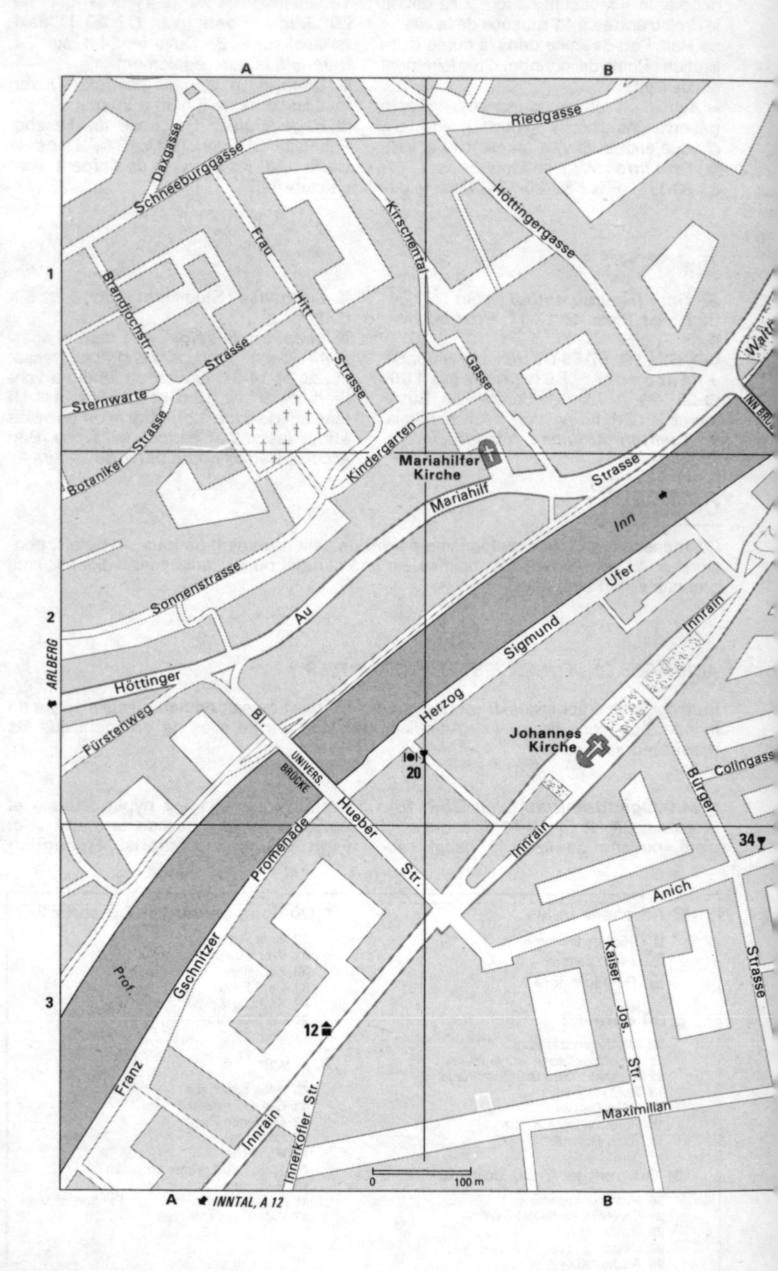
A
B
1
2
3
Riedgasse
Daxgasse
Schneeburggasse
Frau
Hitt
Strasse
Kirschental
Höttingergasse
Bramdjochstr.
Strasse
Sternwarte
Strasse
Botaniker
Kindergarten
Gasse
Mariahilfer
Kirche
Mariahilf
Strasse
Inn
INN BRÜCKE
Sonnenstrasse
Au
Ufer
Innrain
Sigmund
Herzog
Höttinger
Bl.
ARLBERG
Fürstenweg
UNIVERS. BRÜCKE
Hueber
Str.
20
Johannes
Kirche
Bürger
Colingass
34
Innrain
Anich
Promenade
Gschnitzer
Prof.
Franz
12
Kaiser
Jos.
Str.
Strasse
Maximilian
Innrain
Innerkofler Str.
0
100 m
A
INNTAL, A 12
B

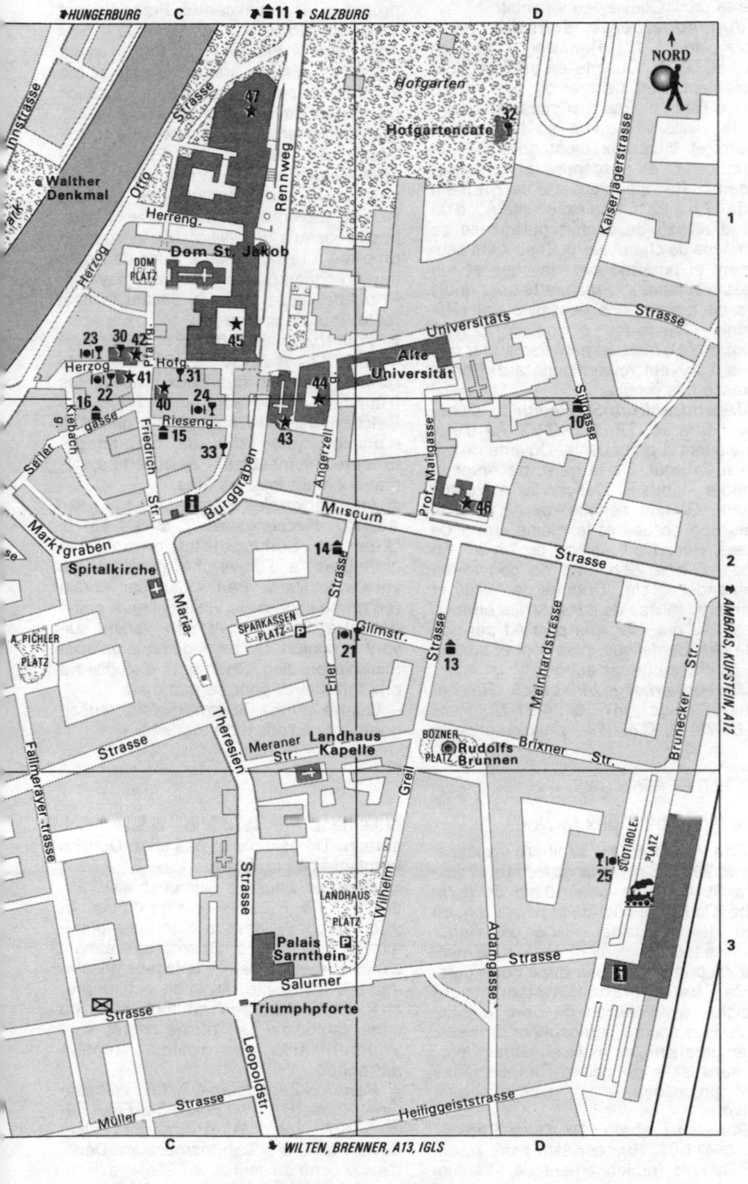

INNSBRUCK (CENTRE)

ouverte de 7 h à 9 h et de 17 h à 21 h. Dans un building béton très quelconque qui sert de maison des jeunes durant l'année. Dortoirs de 4 à 12 lits (tous au même prix). Couvre-feu à minuit.

Jugendherberge Schwedenhaus *(hors plan C1, **11**)* : Rennweg, 17 b. ☎ et fax : 58-58-14. Ouverte en juillet et août seulement. Sert de maison des jeunes durant l'année. Pas mal située (au nord de la vieille ville), tout au bord de la rivière et face aux montagnes. De la gare, bus C et descendre à Kandelsakademic. Réception ouverte de 7 h à 9 h et de 17 h à 22 h. Une excellente AJ, d'un grand niveau de confort puisqu'elle se compose de chambres de 3 ou 4 lits seulement et possède des douches et toilettes à l'intérieur. Presque le luxe quoi ! Pas de réservations possibles par téléphone. Couvre-feu normal à 22 h 30 (quoi, si tôt !) mais on peut demander une clé si l'on veut rentrer plus tard. Bonne adresse très propre.

Jugendzentrum St. Paulus : Reichenauer Strasse, 72. ☎ 342-91. AJ d'été, juste avant la précédente. Ouverte de mi-juin à fin août. De la gare, traverser et prendre le bus R. Descendre à Paulus Kirche. Grands dortoirs, peu d'intimité, mais bon accueil et la moins chère de toutes. Réception ouverte de 7 h à 11 h et de 17 h à 22 h. Pas de couvre-feu (demander la clé). Dortoirs de 18 lits et chambres mixtes de 8 lits. 60 lits en tout. C'est l'AJ qui « fait » le plus AJ par son côté plus bordélique, plus cool et surtout moins chère que les autres.

Jugendherberge Innsbruck : Reichenauer Strasse, 147. ☎ 34-61-79. Fax : 34-61-79-12. C'est l'AJ principale de la ville. Ouverte toute l'année (sauf quelques jours à Noël). Pour s'y rendre, bus O ou R jusqu'à « Camping Platz ». Grand bâtiment bien moche, bien béton, mais propre et un peu excentré. Petit déjeuner compris. Nombreux dortoirs. Un petit côté usine à touristes pas trop plaisant. Réception ouverte uniquement de 17 h à 22 h. Sur la porte, chaque jour, indication du nombre de lits disponibles pour la nuit.

Jugendherberge St. Nikolaus : Innstrasse, 95. ☎ 28-65-15. Fax : 28-65-15-14. Ouverte toute l'année. Assez centrale. Juste de l'autre côté de la vieille ville en traversant la rivière. De la gare, bus K jusqu'à St. Nikolaus. Accueil et propreté à revoir. Une centaine de lits en tout en chambres de 8. Douche payante. Chouette petite terrasse devant et petit resto. Pas de couvre-feu.

Volkshaus Innsbruck : Radetzkystrasse, 47. ☎ 39-58-82. Ouverte toute l'année. Pas loin des deux précédentes (Radetzkystrasse est perpendiculaire à Reichenauer). Un endroit pas génial, à n'utiliser qu'en cas de dépannage. Entouré d'immeubles. Pas ouverte systématiquement tous les étés.

Internationales Studentenhaus *(plan A3, **12**)* : Rechengasse, 7. ☎ 501-47-70. C'est un Summerhotel offrant des chambres à l'université pendant les vacances. Petite rue donnant sur Innrain (en droite ligne de la vieille ville). A peine décentré. Bus C et W. Prix variant suivant le confort. On est logé dans un abominable building. Chambres d'étudiant à prix fort élevés pour ce que c'est.

– Quatre autres *Summerhotels,* renseignements à l'office du tourisme.

HOTELS ET PENSIONS

Prix modérés à prix moyens

Pension Paula : Weiherburggasse, 15. ☎ 29-22-62. De la gare, bus K jusqu'à St. Nikolaus, puis 10 mn de grimpette. De l'autre côté de la rivière Inn, en face de l'Hofgarten. Une excellente adresse tout simplement. De loin, le meilleur rapport qualité-prix dans cette catégorie. Belle grande maison toute blanche, avec balcon de bois toujours fleuri. Bon accueil, atmosphère familiale. Chambres simples mais agréables avec ou sans salle de bains. Ces dernières sont proposées à un excellent tarif. Bravo.

Pension Lisbeth : Dr. Glatz Strasse, 24. ☎ 411-07. Rue donnant dans Amraser Strasse (prolongement de Museum Strasse). Pas trop excentrée. Tram n° 3 de la vieille ville ou bus K. Oubliez l'accueil peu chaleureux. C'est tenu honorablement. Pas la grande classe, c'est certain. Très simple et pas cher. Douche et toilettes à l'extérieur.

Gasthof Laurin : Gumppstrasse, 19. ☎ 34-11-04. A 20 mn environ du centre-ville à pied. Au-dessus d'un resto populaire et bon marché. Chambres vraiment simples, mais nickel. Si la façade grisâtre est peu avenante, l'endroit est irréprochable. 22 chambres en tout, avec ou sans sanitaires. Les moins chères sont vraiment très abordables. Gentille patronne.

Pension Zach *(plan D2, **13**)* : Wilhelm-Greil-Strasse, 11. ☎ 58-30-54. Fax : 58-30-54-27. C'est la rue partant juste devant le Tiroler Landesmuseum. Donc, c'est proche du centre. Au 3e étage. Pension très propre plutôt agréable. Douche et petit déjeuner (buffet à volonté) compris.

🏠 ***Hôtel-pension Binder :*** Dr.-Glatz Strasse, 20. ☎ 33-43-60. Fax : 33-43-699. Tram n° 3. Pas de charme particulier, dans un quartier quelconque. Chambres doubles avec ou sans douche. Quelques triples et quadruples aussi. Un peu moins cher en basse saison. On conseille surtout celles sans sanitaires, les moins chères. Les autres nous semblent à des prix largement surestimés.

Prix moyens à plus chic

🏠 ***Hôtel Delevo*** *(plan C2, **14**) :* Erlerstrasse, 6 (rue donnant dans Museum Strasse). ☎ 58-70-54. Central. Hôtel avec une architecture XIXᵉ siècle. Chambres correctes avec ou sans douche. Deux bons points : elles sont spacieuses et lumineuses pour la plupart. Plusieurs chambres pour 3 ou 4 personnes. Déco un peu vieillotte, mais très bon rapport qualité-prix, surtout compte tenu de la centralité.

🏠 ***Weisses Kreuz*** *(plan C2, **15**) :* Herzog-Friedrich Strasse, 31. ☎ 594-79. Fax : 59-47-990. Au cœur de la vieille ville, hôtel de charme proposant des chambres avec un excellent rapport qualité-prix. Petites mais agréables (d'ailleurs Mozart y dormit, c'est tout dire !). La moins chère ne possède pas de douche. Prix variables en fonction de la taille. Pas mal de charme.

Plus chic

🏠 ***Hôtel Roter Adler*** *(plan C2, **16**) :* Seilergasse, 4-6. ☎ 59-447. Hôtel éminemment central et de bon confort (bain et toilettes). Bon accueil. Beaucoup de groupes. Déco complètement ratée mais bon service général. Très cher quand même.

Camping

🏠 ***Camping Innsbruck Kranebitter :*** Kranebitten Allee 214. ☎ 28-41-80. Ouvert de mai à septembre. Assez éloigné, sur la route de Zirl et Seefeld, à 5 km à l'ouest du centre. Relié au centre ville par les lignes de bus K/L (vente de tickets à l'accueil). Du centre-ville, par l'un des deux ponts, rejoindre Höttingstrasse et aller tout droit. Le camping est au niveau de l'aéroport mais en surplomb, donc pas trop de gêne. Belle pelouse ombragée en terrasse surplombant la vallée. Familial et agréable. Petit resto et bar. Bon accueil. Prix doux. Une piste cyclable permet de rejoindre la ville. Pratique.

Où manger ?

Spécial fauchés

🍽 ***Resto universitaire (Mensa ;*** *plan A2, **20**) :* Herzog-Siegmund Ufer, 15. Près du Universitäts Brücke. Ouvert le midi, du lundi au vendredi. Cuisine peu imaginative, mais correcte. Ouvert à tous, étudiants ou non. Menu pas cher du tout mais ambiance cantoche. Pas grand monde l'été puisque les étudiants ont pris le large.

Prix modérés

🍽 ***Buzi-Hütte :*** Berchtoldshofweg, quartier Hörtnagl Siedlung. ☎ 28-33-33. Ouvert de 18 h à minuit ; de 11 h à minuit le week-end. Fermé le lundi et en juillet-août. Sympathique petite auberge de campagne. Pour y parvenir, bus H quasiment jusqu'au terminus. Demander l'arrêt au chauffeur (là où il y a un grand *Gasthof*), puis monter 500 m à pied. Le resto surplombe la vallée, au milieu de la forêt. Terrasse avec quelques tables. Cuisine très simple. Quelques variétés de *Schnitzel* avec légumes, salades et omelettes, mais très bon marché. Bien sûr, populaire chez les étudiants et les familles. Le dimanche soir, parfois de la musique à partir de 18 h. Accueil un peu froid.

🍽 ***Cafétéria de l'hôtel Central*** *(plan C2, **21**) :* Gilmstrasse, 5. ☎ 59-20. Fax : 58-03-10. Vaste salle à manger et cadre classique pour une cuisine traditionnelle. Atmosphère tristounette mais reposante et pas trop touristique. En analysant bien la carte, on peut dégager des plats à prix abordables.

Prix modérés à prix moyens

🍽 ***Restaurant Goldener Adler*** *(plan C1, **22**) :* Herzog-Friedrich Strasse. ☎ 58-63-34. Malgré sa centralité au cœur de la vieille ville, cette adresse sert depuis bien longtemps, en terrasse ou dans la belle salle voûtée, une bonne cuisine régionale tyrolienne à prix compétitifs. S'en tenir aux plats classiques, roboratifs à défaut d'être fins. Bon service.

🍽 ***Restaurant Ottoburg*** *(plan C1, **23**) :* Herzog-Friedrich Strasse, 1. ☎ 57-46-52. Ouvert tous les jours midi et soir jusqu'à 22 h 30 environ. Un classique des classiques avec salle en boiseries ou, s'il fait beau, la terrasse. Touristique certes, mais plats qui se tiennent. Sinon, bon *Apfel Strudel* avec crème vanille. Copieuses salades.

Prix moyens

🍽 ***Altstadtstüberl*** *(plan C1, **24**) :* Riesengasse, 13. ☎ 58-23-47. Sert midi et soir. Fermé le dimanche et jours fériés. Dans cette ruelle assez touristique de la vieille ville, un resto proposant pourtant une généreuse cuisine authentiquement tyrolienne. Bien sûr, cadre traditionnel inévitablement touristico-tyrolien. En général, pas vraiment bon marché, mais quelques spécialités restent abordables. Surtout, c'est vraiment bon, notamment le *Tiroler Gröstl,* fondantes pommes de terre sautées avec viande coupée en lamelles. Délicieux jambon de pays *(Speck),* plus les classiques *Tafelspitz, Lammkoteletten,* etc.

Plus chic

🍽 ***Restaurant de l'hôtel Europa Tyrol*** *(plan D3,* ***25****) :* Südtiroler Platz, 2. ☎ 59-31. Ouvert à midi et le soir jusqu'à 22 h. Réservation conseillée. Décor rustique assez chicos. Serveurs en costume tyrolien. Salles du fond au cadre plus simple, atmosphère un peu plus relax. Cuisine réputée, mais chère. A la carte : tartare de saumon, carpaccio, carré d'agneau aux herbes, *Tyrolean Gröstl,* médaillon de selle de chevreuil, etc. Beaux desserts dont de délicieuses crêpes aux fruits frais.

🍽 ***Hôtel-Gasthof Bierwirt :*** Bichlweg, 2. Dans le quartier d'Amras. ☎ 421-43. Fax : 42-54-75. L'occasion de sortir des sentiers battus. Être véhiculé, sinon c'est un peu galère. A la rencontre des bourgeois innsbruckois. Grande auberge typique de la région dans un quartier qui fleure déjà bon la campagne (une ferme tout à côté). Beaucoup de salles, normal, il y a toujours beaucoup de monde (ne conviendra pas, à l'évidence, à ceux qui recherchent l'intimité). Cadre assez luxueux, mais atmosphère décontractée. Quelque salles voûtées. Décor très tyrolien (ça devient lassant !). Petite terrasse aux beaux jours. Quelques spécialités : escalope de porc à la viennoise avec pommes frites et des airelles rouges, bouilli de bœuf avec pommes de terre à la bernoise et sauce raifort aux pommes, ragoût de cerf avec quenelles de pain blanc et chou rouge. Possibilité de loger également. Chambres confortables avec douche, w.-c., télévision, mais très chères.

Où sortir ? Où boire un verre ?

🍸 ***Café Piano*** *(plan C1,* ***30****) :* Herzog-Friedrich Strasse, 5. ☎ 57-10-10. Ouvert jusqu'à 1 h. Long bar, couloir étroit. Lieu de rencontre des jeunes, animé et bruyant. Musique en sourdine. Atmosphère un rien british, tamisée comme il faut.

🍸 ***Prometheus*** (Tanz Café ; *plan C1,* ***31****) :* Hofgasse, 2. Ouvert le soir seulement, de 21 h à 2 h. Un des préférés des étudiants et des margeos. Murs noirs et graffiti fluo, voûtes de brique. Là aussi, bruyant et enfumé. Piste de danse. Parfois, un petit droit d'entrée. Ça bouge pas mal, certains soirs. Clientèle *grunge* ou ex-punk, margeos de tous poils.

🍸 ***Hofgarten Café*** *(plan D1,* ***32****) :* Renweg 6a. ☎ 58-88-71. Énorme espace extérieur-intérieur où l'on retrouve le Tout Innsbruck appartenant à la tranche des 16-30 ans et traînant ici ses guêtres entre 22 h et 4 h. Dans ce bar moderne et animé, on y boit, on y mange, mais surtout on y boit dans une ambiance *trendy,* un rien bourgeoise. Passage obligé d'une tournée nocturne à Innsbruck.

🍸 ***Filou*** *(plan C2,* ***33****) :* Stiftsgasse, 12. ☎ 58-02-56. Dans la vieille ville. Ouvert jusqu'à 4 h. Au rez-de-chaussée, possibilité de se restaurer. Au sous-sol, bar et salle intime, agréable. Belles voûtes sur colonnes de granit. Plein de recoins et une petite pièce douillette joliment décorée. Fauteuils moelleux et confortables pour une clientèle chico-branchée. Excellente musique et belle terrasse ombragée. Surtout fréquenté par les 30-35 ans.

🍸 ***Café Central*** *(plan C2,* ***21****) :* Gilm Strasse, 5. ☎ 59-20. Grande salle de café de l'hôtel du même nom. Même si le décor est un peu froid, ça reste élégant avec les stucs et les lustres de cristal. Calme et reposant. On y lit les journaux, on y boit le thé, les vieux y fument la pipe. Désuet à souhait. Ferme vers 23 h. Le dimanche soir, piano entre 20 h et 22 h.

🍸 ***Krahvogel*** *(plan B3,* ***34****) :* Anichstrasse, 12. ☎ 58-01-49. Look moderne, dans les tons orangés, sympa, avec passerelle qui mène à un étrange « couloir invisible » où l'on se retrouve dans le noir total. Les amoureux en profitent pour s'embrasser, ce qui est contraire à la bonne morale. Pas mal de jeunes.

🍸 Sur Ingenieur Etzel Strasse, rue longeant la voie ferrée, vers la rue Dreiheiligenstrasse, on trouve sous les voûtes de la voie plusieurs cafés, troquets, rades en tout genre. Le ***Down Under*** attire les plus jeunes tandis que le ***Bogen 13*** (100 m plus loin) accueille des petits groupes le mercredi soir vers 22 h.

A voir

LA VIEILLE VILLE

★ ***Maria-Theresien Strasse*** *(plan C2) :* c'est le faubourg qui partait de la vieille ville. Il se développa très rapidement, tant celle-ci étouffait déjà dans son enceinte. Bordé de maisons anciennes de toutes les époques ; demeures gothiques, palais baroques, immeubles haussmanniens et contemporains. Tout cela coexiste pacifiquement. Tout au bout, *l'arc de Triomphe* datant de 1765 et édifié pour accueillir l'impératrice Marie-Thérèse et son époux, venus pour le mariage de leur enfant (ils faisaient bien les choses à l'époque !). Signe de continuité architecturale, on utilisa pour sa construction les pierres de la vieille porte de la ville (démolie pour faciliter le passage des carrosses) et celles des tours de l'enceinte. Une anecdote : le décor de l'arc n'était pas achevé lors de l'arrivée des souverains. Statues et hauts-reliefs furent fabriqués en bois et plâtre. Pas de chance ! L'empereur mourut pendant les fêtes du mariage. Achevé quelques années plus tard, l'arc de Triomphe reçut une ornementation commémorant ainsi la mort de l'empereur à Innsbruck en même temps que le mariage de son enfant.
Quelques remarquables édifices au passage. Au n° 44 (avec de beaux stucs), au n° 57 le *palais Sarthein* et au n° 38 le *palais Trapp,* tous deux du XVIIe siècle. En face, au n° 45 le *palais Fugger,* la première réalisation baroque de la ville.
Au milieu de la rue, qui va s'élargissant vers la vieille ville, la *colonne Sainte-Anne (Annasaüle)* élevée pour fêter le départ des envahisseurs bavarois, en 1703 (le jour de la Sainte-Anne précisément). A cet endroit, la perspective avec la vieille ville, les clochers à bulbe et l'abrupt Nord Kette, est saisissante.

★ ***Altes Landhaus*** *(plan C1-2,* ***40****) :* Maria-Theresien Strasse, 43. Élégant édifice baroque de 1725. Il abrite le gouvernement régional tyrolien. La façade, assez originale, fusionne les styles allemand et italien. Très bel effet de la partie centrale. A l'intérieur, grand escalier très stuqué. Les grandes salles de réunion et de réception présentent, quant à elles, une abondance de fresques et de sculptures.

★ ***Herzog-Friedrich Strasse*** *(plan C1) :* prolongement dans la vieille ville de Maria-Theresien Strasse. Axe principal de la vieille cité du XIIIe siècle. Festivals d'oriels (des genres de bow-windows, quoi !) et d'encorbellements. Un charme fou ! Chaque édifice se révèle digne d'intérêt, impossible de tous les citer. Prisonniers de surfaces réduites, ils se construisirent en hauteur, ce qui explique les étroites façades. Plus tard, aux XVe et XVIe siècles, lors d'agrandissements des maisons vers l'extérieur, on créa les arcades pour ne pas trop prendre de surface à la rue. Noter, au n° 31, l'*auberge Weisses Kreuz* où logea Mozart, en 1769. Au n° 22, superbe *maison gothique* avec un élégant décor Renaissance. Arabesques sur la voûte. Bas-reliefs sur les balcons. Porte d'entrée sculptée. Au n° 21, l'*ancien Rathaus* (hôtel de ville) du XIVe siècle, caractéristique avec son haut clocher à bulbe de 56 m (possibilité d'y grimper de mars à fin octobre de 10 h à 17 h ; juillet-août, 18 h). Jolie cour intérieure.
Au n° 10, faisant le coin, la *maison Helbling* de style gothique, habillée en 1732 d'un magnifique décor rocaille.

★ ***Goldenes Dachl*** *(plan C1,* ***42****) :* « Petit Toit d'or », tout en bas de la Herzog-Friedrich Strasse. La façade la plus photographiée de la ville ! Cette loge d'honneur fut construite en 1494 par l'empereur Maximilien Ier pour son mariage. Chef-d'œuvre du gothique germanique, annonçant déjà la Renaissance. Délicieuse loggia sculptée recouverte de 3 450 plaques de cuivre doré. Dommage que le reste de la façade ait été banalisé au XIXe siècle ! A l'intérieur, petit *musée des J.O.* de 1964 et de 1976.

★ ***Goldener Adler (A l'Aigle Doré ; plan C1, 41) :*** la plus ancienne auberge de la ville, à l'angle de Kiebachgasse. Beaucoup d'illustres visiteurs (Goethe, Masséna, Metternich, Paganini, etc.). Mais celui qui se révèle le plus cher aux Tyroliens, c'est Andreas Hofer. Héros national qui, le 2 novembre 1809, de la fenêtre de l'auberge, appela le peuple à la révolte contre les envahisseurs français et bavarois.

★ A l'angle de la Herzog Otto Strasse (sur le quai) et de la Hofgasse, s'élève ***l'Ottoburg*** *(plan C1,* ***23****),* reconstruit à partir de la porte de ville. En face, on distingue encore des vestiges de l'ancien rempart.
De l'autre côté de la rivière Inn, élégante rangée de demeures bourgeoises des XVe et XVIe siècles, du quartier de Mariahilf. En s'y baladant, on découvre même des habitations plus anciennes que dans la vieille ville. Belle ***Mariahilf Kirche*** de 1647.

★ La ***Kiebachgasse*** *(plan C1-2)* propose aussi de belles demeures. Au n° 8, vieille *auberge Weisses Rössl* (Au Cheval Blanc), au n° 10, cour Renaissance. Au n° 16, la *pâtisserie Munding* avec fresque sur la façade. Retour à la porte de ville par une maison-voûte sur la Schlossergasse. Le soir, tout le coin prend un aspect assez expressionniste.

★ ***Dom St. Jakob (cathédrale Saint-Jacques) :*** au bout de la Pfarrgasse. Date du XIIe siècle, reconstruite en baroque en 1717. A l'intérieur, succession de quatre coupoles couvertes de stucs et de fresques. Au maître-autel, admirez la Madone du Bon-Secours, œuvre majeure de Lucas Cranach le Vieux. Dans le transept gauche, tombeau de l'archiduc Maximilien III.

★ ***Hofgasse :*** rue menant à la Hofburg. Au n° 3, la *Deutschherrenhaus* des XVe et XVIe siècles. Au n° 12, la *Burgriesen Haus* de 1487, toute rose avec décor gris et noir et bel oriel. Puis, on aborde la Stiftgasse, si romantique la nuit...

★ ***Hofkirche*** (ou ***Franziskanerkirche ;*** *plan C2,* ***43****) :* Universitätsstrasse, 2. A l'angle de Rennweg. ☎ 58-43-02. Ouverte de 9 h à 17 h 30, tous les jours en juillet et août (jusqu'à 17 h le reste de l'année). C'est l'une des églises les plus fascinantes d'Autriche. En effet, elle renferme un véritable chef-d'œuvre de grandiloquence funéraire, le plus mégalo qu'on connaisse (mis à part bien sûr les pyramides d'Égypte, les tombeaux moghols et quelques autres de par le monde). On entre par le cloître verdoyant.
Un peu d'histoire : l'empereur Maximilien Ier, obsédé par l'idée de disparaître du souvenir des gens, avait imaginé de son vivant son propre tombeau. De goût fort simple, il avait prévu une haie d'honneur de 40 statues monumentales, représentant les ancêtres des Habsbourg, renforcée d'une centaine de statues de saints et de bustes figurant les empereurs romains. Impossible de raconter ici toutes les péripéties de la construction du monument (nous vous conseillons vivement l'achat de la brochure à ce sujet). Cependant, voici quelques détails majeurs. Du vivant de l'empereur, seules 11 statues furent fondues. Celles de Théodoric (n° 24) et du roi Arthur (n° 21) avaient été dessinées par Dürer. C'est donc son petit-fils Ferdinand, frère de Charles Quint, qui se chargea de l'exécution du tombeau (brave petit !). Maximilien, ayant exprimé le vœu d'être enterré dans une église à Innsbruck, débuta en 1553 la construction de la Hofkirche (en même temps qu'une abbaye à côté, abritant aujourd'hui le Musée tyrolien). Portail Renaissance en marbre rouge. A l'intérieur, trois hautes nefs aux voûtes abondamment décorées de stucs.
Le tombeau lui-même fut construit de 1561 à 1570. Beaux reliefs en albâtre contant les exploits de l'empereur scène par scène. Noter le n° 13, celui de la bataille de Ratisbonne (1504), on dirait du Paolo Uccello ! Tout autour, un remarquable travail de ferronnerie Renaissance. La grille est tellement ouvragée qu'on voit à peine le tombeau d'albâtre derrière.
Finalement, la haie d'honneur ne comporte que 28 statues sur les 40 prévues (ça coûtait vraiment très cher cette petite passion). Une remarque : la notion d'« ancêtre » était sûrement, dans l'esprit de Maximilien, fort extensible. Ainsi, avait-il prévu... César, Charlemagne, Clovis, Godefroi de Bouillon, etc., qui n'avaient guère de rapport avec Maximilien. On pense plutôt qu'il avait voulu marquer les ambitions politiques et territoriales des Habsbourg, en Europe. En outre, Godefroi de Bouillon symbolisait les désirs de reconquête de la Palestine. Parmi ces statues, que les Tyroliens appellent *die schwargen Männer* (les bonshommes noirs), il y a en fait 8 femmes. Noter la position et la finesse des mains, délicates et presque féminines, même celles des hommes. On les voit en grande tenue, parfois militaire. Les visages quant à eux sont aussi inhabités que sur les peintures de l'époque. La mode était à la déshumanisation des personnages. C'est réussi. Noter le troisième sur la droite dont l'entrejambe a été astiqué par des milliers de mains. Il brille ! Cela porte-t-il bonheur ?
Pour finir, voir aussi le ravissant orgue de style Renaissance et ses volets ouverts peints. Imposante tribune dite du Chœur des princes : statue et tombeau d'Andreas Hofer, héros de la lutte d'indépendance du Tyrol en 1809 (et fusillé par Napoléon à Mantoue en 1810). Sur le drapeau, un crêpe noir indique le deuil de la perte du Tyrol Sud (aujourd'hui province italienne).
Par l'escalier, accès à la *chapelle d'Argent,* édifiée en 1578. Elle abrite les tombeaux de l'archiduc Ferdinand II et de sa femme, Philippine Welser, une riche roturière qui n'avait pas le droit de reposer dans la crypte des Habsbourg, dans l'abbaye de Stams. Située à gauche de l'escalier. Autel d'ébène et d'argent et orgue Renaissance à tuyaux en bois ! Ferdinand II, quant à lui, repose à terre dans une niche.
Un gag ! Tout ça pour rien... Maximilien fut finalement enterré au château de Wiener Neustadt en Haute Autriche. Ici le tombeau est vide.

★ ***Tiroler Volkskunst Museum (musée d'Art populaire tyrolien ;*** *plan C1-2,* ***44****) :* Universitätsstrasse, 2. ☎ 58-43-02. Ouvert tous les jours, de 9 h à 17 h 30 en juillet et août (17 h le reste de l'année) ; dimanche et jours fériés, de 9 h à 12 h. Dans un ancien couvent du XIIe siècle qui ressemblerait à un palais, le plus beau musée ethnographique d'Autriche.
Au premier étage
– Meubles paysans, fers forgés, fronton de chalet. Vers la gauche : objets domes-

tiques, verreries, céramiques, pièces traditionnelles reconstituées, demeures bourgeoises, cuisines paysannes. Moules en bois, cheminées monumentales en faïence, ferronnerie d'art, etc.
– Pittoresque collection de cloches de vaches et de chèvres. Barattes décorées, fourreaux à lame de faux, jougs, instruments agraires.
– Salles consacrées à la laine : peignes de cardeurs, rouets, écheveaux, machines à tisser, tissus, dentelles, battoirs de lavoir sculptés et ciselés.
– Outils traditionnels, jouets, figurines populaires, haches gravées, remarquables meubles marquetés.
– Hampes de procession. Noter la belle balance en ferronnerie. Traîneau, selles, harnais ouvragés, coffres peints.
– Costumes de fête et de carnaval, instruments de musique, jeux de société, jolie pierre litho pour la fabrication de cartes à jouer, armes (ravissantes arbalètes incrustées d'os et d'ivoire).
Au deuxième étage
– Armoires et lits peints, costumes traditionnels. Nombreuses pièces remarquablement reconstituées. Plafonds ouvragés ou à caissons. Dans une des salles, une crèche incroyable (de la naissance au Golgotha, toute la vie du Christ), serrures. Costumes folkloriques divers.
– A droite, meubles finement sculptés. Peinture religieuse, chemins de Croix d'église, croix de cimetière tyroliennes en fer forgé et polychromes, tabernacles, Vierges baroques, amusants retables en bouteille et collection d'ex-voto. Nos lecteurs patenôtriers seront également à la noce...

★ ***Hofburg** (plan C1, **45**)* : le château impérial étire sa longue carcasse rococo « jaune Schönbrunn », le long de Rennweg. ☎ 58-71-86. Ouvert tous les jours de 9 h à 17 h. Construit par Marie-Thérèse en 1754. Elle n'avait guère l'intention d'y résider, mais le considérait plutôt comme un symbole de la domination des Habsbourg sur un puissant Tyrol ! En 1809, Andreas Hofer, le héros de l'insurrection anti-française et bavaroise, l'occupa trois mois avec ses troupes de paysans et de va-nu-pieds. Aujourd'hui, visite des appartements décorés style XVIIIe. Entre autres, la salle des Géants *(Riesensaal)*, immense salle des fêtes consacrée au triomphe de la famille impériale. Fresques du plafond de Franz Anton Maulbertsch. Aux murs, les portraits des enfants (dont Marie-Antoinette). Belles salles du chapitre et d'Andreas Hofer également.
Toujours sur Rennweg, le *théâtre régional* de style néo-classique.

★ Dans ***Universitätsstrasse,*** l'ancienne université, ancien couvent des jésuites. Tout au bout, la ***Jesuitenkirche*** de 1627. Intérieur de style baroco-glacial. La lumière tombant de la coupole ne le réchauffe guère !

★ ***Tiroler Landesmuseum Ferdinandeum** (plan D2, **46**)* : Museumstrasse, 15. ☎ 594-89. Ouvert tous les jours de 10 h à 17 h (nocturne le jeudi de 19 h à 21 h). Encore un musée exceptionnel. Prévoir du temps.
– Salles de la préhistoire : remarquable présentation, haches , menhirs gravés, poteries, céramiques, bijoux, fibules. Riche section du bronze.
– Période romaine : tombe de grandes tuiles rouges, verrerie, stèles gravées, bas-reliefs, urnes funéraires.
– Période médiévale : grands Christ en croix (XIIIe siècle), Vierge et Enfant en bois polychrome (1180), une autre admirable du Sud-Tyrol (1360), pietà (1440) et salle de fresques.
– Grande salle circulaire : consacrée aux primitifs religieux. Belle série du Maître de Wilten (1420). Émouvante *Crucifixion* de Leonhard von Brixten. Très riche statuaire en bois, notamment *Saint Michel* de 1470 (un peu fatigué de son job).
– Du Brixner Meister (1448), superbe scène de bataille navale. Voyez comment est rendue graphiquement l'eau et appréciez la maestria de composition du tableau, avec son ciel fond or. Œuvres de Friedrich Pacher, notamment un admirable retable *Pierre et Paul* de 1475. Vie du Christ peinte sur tissu du XVe siècle. Bas-reliefs or et polychrome *(Bildschnitzer der Kuniglaltäre)* de 1485. Remarquez aussi les croustillants détails du martyre de saint Érasme (1496) avec le treuil à tirer les boyaux. Étrange *Rois Mages* de Max Reichlich (1460). Aucune proportion dans les personnages.
– Salle du Habsburger Meister : superbes œuvres, entre autres Anne, Marie et saint Christophe. Vie du Christ en B.D. Reliquaires.
– Salle du Moyen Age : stalles gothiques, portraits de Jörg Breu (1521), *Vierge à l'Enfant* de Lucas Cranach le Jeune (1560), *Saint Jérôme* de Lucas Cranach le Vieux, *Déposition* de Hans Baldung Giren, *Portraits de bourgeois* de Jakob Seisenegger. Magnifique retable de Sebastian Schell (1517). Pathétique *Mort de la Vierge* de Jörg Lederer (1520).
– Grande Galerie : bronzes des XVIe et XVIIe siècles. Pierres tombales.

2e étage
– Sections sculpture et peinture, bronzes, art moderne, naïfs, œuvres de Max Weiler.
– Salle XIXe : *Das Kreuz* (1898) d'Albin Egger-Lienz où il exprime une très grande force. Par un petit escalier, on parvient d'ailleurs à une salle qui lui est consacrée. Il fait montre d'un réalisme encore plus amer. Les dernières œuvres de ce peintre quasiment en marge des courants traditionnels s'apparenteront à l'expressionnisme.
– École hollandaise : *Jésus au mont des Oliviers* de Jan Gossaert dit « Mabuse ». Retable d'Anvers (1510), *Alter Mann mit Pelzmütze* (Vieil homme au bonnet ; 1630) de Rembrandt. Jan Van der Heyden, Brueghel le Jeune, Frans Francken, Sebastian Vrancx, etc.
– Retable de la Passion en émaux de Limoges (1550) de Pierre Raymond, le Tintoret, Strozzi, Tiepolo, Ricci, Longhi, etc.
– Salle Franz von Defregger ou l'influence de l'impressionnisme. Peinture religieuse du XIXe siècle.
– Salle en rotonde : Paul Troger et Martin Knoller.
– Salle en demi-rotonde consacrée à l'art moderne : *Professeur Josef Pembaur* de Klimt (1890), *Ludwig von Ficker* de Kokoschka, *Stein an der Donau,* Herbert Boeckl, Ernst Nepo, Arnulf Rainer, etc.

★ ***Tiroler Landes Kundliches Museum :*** Zeughausgasse, 1. ☎ 58-74-39. A l'ouest du centre-ville. Donne dans la Dreiheiligen Strasse. Ouvert de 10 h à 17 h (et le jeudi de 19 h à 21 h). C'est l'ancien arsenal de Maximilien Ier (XVIe siècle). Aujourd'hui, il abrite un Musée ethnographique et de la Nature, complément du précédent. Sciences naturelles, minéralogie, histoire des mines, phénomènes climatiques et géologiques, maquette du Tyrol, instruments de musique, etc.

★ ***Museum vom Erz zur Glocke :*** Leopoldstrase, 53, à l'angle des Olympiabrücke. ☎ 59-416. Ouvert du lundi au vendredi de 9 h à 18 h, le samedi de 9 h à 12 h. Vous êtes dans la plus vieille fabrique de cloches du pays. On en fond ici depuis 1599, ce qui fait 14 générations de cloches ! Pas mal. Beau petit musée où l'histoire des cloches est racontée de manière pédagogique et synthétique. Textes en français (notamment), docs, photos, exemples de cloches à travers les siècles : cloches du XIVe siècle, cloche gothique du XVe, et puis des baroques, des japonaises... On apprend que les cloches existent depuis 3 000 ans avant J.-C. Explications sur les différentes étapes de fabrication (trace, mode, sonorité, coulée...). Belle copie de la plus vieille cloche à différents timbres... Démonstration en direct de fabrication de cloches (quand l'artisan est là). Derrière, petit jardin. Possibilité d'acheter de bien jolies cloches (certaines sont neuves et vieillies artificiellement). Un chouette cadeau à rapporter et un bien beau musée à visiter.

★ ***Tiroler Landes Kundliches Museum*** (appelé *Zeughaus*) : Zeughausgasse, 1. ☎ 58-74-39. A l'ouest du centre-ville. Donne dans la Dreiheiligen Strasse. Ouvert tous les jours de 10 h à 17 h (et le jeudi de 19 h à 21 h). Horaires restreints en hiver (fermé le lundi). C'est l'ancien arsenal de Maximilien Ier (XVIe siècle). Aujourd'hui, il abrite un Musée ethnographique et de la Nature, complément du Tiroler Landes Museum Ferdinandeum. En fait, on présente ici les collections qui n'ont pu trouver de place dans le précédent. Sciences naturelles, minéralogie, histoire des mines, phénomènes climatiques et géologiques, maquette du Tyrol, instruments de musique, etc. A noter, la belle collection d'instruments musicaux, les instruments de mesure, l'étonnante mappemonde, les vélos du début du siècle, les premières machines à écrire (1864). Section sur la guerre également, avec armes et gravures. Un musée riche malgré son côté fourre-tout et son absence de dynamisme. Beau et poussiéreux.

★ ***Alpenzoo :*** Weiherburgasse, 37. Au nord du centre. Ouvert l'été de 9 h à 18 h. L'hiver, de 9 h à 17 h. Pour y aller, prendre le funiculaire sur la rive droite (côté vieille ville). Descendre au 1er arrêt Hungerburgbahn. Si on achète le ticket du zoo au guichet inférieur du funiculaire, alors le ticket du funiculaire est gratuit ! Sinon, il faut payer le funiculaire plus le ticket du zoo. Départ toutes les 15 mn. En voiture, prendre le pont qui part du centre. Ensuite c'est bien indiqué. Ici sont regroupés plus de 1 500 bébêtes de toutes les Alpes, ce qui rend ce musée unique en Europe. Petit ours brun, loutres, vautours, chamois, bouquetins... Planté en terrasses au-dessus de la ville, ce zoo accorde pas mal de place aux mouvements des animaux. Cours d'eau, cascades, et beaucoup d'ombre. Voir le bison d'Europe, les loups, le lièvre variable. Chouette petite visite, surtout avec des enfants.

Randonnées en montagne et escalade

Une excellente initiative de l'école d'alpinisme d'Innsbruck qui a élaboré un « programme de randonnées en montagne » valable entre début juin et début octobre. Demander la brochure qui porte ce nom à l'office du tourisme, tout y est expliqué, en français notamment.
En deux mots, toute personne passant au moins une nuit dans les structures hôtelières d'Innsbruck a droit à une randonnée gratuite, guidée par un spécialiste de la haute montagne. Chaque nouvelle nuit donne droit à une nouvelle randonnée gratuite. Il y en a 35 en tout. De quoi se durcir les mollets !
– ***Point de rendez-vous :*** chaque jour à 8 h 30 devant le *Palais des Congrès* de la ville *(plan C1, 47)*. Pas d'inscription nécessaire.
– ***Départ :*** 9 h. On vous emmène en navette au point de départ de la balade et on vous raccompagne en fin d'après-midi (entre 16 h et 17 h).
– ***Participants :*** tout le monde peut se joindre à la balade, à partir de 8 ans. Aucune connaissance préalable n'est nécessaire.
– ***Durée :*** la rando dure entre 3 et 5 h.
– ***Récompense :*** chaque personne participant à 5 randonnées a droit à une journée d'escalade gratuite avec un guide sur la superbe voie équipée d'Innsbruck. Tout le matériel est fourni gratuitement.
– La même formule de randonnée gratuite est organisée à Igls.
– ***Randonnée aux flambeaux :*** tous les mardis soir. Rendez-vous à 19 h 30 devant le Palais des Congrès d'Innsbruck ou à 20 h devant l'office du tourisme d'Igls. Balade jusqu'à un refuge au-dessus d'Igls et retour aux flambeaux vers 23 h 30 à travers les bois. Très sympa. Possibilité d'y prendre un repas (payant).
– ***Escalade :*** les vrais grimpeurs pourront contacter l'*Alpinschule Innsbruck*. ☎ 54-60-00. Fax : 54-60-01. Excellents guides pour découvrir et explorer l'une des plus belles voies équipées d'Europe, la Nordkette.

Festivals

– ***Festivals de musique ancienne :*** les 3e et 4e semaines d'août. Se déroule dans les différents lieux historiques d'Innsbruck. Musique classique des XVIe, XVIIe et XVIIIe siècles. Toute la musique de la grande époque des Habsbourg donc, jouée avec des instruments d'époque sur des partitions originales. Pour infos et réservations : ☎ 53-56-21. Concerts tous les jours.
– ***Festival de danse de juillet :*** la 1re quinzaine de juillet. Achat de billets à *Innsbruck Information*. Troupes internationales.
– ***Festival de musique ancienne du château d'Amras :*** de la mi-juin à début août. Concerts tous les jours. Excellent.

Où acheter de bons produits ?

– ***Specksch Wemme :*** sur Stiftgasse, en plein centre. Minuscule échoppe où l'on pourra acheter toute la charcuterie possible et inimaginable : jambons fumés, saucisses pimentées, saucissons fumés, lard... Authentique en diable.
– ***Spezialitäten aus der Stiftgasse :*** Stiftgasse, 2. Boutique où l'on pourra trouver toutes les liqueurs, eau-de-vie et vins autrichiens. Là aussi, de chouettes petits cadeaux à rapporter aux copains.
– ***Museum vom Erz zur Glocke*** (se rapporter à la rubrique « A voir ») : pour les amoureux des cloches, le musée des cloches sis dans une fabrique vend de chouettes petits modèles 100 % tyroliens.

A voir aux environs proches

★ *Schloss Ambras*

Au sud du quartier d'Ambras. Tram 6 de la gare ou d'Anichstrasse. Possibilité aussi de prendre une navette payante de la Maria Theresien Strasse. Elle monte jusqu'au château une fois par heure à l'heure pile. On peut aussi y aller en bus mais pas très pratique. C'est une promenade plaisante dans un quartier presque campagnard.
Parc ouvert de 6 h à 21 h 30 l'été (gratuit). ☎ 484-46. Le château pour sa part est ouvert tous les jours du 1er avril au 30 octobre, de 10 h à 17 h, sauf le mardi. Visite

libre. L'hiver, le château se visite du lundi au vendredi à 14 h. Entrée payante (réduction étudiants). Cafétéria dans la cour. Bien pour boire un verre (beaucoup moins bien pour manger).

La visite

Nous avons affaire à un château Renaissance construit en 1563 par Ferdinand II au milieu d'un grand parc. Il se compose de plusieurs parties.

★ ***Le château inférieur :*** ce qui est étonnant, c'est que cette partie fut destinée à être un musée dès sa construction. Incroyable visionnaire que ce Ferdinand II qui avait comme projet de rassembler dans un seul lieu toutes les connaissances encyclopédiques de son époque. On y trouve donc de tout et rien que du beau.

• *Au rez-de-chaussée :* la salle des armures regroupe quelques superbes exemples du XVIe siècle mais le clou de la collection est évidemment celle du géant (au fond), valet de Ferdinand II ayant vraiment existé. Le pauvre garçon était atteint d'un cancer de l'hypophyse et il grandit, grandit jusqu'à atteindre cette taille démente. Ferdinand lui fit tailler un costume de fer qu'il équipa plus tard d'un mannequin de bois articulé pour remplacer le valet après son décès. La deuxième salle présente, outre des armures de tournois, des masques de fer diabolisant les Maures (ennemis héréditaires) afin de stimuler l'ardeur des combattants. Au fond, l'armure de parade de Ferdinand II lors de son 2e mariage.

Dans la salle suivante, plafond peint évoquant la mythologie et surtout Hercule, personnage fort apprécié par Ferdinand. Armes, tableaux et armures du XVIIe siècle. On s'aperçoit immédiatement qu'elles sont plus légères, mieux articulées et surtout adaptées à l'arrivée, ce siècle-là, de nouvelles armes : les armes à feu.

• *A l'étage :* superbe « cabinets des curiosités » où sont regroupées d'impressionnantes collections d'une incroyable diversité. Tout fut choisi par Ferdinand et classé par lui, dans une volonté de faire partager le savoir à ses visiteurs. Il y a de tout : en vrac, une noix de coco sertie, une vitrine minéralogique, une autre d'instruments de mesure, des coraux ciselés, des tableaux évoquant ses voyages, de la verrerie de Murano... Noter l'étrange fauteuil d'acier où l'on emprisonnait un convive contre son gré, en lui faisant boire du vin et, pour se libérer, il devait déclamer un poème improvisé à la gloire de Bacchus ! Ces festivités se déroulaient dans la grotte de Bacchus, dans le parc du château. On savait s'amuser à l'époque ! Il faut dire que le roi aimait organiser de sacrées surprises-parties. Voir encore au hasard des vitrines les « chopines », hautes chaussures portées par les dames ; les bottes à doigt de pied ; une curieuse racine de mandragore dans laquelle un christ est sculpté ; deux costumes militaires japonais du XVIIe siècle. Un bien curieux endroit, riche et étrange.

• *La salle espagnole :* la plus grande salle profane construite comme une halle. C'est une salle de réception de 43 m de long. On y recevait tous les nobles et les visiteurs de marque. Ainsi, les grands du monde entier devaient traverser toute la salle et passer devant tous les prédécesseurs du roi peints sur les murs avant d'arriver à Ferdinand II. Les fresques de 27 princes tyroliens couvrent les murs. Le plus vieux remonte au IXe siècle. Dommage que les restaurateurs aient eu la main un peu lourde. La salle fut achevée en 1572. Elle est aujourd'hui le théâtre de concerts classiques dans le cadre du festival de musique ancienne.

– ***Le château supérieur :*** avant de monter dans les étages, vous passerez par la cour intérieure entièrement peinte en « grisaille ». C'est là que Ferdinand II devait installer sa famille. Noter les trompe-l'œil en pointe de diamant. Même les grilles des fenêtres sont en trompe-l'œil. Scènes mythologiques et petites coquetteries comme ces fleurs ou ce perroquet peints aux rebords des fenêtres. Voir au rez-de-chaussée le bain géant (avec tabouret central). Montons à l'étage. Sur trois niveaux, des dizaines de salles (et même plus) consacrées à la peinture et plus précisément à toutes les générations de Habsbourg, du XVe au XVIIIe siècle. Au 2e étage, on passe en revue tous les contemporains de Ferdinand II, tandis que le 3e étage est grosso-modo consacré à ses prédécesseurs (XVe siècle) et à ses successeurs (XVIIe et XVIIIe siècles). Plusieurs centaines de toiles qui permettent une formidable étude de l'évolution de l'art pictural et du costume au fil des siècles. On notera les toiles d'Arcimboldo et de Cranach. Celles du XVIe siècle se caractérisent par la manière de statufier, de désincarner les personnages. Cette technique avait pour but de faire sortir le sujet de son époque pour lui donner une stature éternelle. Tous les Habsbourg sont là, ainsi que toutes les femmes qui se marièrent à l'étranger pour créer des alliances politiques. L'ensemble constitue un étonnant témoignage d'une des principales dynasties d'Europe.

★ ***Wiltener Basilika :*** Haymongasse. Tram n° 1 de la gare ou d' Anichestrasse (toutes les 10 minutes). Pas loin de la West Bahnhof, dans le quartier de Witlen. Date de 1741. Importante église de pèlerinage. Décor intérieur se révélant un véritable chef-d'œuvre du rococo tyrolien. Maître-autel avec baldaquin assez époustouflant. Fresques grandioses.

★ ***Hungerburg :*** au nord d'Innsbruck. Point de départ du funiculaire (Hungerburgbahn) qui se poursuit par un téléphérique pour le « Seegrube » (à 1 905 m) puis le « Hafelekar » (à 2 300 m). Le funiculaire se prend au Ketten-Brücke (trams 1 et 6). De là-haut, prodigieux panorama sur la ville. Fonctionne environ toutes les 15 minutes de 9 h à 20 h.

IGLS

A 6 km au sud d'Innsbruck. Bus J de la gare. Passe toutes les heures. Charmant village tyrolien bien typique, parfait pour prendre l'air des cimes (900 m d'altitude), faire des balades et petites randonnées.

🛈 ***Office du tourisme :*** dans le centre ☎ 37-71-01. Fax : 37-89-65. Ouvert du lundi au vendredi de 8 h 30 à 12 h et de 14 h à 18 h. Le samedi de 9 h à 12 h. Délivre une brochure sur les balades ainsi que sur les pensions et hôtels. On se loge assez facilement par ici.

■ ***Change :*** deux banques face à l'église. L'une d'elles possède un distributeur de billets.

A faire

– ***Randonnée gratuite*** avec guide (voir la rubrique « Randonnées en montagne et escalade » à Innsbruck).
– ***Téléphérique*** pour le « Patscherkofel » (à 2 247 m). Pour les marcheurs, belle balade du Zirbenweg (en 3 h environ) à partir de l'arrivée du téléphérique.
– Nombreuses autres randonnées comme celle de ***Glungezerhütte.*** De l'arrivée du téléphérique, chemin balisé qui nous mène à Boscheben. De là, montée jusqu'à Glungezer.
– Toutes les ***balades*** sont bien répertoriées dans une brochure délivrée par l'office du tourisme.
– ***Piste de bobsleigh d'été :*** entre 17 h et 21 h les jeudi, vendredi, samedi et dimanche.
– Un peu au sud d'Igls, l'***Europabrücke,*** le plus haut pont d'Europe (190 m au-dessus de la rivière).

A voir vers Salzbourg

HALL

A une dizaine de kilomètres d'Innsbruck, gentille petite bourgade médiévale qui bâtit sa fortune et son renom sur l'exploitation du sel. Elle a conservé un petit centre médiéval animé aux ruelles pavées. On s'y balade sans déplaisir. Une belle église et un petit musée. On frappait ici la monnaie dès le XIIIe siècle. Pour s'y rendre de la gare d'Innsbruck, bus S ou n° 4. Environ toutes les heures. On y vient faire un tour mais on n'y sejourne pas vraiment car la ville est un peu morte le soir.

Où manger ?

|●| ***Restaurant-pizzeria Geisterburg :*** Stadtgraden, 18. Petite terrasse sympathique. Plats autrichiens ou pizzas, c'est au choix. Honnête.

A voir

A partir d'Oberer Stadt Platz, agréable place du centre, on se perd dans les ruelles de la vieille ville.

★ ***La Stadtpfarrkirche (église paroissiale) :*** intéressante construction baroque du XVIIe siècle, au style très enlevé. Noter comme le chœur est décentré par rapport à la nef. Toute la voûte de la nef et la tribune sont couvertes de fresques. Le maître-autel sert d'écrin à un tableau de la Vierge réalisé par un élève de Rubens. Superbe grille en fer forgé qui ferme la chapelle gauche. A l'extérieur de l'église, jeter un œil aux pierres tombales incrustées dans la maçonnerie.

★ ***Le Burg-Hesseg :*** petit château du XIVe siècle au sud du centre où l'on battait la monnaie.

• ***Le musée de la Ville*** (Museum der Stadt Hall) : dans la cour du château. Ouvert tous les jours de 10 h à 15 h de juillet à fin septembre. Petites collections intéressantes sur la ville. Éléments de préhistoire, vitrines d'outils, section d'art religieux. Peintures sur bois, vieux plans de la ville. Belle collection de monnaies frappées dans la ville et où apparaissent les différents rois. Séries de gravures sur la ville de toutes les époques. Impressionnant christ d'argent et belle Vierge de bois.

• ***Le château :*** visite guidée uniquement, à heures fixes. Ne mérite franchement pas le détour. On ne voit quasiment rien, si ce n'est la vue panoramique du sommet de la tour de la Monnaie.

• ***Alte Münze :*** dans la cour du château, au rez-de-chaussée. On conserve ici le souvenir de la spécialité de la ville : la frappe de la monnaie. Ceux que ça intéresse pourront se faire frapper une pièce de monnaie, comme autrefois, sur cuivre (pas cher), cuivre doré (un peu cher) ou sur argent (hors de prix).

★ ***Le musée des Salines :*** dans le centre-ville. Pas extra. Mieux vaut dépenser ses sous dans la visite d'une vraie mine.

★ ***St. Johann in Tirol :*** entre Wörgl et Salzbourg. Pour y aller, train d'Innsbruck toutes les 2 heures. Station de villégiature à une centaine de kilomètres d'Innsbruck, très touristique, où les chalets-hôtels de style néo-rustico-tyrolien flambant neuf côtoient de vénérables auberges aux façades couvertes de grandes fresques. Notamment aux abords de l'église paroissiale. Cette dernière, édifiée au XVIIIe siècle, présente une vaste nef au décor baroque. Fresques et teintes pastel. A droite du chœur, douce et ravissante Madone de 1440.

Aux environs, ceux qui disposent de temps iront en petite banlieue rendre une courtoise visite à la *Spitalkirche St. Nikolaus* à Weitau. Prendre l'Innsbrücker Strasse. Au rond-point, tourner vers le quartier de Weitau. C'est à 1 km (pas facile à trouver !).

De l'extérieur, proportions simples. Édifiée en 1460, baroquisée au XVIIIe siècle. A l'intérieur, fresques intéressantes de S.B. Faisten-Berger (1744). Derrière l'autel, bien caché, le plus ancien vitrail du Tyrol demeurant entier (XVe siècle). Quelques pierres tombales incrustées dans les murs, avec reliefs intéressants.

Au sud de St. Johann, la célèbre station de ski de *Kitzbühel.*

Quitter Innsbruck

En train

– ***Vers Salzbourg et Vienne :*** liaisons toutes les heures. Compter 2 h pour Salzbourg et 5 h 30 pour Vienne.

– ***Vers Munich :*** liaisons toutes les 90 minutes. Durée : 2 h.

– ***Vers le sud de l'Italie*** (Bolzano, Verona, Bologne, Firenze... et Rome) : trains toutes les 2 heures.

– ***Vers l'ouest (Zurich et Paris) :*** 6 trains par jour (nombreux express).

En bus

Tous les bus pour les environs d'Innsbruck partent de derrière la gare des trains.

L'ABBAYE DE STAMS

L'une des plus fascinantes abbayes d'Autriche. A ne manquer sous aucun prétexte. Située près de Silz, 35 km à l'ouest d'Innsbruck. On la distingue bien de l'autoroute, au pied de sa montagne, superbe et éclatante construction baroque jaune et blanche. Ouverte de 9 h à 17 h (visite guidée toutes les demi-heures, de 9 h à 11 h 30 et de 13 h à 17 h ; le dimanche de 13 h 30 à 17 h). ☎ (05263) 62-42.

Ancienne abbaye cistercienne fondée au XIIIe siècle par Élisabeth de Bavière. Elle devint rapidement très puissante, possédant une grande partie des terres de la région. En 1494, Maximilien y reçut le fameux Bajazet, ambassadeur de l'Empire ottoman. En 1525, l'abbaye fut pillée lors d'une révolte de paysans, en 1552 mise à sac par les protestants et finalement victime d'un incendie en 1593. Reconstruite à la fin du XVIIe siècle, baroquisée au XVIIIe. Elle fut fermée par l'occupant bavarois en 1807 et par les nazis lors de la dernière guerre. Aujourd'hui, superbement restaurée, c'est l'une des plus séduisantes abbayes que l'on connaisse.

– *L'escalier d'honneur :* à côté de la caisse. En attendant la visite, il vous donne déjà une idée de la magnificence de l'abbaye. Prodigieux travail de ferronnerie de la rampe (motifs floraux), stucs et fresques au plafond. Début de la visite, 50 m plus loin, à l'entrée de l'église.

– *Grande nef :* sous l'avalanche d'ors, de stucs et de fresques, on devine l'ancienne

architecture romane, mais plus du tout le dépouillement cistercien. Cependant, le contraste entre la blancheur des murs et le décor se révèle d'un prodigieux effet.
A l'entrée, *luxueuse crypte* de 38 princes du Tyrol. Crucifixion de A. Tamas. Impossible de trouver plus riche ornementation que celle de la chaire ! Noter la légèreté de l'ange semblant la soutenir. Relief racontant la vie de saint Bernard. Retable de droite de 1735, doré à la feuille d'or. Superbes confessionaux marquetés. Dans la nef, côté droit, la Madone d'Andrea Tamas (sa dernière œuvre, réalisée en 1696, à 84 ans). Une des plus belles du Tyrol.
– *Fresques du plafond* de Georg Wolker. Cycle de la vie de la Vierge. Pour les préserver, l'église n'est pas chauffée et elles sont nettoyées à la mie de pain.
– *Stalles marquetées* remarquables et tombeau de Frederich IV (1439). Orgue du XVIIIᵉ siècle.
– *Le maître-autel :* l'un des chefs-d'œuvre de l'abbaye. Fantastique « arbre de vie » (ou « arbre de Jessé ») en bois sculpté, réalisé en 1613. Il s'enracine à partir d'Adam et Ève, puis remonte à travers 84 saints et prophètes symbolisant les fruits. Au centre, la Vierge entourée de saint Pierre et saint Jean.
– *Autel* à droite du chœur : *Décapitation de saint Jean Baptiste* par Wolker. Confessionnal décoré d'étain incrusté.
– Admirable *grille des Roses* devant la chapelle de Saint-Sang. Chaque rose demanda 120 h de travail (et la grille entière 6 ans).
– Fin de la visite par la *salle des Princes* réalisée en 1720. Couverte de fresques racontant la vie de saint Bernard. Au milieu du plafond s'ouvre une galerie. Aujourd'hui, salle de concert.

Où dormir ? Où manger dans la région ?

▲ ***Gasthof Eichenhof :*** à deux pas de l'abbaye, au-dessus de l'église paroissiale. ☎ (05263) 64-61. Auberge traditionnelle offrant chambres et nourriture correctes. Particulièrement touristique et animée en haute saison (point de chute des cars à midi notamment ; le soir, c'est plus calme !). Goûter au *Bauernschmaus* (genre de choucroute avec rôti de porc, jambon, saucisse et quenelle). Quelques spécialités tyroliennes comme le *Hausgeselchtes*.

LE VORARLBERG

C'est le Land le plus occidental de l'Autriche et le plus petit aussi. Plus proche des Suisses que des Viennois et presque à même distance de Paris. Avec ses montagnes, sa nature fort bien préservée, ses stations de sports d'hiver réputées, c'est l'une des régions les plus touristiques du pays. D'ailleurs, il y en eut tout le temps, des touristes, à commencer par les Illyriens, Celtes, Romains, Alamans, Rhéto-Romans. Même les Valaisans qui, aux XIIIe et XIVe siècles, allèrent jusqu'à quitter leur beau Valais suisse et *clean* pour peupler la région. C'est bien entendu le canton le plus helvétique du pays. D'ailleurs, en 1919, au moment de la création de la République autrichienne, une partie de la population souhaitait être rattachée à la Suisse plutôt qu'à l'Autriche.

Comment y aller ?

Le ***tunnel de l'Arlberg*** a définitivement désenclavé la région qui mérite désormais moins qu'avant la réputation de lieu inaccessible (Vorarlberg veut d'ailleurs dire « par-delà l'Arlberg »).
Pour Bregenz, la route la plus directe passe donc par ce tunnel de 14 km de long (dur pour les claustros !). Trafic assez dément, il faut bien le dire ! Tous les camions passent par là et ils « n'amusent pas le terrain ». Soyons clair, ce n'est pas sur cet itinéraire que vous rêverez aux clochettes des vaches et aux pâturages paisibles.
Si, en revanche, vous disposez de temps, vous avez le choix entre plusieurs routes de montagne. Celle du Nord et celle du Centre (classique), par l'Arlberg Pass. Celle du Sud, plus longue, mais splendide, par la Silvretta. Le col de l'Arlberg, à 1 800 m, marque le point du partage des eaux entre le Rhin et le Danube. Au débouché du col, Sankt Anton, berceau du ski moderne. C'est là que Hannes Schneider adapta, au début du siècle, ce sport nordique à la montagne. La fameuse descente du Kandahar s'y déroule depuis 1928 et on y inventa la godille. Enfin, c'est la patrie du célèbre champion Karl Schranz.

La route de la Silvretta

Nous avions fait le choix de la route sud et nous ne l'avons pas regretté. *Attention*, route fermée de mi-octobre à début mai.
– Après Landeck, on quitte la route de l'Arlberg pour ***Ischgl,*** station de ski très touristique. Après Galtür, tronçon à péage (à 1 660 m). Le versant tyrolien de la montagne est plutôt doux. Le *col de Bielerhöhe* à 2 032 m marque aussi la ligne de partage des eaux entre la mer du Nord et la mer Noire. Important barrage, le ***Silvretta-Stausee,*** lieu de villégiature très populaire chez les Autrichiens. Nombreuses promenades dans le coin.
Après, on traverse un bel amphithéâtre de montagne et on longe un autre petit barrage, avant d'entamer une descente vertigineuse vers la vallée du Montafon. Nature superbe, sauvage à souhait.
– A ***Partenen,*** premier village du Montafon, téléphérique grimpant à 1 730 m. Au-delà, vers Gaschurn et St. Gallenkirch, s'étend une région de ski particulièrement réputée.

★ A ***St. Gallenkirch,*** intéressante église : retable baroque, chaire noir et or richement décorée, plafond à stucs et à fresques. Dans le retable de droite, ravissante Vierge à l'Enfant couronnée.
– La ***vallée du Montafon,*** longue d'une quarantaine de kilomètres, propose un intéressant éventail d'achitecture et d'images rurales. Beaucoup de chemins bien balisés dans une nature intacte : forêts, petits lacs, alpages, vergers, etc. On y produit une variété de bovins très appréciée. Langue locale et traditions y sont encore préservées.
– Puis la vallée s'élargit, toujours vierge de béton. Même Schruns et Tschagguns, stations de sports d'hiver de longue date, offrent le visage avenant de gros villages de chalets.

★ A ***Schruns,*** petit ***musée régional,*** en face de l'église paroissiale. Fermé tous les lundis. Ouvert jusqu'au 30 juin du mardi au vendredi de 15 h à 18 h et du 1er juillet au 30 septembre de 10 h à 12 h et de 15 h à 18 h, le dimanche de 10 h à 12 h. Prévoir environ 1 h de visite. Le bâtiment principal date du XVe siècle et fut autrefois le siège des juges de montagnes. Intérieurs reconstitués : notamment une chambre lambrissée superbe et une ancienne salle de classe. Costumes et traditions locales sont également exposés.

🛈 ***Office du tourisme du Montafon :*** Schruns (A - 6780). ☎ 05556/722 53. Documentation très intéressante et surtout en français. Accueil charmant. Demander la nouvelle adresse au musée régional.

★ Dans la vallée du Montafon, ne pas manquer ***l'église du village Bartholomäberg.*** C'est à 5 km de Schruns. ***Église baroque*** du XVIIIe siècle. Orgue baroque d'origine, son acoustique est excellente. Vieux retable gothique remarquable. Une croix romaine en porcelaine de Limoges datant probablement des croisades a été retrouvée dans l'église. Elle est aujourd'hui au Heimat Museum de Feldkirch.

★ En direction de Bludenz, ***Vandans*** a été élu en 1988 le village le plus fleuri d'Europe. Il l'est toujours. C'est un régal que de s'y arrêter boire un café.

– A 15 km de Bludenz et à 7 km de Bürsenberg, se trouve le ***Lünersee.*** On y accède par téléphérique. Il y en a un toutes les 10 minutes à partir de 9 h (interruption entre 12 h 20 et 13 h 10). A 1 970 m d'altitude, entouré de montagnes, ce lac constitue l'une des plus grosses réserves d'énergie hydraulique du Vorarlberg. Le tour du lac dure 2 h 30 environ. D'autres randonnées plus longues dans les montagnes sont bien sûr conseillées pour admirer la diversité de la faune et de la flore.
C'est la flore qui est ici particulièrement généreuse. Elle est protégée, donc ne vous aventurez pas à ramasser des fleurs, vous seriez vite réprimandé. Pensées, gentianes, rhododendrons, azalées, etc., tapissent le tour du lac. Il paraît qu'il y a également des orchidées. Le paysage est superbe. A ne pas rater.

FELDKIRCH IND. TÉL. : 05522

Peut-être la plus jolie ville du Vorarlberg. Carrefour important entre Autriche, Suisse, Liechtenstein et Italie. Son centre-ville a conservé un charme médiéval quasiment intact.
En juillet s'y déroule une fête du vin mémorable.

– ***Code postal :*** A 6800.
🛈 ***Office du tourisme :*** Herrengasse, 12. ☎ 734-67. Fax : 79-867. Ouvert de 8 h à 12 h et de 14 h à 18 h ; samedi de 9 h à 12 h. Fermé le dimanche.

Où dormir ?

⌂ ***Jugendherberge (A.J.) :*** Reichsstrasse, 111, Feldkirch-Levis. ☎ 731-81. Fax : 793-99. Fermée du 15 octobre au 31 décembre. Située au nord de la ville, dans le quartier de Levis. Maison à colombage du XIIIe siècle.

⌂ ***Gasthof Löwen Tosters :*** Egelseestrasse, 20. ☎ 728-68. Fax : 378-57. Prendre la direction du Liechtenstein et tourner à gauche avant le tunnel. C'est le moins cher qu'on ait trouvé mais il est excentré. L'hôte parle bien le français. La bâtisse est sans charme.

⌂ ***Post Gasthof :*** Schlossgraben, 5. ☎ 728-20. Fax : 728-206. Fort bien situé. Chambres impeccables. Resto pour les pensionnaires. Un des hôtels les moins chers de la ville.

⌂ ***Hôtel Alpenrose :*** Rosengasse, 6. ☎ 721-75. En plein cœur de Feldkirch, vieille maison de caractère. Tout y est de bon goût. C'est chic et cher.

⌂ ***Waldcamping :*** Postfach, 564. ☎ 743-08. Prendre la direction du Liechtenstein et passer sous le tunnel. Très agréable, piscine avec plusieurs grands bassins.

Où manger ?

🍴 ***Gasthof Hof :*** Marktgasse, 1. ☎ 763-76. Auberge traditionnelle. Assez bon marché. Cuisine sans prétention mais hyper copieuse. Sympa. Beaucoup de place : une cour, une terrasse et une grande salle à l'intérieur. Choisir la cour l'été : fraîche, jolie et conviviale.

🍴 ***Restaurant-Hôtel Löwen :*** Schlossgraben, 13. ☎ 720-70. Restaurant appartenant à l'*hôtel Central Löwen.* Prix pas excessifs et bonne cuisine. Et puis, c'est dans la vieille ville.

🍴 ***Schlosswirtschaft Schattenburg :*** Burggasse, 1. ☎ 724-440. Auberge à l'intérieur de la forteresse. Décor super chouette. Vue sur la jolie cour à colombage et, à l'intérieur, très vieilles fresques. Agréable.

|●| *La Dogana :* Neu Stadt, 20. ☎ 751-26. Dans le centre. Dans une bâtisse de charme. Ouvert à midi et le soir jusqu'à minuit. En fin de semaine, conseillé de réserver. Au premier étage, cadre rustique de bon ton. On vient manger ici en couple, en famille, assuré de trouver un service impeccable, une excellente cuisine et un cadre élégant sans pour autant tomber dans un truc chic ou snob. Quelques plats : *Dogana Töpfle, Filet von Mastochsen,* salades copieuses et un pot-pourri de douceurs, la *Variationen von kleinen Desserts.*

Plus chic

|●| *Gasthof Lingg :* Am Markt Platz. ☎ 720-62. Considéré comme le meilleur restaurant de la ville. Il tient sa réputation d'une cuisine exceptionnellement fine et délicate. La diversité de sa carte laisse perplexe. Un petit conseil : une spécialité maison à base de fromage, le *Käsespätzle mit Röstwiebeln und Kartoffelsalat.* Chic et cher.

Petit itinéraire dans la vieille ville, le nez au vent !

★ ***Markt Platz :*** longue place bordée de jolies demeures anciennes à arcades. Fermée au bout par une église du XIIIe siècle.

★ A l'opposé de la place, Kreuzgasse, suivie de Monfortgasse, qui mènent aux anciennes tours des remparts. Au passage, la ***Liebfrauenkirche*** du XVe siècle, baroquisée au XVIIIe (aujourd'hui de rite serbe orthodoxe). Grande place devant, avec la ***Churertor,*** imposante porte fortifiée.
En continuant Monfortgasse, on parvient à la ***Wasserturm*** (tour de l'Eau), de 1482, avec vestiges de fresques.

★ Retour à Kreuzgasse, prolongée de Herrengasse. A l'angle de Schlossergasse s'élève l'élégant ***palais Liechtenstein,*** ancien centre des impôts du XVIIe siècle. En face, la ***Katzenturm*** (tour des Chats) de 1491, autre vestige des remparts. Elle abrite la plus grosse cloche du Land (7,5 t).

★ ***Dompfarrkirche St. Nikolaus :*** édifiée au XVe siècle ; assez rare exemple de transition du gothique au style Renaissance. A l'intérieur, à l'entrée du chœur, éléments du retable de Sainte-Anne. Chaire en fer forgé.

★ ***Rathaus*** (mairie) : à l'angle de Neu Stadt et Schmiedgasse. Date des XVe et XVIIe siècles. Fresques représentant la ville au XIVe siècle recevant les franchises. A l'intérieur, beaux plafonds sculptés. Presque en face, la ***Leone Haus,*** une des plus jolies demeures (1777) avec son curieux pignon, son balcon en fer forgé et son « porche-rue ». En face, s'ouvre l'Entenbachgasse. Petite place avec ruelle couverte et très basse. Quartier bien romantique la nuit.

★ ***Heimat Museum :*** dans le château de Schattenburg. ☎ 719-82. Ouvert de 9 h à 12 h et de 13 h à 17 h. Fermé le lundi et en novembre. Musée régional. Belle cour à colombage avec escalier extérieur en bois. Dans le musée : belle collection d'armes blanches, remarquable mobilier, peintures, jolie crèche en bois de 1870 parfaitement conservée, ancienne chapelle, etc.

★ Au nord, balade dans le ***quartier de Levis,*** pour la superbe vue sur la vieille ville. ***Château d'Amberg*** (qui ne se visite pas) du XVIe siècle.

– ***Grande fête du vin,*** la première semaine de juillet (pour les dates précises, se renseigner à l'office du tourisme, avant de partir). Très chouette atmosphère en ville. Sur Markt Platz, on dresse longues tables et bancs pour boire, manger et chanter une grande partie des nuits. Une bonne occasion de rencontre avec les Autrichiens.

Aux environs

★ ***Jüdisches Museum (le Musée juif) :*** Schweizer Strasse, 5, à Honemens. ☎ 05576/73989. Ouvert toute l'année de 10 h à 21 h le mercredi, de 10 h à 17 h les jeudi, vendredi, samedi, dimanche et jours fériés. Fermé lundi et mardi. Ce musée est installé depuis 1991 dans la propriété d'une ancienne famille d'industriels juifs : les Rosenthal. Il retrace l'histoire de la communauté juive depuis le XVIIe siècle. Nombreux témoignages émouvants, souvenirs, lettres. Le musée présente également des vidéos à but pédagogique reprenant des conversations de juifs, une explication des principes religieux de base.

BREGENZ

IND. TÉL. : 05574

A l'extrémité du lac de Constance, cerné par les montagnes, Bregenz séduit les amateurs de calme, de balades nautiques paisibles et de musique (superbe festival en juillet-août). C'est sûrement pour les mêmes bonnes raisons que les Romains y avaient édifié une ville (Brigantia ou Brigantium) ou que les missionnaires irlandais Columba et Gall, venus sauver le catholicisme suisse et italien décadent, avaient décidé d'évangéliser la région. Bonne étape pour profiter, au soleil couchant, des charmes de la ville haute.

Adresses utiles

– **Code postal :** A 6900.

Office du tourisme (plan B2): Anton-Schneider-Strasse, 4a. Dans le centre, près de Kornmarktstrasse. ☎ 433-91. Fax : 433-910. Ouvert en été de 9 h à 19 h (dimanche de 16 h à 19 h) ; en basse saison, en semaine, de 9 h à 12 h et de 14 h à 18 h. Excellente documentation sur la ville : plan, itinéraire du vieux Bregenz, etc.

✉ **Poste principale** (plan B1) : Seestrasse, 5. Au bord du lac.

■ **Location de vélos :** à la gare. Également chez **Drissner** (Rheinstrasse, 64 ; ☎ 660-22) et au bord du lac.

– Ceux qui restent 15 jours peuvent bénéficier du *15 Tage Bodenseepass,* forfait valable pour trains, bus, bateaux et funiculaires.

Où dormir ?

Pendant le festival, les pensions et hôtels sont pris d'assaut. Réservation plus que conseillée.

Bon marché

Jugendherberge (A.J.) (plan B1, **10**) : Belruptstrasse, 16a. ☎ 428-67. Fax : 428-674. Ouverte d'avril à fin septembre. La 3e rue parallèle au lac. Long bâtiment en bois, sans charme particulier, mais l'A.J. est très bien située. Agréable terrasse-jardin.

Pension Sonne (plan B2, **11**) : Kaiserstrasse, 8. ☎ et fax : 425-72. Très centrale et dans une rue piétonne. Bon accueil. Cadre et décoration frais et plaisants. Chambres agréables (un peu plus cher du 19 juillet au 23 août). Quelques triples et quadruples également.

Pension Paar (plan B1, **12**) : Am Steinenbach, 10. ☎ 423-05. Bien située, dans une rue perpendiculaire au lac. Ouverte de mai à octobre. Très correcte. Salle de bains à l'extérieur. Accueil sympa. En prime, l'une des pensions les moins chères. Mme Paar est alsacienne et aime beaucoup les Français...

Hôtel Krone (plan B2, **13**) : Leutbühel, 3. ☎ 421-17. En haut de Rathausstrasse. Central aussi. Hôtel sans charme particulier. Chambres banales et assez propres (avec ou sans salle de bains).

Plus chic

Hôtel Messmer (plan B1, **14**) : Kornmarktstrasse, 16. ☎ 423-56. Fax : 42-34-566. L'hôtel chic du bord du lac. Confortable (ça va de soi) et cadre intérieur moderne et plaisant tout à la fois. Restaurant.

Camping Weiss . Brachsenweg, 4. ☎ 757-71. Prendre la direction de la Suisse. A environ 1,5 km du centre ville. A à peine 1 km du lac. Immense parc. Inutile de réserver. L'un des campings les moins chers du coin.

Où manger ?

Goldener Hirschen Gasthof (plan B2, **20**) : Kirchstrasse, 8. Rue partant du centre (Kaiserstrasse). ☎ 482-15. Ouvert à midi et le soir jusqu'à minuit. Belle maison à colombage et volets peints. A l'intérieur, style vieille taverne. Haute salle avec boiseries patinées. Cadre chaleureux et clientèle populaire. Plats à prix modérés. Seul le poisson est un poil cher : *rascini, gulasch, Kessel Fleisch, Kässpätzle.*

Pizzeria Charly (plan B1, **21**) : Anton-Schneider-Strasse, 19. ☎ 459-59. Dans la rue de l'office du tourisme. Ouvert à midi et le soir jusqu'à 3 h. Fermé le lundi. Un des lieux favoris des jeunes du coin. Pâtes et pizzas correctes. Terrasse animée sur rue piétonne. Toujours bondée.

Greber (plan B1-2, **22**) : Anton-Schneiderstrasse, 1. ☎ 424-67. Ouvert tous les jours de 9 h à 1 h. En face de l'office de tourisme. Terrasse ensoleillée, intérieur boisé, cour intérieure ombragée. Service un peu longuet mais cuisine copieuse et plats bien garnis. Les serveuses sont habillées en costumes traditionnels.

Plus chic

🍽 ***Kornmesser Gasthof Hexenstüble*** *(plan B1, **23**)* : Kornmarktstrasse, 5 ☎ 428-19. Ouvert à midi et le soir jusqu'à 1 h. Fermé le lundi. Réservation très recommandée. « Le » resto chic de la ville. Cadre élégant et clientèle conforme à l'esprit des lieux. Cuisine réputée. Quelques spécialités : *Hausspiess Kornmesser,* médaillon de bœuf, filet de porc-champignons et l'*Haus Töpfle* (spécialité régionale). Terrasse-jardin aux beaux jours.

A voir

★ ***Le musée régional du Vorarlberg*** *(plan B1, **30**)* : Kornmarktplatz, 1. ☎ 460-50. Ouvert de 9 h à 12 h et de 14 h à 17 h. Fermé le lundi (sauf en août). Dans un grand bâtiment gris. Tout sur la culture et l'histoire du Land : préhistoire (vestiges de fouilles du Vorarlberg), période romaine (bas-reliefs figurant Epna, la déesse des chevaux), riches périodes carolingienne (autel du IXe siècle), romane, gothique et Renaissance : primitifs religieux, orfèvrerie, objets d'arts, etc., reconstitutions d'intérieurs paysans et bourgeois. Jolis meubles peints. Sections d'art et de traditions populaires, objets domestiques typiques, costumes régionaux. Peintures d'artistes du Vorarlberg : du naïf Rudolf Wacker (notamment *Das Fenster*), tableaux d'Angela Kaufmann, célèbre femme peintre, amie de Goethe.

★ Le ***See Anlagen*** *(plan A-B1, **31**)* : au bord du lac, c'est la promenade favorite des habitants de la ville et des touristes. L'été, fleuri, coloré et joyeusement animé. Un peu plus loin, le palais du festival et des congrès.

– Pour se baigner : on a trouvé une plage de galets assez tranquille et gratuite *(plan B1, **32**)*. Quand on arrive du centre-ville, aller à la gare et prendre à droite puis longer le lac, c'est à 200 m.

★ ***Balade dans la ville haute*** *(plan B2)* : itinéraire de 2 h environ. Partir de Rathaustrasse.
– ***Rathaus*** (mairie ; *plan B1-2, **33***) qui date du XVIIe siècle, mais façade refaite au XIXe avec tour à pignon. Au passage, jeter un œil à la ***Seekapelle St. Georg*** *(plan B2, **39**)* pour son beau retable Renaissance.
– Emprunter la Kirchgasse pour l'église paroissiale ***St. Gallus*** *(plan B2, **34**)*. Peu avant d'y arriver, au n° 57, belle maison à colombage et encorbellement. L'église date du XIVe siècle, mais modifiée en baroque au XVIIIe. Clocher élancé avec élégant fronton et petit clocheton. A l'intérieur, décor abondamment stuqué et baroquisé. Chaire et buffet d'orgue de style rocaille.
– De l'église, on aperçoit bien la ville haute sur sa colline. Nombreuses demeures qui se sont intégrées dans l'ancienne enceinte (reste encore une tour ronde appelée la « tour des Boulangers » car on y enfermait ceux qui trichaient avec le poids du pain). Rejoindre Thalbachgasse. Grand parking d'où part un escalier grimpant la colline et aboutissant par un passage au ***Deuringerschlösschens*** *(plan B2, **37**)*, belle bâtisse du XVIIe siècle, ancienne résidence du maire (ne se visite pas). Devant on découvre l'***Ehreguta Platz*** *(plan B2, **35**)*, adorable place de village semblant s'être figée dans le temps. Tons pastel, jardins riants. Prendre à droite pour flâner dans ses ruelles paisibles. Dans Epona Strasse se trouve ***Gesellenspital,*** ancien hospice des compagnons. Fresque du XVe siècle. En face, l'***ancien Rathaus*** (de 1611 ; *plan B2, **36***).

■ Adresses utiles

- Office du tourisme
- Poste principale
- Gare ferroviaire
- **1** Location de vélos
- **2** Maison des congrès - Palais du festival

Où dormir ?

- **10** Auberge de jeunesse
- **11** Pension Sonne
- **12** Pension Paar
- **13** Hôtel Krone
- **14** Hôtel Messmer

🍽 Où manger ?

- **20** Goldener Hirschen
- **21** Pizzeria Charly
- **22** Greber
- **23** Kormesser Gasthof Hexenstüble

★ A voir

- **30** Musée régional du Vorarlberg
- **31** See Anlagen
- **32** Plage
- **33** Mairie
- **34** Église Saint-Gallus
- **35** Ehreguta Platz
- **36** Ancienne mairie
- **37** Deuringschlösschen
- **38** Téléphérique
- **39** Seekapelle St. Georg

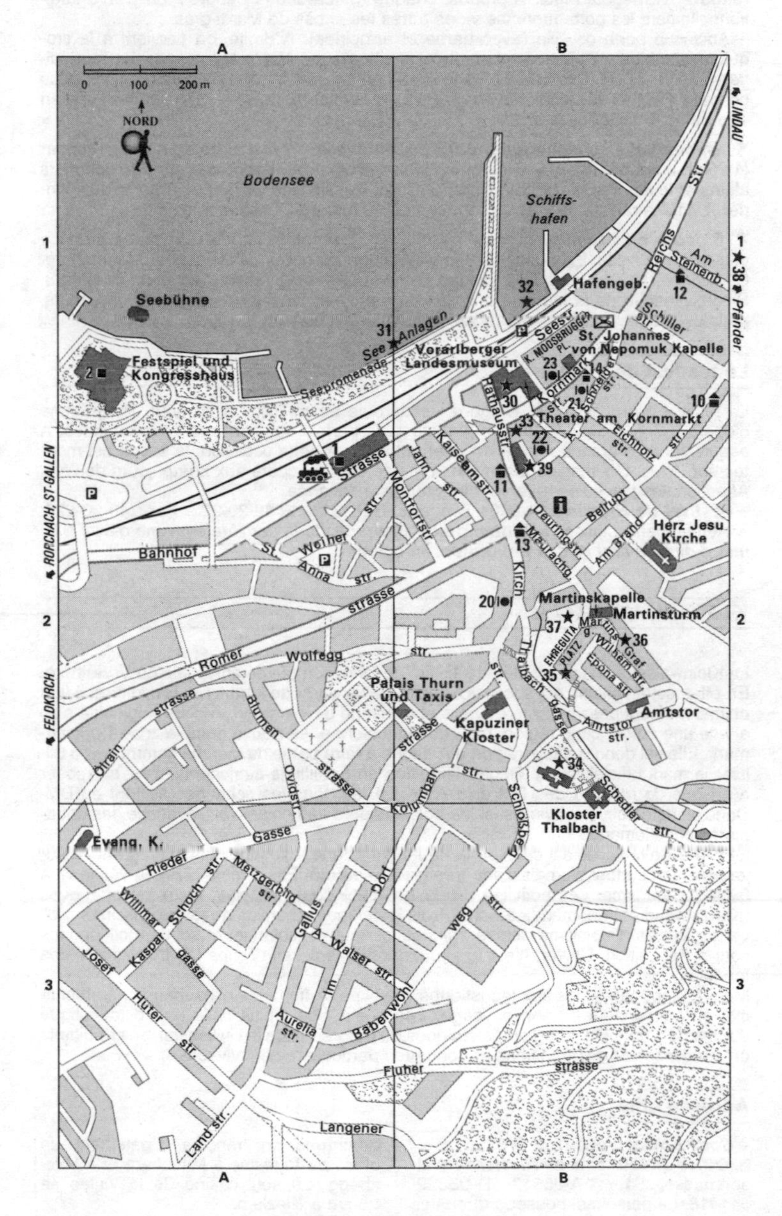

BREGENZ (CENTRE)

Façade à pignon, quadruple encorbellement et colombage à damier original. Longer la Graf Wilhelm Strasse qui suit également l'ancien rempart et son chemin de ronde pour retrouver l'Ehreguta Platz. A propos, chaque mercredi des Cendres, on y lave traditionnellement les porte-monnaie vides après les excès de Mardi gras.
– Ancienne porte de ville (avec herse et armoiries). A droite, on parvient à la croquignolette Martin Platz et sa chapelle et la pittoresque ***Martinsturm,*** massive tour édifiée au XVIe siècle. Elle hérita plus tard de son clocher à bulbe, le plus gros d'Europe centrale. Petit *musée* local, ouvert de Pâques à octobre, de 9 h à 18 h. On retourne en ville par la Maurachgasse.

★ ***Pfänderbahn (téléphérique, 38) :*** pour parvenir en moins de 10 mn au Pfänder (1 064 m). Se prend au 4, Steinbruchgasse. ☎ 478-00. Panorama sur 240 sommets alpins et le lac. Resto. Dépaysement assuré. Possibilités de randos à partir du Pfänder. Démonstrations de vols de rapaces du 10 mai au 24 septembre.

★ ***Balades en bateau et sports nautiques :*** normal, le lac de Constance propose pas mal d'activités. Excursions à l'île de Mainau ou celles de Reichenau, Meersburg, Constance, Lindau, etc. Tour du lac complet. Renseignements au port, ☎ 428-68. Sinon, pratique de la planche à voile, ski nautique, location de bateaux, de canots, pédalos, pêche, etc. Tous les renseignements à l'office du tourisme.

Le festival de musique

Le festival de musique de Bregenz se déroule de mi-juillet à fin août. Programme d'opéras, d'opérettes, de théâtre, ballets avec parfois des concerts symphoniques. A acquis une très grande réputation internationale. A cette occasion, la scène est montée sur le lac. On imagine aisément la magie d'un tel cadre aux beaux jours de l'été. Attention, les places se réservent longtemps à l'avance.
– ***Festival de Bregenz :*** A-6901 Bregenz, B.P. 311. ☎ 49-20-223. Fax : 49-20-228.
– Autres manifestations : ***Printemps de Bregenz,*** de la dernière semaine d'avril à fin mai. ***Foire de l'art et des antiquités,*** fin octobre.

KLEINWALSERTAL

La Kleinwalsertal est une vallée de 15 km de long, complètement isolée du Vorarlberg. En effet, cette vallée n'est accessible qu'à pied à partir de l'Autriche. En voiture, il faut obligatoirement passer par la Bavière et le village d'Oberstdorf. A cette originalité s'en ajoute une autre : cette région, bien qu'autrichienne, se trouve dans la zone Deutschmark. Elle est donc la seule région d'Autriche à faire partie du marché commun et à utiliser le mark officiellement. Régler l'addition en Schillings autrichiens, c'est s'exposer au risque de recevoir des DM en retour. En fait, tous les échanges se font en DM. Donc bien prévoir. Par ailleurs, si les policiers sont autrichiens, en revanche, les douaniers sont allemands.
Le climat de la vallée est celui de la haute montagne. Elle jouit donc d'un grand ensoleillement et surtout d'un air d'une très grande pureté. Été comme hiver, la vallée vit à 99 % du tourisme. Les activités proposées l'été sont multiples. Deux téléphériques (Kanzelwand et Waldmendigerhorn), trois télésièges, chemins de rando, piscines couvertes, écoles d'alpinisme, tennis, mini-golfs, saunas, solarium et soirées folkloriques sont à disposition. L'hiver, c'est le ski, naturellement, qui occupe les trois quarts des touristes.
Malgré l'importance des flux touristiques, la vallée s'efforce de conserver son authenticité et la splendeur de son paysage. Elle a été élue « plus belle région touristique d'Autriche » en 1972. Longtemps éloignés du progrès et de la civilisation, ses habitants ont su conserver des traditions et coutumes particulièrement vivaces.

Adresse utile

– ***Code postal :*** A-6991 et D-87567.
ℹ ***Office du tourisme de Riezlern :*** Walserstrasse, 54. ☎ A-05517, D-08329/511418. Le personnel possède quelques brochures en français. Également un office du tourisme à Mittelberg et à Hirschegg. Le seul casino de la vallée se trouve à Riezlern.

Où dormir ? Où manger dans la région ?

■ ***L'auberge de jeunesse*** la plus proche est en Bavière, à Oberstdorf. Une liaison par bus est assurée plusieurs fois par jour.

■ La vallée regorge de pensions, d'auberges toutes plus charmantes les unes que les autres. Ce n'est pas une liste exhaustive : ***Gasthof Traube,*** à Riezlern, ***Hôtel Alte Krone,*** à Mittelberg, ***Gasthof Kreuz,*** à Hirschegg, et le resto ***Noris-hütte,*** à Baad.

A voir dans la vallée

★ ***Le Musée valaisan à Riezlern :*** ouvert de 14 h à 17 h tous les jours sauf dimanche et jours fériés. Ce musée présente les caractéristiques liées à l'histoire et à la géographie de cette vallée. La présentation et la succession des pièces sont agréables.

★ A ***Mittelberg,*** ravissante ***église.*** Les fresques du XVe siècle, illustrant la création du monde, valent le détour. Fin de la route à Baad (1 245 m). Belles balades aux alentours.

LE PAYS DE SALZBOURG

Un Land un peu à part. En effet, c'est l'un des plus jeunes, rattaché à l'Autriche depuis le début du XIXe siècle. Très longtemps principauté ecclésiastique, il présente, à cet égard, quelques particularismes bien à lui. Ne serait-ce que sa capitale, Salzbourg, dont l'atmosphère paraît souvent plus italienne qu'autrichienne ! Cependant, il a en commun avec le Tyrol, son rival, une situation géographique et un relief quasiment identiques, une nature particulièrement préservée et de fameuses stations de ski. A l'est, il partage avec la Haute-Autriche et la Styrie la merveilleuse région du Salzkammergut.

Un peu d'histoire

Les paysages, comme ceux du reste de l'Autriche, plurent aux Illyriens et aux Celtes, puis aux Romains pour les mêmes bonnes raisons. Ces derniers reprirent d'ailleurs aux Celtes la florissante exploitation du sel et développèrent Juvavum qui allait devenir Salzbourg (« le pays du sel »). Important municipe sous l'empereur Claude, la région contrôlait toutes les voies de passage est-ouest et nord-sud (par le col du Grossglockner vers la Vénétie et Rome). Après les invasions barbares, la région déclina rapidement. Des Bavarois, puis des Francs succombèrent aux charmes des rives de la Salzbach. C'est d'ailleurs un missionnaire franc, saint Rupert, qui, au VIIe siècle, évangélisa le coin. Avec leur habituel bon goût pour choisir les sites les plus beaux, des moines fondèrent l'abbaye Saint-Pierre au pied du mont Mönchsberg. En 774, Salzbourg avait gagné une grande réputation pour son prosélytisme religieux et se vit confier la tâche de coordonner l'évangélisation d'une grande partie des Alpes et du bassin du Danube. L'Irlandais saint Virgile, avec l'efficacité habituelle des moines de la verte Érin, y contribua fortement. En l'an 1000, les limites du pays de Salzbourg allaient jusqu'à la Hongrie. Il devint à cette époque la principale position de force du Saint Empire romain germanique, à sa frontière sud, l'exploitation du sel de Hallein et de l'or des monts Tauern lui assurant en outre une prospérité sans pareille. Prospérité qu'il fallait d'ailleurs protéger (construction de la forteresse de Hohensalzburg au XIe siècle) et montrer de façon ostentatoire (édification de la cathédrale romane au XIIe siècle). En 1278, l'empereur Rodolphe Ier de Habsbourg accorda le titre de prince aux évêques de Salzbourg. La puissance des archevêques-princes de la ville fut si grande qu'ils durent, bien entendu, mater leur opposition avant qu'elle ne devînt trop importante (d'abord, la bourgeoisie salzbourgeoise légitimement avide de pouvoir, puis la paysannerie de la principauté, elle-même durement exploitée). Au faîte de leur puissance, les princes de Salzbourg pouvaient alors, sans état d'âme, décider de la destruction de la cathédrale romane, pour un édifice plus prestigieux, et la baroquisation à marche forcée de la ville. Son université, au début du XVIIe siècle, comptait autant d'étudiants que Vienne. C'est, rappelons-le, dans cette magnifique ville baroque que naquit, en 1756, Mozart (Wolfgang Amadeus, pour les intimes !). En outre, une très habile diplomatie des princes leur permit de préserver la paix sur le territoire et de prévenir toute invasion étrangère. Ce fut Napoléon et ses armées, comme en maints endroits d'Europe, qui rompit en 1802 le statu quo. L'occupation française affaiblit considérablement la principauté qui rejoignit, naturellement, l'Autriche après le congrès de Vienne en 1816. Salzbourg retomba alors presque dans l'anonymat et ne fit plus parler d'elle, au long du XIXe siècle. Tant mieux pour les touristes qui découvrent aujourd'hui une ville ayant échappé aux ravages architecturaux de l'industrialisation et aux phénomènes spéculatifs qu'elle entraînait toujours. Signalons enfin que naquirent aussi à Salzbourg le poète Georg Trakl et le prestigieux chef d'orchestre Herbert von Karajan.

SALZBOURG

IND. TÉL. : 0662

C'est du haut du Mönchsberg ou de la forteresse de Hohensalzburg que la ville apparaît dans toute sa splendeur : une forêt de clochers baroques et de dômes élégants se fondant dans un cadre merveilleusement naturel. Ville et environnement présentent ici une unicité quasi unique et magique. Personne ne sera étonné que Salzbourg ait séduit tant de romantiques du monde entier, et donné naissance à l'un des plus grands génies de la musique. C'est, bien sûr, à pied ou à vélo que chaque ruelle, chaque place de la ville vous charmeront à chaque fois un peu plus jusqu'à un stade proche de l'envoûtement. Rassurez-vous, nul sentimentalisme désuet là-dedans, les écrivains Stephan Zweig et Hugo von Hofmannsthal craquèrent avant vous...

Mozart à Salzbourg

C'est au nº 9 de la Getreidegasse, l'une des rues les plus fameuses de la ville, que Johannes Chrysostomus Wolfgang Theophilus Mozart vit le jour le 27 janvier 1756. Fils de Leopold et de Anna-Maria, Wolfgang eut en tout 6 frères et sœurs, mais seuls la petite Maria Anna et celui qui prit le nom d'Amadeus survécurent.
Son père, maître de chapelle et compositeur attitré de la cour du prince-archevêque, s'aperçoit bien vite des talents exceptionnels de son fiston. A 5 ans, le bambin compose déjà. Un an plus tard il l'emmène dans un long périple européen où éclot ce qui s'avérera rapidement être de la graine de génie. Tous les souverains et têtes couronnées du vieux continent écoutent le petit virtuose.
A 11 ans, il compose la musique d'*Apollo et Hyacinthus* qui sera joué à l'université de Salzbourg. A 13 ans, il est nommé « maître de chapelle sans solde » à la résidence du prince-archevêque de Salzbourg. La Cour profite des sérénades, des symphonies et autres *divertimento* fraîchement sortis de la tête de l'adolescent.
La maison de la rue Getreidegasse devient trop petite et la famille déménage en 1773 dans une grande et belle maison sur l'autre rive de la rivière Salzach, au 8 de la Makartplatz. C'est là qu'il créa la plupart de ses œuvres (plus de 150) avant de partir pour Vienne. En 1779, il devient organiste du prince-archevêque Colloredo, mais leur relation est orageuse et deux ans plus tard il quitte Salzbourg pour la capitale.
Salzbourg perd son génie mais celui-ci reviendra dans sa ville le 26 octobre 1783 pour rendre visite à son père et à sa sœur, tout ce qui lui reste de famille. Il en profite pour diriger à l'abbatiale Saint-Pierre, pour la première fois, sa célèbre *Messe solennelle en ut mineur*. Constance Weber, sa femme, en chantait la première partie de soprano.
Mozart mourut à Vienne le 5 décembre 1791 à l'âge de 35 ans. Mort dans le dénuement le plus total, il fut enterré dans une fosse commune.

Adresses utiles

SERVICES

– ***Code postal :*** A 5020.
🛈 ***Office du tourisme*** *(plan C2, 🛈) :* Mozartplatz, 5. Dans le centre. ☎ 84-75-68 ou 88-98-73-30. Fax : 88-98-73-42. Ouvert de 8 h à 20 h tous les jours en été (21 h en août pendant le festival). Horaires réduits hors saison et fermé le dimanche. Excellente documentation en français sur la ville. Fait les réservations d'hôtels. Écran tactile d'informations en plusieurs langues. Demander la carte « Salzbourg Hotelplan », où tous les hôtels sont situés et les prix indiqués au dos. Vente de tickets de concert (mais commission importante).
🛈 Autres bureaux du tourisme à la ***gare*** (quai 2 A), ainsi qu'aux différentes entrées de la ville.
🛈 ***Office du tourisme pour le Land*** *(plan C2, 🛈) :* Mozartplatz, 5. ☎ 84-32-64. Ouvert du lundi au vendredi de 9 h à 18 h et les samedi et dimanche de 10 h à 17 h. L'hiver, fermé le lundi.
✉ ***Poste centrale*** *(plan C3, ✉) :* Residenzplatz, 9. Bureau à la gare également. Ouvert 24 h sur 24.
■ ***Change (hors plan, B1) :*** à la gare. Dans le hall des guichets. Distributeur de billets. Ouvert tous les jours de 7 h à 22 h (21 h en hiver). Les banques sont généralement ouvertes de 8 h 30 à 12 h 30 et de 14 h à 16 h 30. Fermées le week-end. Nombreux bureaux de change sur Alter Markt. Préférer les banques : *Rieger Bank*, Alter Markt, 15. *American Express*, juste à côté de l'office du tourisme. *Landes-Hypothekenbank*, sur Residenzplatz.
– Nombreuses autres banques sur Schwarzstrasse, les unes à côté des autres.
■ ***Centrale de réservations de billets Kartencentrale Polzer :*** Residenzplatz, 3. ☎ 84-65-00. Répertorie toutes les places disponibles pour les concerts du mois et les vendent. C'est une bonne source d'informations.

TRANSPORTS

■ ***Location de vélos :*** à la gare, guichet nº 3. ☎ 88-87-54-27. Ouvert toute l'année. Également : *Hager Albert,* Fürstenallee, 39. ☎ 82-37-23. *Vélo Active (plan C3, 1),* Residenzplatz, en plein centre. ☎ 86-88-27. De 9 h à 18 h tous les jours.
🚌 ***Terminal des bus :*** Südtiroler Platz. Dans la partie moderne de la ville, en face de la gare. Les bus desservent toutes les directions.
🚂 ***Gare*** (Hauptbahnhof ; *hors plan, B1) :* Südtiroler Platz. ☎ 17-17. Consigne ouverte 24 h sur 24.
✈ ***Aéroport :*** à l'ouest de la ville, Innsbrucker Bundesstrasse, 95. ☎ 805-50 et 85-29-00. Fax : 80-55-29. 2e aéroport d'Autriche. Pour s'y rendre, bus 77 partant de la gare. Fonctionne de 7 h à 22 h. Vols réguliers sur Paris.
■ ***Fiacre :*** sur la Residenzplatz.
■ ***Médecin de garde/service d'urgence :*** ☎ 141. Fonctionne uniquement du vendredi 19 h au lundi 7 h et les jours fériés.
– ***Journaux français :*** Residentzplatz, 7. Petit kiosque. Residenzplatz toujours, à gauche de la poste.

Topographie de la ville

Salzbourg est enserrée entre deux collines et traversée par la rivière Salzach. Quasiment tout le centre est piéton et la plupart des sites et monuments à visiter ne sont accessibles qu'à pied, ce qui rend la balade formidable et la ville d'une remarquable sérénité. L'office du tourisme délivre une bonne carte où les parkings sont indiqués. Vous n'avez pas le choix, il faudra y parquer votre chignole à roulettes. Après, on se balade soit à pied, soit à vélo. Vraiment, le vélo est un moyen de locomotion idéal pour Salzbourg et on ne peut que le conseiller (voir nos « Adresses utiles »). Si vous séjournez quelques jours à Salzbourg, on ne peut que vous conseiller de garer votre véhicule sur un parking payant aux abords du centre, et de le laisser là pendant tout votre séjour.

Où dormir ?

L'office du tourisme délivre une carte gratuite où toutes les infos sont indiquées concernant les hôtels : liste complète, situation sur la carte, prix, type de prestations. Un excellent document pour vous aider à choisir votre hébergement. Ils font aussi des réservations de chambre chez l'habitant (commission). Chouette ! Plein d'AJ et de petits hôtels. Nous avons sélectionné des établissements plutôt situés près du centre.

AUBERGES DE JEUNESSE

🏠 ***Jugendgästehaus Salzburg*** *(plan D3, 10) :* Josef-Preis-Allee, 18. ☎ 84-26-700. Fax : 84-11-01. Ouverte toute l'année. Proche du centre-ville, c'est pour ça que c'est la plus connue. De la gare, bus 5 et 55 (très pratique, dessert la plupart des points d'intérêt). Plus de 400 lits, mais vite remplis en haute saison. Réception ouverte de 7 h à minuit avec plein de petites fermetures entre ces deux horaires. Chambres de deux, trois, quatre et plus. Couvre-feu à minuit. Une bonne AJ au calme et fonctionnelle, entourée de pas mal de verdure.
🏠 ***Jugendherberge Haunspergstrasse*** *(hors plan B1, 11) :* Haunspergstrasse, 27. ☎ 87-50-30. Entrée à l'angle de la rue. Ouverte seulement en juillet-août. Quatre rues à l'ouest de la gare et à une vingtaine de minutes du centre à pied. Grosse demeure dans un coin calme proposant une grosse centaine de lits en dortoirs de 4 à 6. Quelques doubles. Réception ouverte de 7 h à 14 h et de 17 h à minuit (couvre-feu). Machine à laver, salon TV, ping-pong... Chambres confortables (bons lits), propres et relativement spacieuses. Tickets discount pour les concerts classiques avec service de transports aller-retour.
🏠 ***Auberge de jeunesse IYHF*** *(plan C1, 12) :* Glockengasse, 8. ☎ 87-62-41. Fax : 87-62-413. Ouverte de début avril à fin septembre. Réception ouverte de 7 h à 9 h et de 15 h 30 à minuit. Au pied du mont Kapuzinerberg. Peu de charme. 140 lits répartis en dortoirs de 12 personnes. A mi-chemin de la gare et du centre-ville. De la gare, bus guère pratique (bus 51 et descendre à Mirabelplatz, puis le 29 et descendre au 1er arrêt). Si vous n'êtes pas trop chargé, possibilité d'y aller à pied par la Gabelsbergerstrass et la Bayerhamerstrass. En revanche, pour gagner le centre, agréable Linzergasse (et ça descend !). AJ banale mais pratique.
🏠 ***Auberge de jeunesse IYHF*** *(hors*

plan D3, ***13****)* : Aignerstrasse, 34. ☎ 62-32-48. Fax : 62-32-48-13. Ouverte toute l'année. Très éloignée. A l'est de la ville. De la gare, bus 6 ou 51 jusqu'à Mozartsteg, puis changer pour le 49. Seul avantage, plus agréable que la plupart des AJ précédentes. Réception ouverte de 7 h à 9 h et de 17 h à minuit. Obligation d'être dehors entre 9 h et 17 h. Une centaine de lits (quelques doubles) dans une grosse bâtisse ocre, entourée d'une belle pelouse, plantée de grands arbres superbes. Bien tenu et confortable. Petit déjeuner inclus.

Jugendherberge Eduard-Heinrich-Haus *(hors plan D3,* ***14****)* : Eduard-Heinrich Strasse, 2. ☎ 62-59-76. Fax : 62-79-80. Au sud-est de la ville, assez éloignée et un peu triste. Pour y aller, bus 51 et descendre à Polizeidirection, puis 5 mn de marche. Ouvert toute l'année. Réception ouverte de 7 h à 9 h et de 17 h à 23 h. Grand immeuble moderne dans la verdure. Couvre-feu à minuit. Machine à laver disponible. Pas de cuisine. La plupart des chambres accueillent entre 3 et 6 personnes. Propre.

HÔTELS

Hôtels assez chers. 20 à 30 F de moins par personne en dehors de l'été. Pas mal de *Zimmer Frei* (chambres chez l'habitant), liste à l'office du tourisme. Ceux qui possèdent un véhicule peuvent essayer de dormir à Hallein, agréable petite ville médiévale à 16 km au sud.

Bon marché à prix moyens

Hôtel Schwarzes Rössl *(plan C2,* ***15****)* : Priesterhausgasse, 6. ☎ 87-44-26. Fort bien placé. Rue donnant dans Linzergasse (redescendant au centre-ville). Coin calme. Attention, hôtel ouvert seulement du 1er juillet au 30 septembre. Un certain charme. Cadre rustique salzbourgeois avec meubles peints. C'est en fait une résidence d'étudiants (ils ont bien de la chance !) dont les chambres sont louées aux étudiants l'été. Vraiment un chouette endroit. Choix de chambres agréables, avec ou sans douche (ces dernières bien moins chères). Quelques triples également à prix modérés. Globalement un bon rapport qualité-prix.

Gasthaus Hinterbrühl *(plan D3,* ***16****)* : Schanzlgasse, 12. ☎ 84-67-98. Fort bien placé, à l'est de la vieille ville (donne dans Kaigasse). Grande auberge traditionnelle offrant des chambres plutôt petites, mais très correctes. Lino au sol. Ringard et désuet. Salle de bains à l'extérieur. Une des meilleur marché de la ville. La maison date du XIVe siècle, vestige de l'ancien rempart. Au rez-de-chaussée, bon resto avec terrasse. Réservation quasi obligatoire en haute saison, ça va de soi !

Prix moyens à plus chic

C'est dans cette catégorie qu'on trouve la plupart des hôtels. Éventail de prix très large la plupart du temps. Bien se renseigner car confort variable d'une chambre à une autre.

Haus Wartenberg *(hors plan A3,* ***17****)* : Riedenburger Strasse, 2. ☎ 84-42-84. Fax : 844-28-45. Dans le quartier de Riedenburg. Au sud-ouest, derrière le Mönchsberg. Du centre-ville, bus 1 ou 15

Adresses utiles

- Office du tourisme
- Poste centrale
- **1** Location de vélos

Où dormir ?

- **10** A.J. Jugendgästehaus Salzburg
- **11** Jugendherberge Haunspergstrasse
- **12** Auberge de jeunesse Glockengasse
- **13** Auberge de jeunesse Aignerstrasse
- **14** Jugendherberge Eduard-Heinrich-Haus
- **15** Hôtel Schwarzes Rössl
- **16** Gasthaus Hinterbrühl
- **17** Haus Wartenberg
- **18** Pension Chiemsee
- **19** Hôtel Goldene Krone
- **20** Hôtel Blaue Gans
- **21** Hôtel Amadeus
- **22** Hôtel Weisses Kreuz

Où manger ?

- **30** Augustiner Brauerei
- **31** Gasthof Krimpelstätter
- **32** Zum Fidelen Affen
- **33** Stiegl-Braü-Keller
- **34** Café Rupertinum
- **35** Restaurant Gablerbraü
- **17** Haus Wartenberg
- **36** S'Herzl
- **37** St. Peter Stiftskeller
- **22** Hôtel-restaurant Weisses Kreuz
- **38** Sternbraü
- **39** Goldener Hirsch

Où boire ? Où sortir ?

- **50** Café Bazar
- **51** Café Tomaselli
- **52** Café Mozart
- **53** Bar Hell
- **54** Café Bazillus

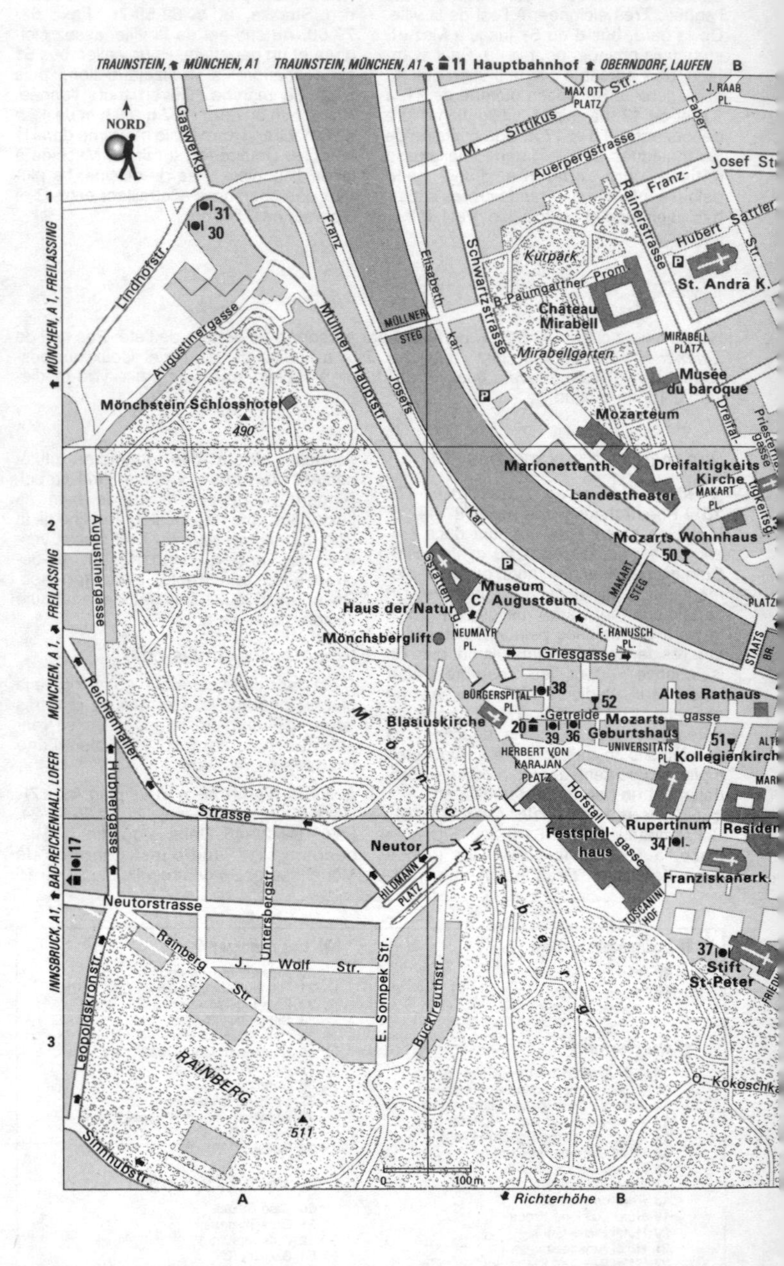
TRAUNSTEIN, MÜNCHEN, A1
TRAUNSTEIN, MÜNCHEN, A1
11 Hauptbahnhof
OBERNDORF, LAUFEN
NORD
MÜNCHEN, A1, FREILASSING
MÜNCHEN, A 1, FREILASSING
INNSBRUCK, A1, BAD-REICHENHALL, LOFER
Richterhöhe
Gaswerkg.
Lindhofstr.
Augustinergasse
Mönchstein Schlosshotel
490
Franz
Müllner Hauptstr.
Josefs
Elisabeth
kai
Kai
MÜLLNER STEG
Schwartzstrasse
M. Sittikus Str.
MAX OTT PLATZ
Auerpergstrasse
Rainerstrasse
Faber
J. RAAB PL.
Franz-Josef Str.
Hubert Sattler Str.
Kurpark
B. Paumgartner Prom.
St. Andrä K.
Château Mirabell
Mirabellgarten
MIRABELL PLATZ
Musée du baroque
Mozarteum
Dreifal-
Priesterhaus-gasse
Marionettenth.
Dreifaltigkeits Kirche
Landestheater
MAKART PL.
Mozarts Wohnhaus
50
MAKART STEG
Museum C. Augusteum
Gstätten g.
Haus der Natur
Mönchsberglift
NEUMAYR PL.
F. HANUSCH PL.
Griesgasse
STAATS BR.
BÜRGERSPITAL PL.
38
52
Altes Rathaus
Blasiuskirche
Getreidegasse
20
39
36
Mozarts Geburtshaus
UNIVERSITÄTS PL.
51
Kollegienkirch
HERBERT VON KARAJAN PLATZ
Hofstallgasse
Festspielhaus
Rupertinum
34
Residen
Franziskanerk.
TOSCANINI HOF
37
Stift St-Peter
Mönchsberg
Augustinergasse
Reichenhaller Strasse
Hübnergasse
17
Neutor
HILDMANN PLATZ
Neutorstrasse
Untersbergstr.
Rainberg Str.
J. Wolf Str.
E. Sompek Str.
Bucklreuthstr.
Leopoldskronstr.
RAINBERG
511
Sinnhubstr.
O. Kokoschka
0
100 m
31
30
A
B
1
2
3

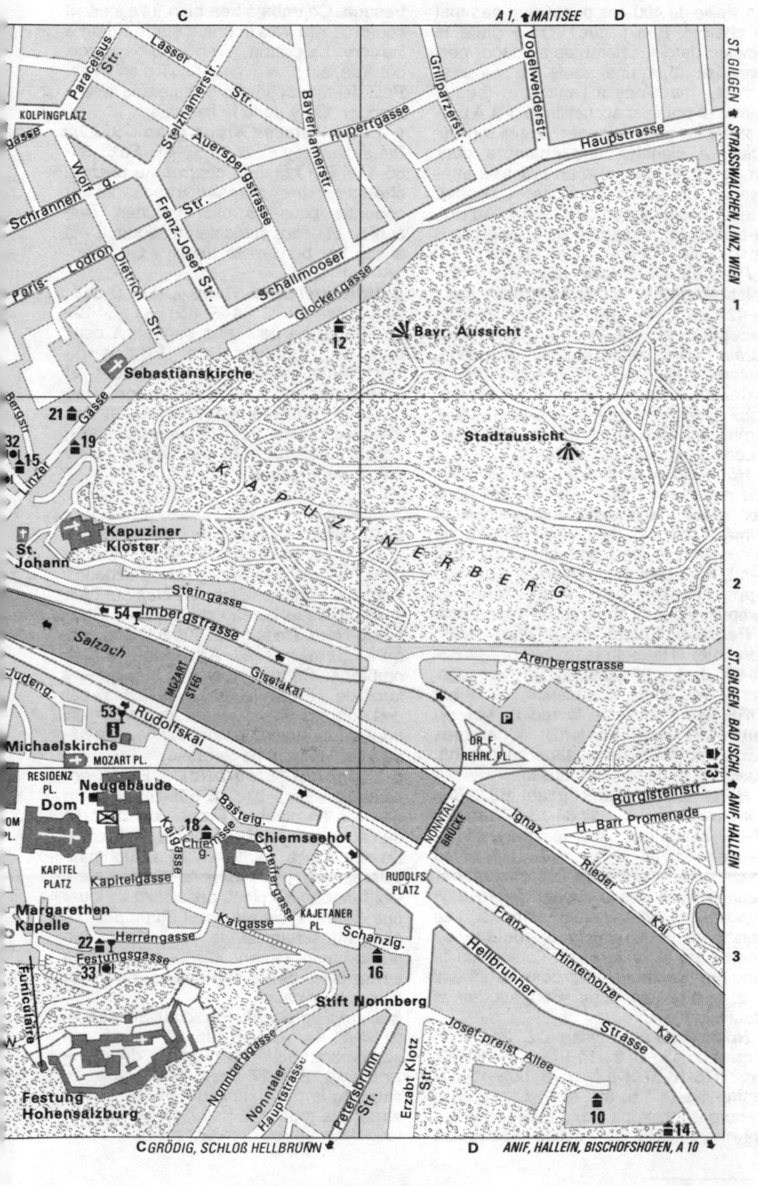

SALZBOURG (CENTRE)

(descendre sur Moosstrasse, presque à l'intersection de Riedenburger Strasse). Assez proche du centre, quartier agréable, verdoyant et résidentiel. Maison vieille de 400 ans possédant pas mal de charme. Bon accueil. On y parle le français. Jardin. Chambres au décor personnalisé (pas une seule ne se ressemble), meublées à l'ancienne (beaux objets) et pouvant accueillir de 1 à 4 personnes. Le petit déjeuner, excellent, est inclus. A signaler, une chambre pour famille (5 personnes) à un prix très intéressant. Charmant, agréable et coquet. Remarquable rapport qualité-prix. Au rez-de-chaussée, restaurant de bonne réputation (voir chapitre : « Où manger ? »).

Pension Chiemsee *(plan C3, **18**) :* Chiemseegasse, 5. ☎ 84-42-08. Fax : 84-42-08-70. Au cœur de la vieille ville. Réception au 1er. Remarquablement située. Donne dans Kaigasse. Attention, seulement six chambres avec toilettes à l'extérieur, mais douche à l'intérieur. Deux chambres très spacieuses. L'ensemble possède un certain charme. Bon accueil. Petit déjeuner compris.

Hôtel Goldene Krone *(plan C2, **19**) :* Linzengasse, 48. ☎ 87-23-00. Petit hôtel bien placé dans cette rue animée et calme à la fois, de l'autre côté de la rivière. Simple et confortable (douche et w.-c.), les chambres s'avèrent d'un bon rapport qualité-prix. Petit déjeuner compris. Pour le charme, on repassera.

Pension Katrin *(hors plan, C3) :* Nonntaler Hauptstrasse, 49 b. ☎ 83-08-60. Fax : 83-08-606. De la gare, bus 5. Descendre à la station précédant l'ORF (les studios de la radio). Maison particulière dans un jardin. Chambres plaisantes mais déco sans recherche. Quelques appartements aussi.

Hôtel Blaue Gans *(plan B2, **20**) :* Getreidegasse, 43. ☎ 84-13-17 et 84-24-91. L'une des rues les plus prestigieuses de la vieille ville. Certaines chambres meublées et moderne, d'autres avec des meubles peints à la paysanne. Petit déjeuner compris. Les tarifs varient du simple au double en fonction de la taille et du confort de la chambre. Quelques-unes sans douche ni w.-c. à prix très doux. Bon accueil et situation idéale.

Hôtel Amadeus *(plan C2, **21**) :* Linzergasse, 43. ☎ 87-14-01 et 87-61-63. Fax : 876-16-37. De la gare, bus pour le centre-ville (nos 5, 55, etc.). Changer et prendre le 29, place Makart. Descendre à Hofwirt. A côté de l'église Sebastian. Assez central. Rue en droite ligne sur le centre ville (à 5 mn). Édifice du XVIIIe siècle situé au pied du Kapuzinerberg. Façade baroque avec une petite fresque. Chambres très bien à l'excellent confort. Certaines donnent sur le cloître à l'arrière. Le patron, avec sa grosse voix bourrue, est plus avenant qu'il n'en a l'air. Petit déjeuner compris et agréable salle à manger. On y parle le français.

Hôtel Weisses Kreuz *(plan C3, **22**) :* Bierjodlgasse, 6. ☎ 84-56-41. Fax : 84-56-419. Bel hôtel de charme au pied du château. Une adresse reposante et coquette pour les plus fortunés. Bon confort et décor autrichien rustique. C'est aussi un bon resto (voir « Où manger ? »).

Hôtel-pension Dom *(plan B-C2) :* Goldgasse 17. ☎ 84-27-65. Fax : 84-27-65-55. On ne peut plus central. A deux pas de Residenzplatz. Édifice du XIVe siècle, bien restauré. Décor et ameublement ringards malgré les grosses poutres apparentes et les meubles peints. Petit déjeuner compris, accueil déplorable et prix élevés. Dieu qu'on est teigneux !

Campings

Camping Nord-Sam : Samstrasse, 22a. ☎ 66-04-94 et 66-06-11. Ouvert d'avril à octobre. Au nord de Salzbourg. Pour les véhicules : si vous êtes sur l'A1, sortir après le bureau du tourisme Salzbourg-Nord. De la gare, bus 33 direct jusqu'à Samstrasse. Agréable, assez ombragé. Cadre verdoyant, atmosphère familiale. Emplacements délimités par des arbres. Petite rivière qui coule au bout du camping. Petite piscine. Cafétéria avec un bout de terrasse.

Camping Stadtblick : Rauchenbichlerstrasse, 21. ☎ 506-52. Ouvert d'avril à fin octobre. Proche de la sortie de l'autoroute A1. Du centre-ville, bus 51. Descendre à l'entrée de Rauchenbichlerstrasse, puis moins de 10 mn à pied. Confortable. S'il pleut, possibilité de louer une chambre chez la sœur du proprio. Le camping surplombe la ville, devant un grand camp. Cuisine disponible, douche comprise, petite épicerie. Familial, agréable et calme.

Camping Gnigl : Parscher Strasse, 4. ☎ 64-41-44. Ouvert de mi-mai à mi-septembre. Situé au nord-est du Kapuzinerberg. Bus 27 direct de la gare. Le camping le plus nul, situé en lisière d'un terrain de foot et à côté... de la voie ferrée. Vraiment en dernier recours.

Où manger ?

Belle gamme d'établissements dans tous les styles. Merci Salzbourg.

Bon marché à prix moyens

|●| ***Augustiner Brauerei (Kloster Mülln**; plan A1, **30**)* : Lindhofstrasse (et Müllner Hauptstrasse). Au nord du Mönchsberg. Pittoresque « usine à bière » avec des centaines de convives sur une immense terrasse ombragée. Ouvert tous les jours de 15 h à 23 h. On va chercher individuellement sa cervoise en faisant la queue au *schank* 1, 2 ou 3 (mais ça va vite !). Incroyable atmosphère (particulièrement rugissante le week-end). Bière au demi-litre minimum. Possibilité de manger au 1er étage dans un édifice aux volumes impressionnants. Self avec pas mal de choix de plats classiques autrichiens (à prix extrêmement modérés) qu'on va déguster dans une grande salle voûtée. Cuisine ouverte de 15 h à 22 h. Adresse résolument pour lecteurs amateurs d'ambiance « Oktober Fest » ou sociologues étudiant les rituels populaires.

|●| ***Gasthof Krimpelstätter** (plan A1, **31**)* : Müllner Hauptstrasse, 31. ☎ 4322-74. Ouvert du mardi au samedi le midi et le soir (jusqu'à 22 h). Dans l'après-midi, petite carte restreinte. L'une des auberges en plein air les plus fréquentées et la plus ancienne (1548). Bien ombragée. Arbres ou parasols, au choix. Clientèle d'habitués. Beaucoup de monde le soir. On y boit comme on y mange, suivant l'heure, l'humeur ou l'appétit. Quelques plats extraits de la carte : *Blutwurst* (boudin) *mit Sauerkraut, Bierfleish* (bœuf braisé), etc. Peu de touristes et prix très démocratiques. Quelques salles à l'intérieur.

|●| ***Zum Fidelen Affen** (plan C2, **32**)* : Priesterhausgasse, 8. ☎ 87-73-61. Donne dans la Linzer Gasse. Quartier piéton agréable. Service le soir de 17 h jusqu'à 23 h. Fermé le dimanche. A l'intérieur, cadre chaleureux. Voûtes sur colonnes de pierre et boiseries. Atmosphère animée. Cuisine autrichienne à prix fort raisonnables. Plats copieux. Aux beaux jours, grandes tables conviviales dehors, dans une rue au calme. Soirées bien douces loin des hordes touristiques.

|●| ***Stiegl-Braü-Keller** (plan C3, **33**)* : Festungsgasse, 10. ☎ 84-26-81. Ouvert tous les jours en saison, midi et soir. Fermé de novembre à avril. Grosse usine à bouffe si on se cantonne dans les salles à l'intérieur (on y trouve plutôt des groupes). En fait, choisir une table en terrasse tout au fond. On y arrive d'ailleurs directement en venant du couvent de Stift Nonnberg. Là, peu de monde, même en été, et bien ombragé. Avec le beau panorama sur la ville en prime. C'est le resto d'une grande marque de bière locale, brassée depuis 1492. Atmosphère brasserie relax. On peut se contenter de commander à boire. Bons gros plats traditionnels à prix très abordables : *Rindersaftgulash, Truthanschnitzel...*

|●| ***Café Rupertinum** (plan B3, **34**)* : entrée par le Rupertinum avant 17 h (Wiener Philarmoniker-Grasse, 9) et par la Sigmund-Haffner-Gasse, 22, après 17 h. Sert tous les jours, toute la journée, jusqu'à 22 h. On n'y vient pas forcément exprès mais c'est une excellente halte après avoir visité le Rupertinum. Salades, pâtes, copieuses soupes à prix modérés.

|●| ***Restaurant Gablerbraü** (plan C2, **35**)* : sur Priesterhausgasse, près de l'angle de Linzergasse. ☎ 88-965. C'est le resto d'un luxueux hôtel. Sert toute la journée, tous les jours jusqu'à 23 h. Deux menus pas chers servis tout le temps en font une adresse recommandable. Bonne sélection de plats typiques autrichiens et carte internationale. Prix tout à fait raisonnables et agréable bout de terrasse. Salle banale en revanche.

|●| ***S'Herzl** (plan B2, **36**)* : Getreidegasse, 35. Au fond du couloir. ☎ 84-85-11. Sert de 11 h 30 à 21 h 30 tous les jours en continu. Assez étonnant de trouver dans la rue la plus touristique de la ville un établissement authentique et sympathique. Nourriture de qualité où même les choses simples sont délicieuses : saucisses et boudin maison *(Blutwurst),* saucisse aux oignons *(Saure Zipfl), Nurnberger Sausages,* soupe de goulasch... Bon accueil, atmosphère assez intime, à cheval entre la taverne bourgeoise et le resto un peu chicos.

Prix moyens

|●| ***Haus Wartenberg** (hors plan A3, **17**)* : Riedenburger Strasse, 2. ☎ 84-42-84. Ouvert midi et soir jusqu'à 22 h. Fermé le dimanche. Situé dans le quartier de Riedenburg. Une de nos meilleures adresses pour dormir (voir à ce chapitre). Eh bien voilà, c'est aussi une de nos préférées pour se restaurer. Demeure vénérable (300 ans d'existence) et jardin agréable. Deux salles : l'une au cadre soigné avec nappes blanches (pour dîner d'amoureux, par exemple), l'autre plus simple, plus rustique, plus conviviale, sur tables rugueuses (pour joyeuses bandes d'amis, par exemple). De toute façon, c'est la même excellente cuisine servie copieusement. Quelques spécialités : *Hausgemachte Sulze mit Kernöl* (viande en gelée), *Geräucherte Forelle mit Oberskren* (truite fumée au raifort)... Carte variant chaque semaine.

|●| ***St. Peter Stiftskeller** (plan B3, **37**)* : St. Peter Bezirk, 1. ☎ 84-84-81. Sert tous les jours de 11 h à 22 h 30, en continu

(minuit pendant le festival). Au pied de la forteresse, à côté de l'église Saint-Pierre. Resto-brasserie en partie creusé dans la roche, très touristique mais qui reste agréable. On mange dans une cour intérieure avec fontaine qui glougloute, plantes vertes, grandes tables de bois ou sous de larges voûtes ornées de blasons. Cuisine régionale correcte. Quelques plats à prix abordables. Attention, vu l'emplacement, extrêmement touristique, ça va de soi !

|●| ***Hôtel-restaurant Weisses Kreuz*** *(plan C3,* ***22****)* : Bierjodlgasse, 6. ☎ 84-56-41. Ouvert tous les jours midi et soir jusqu'à 23 h. Resto un peu sur les hauteurs, au pied du château, parallèle à la Festunsgasse, dans une minuscule rue qui monte. Petit bout de terrasse agréable où l'on déguste des spécialités des Balkans mais aussi des préparations autrichiennes typiques et copieuses. Prix honorables pour une cuisine fort convenable. Menu en français disponible. C'est aussi un hôtel de charme (voir « Où dormir plus chic ? »).

|●| ***Sternbraü*** *(plan B2,* ***38****)* : Getreidegasse, 34, ou Griesgasse, 23 ☎ 84-21-40. On passe par une 1re cour ombragée pour accéder à une 2e où s'étalent les tables de ce grand resto de plein air. Beaucoup de passage touristique. Sert tous les jours, toute la journée, jusqu'à 21 h. Carte abondante, typique et à prix modérés. Plats variant tous les jours, reconstituants et plutôt bien faits. Bonne petite halte pour déjeuner.

Très chic

|●| ***Goldener Hirsch*** *(plan B2,* ***39****)* : Getreidegasse, 37. ☎ 84-85-11. Ouvert de 12 h à 14 h 30 et de 18 h 30 à 23 h (mais la cuisine ferme à 21 h 30). Considéré comme l'un des meilleurs restaurants de Salzbourg. Très chic et cher, autant le dire. Cadre sophistiqué possédant bien du charme, service impeccable. En période de festival, vous aurez peut-être la chance d'y manger à côté de Ricardo Muti (si vous réservez plusieurs jours à l'avance). Quelques fleurons de la carte : *Lammrücken mit Senfsatkruste, Herzstück vom Rinderfilet, Médaillons von Kalbsfilet mit Herrenpilzen, Pot au feu von den Mondseefischen, Gebratene Saiblingsfilets mit Basilikumbutter,* etc. Une expérience intéressante : pour avoir un aperçu global de toute la cuisine, commander le menu-dégustation servi jusqu'à 14 h et 21 h, très cher évidemment.

Où boire un verre ? Où déguster une glace onctueuse, une bonne pâtisserie ?

🍸 ***Café Bazar*** *(plan B2,* ***50****)* : Schwarzstrasse, 3. ☎ 87-42-78. Ouvert du mardi au samedi de 7 h 30 à 23 h, le lundi de 10 h à 18 h. Fermé le dimanche. Dans la tradition des grands cafés viennois. Boiseries, banquettes confortables, journaux divers. Terrasse ombragée donnant sur la Salzach, particulièrement recherchée aux beaux jours. Très bon café, ça va de soi. Snacks divers : omelettes, sandwiches, salade russe, *Würstel,* etc. Bonne sélection de gâteaux (en particulier le *Warmer Topfenstrudel mit Vanillesauce*). Excellentes glaces à prix acceptables.

🍸 ***Café Tomaselli*** *(plan B2,* ***51****)* : Churfurststrasse. Sur Alter Markt, 9, à l'angle de Churfurststrasse. Ouvert de 7 h à 22 h (23 h pendant le festival), tous les jours. Le plus vieux café salzbourgeois, et peut-être le plus beau. Une véritable institution. En activité depuis 1705. Décor traditionnel, mais ne pas y chercher, en haute saison, l'atmosphère discrètement surannée qui sied à ces lieux sacrés. Inévitablement touristique. Leopold Mozart y amenait souvent ses enfants. Petite terrasse au rez-de-chaussée mais celle qu'on préfère, c'est celle du 1er étage, dominant la place, avec vue sur le château et le clocher du Dom. Bons gros gâteaux qu'on vous apporte sur un plateau. Pas si cher que ça.

🍸 ***Café Mozart*** *(plan B2,* ***52****)* : Getreidegasse, 22. ☎ 84-37-46. Au 1er étage. Ouvert de 9 h à 20 h du lundi au samedi (à partir de 11 h les dimanche et jours fériés). *Kaffeehaus* depuis 1833. Atmosphère toujours calme. Grande salle spacieuse et tranquille, un peu ennuyeux même, mais parfait pour écrire ses cartes. Banquettes traditionnelles et tables de marbre pour joueurs d'échecs passionnés. Petite restauration. Pas très bon marché en général, à part les gâteaux. Bon choix : *Kirschtorte, Topfen, Yoghurt Torte, Strudel* divers. Spécialité de thés.

🍸 ***Hell*** *(plan C2,* ***53****)* : Rudolfskai, au niveau de l'hôtel *Radisson.* Sous le passage à gauche. Bar bruyant et plein de jeunes qui s'éclatent. Bière et musique rock. Quelques autres bars le long du quai.

🍸 ***Café Bazillus*** *(plan C2,* ***54****)* : Imbergstrasse, 2a. Sur le quai de l'autre côté de la vieille ville. Ouvert de 12 h à 1 h, tous les jours. Clientèle étudiante. Aux beaux jours, une des terrasses les plus convoitées au bord de la rivière. Vue superbe, sympa et plein de jeunes.

A voir

Nous ne vous conseillons pas d'itinéraire particulier, Salzbourg étant, plus que toute autre, la ville où l'on se balade intuitivement de jour comme de nuit, le nez en l'air, à la recherche d'une enseigne plus jolie que la précédente... Classique, on va commencer par le Dom !

★ ***Dom Saint-Rupert*** *(plan C3) :* construit par Santino Solari, un architecte italien. A la place de l'ancienne cathédrale romane (gravement endommagée par un incendie en 1598). Une anecdote : le prince-archevêque Wolf Dietrich souhaitait que la nouvelle soit plus grande que Saint-Pierre de Rome. Heureusement, il fut opportunément destitué et son successeur soutint un projet moins mégalo. Elle est cependant considérée, aujourd'hui, comme le monument italien le plus important au nord des Alpes. Volume intérieur sans conteste impressionnant, mais qui ne procure guère d'émotion. Trop ample, trop froid peut-être. En revanche, merveilleuse croisée du transept, chef-d'œuvre à elle toute seule. Superbe coupole octogonale. Décor au beau rythme chromatique, alternant cernes noirs, fresques et peintures sépia-orange. Quand on songe qu'elle fut en grande partie reconstruite après le bombardement de la dernière guerre ! Piliers des collatéraux énormes. Dans la première chapelle gauche, remarquables fonts baptismaux de 1321 reposant sur des lions. Mozart y fut baptisé. Fresques de la voûte, du chœur et de la coupole évoquant des épisodes de la vie du Christ. Dans le transept droit, luxueux tombeaux d'archevêques.

★ ***Musée des fouilles du Dom :*** Residenzplatz. ☎ 84-52-95. Ouvert de mai à octobre de 9 h à 17 h, du mercredi au dimanche. Possibilité de billet combiné avec le musée de la Ville, le musée du Jouet et le musée d'Art et de Traditions populaires. Intéressante plongée dans l'histoire de la cathédrale et du quartier. Plan indiquant les emplacements des fondations des trois églises qui se superposèrent : celle de Saint-Virgile du VIIIe siècle, celle de 1181 et, enfin, la cathédrale romane. S'ajoutant à tout cela, des vestiges carolingiens et des ruines romaines découvertes en dessous (morceaux de rues et de villas, mosaïques). Tous ces éléments sont imbriqués les uns dans les autres (avec petits textes explicatifs) tout au long d'un itinéraire.

★ ***Musée du Dom, Trésor de la cathédrale et cabinet des curiosités :*** oratoire du Dom, sous le porche. ☎ 84-41-89. Ouvert de mi-mai à mi-octobre, tous les jours de 10 h à 17 h (à partir de 11 h le dimanche). Un remarquable musée d'art religieux présentant des « pièces » d'un très haut intérêt.

– *2e étage :* dans une haute salle lumineuse, beaux objets d'art sacré et *Vue de Dresde* de Bernardo Bellotto (neveu du génial Canaletto). Images pieuses du XIXe siècle. Statuaire médiévale. *Heiliger Diako* de 1490, *Le Christ devant Pilate* de S. Torelli. Superbe collection de reliquaires. Couvertures de missel en cuivre niellé et filigrané. *Bustenreliquar* du XIVe siècle, calices, chasubles brodées d'or, luxueux ostensoir de Prague (1740), reliquaires pour bras et doigts. Crucifix en or incrusté de rubis (Saxe, 1500).
Dernière salle : jolies fresques au plafond, christ en marbre polychrome de Balthasar Permoser (1728). *Hercule et Omphale* (1695).

– *1er étage :* le célèbre cabinet de curiosités des archevêques ; collection d'objets insolites dans des vitrines de bois sculpté : chapelets, crucifix, objets de piété, balances de bijoutier, petits instruments de mesure, minéraux, objets d'art, mappemonde, serrures anciennes.
Art religieux : *Mort de la Vierge,* beau bas-relief polychrome et doré du XVIe siècle. Crèche géante. *Saint Georges tuant le dragon* et remarquable *Vierge à l'Enfant avec sainte Anne* de Michael Pacher (XVe siècle). Superbe *Nativité* de l'atelier du Maître du Kefermarkter Altar. *David et Goliath* de Guido Reni. Intéressant *Jésus au Temple* de Paul Troger (noter le visage expressif des vieillards écoutant Jésus). Œuvres de Rottmayr, reliquaires filigranés.

★ ***Residenzplatz*** *(plan C2-3) :* l'une des quatre places qui, dans l'esprit des baroques architectes de la ville, devaient rappeler la magnificence de Rome. C'est assez réussi. On y trouve la Résidence, l'ancien palais des princes-archevêques. Au milieu, la célèbre fontaine, appelée *Residenzbrunnen,* datant de 1658. On trouve aussi la *Residenz-Neugebäude* du XVIe siècle. Construite pour accueillir les hôtes princiers de passage. Elle abrite la grande poste et le célèbre carillon de 35 cloches *Glockenspiel* dans son beffroi. A 7 h, 11 h et 18 h, il joue des airs d'opéra. Visite guidée du carillon. Entrée sur Mozartplatz. Tous les jours à 10 h 45 et 17 h 45. Enfin, petite *Michaelskirche,* la plus ancienne église de la ville, reconstruite au XVIIIe siècle.

★ ***La Résidence :*** Residenzplaze, 1. Vaste palais datant pour l'essentiel des XVIe et XVIIe siècles, époque où régnèrent les plus grands princes-archevêques Wolf Dietrich,

Marcus Sitticus et Pâris Lodron. Façade assez austère, à part le portail Renaissance. En revanche, appartements richement décorés. On compte environ 180 pièces autour de trois cours intérieures. C'est à la Résidence que, en 1615, fut joué un opéra de Monteverdi, le premier en terre germanique. En 1767, on y joua un oratorio dont Mozart, à peine 10 ans, avait composé la première partie. Deux ans plus tard, il présenta son premier opéra. En 1772, lors de l'investiture du prince-archevêque Colloredo, c'est son *Sogno di Scipione* qui couronna l'événement. Enfin, en 1867, François-Joseph et Napoléon III s'y rencontrèrent.

• ***Les appartements :*** uniquement en visite guidée ; en juillet-août, toutes les 30 minutes de 10 h à 12 h et de 13 h à 16 h 30 ; de septembre à juin, à 10 h, 11 h, 12 h, 14 h et 15 h. La visite dure 40 mn. ☎ 80-42-26-90.

– Salle des Carabiniers. Salle des Chevaliers. Mozart y joua. Riche décor de stucs. Fresque de Rottmayr. Concerts de musique de chambre. Salle des conférences : au plafond, superbe épisode de la vie d'Alexandre, *La Bataille du Granique* d'Altomonte. Une grande majorité des salles sont ornées de scènes de la vie d'Alexandre le Grand. Dans l'antichambre : belles tapisseries de Bruxelles du XVIe siècle. Ravissante glace gravée de Venise du XVIIIe siècle. Somptueuse salle des Audiences : parquet marqueté original de 1714, tapisseries de Bruxelles de 1595 (toujours la fascination des princes-archevêques pour Rome !). Fresque du plafond par Rottmayr, décidément très prolifique *(Alexandre honoré par Byblos)*. Bureau du prince : portrait de l'archevêque Franz A. Harrach. Très beau poêle. Bibliothèque : autel portatif à volets de 1720 et missel de la même époque. Chambres du prince-archevêque : au plafond *Apothéose d'Alexandre* de... de... oui, vous avez gagné, c'est bien lui ! Chapelle privée encadrée de deux anges, avec belle Vierge à l'Enfant.

– Petite Galerie : au plafond *Allégorie des Arts et des Sciences*. Cheminée de marbre rouge sculptée. Statue avec petits anges s'interrogeant sur le sexe des hommes. Grand salon des fêtes : murs couverts de soie française du XVIIIe siècle. Portrait de Ferdinand Ier et François-Joseph.

– Salle Blanche : décorée de beaux stucs, suivie de la salle des Évêques. Les salles suivantes (salles des Empereurs, couloir des Franciscains et couloir du Déluge) sont parfois fermées.

• ***Galerie de la Résidence :*** créée par les princes-archevêques en 1789. Malheureusement beaucoup d'œuvres disparurent dans la tourmente napoléonienne. ☎ 84-04-51. Ouverte de 10 h à 17 h. D'octobre à mi-mars, fermée le mercredi.

– Peinture baroque française et du XVIIIe siècle : Hubert Robert, Vernet. Peintres autrichiens du XIXe siècle comme Franz Xaver Mandl *(Blick auf Salzburg)* ou Joseph Danhauser *(Le Pfennig)* qui portraite de façon ironique et savoureuse un couple de bourgeois repus.

– Beaucoup de peintres naturalistes et paysagistes du XIXe siècle. Intéressants portraits de Friedrich von Amerling (dont un autoportrait de 1834). Bonne représentation des maniéristes comme Paul Troger, Maulbertsch, Rottmayr.

– Peinture médiévale et flamande : *Le Cardinal Matthäus Lang von Welleburg* (1529) de l'école du Danube. Noter la vue de Salzbourg en fond avec l'ancienne cathédrale romane. Toiles de Cuyp, Wouwermans. Croquignolet petit Brueghel le Vieux et un minuscule Rembrandt, *La Mère de l'artiste.* De Rubens, *Satyre et jeune fille.* Tout au fond, remarquable *Galerie* de 1635. Appréciez la préciosité de la scène (une dame vient admirer son portrait).

★ Les autres places : ***Mozartplatz,*** avec une statue de... Mozart. Très touristique. En été, pas un Autrichien. Belle terrasse du café *Glockenspiel.* Au n° 4, jolie demeure rococo. A côté, la croquignolette ***Waagplatz*** (place de la Balance). Au n° 1 A, la maison natale de Georg Trakl, avec des souvenirs du poète (visite du lundi au vendredi à 11 h et 14 h ; ☎ 84-52-89). On y trouve aussi, dans la cour, le Centre culturel français. De la place, débute la Judengasse, une des rues les plus anciennes de Salzbourg qui a conservé son tracé médiéval.

L'Alter Markt *(plan B2-3)* est une de nos préférées. Fontaine Saint-Florian du XVIIe siècle, entourée d'une grille Renaissance. Sur l'un des côtés, le célèbre *café Tomaselli* (voir chapitre « Où boire un verre ? »). De l'autre, la vieille pharmacie *(Alte Hofapotheke)*. Adorable cadre intérieur de style rococo, avec tous les vieux pots, les fioles, etc. Étagères et tiroirs marquetés. Retour à la Residenz Platz, nous allons prendre de la hauteur...

★ ***La forteresse de Hohensalzburg*** *(plan C3) :* sur le Mönchsberg. ☎ 80-42-21-23. Ouverte de juillet à septembre, de 8 h à 19 h. En avril, mai, juin et octobre, de 9 h à 18 h. On accède au château par un funiculaire. Fonctionne toute la journée. Dernière montée à 21 h et dernière descente à 22 h (plus tard quand il y a des concerts). On conseille vraiment de remonter le soir, même si vous avez effectué une visite dans la journée, pour la vue extra et pour le coucher de soleil. Les clochers rougeoient, la Salzach sinue et les montagnes jouent aux ombres chinoises. Admirable.

L'enceinte intérieure de la forteresse peut se visiter librement et gratuitement. A l'intérieur on y trouve deux petits musées, le *Burgmuseum* et le *Rainermuseum*. Par ailleurs, visite guidée des plus belles salles.
Construite à partir de 1077, elle fut agrandie par les différents princes-archevêques. Son aspect actuel date du XVIe siècle. Ça en fait l'une des rares forteresses d'Europe à demeurer dans son état presque initial. En fait, la forteresse se révèle une accumulation d'édifices défensifs, arsenaux, tours, bastions, ajoutés dans tous les sens. Ça ne la rendait pas plus imprenable puisque Napoléon l'enleva deux fois sans coup férir. Par la gauche, on parvient à la *chapelle Saint-Georges*. Sur le côté, tombeau en marbre rose d'un archevêque (1515). Au milieu de la place, citerne de 1539. Un passage donne accès à une terrasse surplombant merveilleusement la ville. Un peu plus loin, tunnel d'accès au chemin redescendant vers le couvent de Nonnberg. En continuant à tourner autour du bloc central, côté sud on parvient au panorama sur la campagne (café et resto). Noter les massives façades intérieures blasonnées avec leurs énormes encorbellements.
• ***La visite guidée des appartements :*** tous les jours de 9 h 30 à 17 h 30 (dernier départ). Fréquence variable, voir les horaires au guichet. La plupart du temps en allemand et en anglais, parfois (rarement) en français. Visite un peu trop rapide à notre goût. On passe par une galerie de portraits (uniquement des fac-similés) où sont regroupés tous les archevêques qui résidèrent ici, puis une salle de torture (où personne ne fut jamais torturé), avant d'accéder à la tour supérieure d'où l'on domine toute la ville, et de l'autre côté, la vallée et la montagne. Au sud, noter au milieu des champs, juste derrière le château, une maison complètement isolée. Bizarre bizarre ! C'était la maison des exécutions et personne ne voulut jamais acheter les terrains autour ! Le point d'orgue de la visite est... un orgue mécanique à cylindres de 1502 sur lequel Mozart père jouait deux fois par semaine. Suivent les luxueux appartements des princes-archevêques. Salles gothiques du XVIe siècle, copieusement dorées. Admirer d'ailleurs la salle Dorée qui précédait la chambre à coucher. Invraisemblable riche décor de boiseries gothiques sculptées et dorées. Dans un coin, le plus beau poêle en faïence d'Autriche. Posé sur des lions, il est orné de scènes bibliques et d'une forêt de pinacles et motifs floraux et végétaux à la polychromie délirante. Dans la grande salle de réunion des archevêques, ravissantes portes à accolades avec au-dessus un navet comme emblème, poutres décorées de blasons et élégantes colonnes torsadées de marbre rouge. La poutre centrale de 17 m de long est ornée de blasons. Au plafond, 3 000 boutons d'or évoquent la voûte céleste. C'est dans cette superbe salle que se déroulent les concerts de musique de chambre, avec le soleil couchant à l'arrière. Superbe.
• ***Le Burgmuseum et le Rainermuseum :*** dans la forteresse, au 2e étage. Ouvert de 9 h 30 à 17 h 30.
Le Burgmuseum regroupe des collections d'armes anciennes ainsi que des objets religieux (un peu) et du mobilier. Belles lances, arquebuses incrustées, harnachement de cheval pour tournoi. Belles portes romanes en marbre. Et puis encore des ferrures de porte, curieux masques de torture...
Le Rainermuseum, au 3e étage, est un musée purement militaire où sont presentés par le menu tous les costumes au travers des siècles. Collections de pistolets, décorations, poignards... Tiens, rien sur la période 39-45 !? Un oubli sans doute... Bon, on l'a trouvé ennuyeux. Pour les amoureux des petits soldats. Pour nos lecteurs aux cheveux blancs, certains uniformes vert de gris rappelleront de mauvais souvenirs.
– La forteresse offre aussi un cadre privilégié pour des ***soirées musicales*** et propose de nombreux concerts. Si vous n'avez jamais entendu la *Petite Musique de nuit* de Mozart, ou *La Truite* de Schubert, c'est le moment. Renseignements et réservations de 9 h à 21 h : ***Salzburger Festungskonzerte***, Anton-Adlgasse-Weg, 22. ☎ 662-82-58-58. Fax : 662-82-58-59.
– Possibilité de redescendre vers la vieille ville à pied. Attention, il faut payer l'entrée de la forteresse pour accéder à l'escalier. Très agréable promenade permettant de visiter au passage le couvent de Nonnberg.
★ ***Stift Nonnberg*** *(plan C3) :* le plus ancien monastère de femmes des pays germaniques. Possibilité de visiter l'église. Ouverte de 11 h 30 à 14 h 30 et le soir à 18 h (17 h en mars, avril et octobre). Avec son petit cimetière fleuri, elle forme un charmant ensemble calme et bucolique. Portail du XVe siècle avec vestiges du tympan roman. A l'intérieur, chaire en marbre de 1475 et maître-autel de style gothique tardif. Noter le jubé sur colonnes octogonales de marbre rouge avec sculptures de têtes. Belles fresques romanes (de 1150).
A droite, la crypte sur fines colonnettes. Retable avec Vierge et l'Enfant. Sur les volets, scènes de la Passion (lumière à droite, près de la crypte). Enfin, pour les amoureux de beaux retables, demander à voir celui de la chapelle Saint-Jean. S'adresser à la porterie (où l'on vend les cartes postales).

Au retour, la route ramène tranquillement vers Peters Friedhof.

★ ***Peters Friedhof*** *(plan B-C3) :* ce petit cimetière Saint-Pierre se révèle l'un des plus adorables et romantiques que l'on connaisse. Comme l'a dit un de nos copains qui était de Bône : « Ce cimetière est si beau qu'on a envie d'y mourir ! » Collé à la falaise, abondamment fleuri et verdoyant, entouré d'arcades du XVIIe siècle aux belles grilles de fer forgé. C'est le cimetière des grandes familles de Salzbourg. Fresques datant de 1630 aux caveaux 15 et 16 (ce dernier, celui de la famille Hagenauer, propriétaire de la maison de famille de Mozart). Au 31, tombeau de Santino Solari, l'architecte de la cathédrale. Visite guidée des catacombes à l'arcade n° 54 (de mai à septembre, toutes les heures de 10 h à 17 h ; d'octobre à avril, à 11 h, 12 h, 13 h 30, 14 h 30 et 15 h 30). Au passage, tombes de Michael Haydn et de la sœur de Mozart, Maria-Anna (Nan nerl). Au milieu du cimetière, chapelle Sainte-Marguerite de 1491. Sortie vers l'abbatiale Saint-Pierre (Stiftskirche).

★ ***Stiftskirche*** *(plan B3) :* c'est l'église du monastère Saint-Pierre ; là aussi, le plus ancien monastère d'hommes de l'Europe germanique, fondé par saint Rupert au VIIe siècle. Elle compose avec son harmonieuse place, sa gentille fontaine et le Mönchsberg en fond, une des plus séduisantes cartes postales de la ville. Édifiée en style roman en 1130, mais largement baroquisée aux XVIIe et XVIIIe siècles. L'intérieur se révèle un enchantement, dû à l'homogénéité presque totale du décor baroque, des stucs, des autels, tribunes, orgue, etc. A ce degré de perfection, de finition et d'harmonie de l'ensemble, comment ne pas aimer aussi le baroque ? Le 25 octobre 1783, Mozart y dirigea la première de sa *Messe en ut mineur.*
Porche admirable avec tympan roman très bien préservé et superbe grille en fer forgé. Plafond de la nef abondamment stuqué avec fresques. A la croisée de transept, fort élégante coupole octogonale. Maître-autel en marbre rouge sculpté (1777). Dans le transept gauche, autel *Maria Säul* présentant une statue de Vierge à l'Enfant (1420) extrêmement gracieuse. Impressionnante série de confessionnaux. A gauche de la nef, petites arcades du XIIIe siècle (vestiges de l'édifice roman). Chaire et tribune se font face. A droite de la nef, revers du dernier autel particulièrement ornementé. Au revers de celui de saint Rupert (qui fonda l'abbaye), tombeau du saint.

★ ***Franziskanerkirche*** *(plan B3) :* à deux pas de la Stiftskirche. Par le grand portail de la cour de l'abbaye, on parvient à cette intéressante église, présentant tous les styles. De son origine romane subsistent la nef et le portail ouest. Ce qui frappe tout d'abord, c'est le contraste entre la nef romane basse et sombre et le chœur gothique, donnant un fabuleux sentiment d'élévation, d'aspiration vers le ciel (venir en fin d'après-midi). Extrême délicatesse de la construction, dite voûte en palmier (fins piliers et plafonds à nervures). Le maître-autel du chœur est un chef-d'œuvre du baroque (1709). Abondante statuaire. *Vierge à l'Enfant* du célèbre sculpteur tyrolien Michael Pacher (1498). Tout autour, neuf chapelles abondamment décorées (quelques peintures dignes d'intérêt). Dans la cinquième (dans l'axe de l'église), beau retable de la Résurrection en marbre de 1561. Dans la septième, *Martyre de saint Sébastien.* Dans la neuvième, peintures de Rottmayr (on le répète, peintre génial et vraiment prolifique !).

★ ***Rupertinum*** *(plan B3) :* Wiener-Philharmoniker-Gasse, 9 (Max Reinhardt-Platz). ☎ 80-42-23-36. Fax : 80-42-25-42. C'est le grand musée d'art du XXe siècle, couvrant peinture, sculpture, arts graphiques et photographies. Ouvert de 10 h à 17 h ; mercredi de 10 h à 21 h. Fermé le lundi. En juillet-août et septembre, ouvert jusqu'à 18 h, lundi compris.
Musée abrité dans un élégant édifice du XVIIe siècle. A l'intérieur, atrium avec arcades sur deux étages. Des expos temporaires permettent de découvrir les tendances actuelles des jeunes artistes autrichiens. Riche fonds permanent avec *Unterach am Attersee* de Klimt, *Mädchenakt* d'Egon Schiele, *Seegespenst* d'Alfred Kubin, *Autoportrait avec ma femme Olga* de Kokoschka. Œuvres de E.L. Kirchner et Herbert Boeckl. *Mädchenbildnis* de Kokos, *Paris, île de la Cité* de Wilhem Thöny, *Ensor, Kublin, Goya* de Hans Fronius, *Ohne Titel,* superbe collage de Jiří Kolář. Et encore, Max Weiler, Josef Micki, Hundertwasser, Arnulf Rainer, Peter Pongratz, *Parade nach Erik Satie* de Wolfgang Herzig, etc.

★ ***Universitätsplatz*** *(plan B2) :* belle place en longueur. Petit marché aux fruits et légumes le matin *(Grünmarkt).* Bordée par la ***Kollegienkirche,*** l'église de l'université. Construite en 1694 par Johann Bernhard Fischer von Erlach (qui en bâtit tant). Volume intérieur fort bien équilibré. Au maître-autel, allégorie des Sciences et des Arts avec l'Immaculée Conception. Aux quatre chapelles correspondant aux quatre universités, tableaux de Rottmayr (pour lui, avant la mort, y a-t-il eu une vie ?).
Au n° 14 de la place, dos de la maison natale de Mozart avec décor rococo.

★ ***Mozarts Geburtshaus (maison natale de Mozart*** ; *plan B2)* : Getreidegasse, 9. ☎ 84-43-13. Fax : 84-06-93. Ouverte de mi-juin environ à début septembre tous les jours de 9 h à 19 h ; le reste de l'année de 9 h à 18 h. Entrée assez chère, réductions enfants et ados. C'est au 3e étage de cette demeure, l'une des plus anciennes de la ville, que s'installa en 1747 Leopold Mozart, musicien de la chambre princière de Salzbourg, avec sa femme Anna-Maria. Ils y restèrent 26 ans et eurent sept enfants dont deux seulement survécurent. C'est donc là que naquit, le 27 janvier 1756, à 20 h, le génial petit dernier Johannes Chrysostomus Wolfgangus Theophilus Mozart (pas encore Amadeus !). Aujourd'hui, la maison abrite non seulement un musée Mozart (au 3e étage ; créé en 1880), mais aussi un département d'histoire du théâtre au 2e étage et, au 3e, un appartement bourgeois traditionnel au XVIIIe siècle. Au 1er étage, expos temporaires sur des thèmes « mozartiens » et puis l'inévitable boutique.
– *L'appartement de Mozart* : il faut savoir qu'il ne reste rien du mobilier d'époque. C'est surtout un musée. On y trouve souvenirs et témoignages de la famille : livre du père, Leopold, ainsi que des portraits, lettres manuscrites, violons de Mozart enfant et de concert. On passe par la pièce où Mozart vint au monde : nombreux portraits dont le superbe portrait de la famille par Johann Nepomuk della Croce (1780) : au piano, Mozart et sa sœur. Au violon, le père et, au mur, portrait de la mère décédée. Également, l'huile inachevée de Joseph Lange (réalisée en 1780) au dessus du clavicorde que Mozart a utilisé pour composer *La Flûte enchantée* et le *Requiem* en 1791. A côté, le pianoforte utilisé pour tous les concerts donnés à Vienne au cours des dix dernières années de sa vie. Dans la dernière pièce (cabinet de travail du père), d'autres intéressants portraits de la famille (dont celui de l'inconstante Constance Weber) et les premières biographies de Mozart.
– *L'appartement bourgeois salzbourgeois typique* (au même étage) : installé dans un autre corps du bâtiment. On peut y voir, entre autres, une chambre à coucher traditionnelle avec grand lit, une belle commode de toilette marquetée, un poêle de faïence rococo, six sièges ayant appartenu au médecin de famille et des objets d'art et domestiques de l'époque.

★ « La » ***Getreidegasse*** *(plan B2)* : la rue la plus célèbre de Salzbourg. Bordée de hautes maisons bourgeoises. Beaucoup donnent accès à de ravissantes cours intérieures. Impossible de nommer tous les numéros, mais jeter plus qu'un œil au n° 24. Ancienne tour de remparts avec arcades sur grosses consoles de pierre. Au n° 34, accès à un resto populaire avec jardin. Voir aussi aux nos 17, 21, 23 et 25 (dans cette dernière, quatre étages d'arcades). A propos, au n° 26, on découvre l'un des McDo s'intégrant le mieux à l'environnement que l'on connaisse (pour une fois !). Superbe enseigne. On assiste d'ailleurs à un festival de superbes enseignes tout au long de la rue.

★ ***Herbert-von-Karajan Platz*** **:** point de départ d'un tunnel de 125 m de long creusé dans le Mönchsberg, dans sa partie la plus étranglée. Véritable exploit technique, réalisé en 1764 et qui permit de relier directement la vieille ville avec le quartier de Riedenburg. Le portail de style néo-classique fut, bien entendu, sculpté à même le rocher. Sur le côté, s'élève le bâtiment des anciennes écuries de l'archevêché. Aujourd'hui, il abrite le *Festspielhaus,* théâtre fameux pour la qualité de son acoustique. De l'autre côté, l'ancien abreuvoir des chevaux, construit en 1695 (on ne se moquait pas d'eux à l'époque !). Paroi avec fresques de chevaux qui servit, dit-on, à cacher une ancienne carrière de pierre.

★ ***Bürgerspital*** *(plan B2)* : Bürgerspitalgasse, 2. S'appuyant sur la falaise même, c'est l'ancien hôpital civil, construit en 1556 et qui accueillit des malades jusqu'à la fin du XIXe siècle. Remarquable cour à triple arcade. Abrite aujourd'hui le ***musée du Jouet et des Instruments de musique.*** ☎ 84-75-60. Ouvert de 9 h à 17 h. Fermé le lundi. Beau musée sur plusieurs niveaux présentant des sections très diverses : collection de poupées, petits trains anciens, jouets fabriqués dans toutes les matières (fil de fer, carton de récupération, boîte de conserve...). Aussi bien des jouets provenant de pays pauvres que de superbes jouets modernes fabriqués industriellement. Insolites petits théâtres en papier. Mini section musicale, mais c'est avant tout un musée du jouet.

★ ***L'église Saint-Blaise (St. Blasiuskirche)*** **:** juste à côté du Bürgespital. Date du XVe siècle. Église-halle à trois nefs d'égale hauteur. Une tribune était réservée, autrefois, aux malades de l'hôpital. Au-dessus de la sacristie, fresque de 1600. Sur l'autel, à droite du chœur, *Adoration des mages* de Paul Troger. Dans la nef, à gauche, superbe tabernacle en bois sculpté de style gothique (1481).

★ ***La montée au Mönchsberg*** *(plan A-B2)* : du n° 13 de la Gstättengasse (A. Neumayerplatz), accès au belvédère du Mönchsberg par un ascenseur (payant). Ouvert tous les jours de 9 h à 23 h (19 h quand le café est fermé). De là-haut, panorama exceptionnel (de jour comme de nuit) sur la ville, avec la forteresse en fond. L'occasion également de déguster une glace au *café Winkler* (à l'architecture si contestée !).

★ ***Salzburger Museum Carolino Augusteum*** *(plan B2)* : Museumplatz, 1. ☎ 84-31-45. Fax : 84-11-34-10. Ouvert de 9 h à 17 h ; vendredi de 9 h à 20 h. Fermé le lundi. C'est le musée d'histoire de la ville, présentant des collections tout à fait exceptionnelles.
– Sous-sol : vestiges romains, petits bronzes, statuettes de pierre, fibules, curieux morceau de disque astronomique en bronze, jolies mosaïques (lutte, ceste), poteries, bijoux, bornes en pierre, etc.
– Premier étage : période médiévale. Plusieurs ravissantes statues (Madone et Enfant du XIVe siècle), vestiges de fresques, *Madonna aus Tittmoning* (1420), œuvres du Maître de Salzbourg (on sent encore une influence byzantine dans le trait), *Rois mages* par le Meister des Halleiner Altares (1440), *Sainte Catherine et sainte Barbe* par le Maître de Saint-Léonard. Œuvre étrange : *Le Martyre de sainte Appolonie* ou *Séance chez le dentiste* (les experts n'ont pas tranché) de Rueland Frueauf (vers 1500).
Tapisserie « mille fleurs » (1519), tapisserie flamande aux couleurs encore très vives, triptyque à volets du Maître de la Vierge entre les Vierges (XVe siècle), orfèvrerie religieuse. Intéressante section sur la période celte dans la région : outils en bois, poteries, armes de bronze, objets domestiques, etc.
– Deuxième étage : tableaux de Rottmayr (vous voyez, il avait même le temps de peindre pour les musées !). Remarquable collection de meubles sculptés. Costumes du XVIIIe siècle. Appartement reconstitué avec plafond à caissons, porte marquetée, poêle en faïence. Magnifique armoire de 1600 en marqueterie de bois, beaux objets d'art, piano avec touches en nacre (1619). Maquettes. Petits maîtres comme Hubert Sattler-Abbeville, Friedrich Loos. Portraits de Hans Makart, Anton Faistauer, Georg Jung, etc.

★ ***Haus der Natur*** *(plan A-B2)* : Museumplatz, 5. ☎ 84-26-53. Fax : 84-79-05. Ouvert tous les jours de 9 h à 17 h. Musée régional d'histoire naturelle. Surtout destiné aux habitants de Salzbourg. Tout sur l'histoire naturelle sous toutes ses formes. Fort bien fait : aquarium, fossiles, faune de tous les continents. Sections géologique, physique, biologique... Feuillet en français disponible à l'entrée. Visite tout à fait recommandable si l'on a des mômes, qu'on a déjà tout vu en ville et qu'il pleut dehors.

A voir de l'autre côté de la Salzach

Sans atteindre, bien entendu, la grandiloquence de l'autre rive, on y découvre néanmoins un quartier très ancien avec de vénérables demeures. En particulier, parcourir l'agréable Linzergasse (et ruelles alentour) ainsi que la Steingasse (grandes demeures à arcades du XVIe). En fait, ce quartier date du XIIe siècle.

★ ***Mozart Wohnhaus*** *(plan B2)* : Makartplatz, 8 *(plan B2)*. ☎ 84-43-13. Fax : 84-06-93. *Attention !* Fermée pour rénovation jusqu'à la mi-1996. On vous laisse cependant ce qui suit pour info.
Très à l'étroit dans l'appartement de la Getreidegasse, la famille Mozart déménagea dans cette maison de huit pièces en 1773. A la mort du père, en 1787, la famille la quitta définitivement. Une inscription *Mozart Wohnhaus* apparaît en 1856. En 1938, la fondation internationale Mozarteum y acquiert trois pièces pour y installer un musée. Détruite en partie par les bombardements de 1944, elle hérite d'un immeuble sans charme à ses côtés. La fondation depuis mène campagne et recueille des fonds pour que soit reconstituée la demeure comme elle était avant. Tout cela est en bonne voie et le musée devrait ouvrir très bientôt.

★ ***L'église de la Trinité*** *(plan B2)* : Makartplatz. Œuvre du prolifique J.B. Fischer von Erlach en 1694. Partie centrale en renfoncement et de forme convexe, encadrée de deux petits clochers. A l'intérieur, belle fresque de la coupole par... Rottmayr *(Le Couronnement de Marie)*.

★ ***L'église et le cimetière Saint-Sébastien*** *(plan C1)* : Linzergasse. Construite en 1750, l'église présente un fort beau portail baroque. Saint Sébastien sculpté sur la façade dans un médaillon. Cimetière à arcades où ont été enterrés Leopold Mozart, Constance Weber et son deuxième mari, ainsi que d'autres membres de la famille.

★ ***Le château Mirabell et les jardins*** *(plan B1)* : Mirabellplatz. Cette modeste demeure fut construite en 1606 par l'archevêque Wolf Dietrich pour sa maîtresse (dont il eut une bonne douzaine d'enfants !). Mais l'ensemble prit feu au début du XIXe siècle. Reconstruit de manière très classique et un peu ennuyeuse, c'est aujourd'hui l'hôtel de ville de Salzbourg. Bel escalier de marbre (rampe particulièrement originale), seul élément qui ait subsisté des anciens édifices. Pour voir l'escalier, prendre la porte au niveau de la statue de Pégase, puis sous le porche à gauche. Superbe entrelacs de marbre surmonté de chérubins dans des postures variées. L'escalier mène à la somptueuse salle des mariages, œuvre de Lukas von Hildebrandt. Très agréables jardins à la française avec terrasses et superbes parterres fleuris. Bassin dominé par un Pégase de bronze du XVIIe siècle qui apparaît dans le film *Sound of Music.*

★ ***Musée du Baroque*** *(plan B1) :* situé dans l'orangerie du château. ☎ 87-74-32. Ouvert de 9 h à 12 h et de 14 h à 17 h ; dimanche et jours fériés, de 9 h à 12 h. Fermé le lundi. Panorama de l'art européen du XVIIe au XVIIIe siècle : Tiepolo, Véronèse, Lucas Giordano, Fragonard, le Bernin, Rottmayr, Altomonte, F.A. Maulbertsch, etc. Essentiellement de la peinture donc, baroque évidemment. Vraiment un excellent musée présentant des dizaines d'œuvres de très grande qualité, notamment de superbes scènes religieuses. Vraiment recommandable.

★ Sur Schwarzstrasse, on trouve encore le ***Landestheater*** (théâtre régional), le ***Marionettentheater*** et le ***Mozarteum,*** l'université musicale (le conservatoire).

★ ***Le mont des Capucins*** *(plan C2) :* accès par le 14 de la Linzergasse et la Stephansweg (chapelles du chemin de croix). Accès également par la Steingasse et les marches de l'Imbergstiege. Vous compléterez ainsi votre troisième vertigineux panorama de la ville.

Aux environs

★ ***Le château de Hellbrunn :*** situé à 6 km au sud de Salzbourg. Cette visite s'intègre à celle de Salzbourg, mais on lui a réservé un chapitre à part plus loin.

Le festival de Salzbourg

Si Mozart ne reçut pas en son temps de la ville toute la reconnaissance qu'il méritait, en revanche, il a fait (et continue de faire) sa fortune. Une véritable manne (symbolisée par les vitrines de chocolat et l'exploitation commerciale de son image, entre autres !). L'idée du festival, dans l'air déjà à la fin du XIXe siècle, prit corps chez le poète Hugo von Hofmannsthal, le metteur en scène Max Reinhardt et le compositeur Richard Strauss. Ils organisèrent la première tentative en 1920. Cette année-là, on ne joua que *Jedermann,* un mystère, sur le parvis de la cathédrale. En 1922, les premiers opéras, tous de Mozart. Par la suite, le festival gagna en notoriété et on y joua également des œuvres d'autres compositeurs. En 1937, juste avant l'Anschluss, eut lieu le dernier grand festival marqué par les personnalités de Toscanini et de Bruno Walter. On y joua les plus grandes œuvres : *Don Giovanni, Les Noces de Figaro, Falstaff, Fidelio, La Flûte enchantée, Les Maîtres chanteurs, Le Chevalier à la rose,* etc. Le festival renaquit en 1945 et retrouva rapidement son rayonnement. En 1960 fut inauguré le Grand Palais du Festival. Les plus grands chefs d'orchestre se produisirent à Salzbourg : Karl Böhm, Lorin Maazel, Ferenc Fricsay, Herbert von Karajan. Ce dernier en fut même son tyrannique directeur pendant trente ans.
Le festival se tient de fin juillet à fin août. Les concerts se déroulent au palais du Festival (le petit et le grand), au Landestheater, à la grande salle du Mozarteum, à l'Universitätskirche. Traditionnellement, *Jedermann* est toujours joué sur le parvis de la cathédrale. Ballets et opéras se donnent également dans le parc et le château de Hellbrunn (les 1er et 2e week-ends d'août, mais ce n'est pas dans le cadre du festival). Pour finir, émouvantes et drôles à la fois, les représentations du Marionettentheater (théâtre de marionnettes) interprétant des opéras de Mozart et de bien d'autres, dans un somptueux décor et de ravissants costumes. Vous aviez évidemment tous compris que quiconque trouve une place pour *Don Giovanni* une semaine avant la représentation doit, tout de suite après, jouer au loto ! Réservation au moins six mois à l'avance.
– Écrire pour obtenir le programme et les bulletins de réservation : ***Kartenbüro der Salzburger Festspiele,*** A 5010 Salzburg, Postfach 140. ☎ 662/84-45-01. Fax : 662/84-66-82. Nécessité d'écrire dès novembre. Tout au long de l'année se déroulent également d'autres manifestations musicales.

Culture et loisirs

Toute l'année, Salzbourg possède une riche vie culturelle, encouragée de façon dynamique par la municipalité, il faut le dire. L'office du tourisme propose un *Salzbourg Ticket Service* qui informe sur tous les concerts et vend des billets pour les représentations, mais une grosse commission est perçue. On conseille plutôt d'appeler chaque endroit (même de France), de faire une réservation par carte bancaire puis de retirer les billets 1 h avant le spectacle. Outre le « grand festival » de l'été (dont on parle plus haut), il y a des concerts de musique de chambre toute l'année dans la forteresse, au château de Mirabell, à la Résidence et dans la salle gothique du Bürgspital.

Les 3 principaux lieux de spectacle de la ville *(plan B1-2)*

■ ***Landestheater :*** Schwarzstrasse, 22. ☎ 87-15-12-0 (infos et réservations). Pièces de théâtre classiques et modernes, opéras et opérettes, comédies musicales.

■ ***Marionettentheater :*** Schwarzstrasse, 24. ☎ 87-24-06-0. Caisse ouverte 2 h avant les spectacles et du lundi au samedi de 9 h à 13 h. Spectacles marionnettes de pièces classiques de Mozart. Tous les soirs (sauf le dimanche pendant la saison).

■ ***Mozarteum :*** Schwarzstrasse, 26. ☎ 87-31-54. Salle de concerts où l'on joue tous les classiques. Malheureusement, pas de concerts d'été (outre ceux organisés durant le festival).

D'autres endroits moins classiques...

■ ***Szene :*** Anton-Neumayr-Platz, 2 *(plan A-B2).* ☎ 84-34-48. Fax : 84-68-08. Ouvert de 14 h à 17 h du lundi au vendredi. L'été, ouvert de 12 h à 19 h du lundi au vendredi. Ouverture de la caisse 2 h avant. Pas de réservations par téléphone. C'est le grand théâtre d'avant-garde de Salzbourg.
Tout ce qui se fait d'insolite, de nouveau, de surprenant, voire de provocateur, passe par *Szene*. Dans tous les domaines : concerts, danse, théâtre, compagnies étrangères, etc. Spectacles parfois « poil à gratter » pour les bourgeois de la ville, mais qui contribuent grandement à la renommée culturelle de Salzbourg ! Durant l'été, festival de cinéma, théâtre, danse et spectacle divers. Demander le programme *Sommer Szene* à l'office du tourisme.

■ ***Rockhouse :*** Schallmooser Hauptstrasse, 46. ☎ 88-49-14. Créée récemment avec le soutien de la municipalité, une maison du rock pour que les groupes puissent répéter et donner des concerts, pour favoriser la rencontre. Quelques concerts l'été.

■ ***Literaturhaus Eizenbergerhof :*** Struberggasse, 23. ☎ 43-95-88. Lieu de présentation de la littérature. Lecture de poésie autrichienne. Élaboration des *radioplays,* pièces de théâtre répétées et enregistrées pour la radio. Débats, discussions, également sur les grands sujets du moment. Une sorte de forum culturel et politique. Médiathèque et bibliothèque.

■ ***Das Kino*** (Salzburger Filmkulturzentrum) : Giselakai, 11. ☎ 87-31-00. Cinéma d'art et d'essai subventionné par la municipalité. Superbe programmation avec un certain nombre de films en VO.

■ ***Kleines Theater :*** Schallmooser Hauptstrasse, 50. ☎ 87-21-54. Comédies, cabarets et pièces pour enfants. Excellente atmosphère. Resto à côté.

■ ***Kleines Theater Nonntal :*** Nonntaler Haupstrasse, 39b. ☎ 87-21-54. Pièces modernes et classiques revisitées (en allemand seulement).

■ ***Elisabeth Bühne :*** Plainstrasse, 42. ☎ 88-03-36. « Progressives Theater », répertoire d'avant-garde, recherche théâtrale, etc.

Quitter Salzbourg

Dans la gare, kiosque d'infos sur tous les trains. Très bien fait. Ouvert de 7 h à 21 h.

En train

Voici les liaisons essentielles entre Salzbourg et les grandes villes proches.
– ***Vers Munich :*** toutes les heures, de 5 h à 20 h.
– ***Vers Linz et Vienne :*** toutes les heures, de 5 h à 21 h.
– ***Vers Innsbruck :*** toutes les heures, de 5 h à 21 h.
– ***Vers Vellach :*** toutes les heures, de 7 h à 21 h.
– ***Vers le Salzkammergut :*** ligne qui part de Salzburg toutes les heures vers Attnang-Puchheim (vers le nord). Puis on prend une autre ligne (vers le sud) qui passe par Gmunden, Traunkirchen, Ebensee, Bad Ischl, Hallstatt, Bad Aussee et Bad Mitterndorf.

En bus pour le Salzkammergut

Tous les départs se font face à la gare, toutes les heures. Post bus (bus jaunes) pour ***Fuschl, St. Gilden, Bad Ischl*** et ***St. Wolfgang*** (platform 7). Une autre ligne dessert ***Mondsee*** et ***Altersee*** (platform 10).

LE CHÂTEAU DE HELLBRUNN

A 6 km au sud de Salzbourg. ☎ 82-03-72. Fax : 82-03-72-31. Ouvert tous les jours de mai à septembre de 9 h à 17 h ; d'octobre à avril, de 9 h à 16 h 30. L'entrée au parc est libre. Celui-ci est accessible d'avril à septembre de 6 h à 21 h (18 h ou 17 h le reste de l'année). Deux visites guidées sont organisées : celle des « Jeux d'eau » (toutes les 30 minutes) et celle du château (toutes les heures à l'heure pile). En juillet et août, visites nocturnes à 18 h, 19 h, 20 h, 21 h et 22 h.
Château construit en 1613 par l'architecte italien Santino Solari pour le prince-archevêque Markus Sittikus. C'est une grosse bâtisse toscane aux toits pointus, toute jaune, élégante et assez sobre, encadrée de 2 ailes plus basses. Une sorte de grosse résidence en fait, plantée au milieu d'un beau parc. C'est d'ailleurs dans ce parc qu'on s'aperçoit que l'archevêque était un sacré rigolo et un vrai fêtard. Si vous ne deviez faire qu'une visite, choisir en priorité celle des « Jeux d'eau », qui amusera petits et grands.

– ***Parking :*** attention, se garer au parking du château même (gratuit) et non à celui situé juste après, bien mieux signalé, mais privé et payant.

Visite des Jeux d'eau

Chouette visite guidée où l'on passe en revue les innombrables fontaines, jeux d'eau, alcôves aquatiques, bassins, caves ludiques. On pourrait vous narrer par le menu toutes les facéties imaginées par notre petit plaisantin d'archevêque, mais nous nous contenterons seulement de décrire la première, vous laissant découvrir par vous-même les autres. On rappelle que la visite est guidée, en anglais et en allemand, rarement en français.
Donc, le parcours débute autour de ce bassin et de cette table de marbre entourée de tabourets. L'archevêque assis en bout de table conviait ses invités à boire, et quand ils étaient fin saouls, il faisait ouvrir les vannes et de fins jets d'eau placés sous chaque tabouret mouillaient le froc des convives. Évidemment, seul le tabouret de l'archevêque était dispensé de ce système d'arrosage. Quand on vous disait que c'était un drôle, l'ecclésiastique !
Une bonne vingtaine de jeux d'eau, construits dans des styles très variés, agrémentent ce parc. Un vrai délire ! Dans le même genre, la grotte de Neptune (et son automate), la grotte des Miroirs, les Tritons luttant, la fontaine de Vénus. Voir aussi le beau Théâtre mécanique, etc. Plein de petites merveilles étonnantes.

La visite du château

Toutes les heures, à l'heure pile. On passe en revue plusieurs salles réaménagées au XVIIIe siècle, dont certaines possèdent d'intéressantes fresques décoratives et un mobilier baroque intéressant. Salle chinoise, salle des poissons (peintures de poissons), etc. Les deux dernières pièces sont de loin les plus belles.
– La ***salle des fêtes,*** couverte de fresques mythologiques, évoque les vertus (sic !) de l'archevêque.
– La petite ***salle de l'Octogone,*** à côté, était le lieu où jouaient les musiciens quand l'archevêque et ses invités dînaient dans la salle des fêtes. Certainement la plus belle, avec ses murs couverts d'angelots dorés grimpant une folle végétation.
Plein d'animaux sur la corniche et des fresques de statues de femmes tout en haut.

Musée d'Art populaire et de Folklore

Monatsschlösschen, Hellbrunn. ☎ 82-03-72. Ouvert de mai à mi-octobre, tous les jours de 9 h à 17 h. Entrée payante. On y accède par le parc du château de Hellbrunn, à pied en 10 mn. C'est dans la petite maison jaune, tout en haut de la colline. Accès par derrière le grand bassin, puis en empruntant le petit sentier escarpé. De là-haut, superbe vue sur la campagne et le château en contrebas.
Pavillon d'été du château, il gagna le nom de « Petit Château d'un mois » au fait que Markus Sittikus réussit à le faire construire effectivement en un mois. Il abrite d'intéressantes collections d'art populaire, ameublement et costumes traditionnels.

HALLEIN

IND. TÉL. : 06545

Située à 16 km au sud de Salzbourg, une petite cité industrielle active qui a conservé un petit centre médiéval plutôt sympathique. Elle fit la fortune des princes-archevêques, grâce à l'exploitation de ses mines de sel dès le XIIe siècle (et connues bien avant puisque « Hall » signifie sel en celte). Étape sympa si l'on possède un véhicule. Festival de musique, dernière quinzaine de juin.

Adresses et renseignements utiles

– ***Code postal :*** A 5400.
i ***Office du tourisme :*** Unterer Markt, 1. ☎ 85-394. Fax : 85-18-513. Ouvert en juillet et août de 8 h à 16 h 30, du lundi au vendredi. Le samedi de 10 h à 12 h. Réservation gratuite d'hôtels, pensions ou chambres chez l'habitant.
✉ ***Poste :*** Pramenplatz, de l'autre côté de la Salzach.
■ ***Change :*** *Raiffeisenkasse,* Justin Robert Platz, à l'angle de Unterer Markt, en plein centre. Distributeur. *Sparkasse,* sur Unterer Markt 1, au même endroit que l'office du tourisme.

Comment y aller ?

Liaisons régulières en train ou en bus de Salzbourg. Environ toutes les 30 minutes.

Où dormir ?

⌂ ***Jugendherberge (AJ) :*** Schloss Wispach. ☎ 803-97. Ouverte d'avril à fin septembre. Un peu éloigné du centre, mais juste à côté de la belle piscine municipale découverte. Une AJ à n'utiliser qu'en dernier recours vu qu'elle est souvent réservée entièrement pour des groupes. Ne pas trop compter dessus donc. Dortoirs de 2 à 10 personnes.

Prix modérés

⌂ ***Gasthof Löwenbrau :*** Schöndorferplatz, 3. ☎ 80-489. Fax : 80-48-93. Au cœur de la vieille ville, sur une place adorable, un hôtel possédant pas mal de charme. Ravissante façade rococo. A l'intérieur, une vingtaine de chambres correctes. Quelques-unes avec sanitaires à l'étage, moins chères. Escalier de marbre. Salle à manger voûtée dans les tons bois sombre patiné. Noter la maquette des corporations, le poêle en faïence et la porte de la cuisine sculptée. Bonne nourriture à prix raisonnables : *Bachsaibling* (poisson), *Zander* (sandre), *Kalbsfilet, Rosa gebratenes Lammkarre* (agneau), *Eiersschwammerl* (chanterelles en sauce avec quenelles), etc.
⌂ ***Gasthof-Hotel Bockwirt Sigmund :*** Thunstrasse, 12. ☎ 80-623. Fax : 80-62-33. Dans le centre. Hôtel au charme un peu suranné et à l'ameublement vieillot, mais globalement bien tenu. Bon accueil. Quelques vieux meubles. Toutes les chambres avec douche et toilettes. Entrée par la courette fleurie.
⌂ ***Pension Mikl :*** Ederstrasse 2. ☎ 80-229. Pension simple, dans le centre. Pas de charme. Plutôt en dernier recours. Chambres avec ou sans douche.
⌂ ***Pension Sommerauer :*** Tschusistrasse, 33. ☎ 800-30. Grande maison particulière dans la « banlieue » de Hallein, à environ 5 mn du centre à vélo et 15 mn à pied. Pas très facile à trouver. Du centre, traverser la rivière et prendre la direction d'Adnet. Tourner à droite, avant d'arriver à la A 10. Bon confort. Toutes les chambres avec toilettes et douche. Accueil courtois. Grand jardin et petite piscine. Un poil bruyant mais rien de bien méchant. Petit déjeuner compris.
⌂ ***Camping Auwrit :*** Bundesstrasse Nord, 24. ☎ 80-417. Sur la route entre Kaltenhausen et Taxach (entrée nord direction Anif-Salzbourg). Ouvert de

début mai à fin septembre. Resto. Accueil sec et endroit bruyant.

Camping Rif : Reischenbachweg, 27. ☎ 76-114. Ouvert de début mai à fin septembre. A l'intersection des rivières Königsseeache et Salzach. Ombragé par de grands pins. Calme, familial et agréable bien que d'un confort modeste.

– Nombreuses *Privatzimmer* et autres *Pensions*. Renseignements à l'office du tourisme.

Où manger ?

Gasthof Stadtkrug : Bayerhammerplatz, 10. Fermé le samedi. Resto populaire. Clientèle locale. Atmosphère sympa. Nous recommandons particulièrement, à midi, le *Mittagsbuffet* vraiment bon marché. Carte bien fournie.

Gasthof Löwenbrau : un des meilleurs rapports qualité-prix de la ville (voir ci-dessus « Où dormir ? »).

Où déguster une bonne pâtisserie ?

– **Braun :** Unterer Markt. Fermée les dimanche et jours fériés. La meilleure pâtisserie de la ville. Sert du lundi au vendredi de 8 h à 19 h (17 h le samedi).

A voir

★ **La vieille ville :** en partie piétonne sur Unterer Markt, Thunstrasse, Schöndorferplatz et ruelles alentour. Hallein fut victime d'un terrible incendie en 1943, mais un gros travail de reconstruction et de réhabilitation a été effectué pour lui redonner son visage d'antan. De la période médiévale subsistent des demeures ventrues aux larges porches ou avec arcades. Nombreuses façades de style rococo également. En face de l'église, maison du compositeur F.X. Gruber.

★ **Keltenmuseum (Musée celtique) :** Pflegerplatz, 5. ☎ 80-873 ou 84-288. Ouvert du 1er mai à fin septembre tous les jours de 9 h à 17 h. Un des plus intéressants musées de la région. A ne pas manquer. Musée installé dans l'ancien bâtiment administratif des mines de sel (qui fonctionnèrent près de trois siècles). Les Celtes de la région, 600 ans avant J.-C., avaient déjà découvert l'« or blanc », le sel, moyen d'échange très important. Ici, ils étaient manifestement aisés, grâce à son exploitation et son commerce, si l'on en juge par la richesse des découvertes archéologiques réalisées dans les tombes. Bijoux, armes, casques coniques, pièces votives en or, etc. Un étage est consacré à l'historique de l'exploitation des mines de sel à travers les âges : plans, maquettes, outils, tout sur le processus d'extraction. Superbe série de tableaux, intitulée le *Cycle du sel,* peints en 1757. Précision et réalisme des scènes tout à fait remarquables.

★ **Stille-Nacht-Museum :** Gruberplatz, en face de l'église, dans le centre. Ouvert l'été de 14 h à 17 h, tous les jours. C'est la maison du compositeur Franz Xaver Gruber. Il y vécut seul, et y mourut. Il y habite toujours puisque sa tombe est juste devant. On rappelle que F.X. Gruber est l'auteur du célèbre chant de Noël *Ô douce nuit, ô sainte nuit.*

– Même si vous ne visitez pas la mine (voir « A voir aux environs »), ne manquez pas d'emprunter la télécabine pour Bad Dürnberg, petite station thermale et de sports d'hiver au-dessus. Belle montée qui peut être relayée par celle de la télécabine du Zinken (à 1 300 m).

A voir aux environs

BAD DÜRNBERG

★ **La mine de sel :** ☎ 06245/83-511. Ouvert toute l'année du 1er avril au 31 octobre de 9 h à 17 h. Le reste de l'année de 11 h à 15 h. Entrée chère (réduction familles). Bad Dürnberg est un village situé à 3 km au-dessus d'Hallein. On y accède soit par une télécabine d'Hallein (Talstation, Zatloukalstrasse, 3), soit par la route (bien fléché). Si vous montez par la télécabine, à l'arrivée, 5 mn de marche pour gagner l'entrée de la mine. Beaucoup de monde, surtout le matin, mais bonne organisation. Dans le hall, cafétéria, w.-c... Des 4 ou 5 mines de sel qui se visitent dans toute la région, c'est sans doute la meilleure visite, la plus complète. C'est d'ailleurs la plus fréquentée et c'est la plus proche d'Hallein. Après avoir revêtu une combinaison, on accède à la mine par un curieux petit train. Attention, il y fait frisquet (environ 10 °C). On nous raconte (en allemand et en anglais) l'histoire du sel. Où l'on apprend que le sel était extrait de la mine il y a déjà 3 000 ans. Réouverte plusieurs fois au VIIe siècle puis au XIIe siècle. Plus récemment dans l'histoire, la mine a appartenu à l'archevêque de Salzbourg qui, grâce à ses bénéfices, fit construire la plupart des monuments de la ville. Pas mal ! Wolf Dietrich y fit également percer beaucoup de nouvelles galeries. La mine fut récemment fermée pour raisons économiques. Explications sur la mine (panneaux en français), petit film, balade à pied à travers les galeries (on passe même sous la frontière allemande), descente de quelques petits toboggans de bois qui amusent les enfants, présentation de vieux instruments et d'objets celtes et romains découverts sur place, mini-balade sur une barge à fond plat... On nous rappelle enfin qu'en 1573 et en 1616, on trouva deux hommes conservés dans le sel. C'étaient des Celtes. Intéressante saga !

★ ***Le village celtique*** (Fürstengrab und Keltengehöft) : musée de plein air situé au-dessus de la mine de sel, tout près de l'église, dans le centre du village. ☎ 85-101. Ouvert de début mai à mi-octobre tous les jours de 10 h à 17 h. Entrée à prix modique. Reconstitution d'un village celte à l'emplacement exact de la zone d'habitation de l'époque. Tumulus d'un prince avec les objets qui l'entouraient. Bon, il n'y a que 3 maisons. Murs en bille de bois et couverts de roseaux. Reconstitution réussie, dans un cadre verdoyant.

Où manger ?

|●| ***Gasthaus zur Bergmannstreu :*** sur la petite place, face à l'église. Belle terrasse ombragée dominant la vallée. Petits plats simples ou salades, à manger sur le pouce après ou avant la visite de la mine. Toujours des propositions abordables sur l'ardoise dehors.

A voir encore dans la région

★ A ***Anif*** (sur la route de Salzbourg), le château sur le lac. Date du XIXe siècle et construit en style néo-gothique (ne se visite pas). Belle vision, surtout en hiver, lorsque le lac est gelé. C'est là qu'est enterré Herbert von Karajan, pour les nostalgiques en périple musical.

★ Au nord de Salzbourg, le sanctuaire de ***Maria Plain.*** Édifié en 1671. Riche décor intérieur. On y trouve une icône très vénérée de la Vierge au milieu d'un magnifique retable. La famille Mozart y faisait souvent dire des messes. Le compositeur en rédigea une en fa majeur. Chaque année, on y exécute sa *Messe du Couronnement.*

★ D'autres beaux châteaux pour les amateurs : ***Leopoldskron*** (au sud du Mönchsberg), celui de ***Klessheim*** (au nord-ouest de Salzbourg) et, à une trentaine de kilomètres de Hallein, le château de ***Hohenwerfen,*** qui domine la vallée sur un rocher abrupt.

★ Deux excursions populaires : la montée au ***Gaisberg*** (à l'est de Salzbourg) et le téléphérique de l'***Untersberg*** (à une dizaine de kilomètres au sud de la ville) qui grimpe jusqu'à 1 853 m. Le téléphérique se prend au village de St. Leonhard. Beau point de vue et agréables randonnées sur le plateau. Dommage que le prix de la grimpette soit si cher. Ouvert de 8 h 30 à 17 h 30.

LE SALZKAMMERGUT

A cheval sur le pays de Salzbourg, la Haute-Autriche et la Styrie, une vaste région de lacs et de montagnes, vierge de pollution, offrant d'innombrables occasions de balades (à pied, à vélo, en bateau) et d'activités (voile, escalade, randonnée, delta, parapente, etc.). Ici, chaque lac possède sa couleur : le *Fuschlsee* est émeraude, le *Mondsee* vert pâle, le *Wolfgangsee* bleu clair, etc. L'une des originalités de la région est l'alternance harmonieuse de collines douces, de paysages amples et sereins avec d'abruptes montagnes tombant soudainement en falaise dans les lacs. Coexistence des Vosges avec quelques massifs alpins, égarés là pour le plaisir des randonneurs. Les Romains appréciaient déjà fort le coin. Pour le sel bien entendu, mais ils s'accordaient aussi de doux week-ends au bord des lacs. Pourquoi sinon auraient-ils appelé le Traunsee *Lacus Felix* (lac de Félicité) ?

Transports et logement

– ***Train :*** une ligne dessert Gmunden, Ebensee, Bad Ischl, Obertraun et Bad Aussee. Location de vélos dans la plupart des gares.

– ***Bus :*** réseau important de *Postbus.* Plusieurs passages quotidiens. S'enquérir des horaires et trajets aux principaux offices du tourisme ou aux stations de bus. Quelques lignes de cars traditionnels aussi. Renseignements dans les gares. Les stoppeurs auront ainsi peu d'occasions de vraiment galérer.

– Une dizaine ***d'auberges de jeunesse*** bien réparties offrent leurs nuits réparatrices aux cyclistes lessivés. A Bad Ischl, St. Gilgen, Ebensee, Gosau, Hallstatt, Mondsee, Obertraun, Weyregg am Attersee, Bad Aussee.

– Beaucoup de ***campings :*** confortables pour la plupart. Dans les plus touristiques, overdose de caravanes et de trailers cependant. Les vrais campeurs sauvages (ceux qui laissent le site encore plus propre qu'avant) seront à la noce.

MONDSEE

IND. TÉL. : 06232

Au bord du lac Mondsee, l'un des plus longs d'Autriche. Beaucoup moins touristique que bon nombre de villages et bourgades du Salzkammergut, sûrement à cause du fait que Mondsee ne se trouve pas directement au bord du lac, mais à quelques centaines de mètres. En tout cas, celui-ci (le lac) est superbe, entouré de montagnes abruptes qui se découpent fièrement et de ravissants alpages. Ses abords sont aménagés en terrasses. On y pratique les sports nautiques, on y loue des barques, et des bateaux le traversent. Tout ça est charmant et bien paisible. En longeant le Mondsee vers l'ouest, on atteint le lac d'Attersee qu'on peut longer vers le nord, en direction du village du même nom, mignon comme tout.

Adresses utiles

🅸 ***Office du tourisme :*** Dr. Franz Muller Strasse, 3. ☎ 22-70. Ouvert de 8 h à 19 h tous les jours (le dimanche de 9 h à 13 h). Pourra vous renseigner sur les logements libres.

✉ ***Poste :*** Kreuzbergerstrasse.

Où dormir ? Où manger ?

▲ ***Auberge de jeunesse :*** Krankenhausstrasse, 9. ☎ et fax : 24-18. Ouverte toute l'année. Réception de 7 h à 14 h et de 17 h à 22 h. A environ 10 mn du centre à pied. Pas particulièrement chaleureux. Beaucoup de groupes et pas beaucoup de routards.

▲ ***Gasthof Schwarzes Rössl :*** Rainerstrasse, 32. A 5 mn du centre. ☎ 22-35. Grosse auberge toute bleue, une des moins chères de la ville. Bon confort général.

▲ ***Austria-Camp Mondsee :*** au bord du lac, tout au bord, à 5 km de Mondsee, en direction de St. Gilgen. Le plus proche de Mondsee. Familial et correct, bien qu'on

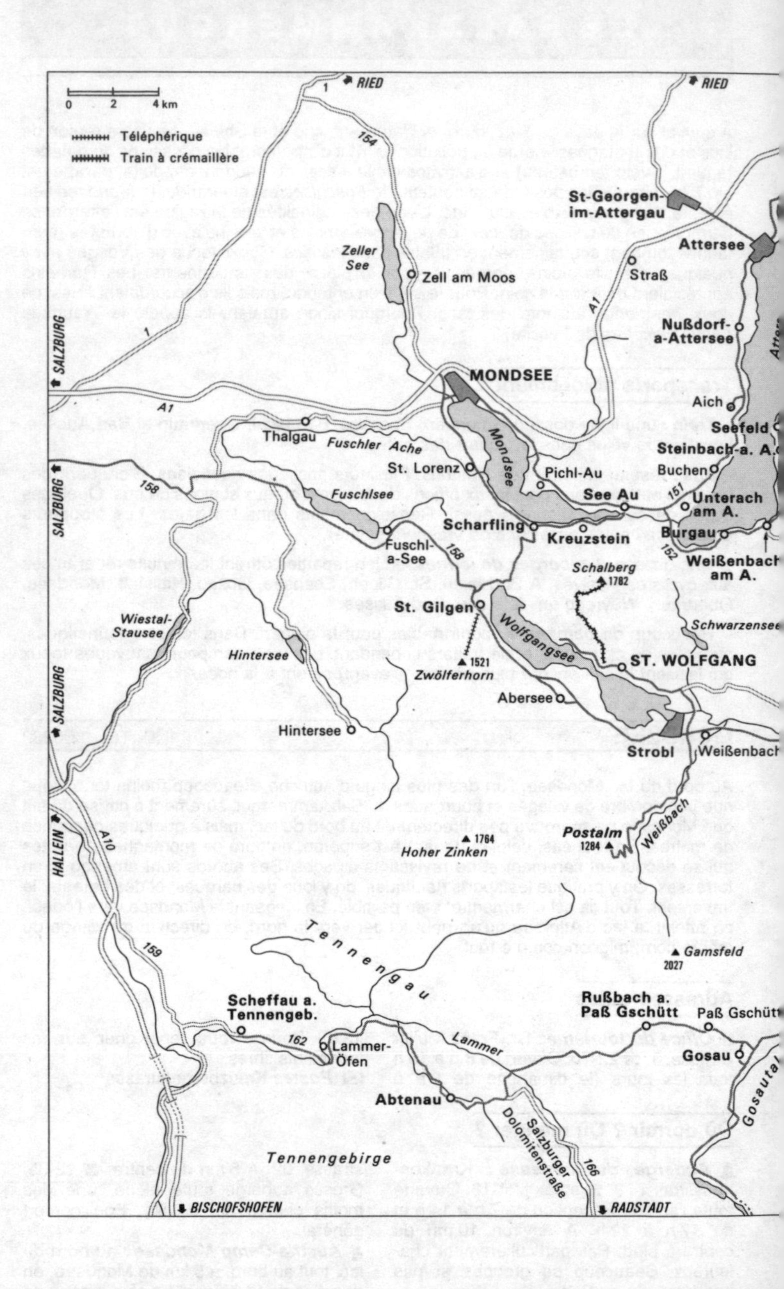

0 2 4 km
Téléphérique
Train à crémaillère
RIED
SALZBURG
HALLEIN
BISCHOFSHOFEN
RADSTADT
Zeller See
Zell am Moos
St-Georgen-im-Attergau
Attersee
Straß
Nußdorf-a-Attersee
MONDSEE
Aich
Seefeld
Steinbach-a. A.
Buchen
Unterach am A.
Burgau
Weißenbach am A.
Thalgau
Fuschler Ache
St. Lorenz
Mondsee
Pichl-Au
See Au
Fuschlsee
Scharfling
Kreuzstein
Fuschl-a-See
Schalberg
1782
St. Gilgen
Wolfgangsee
Schwarzensee
ST. WOLFGANG
Wiestal-Stausee
Hintersee
1521
Zwölferhorn
Abersee
Hintersee
Strobl
Weißenbach
Postalm
1284
Weißbach
1764
Hoher Zinken
Tennengau
Gamsfeld
2027
Rußbach a. Paß Gschütt
Paß Gschütt
Scheffau a. Tennengeb.
Lammer-Öfen
Lammer
Gosau
Gosautal
Abtenau
Salzburger Dolomitenstraße
Tennengebirge
A1
A10
1
154
158
151
152
159
162
166

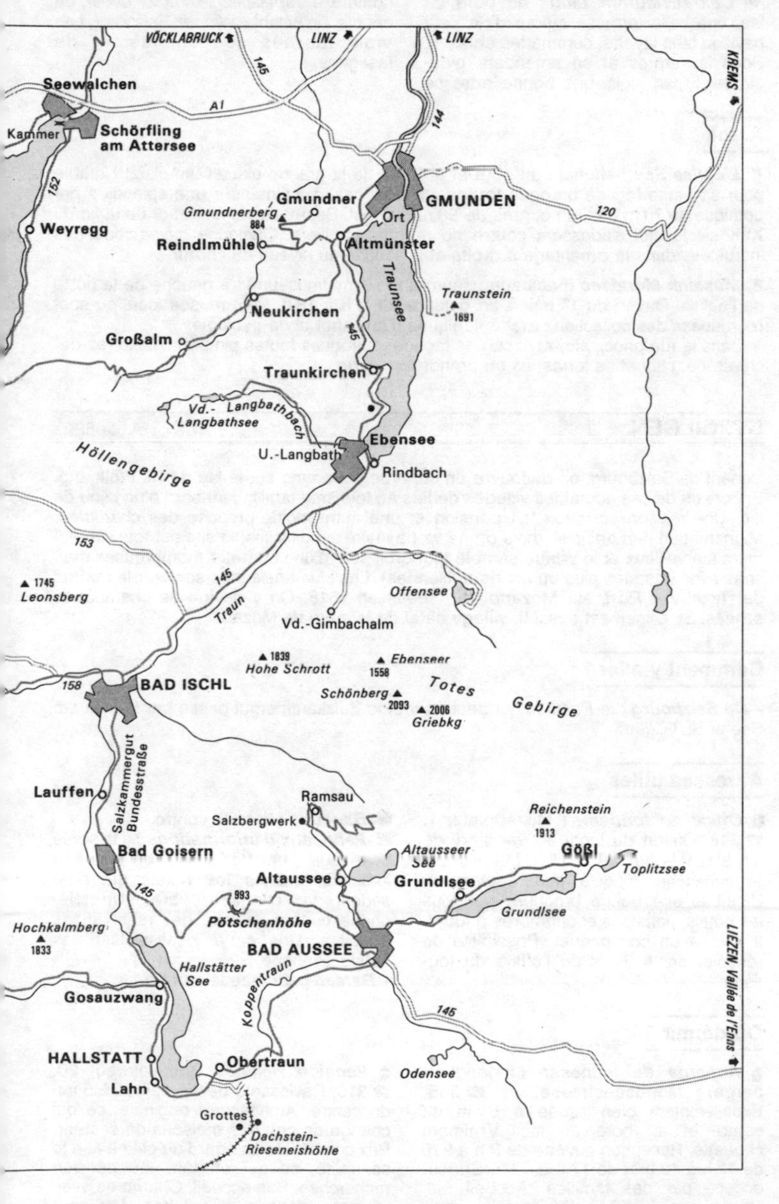

LE SALZKAMMERGUT

soit un peu les uns sur les autres. Pas trop cher.

Café-restaurant Lido : au bord du lac, une belle terrasse autour d'un petit pavillon bleu layette, comme les chaises. Sous les arbres et en entendant glouglouter le lac, voici une bonne adresse aussi bien pour une grosse glace en après-midi que pour un plat simple comme le *Tapelspitz*, le *Trioler Leber*, ou encore l'inévitable *Wiener Schnitzel*. Les vrais fauchés se contenteront de lasagnes.

A voir

★ ***L'église Saint-Michel :*** au bout et à droite de la grande place Markplatz. Notable pour sa haute façade baroque toute jaune qui cache à l'intérieur une splendide nef gothique de 70 m de long et près de 30 m de haut. Beaux autels noir et or de la fin du XVIIe siècle, qui s'adossent contre de nombreux piliers. Quelques stèles romaines incrustées dans la cimenterie à droite et à gauche au niveau du chœur.

★ ***Museum Mondsee*** (Fahlbaumuseum und Heimatmuseum) : à gauche de la porte de l'église. Ouvert du 1er mai à fin octobre, de 9 h à 18 h. Petit musée local où sont regroupées des collections archéologiques d'artisanat et de géologie.

– Dans la rue principale, ravissantes façades baroques toutes pimpantes. Au rez-de-chaussée, chouettes terrasses où prendre un verre.

ST. GILGEN

IND. TÉL. : 06227

Venant de Salzbourg, on découvre un superbe panorama sur le lac de St. Wolfgang. Encore un de ces adorables villages dédiés au tourisme familial, au bord d'un bijou de lac. Une maison sur deux fait pension et une autre moitié propose des chambres. Mignon et un rien artificiel, mais on ne va pas faire les difficiles, le site est tout simplement merveilleux et le village semble tout droit sorti d'une opérette (nombreuses maisons avec fresques plus ou moins anciennes). Les plus anciennes sont sur le fronton de l'hôtel *Zur Post*, sur Mozartplatz, créées en 1618. On y devine de champêtres scènes. St. Gilgen est aussi le village natal de la mère de Mozart.

Comment y aller ?

– ***De Salzbourg :*** le *Postbus* qui dessert tout le Salzkammergut passe par Fuschl am See et St. Gilgen.

Adresses utiles

Office du tourisme : Mozartplatz, 1. ☎ 348. Ouvert du lundi au vendredi de 9 h à 12 h et de 14 h à 18 h. Les samedi et dimanche, jusqu'à midi seulement. Distribue une bonne brochure sur tous les hôtels, pensions et chambres à louer. Il y en a un bon paquet. Possibilité de réserver par le biais de l'office du tourisme.

■ ***Banques :*** dans le centre.

■ ***Panneaux d'informations :*** à la sortie du village (vers Bad Ischl), un panneau lumineux indique les hôtels qui possèdent des chambres libres. Un téléphone permet de faire des réservations gratuites. Une carte localise bien les hôtels. Pratique.

– ***Bateau*** pour faire le tour du lac.

Où dormir ?

Auberge de jeunesse (Jugendherberge) : Mondseestrasse, 7. ☎ 365. Excellemment bien située à 5 mn du centre et au bord du lac. Vraiment chouette. Réception ouverte de 8 h à 9 h, de 12 h à 13 h et de 17 h à 19 h. Surtout occupé par des familles. Accueil nul. Couvre-feu à 23 h. Réservation très conseillée, car la proximité du lac en fait une sorte de petite résidence de vacances très prisée.

Pension Hélène : Brunnleitweg, 20. ☎ 310. Ravissante petite maison à 5 mn du centre. Architecture originale, ce qui change un peu des maisons du secteur. Prix compétitifs eu égard au calme et à la centralité, ce qui en fait une pension recherchée. Bon accueil. Chambres avec ou sans douche et toilettes. Vraiment bien.

Pension Sigrid Kern : Brunnleitweg, 9. ☎ 344. Calme, à 5 mn du centre là aussi. Une des moins chères du village. Bon rapport qualité-prix.

Pension Falkensteiner : Salzburger Strasse 11-13. ☎ 395. En prenant la rue qui monte de la Mozartplatz. A 2 mn du centre. Au calme. Agréable ambiance familiale et bonne cuisine au resto. Là aussi, chambres avec ou sans sanitaires. Un petit bout de jardin derrière. Chambres dans l'annexe un peu moins chères. Rien à redire.

Où manger ?

K and K Post Restaurant : Mozartplatz. C'est le resto en terrasse de l'hôtel *Zum Post*, le plus fameux de la ville. La petite terrasse circulaire domine légèrement la place et propose, contre toute attente, une excellente cuisine soignée et pas si chère. Plats classiques *Rahmeier Schwammerln mit Serviettenknödel, St. Gilgnerkasnocken.* Bien bonnes grillades également et délicieux *Apfel Wursteln auf Wald Creme.* Plus agréable le soir que le midi.

Resto de l'hôtel-Gastehaus Kendler : Kirchenplatz, 3. ☎ 22-30. Sert midi et soir, tous les jours. C'est la petite place derrière la place Mozart. Plats plus reconstituants que raffinés certes, mais une « cuisine de bonne femme » honnête et abordable.

A voir

★ **Musée folklorique** (Heimatmuseum St. Gilgen) : Pichlerplatz, 6. A 50 m de la place principale. Ouvert de 10 h à 12 h et de 14 h à 18 h. Petites collections d'objets liés à l'artisanat local.

★ La mère de Mozart est née au ***15 Ischler Strasse,*** en 1720, dans ce qui est aujourd'hui le tribunal administratif.

★ Sur la place principale, ***fontaine Mozart,*** évidemment !

A faire

– Téléphérique permettant de grimper au ***Zwölferhorn,*** à 1 520 m.
– Liaisons directes en bateau pour ***St. Wolfgang.*** Une bonne solution même si vous êtes en voiture, car St. Wolfgang est tellement encombré que venir en bateau est une formule à envisager, si vous comptez revenir vers St. Gilgen après. Ça vous fera économiser le parking.

Dans les environs

FUSCHL AM SEE

Situé à 6 km à l'ouest de St. Gilgen au bord d'un lac (encore un), voici un exemple de bourgade croquignolette comme tout, constituant une bonne alternative si vous trouvez St. Gilgen trop touristique. Là encore, le lac est sublime... forcément sublime.

Où dormir ? Où manger ?

Camping Seeholz : au bord du lac. ☎ 310. Hyper bien situé, sous les arbres, bien ombragé, familial et tout et tout. Plage juste devant.

– Nombreuses *pensions* et *chambres à louer* dans tout le village.
– Quelques *terrasses* pour grignoter au bord du lac.

ST. WOLFGANG

IND. TÉL. : 06138

Avec Hallstatt, St. Wolfgang peut grimper ex aequo sur la première marche du podium au concours des plus beaux villages d'opérette du Salzkammergut. Et d'ailleurs, en parlant d'opérette, St. Wolfgang est l'écrin de la célèbre *Auberge du Cheval Blanc* (Weisses Rössl), théâtre de la non moins célèbre opérette du même nom. D'ailleurs, l'unique cinéma du village propose le film (tiré de l'opérette) tous les après-midi. Plusieurs scènes furent évidemment tournées ici. D'ailleurs, opérette pour opérette, la municipalité a mis le paquet. Le village est entièrement piéton, les balcons débordent de fleurs, les meubles sentent bon l'encaustique, le lac scintille comme une star sous les projecteurs... Le tout sent bon le propre, le rassurant, et tout le monde semble ravi. Revers de la médaille, tous les matins, des dizaines de cars déversent des centaines de touristes dans les minuscules ruelles du village. Avec son lac, son église, ses balcons fleuris, ses façades peintes, et ses montagnes, St. Wolfgang revêt la panoplie complète de l'image d'Épinal, belle à en être presque neu-neu.

Comment y aller ?

Les ***Postbus*** qui partent de la gare de Salzbourg desservent Fuschl, St. Gilgen, Strobl et St. Wolfgang.

Infos pratiques

Pour ceux qui viennent en voiture, St. Wolfgang est un cul-de-sac. Obligation de garer son véhicule dans l'un des parkings situés à l'entrée du village. Plutôt que de venir le matin, il nous semble préférable de venir en milieu d'après-midi, quand le flot des touristes reflue. Impression d'avoir le bourg (presque) à soi. De plus, on profite du coucher de soleil. Divin. Les premières heures du matin sont tout aussi merveilleuses, avant la nouvelle marée montante touristique, vers la fin de la matinée.

Adresses utiles

Office du tourisme : Pilgerstrasse, 28. Ouvert du lundi au vendredi de 8 h à 18 h, et le samedi matin. Brochure exhaustive sur tous les hébergements avec prix, situation sur la carte, etc. Très pratique.
– Autre kiosque touristique à l'entrée du village, ouvert tous les jours jusqu'à 21 h.

✉ ***Poste :*** sur Pilgerstrasse.

Banque Raiffeisenbank : sur Pilgerstrasse, à côté de l'office du tourisme.
– ***Balades en bateau :*** plusieurs liaisons par jour entre St. Wolfgang et St. Gilgen. Pratique. Sinon, location de petits bateaux électriques absolument charmants. Location de pédalos, etc.

Où dormir ?

On le répète, l'office du tourisme possède une brochure fort bien faite sur tous les hébergements (il y en a plusieurs dizaines). Voici quelques bonnes adresses dans chaque catégorie. Les moins chères sont évidemment les plus éloignées du centre. Très prisées l'été. Réserver. Hôtels du centre assez chers.

Pas chers et prix modérés

Pension Haus am See : ☎ 224. Juste à l'entrée du village, sur la gauche. Pension tout à fait familiale, avec une petite terrasse entourée d'arbres et surplombant le lac. Confort global modeste certes, mais bonne atmosphère. Toutes les chambres avec douche et toilettes extérieures. Certainement l'une des adresses les moins chères du village.

Gasthof Rudolfshöhe : Aschau strasse, 36. ☎ 23-48. Fax : 33-38. A 5 mn du centre, légèrement sur les hauteurs. En arrivant, prendre tout de suite la petite route qui monte, avant le 1er parking. Un des meilleurs rapport qualité-prix avec vue sur le lac. Pas débordant de charme mais ça reste familial. Sanitaires dans les chambres. Parking gratuit.

Pension Almraush : Margarethenstrasse, 120. ☎ 22-67. Ceinturée de balcons de bois, pension agréable et simple, avec ou sans sanitaires. Un peu à l'écart du centre mais à peine. Le tout très honnête.

Prix moyens

Hôtel garni-pension Ansengruber : Michael-Pacher Strasse, 115. ☎ 23-70-0. Fax : 23-29-6. Prix tout à fait raisonnables pour le confort général. Bonne adresse dans le centre.

Très chic

Hôtel Berghof : Michael-Pacher Strasse, 188. ☎ 2488. Fax : 24-88-80. Dans la rue centrale, sur la gauche. C'est la superbe façade de bois aux balcons fleuris. Excellente tenue, ça va de soi. Vue admirable surplombant le lac. Quel charme ! En revanche, chambres (tout confort) assez dépouillées. Prix pas si exorbitants que ça. C'est aussi un bon resto.

CAMPINGS

Trois petits terrains de camping autour du lac.

Où manger ?

Beaucoup de menus touristiques d'un niveau assez bas.

Gasthof zum Weissen Kirschen : Markt, 73. ☎ 22-38. Terrasse ombragée, égayée par les oiseaux, en plein centre, juste devant le lac. Particulièrement agréable. Grosses salades pas trop chères qu'on dévore en regardant danser les voiles des bateaux sur le plan d'eau.

Resto de l'hôtel Berghof (voir « Où dormir ? ») : plats traditionnels du Tyrol et menus touristiques. De tout, du bon et du moins bon.

A voir

★ ***L'église paroissiale :*** important lieu de pèlerinage au Moyen Age, elle est située en surplomb du lac, couverte de fresques.
Construite au XIe siècle, modifiée au XIVe, elle propose un magnifique retable du célèbre peintre tyrolien Michael Pacher. Il est là depuis le XVe siècle. L'un des plus admirables chefs-d'œuvre de sculpture gothique que l'on connaisse. Détailler le panneau de Jésus couronné, bénissant la Sainte-Vierge (entouré de saint Wolfgang et saint Benoît). Finesse des traits, véritable travail d'orfèvrerie et de ciselure (la chevelure de la Vierge, le dais en gothique fleuri, etc.). Les panneaux peints du triptyque sont aussi superbes.
Une anecdote révélatrice de l'impérialisme baroque du XVIIe siècle : on avait commandé à un sculpteur un nouveau retable en remplacement de celui de Pacher. Le sculpteur, amoureux de l'œuvre de Pacher, exécuta le sien beaucoup plus grand exprès, pour que la substitution soit irréalisable ! Église et visiteurs y ont donc gagné un deuxième remarquable retable que l'on peut admirer au centre de l'église.

A faire

– Agréable balade à travers les rues et au bord du lac.
– Quelques plages autour du lac.
– Un petit ***train à crémaillère*** permet de monter au Schaferg : vue splendide sur plusieurs lacs de la région.

BAD ISCHL

IND. TÉL. : 06132

L'un des lieux de villégiature les plus populaires, petite capitale du Salzkammergut, mais en fait la seule à ne pas être située au bord d'un lac. Autrefois, important centre d'extraction et de raffinage du sel. En 1823, un médecin viennois ouvrit un établissement de cure thermale. Un de ses collègues qui soignait les ouvriers du sel avec des bains salins lui en avait donné l'idée. Le succès fut rapide et tout Vienne vint « prendre les eaux », à commencer par la famille impériale. François-Joseph en avait fait sa résidence d'été. Il y célébra ses fiançailles avec Sissi. C'est de Bad Ischl qu'il adressa en 1914 son « Manifeste à mon peuple », prélude à la Grande Guerre. Aujourd'hui, la ville possède toujours ce petit air élégant et gentiment démodé de station thermale de fin de XIXe siècle.

Adresses utiles

– ***Code postal :*** A 4820.

Office du tourisme : Bahnhofstrasse, 6. ☎ 23-52-00. Fax : 27-75-777. Ouvert toute l'année du lundi au vendredi de 8 h à 18 h, le samedi de 9 h à 16 h et le dimanche jusqu'à 11 h 30. Excellente brochure en français sur les pensions, hôtels, musées... Bonne carte également. Font les réservations sans commission.

Tourismusregion Salzkammergut : Wirerstrasse. ☎ 269-09. Fax : 276-17-14. Tout sur la région. Possibilité de réserver des hôtels ou pension pour tout le Salzkammergut.

■ ***Location de vélos :*** à la gare ou sur

la Wiesingerstrasse, 5. ☎ 22-859. Ouvert tous les jours de 9 h à 11 h.

■ ***Consigne :*** à la gare.

■ ***Banque :*** *Raiffeisenbank,* sur la Kreutzplatz. Distributeur de billets.

Comment y aller ?

– ***Train*** toutes les heures de Salzbourg. C'est la station ferroviaire principale du Salzkammergut.

– ***Postbus*** directs de Salzbourg.

Où dormir ?

♜ ***Auberge de jeunesse :*** Am Rechensteg, 5. ☎ 265-77. Fax : 265-77-75. Ouverte toute l'année. Située dans le centre. Vite remplie, arriver de bonne heure. Bonne situation au calme, juste derrière la piscine municipale en plein air. 120 lits en tout en dortoirs de 1 à 5 lits. Très prisée par les groupes. Réception ouverte de 8 h à 13 h et de 17 h à 19 h. Pas de couvre-feu, on vous donne la clé. Bon niveau de confort.

♜ Le premier ***camping*** est à Strobl à quelques kilomètres de là, au bord du lac. Ravissant.

Prix modérés à prix moyens

♜ ***Haus Stadt Prag :*** Eglmoosgasse, 9. A 3 mn du centre. ☎ 23-616. Très central et particulièrement au calme. Grosse maison rose pâle avec balcon de bois fleuri (quelle originalité !). Le patron porte parfois des culottes de peau, ce qui lui donne du charme. Bon confort général, diamétralement opposé à la déco, particulièrement banale. Bonne adresse à prix plutôt doux. Échantillon de terrasse avec quelques tables.

♜ ***Gasthof Sandwirt :*** Eglmoosgasse, 4. ☎ 26-403. Accueil moyen mais l'ensemble constitue malgré tout un bon rapport confort-centralité-prix.

♜ ***Pension Baumgartner :*** Maxquellgasse, 26. ☎ 24-166. De l'autre côté de la gare, en traversant la rivière. Jolie pelouse en terrasse pour la bronzette. Grosse maison rose. Là encore, accueil moyen-moyen mais prix plutôt bas.

Très chic

♜ ***Hôtel Goldenes Schiff :*** Stifterkai, 3. ☎ 242-41 et 55-06. Fax : 42-41-58. Hôtel moderne, mais central et très plaisamment situé en bord de rivière, dans un coin calme. Chambres impeccables (moins chères en dehors de juillet-août-septembre). Bon resto. Agréable terrasse aux beaux jours surplombant la Traun. Menus à prix abordables. A la carte, plus cher. Réputé pour ses poissons : *Goldbarschfilet, Seeschollenfilet gebacken, Petersilienerdäpfel, Zanderfilet in feiner Dillrahmsauce,* etc.

Où manger ?

|●| ***Wirtshaus zum Blauen Enzian :*** Wirerstrasse, 2. ☎ 28-992. Ouvert tous les jours sauf le dimanche, midi et soir. Au fond d'un passage. Un quart de terrasse coincé entre un escalier et des maisons pour ce bar-resto moderne, apprécié des locaux. Large choix de pâtes, de salades et de plats mitonnés (*Ragout von der Gamskeule, Kärntner Reindl Rahmgeschnetzeltes*).

|●| On peut aussi manger chez ***Zauner,*** celui de l'Esplanade (voir texte ci-dessous « Où déguster... »).

Où déguster une bonne pâtisserie ?

– ***Zauner :*** Pfarrgasse, 7. ☎ 35-22. Ouverte de 8 h 30 à 18 h. Fermée le mardi en hiver. Extraordinaire pâtisserie. Les jours de grande forme, le chef arrive à sortir 100 gâteaux différents. Pour déguster, salles cossues et confortables où se serrent mamies vibrionnantes et familles épanouies. Presque une légende !

– S'il fait beau, allez plutôt au ***Zauner*** situé sur l'Esplanade, au bord de la rivière. Dans le cadre estival d'un pavillon agréable, avec terrasse. Les grandes spécialités, le *Zaunerstoller,* la *Kaiser Torte* (chocolat + crème caramel) et la *Haus Torte* (au nougat). Des dizaines d'autres gâteaux. Également des plats chauds et des salades.

A voir

★ ***Franz Lehár Villa :*** Lehár kai. ☎ 26-992. Ouvert tous les jours de début mai à fin septembre, de 9 h à 12 h et de 14 h à 17 h. Franz Lehár, auteur de la célèbre *Veuve joyeuse,* vint s'installer dans cette villa en 1912 et y travailla jusqu'en 1948 (année de sa mort). Franz Lehár devint de son vivant un monsieur très aisé grâce à sa musique. Toute la maison respire l'opulence. Beaucoup de meubles de styles très variés. En fait, la plupart des objets sont des cadeaux faits au compositeur par tous les pays où furent jouées ses œuvres. Pour la visite, on vous donne un feuillet en français qui vous aidera à déceler les œuvres les plus belles. Parmi le mobilier, les objets d'art et les nombreux souvenirs, on notera tout particulièrement les photos en noir et blanc dans le bureau (où il composa la plupart de ses opérettes) et le beau chandelier de Bohême. Dans la salle de réception, buffet offert par un grand théâtre et superbe piano Steinberg sur lequel les visiteurs qui savent jouer peuvent se dégourdir les doigts. Dans le buffet de sa chambre mortuaire, voir la *Madone bleue* absolument superbe dont il n'existe que 3 exemplaires (les deux autres sont à Londres et au Vatican). La visite plaira, assurément.

★ ***Kaiservilla :*** à 5 mn du centre. Ouverte de mi-avril à mi-octobre de 9 h à 12 h et de 13 h à 17 h. Visite guidée de 40 mn en allemand. Bien fléché. Entrée du parc payant. Supplément pour la visite de la villa. La résidence d'été de l'empereur dans un grand parc sur le versant du Jaizen. Style Biedermeier typique.
Cette bonne grosse villa cossue, classique et élégante à la fois, accueillait le couple impérial à la belle saison pour y couler une douce vie, ce qu'ils firent de nombreuses années.
On passe en revue quinze pièces, certaines un brin ennuyeuses. Entrée truffée de trophées de chasse. Toutes les bébêtes furent tuées par l'empereur *himself.* Salon de conférences, petite chapelle, salon rouge... Pas mal de choses un peu cul-cul comme cette salle d'attente avec son plafond fleuri, peint à la main. Commodes japonaises, commodes chinoises. Cabinet de travail de Sissi, série de gravures, buste de Sissi à 40 ans, tablette avec trèfles séchés incrustés... Cabinet de travail de François-Joseph où il déclara la guerre à la Serbie en 1914. Dans le couloir, encore des centaines de trophées. Dans la dernière pièce (la salle à manger), souvenirs personnels, masque mortuaire de Sissi, photos du Kaiser... Pas mal de curiosités, intéressant pour remettre le mythe de Sissi à sa juste place.

★ ***Le petit musée de la Photo :*** Marmorschloss (Kaiserpark). De la Kaiservilla, remonter un chemin bien indiqué. C'est à 5 mn. Ouvert tous les jours de début mai à fin octobre, de 9 h 30 à 17 h. Impressionnante collection d'appareils anciens, réunis ici par un amateur richissime. Feuillet d'explications disponible en français. Vraiment superbe. Photos anciennes, appareils vénérables sont exposés dans ce pavillon où Élisabeth aimait à recevoir ses amies.

★ ***Museum der Stadt Bad Ischl :*** Esplanade, 10. Entrée un peu chère. Ouvert tous les jours de 10 h à 17 h (le mercredi de 14 h à 19 h). Tout sur la région de Bad Ischl. Géographie, extraction du sel, moquettes, Sissi et son mari, section religieuse, costumes... Pas mal de choses mais aucune explication en anglais (encore moins en français).

A voir aux environs

★ ***La mine de sel de Bad Ischl*** (Salzbergwerk) : à 5 km du centre. Prendre la route de Graz puis, à 1 km, c'est indiqué sur la gauche. ☎ 239-48-31. Ouvert tous les jours de Pâques à octobre, de 9 h à 16 h 50. Entrée assez chère. Visite décevante comparativement avec celles de Hallein ou même de Hallstadt. Principe similaire, mais on passe trop de temps dans les galeries et explications minimales.

★ ***Museum Fahrzeug-Technik-Luftfhart :*** Sulzbach, 178. A 4 km du centre de Bad Ischl, sur la route B 145, en direction de Graz. Ouvert tous les jours de début avril à fin octobre, de 9 h à 18 h. Dans un grand hangar sont réunis vieux engins agricoles du début du siècle, vélos à moteur, vieux scooter, série de moteurs d'avion, voitures anciennes et une belle collection de motos des années 50 à 70. A l'extérieur, avions militaires. Surtout pour les passionnés.

HALLSTATT

IND. TÉL. : 06134

La perle du Salzkammergut, au bord de l'Hallstätter, ce qui entraîne bien évidemment le flux touristique ici plus qu'ailleurs. Le village se blottit autour du lac, tout serré contre lui-même. Certaines maisons semblent avoir été comme poussées à l'eau par celles situées derrière, elles-mêmes coincées contre la montagne. Elles se retrouvent ainsi sur des pilotis, ce qui leur va très bien du reste. Ruelles étroites, venelles tortueuses, passages, voûtes, le tout convergeant immanquablement vers une croquignolette placette. Un coup de cœur évidemment. Mais pour que vous n'ayez pas trop à partager le spectacle, comme pour St. Wolfgang, on conseille de venir plutôt vers la fin d'après-midi, quand les cars de touristes ont cédé du terrain. Alors on prend le temps de faire sa petite balade sur le lac, de visiter l'église et l'ossuaire, de se perdre dans les ruelles, de flâner tout simplement, en détaillant les différentes variétés de balcons ciselés. Il faut dormir ici pour se lever à potron-minet et recommencer les activités citées ci-dessus sous une autre lumière. Et puis, il y a tant de choses à découvrir aux environs...

L'ère d'Hallstatt

C'est ainsi qu'on appelle la toute première civilisation de l'âge de fer. En 1924, on met au jour une nécropole. Un peu plus de 20 ans plus tard, plus de 1 000 tombes avaient déjà été trouvées. Incroyable. Aujourd'hui, on en a recensé plus de 2 000, bien au-delà des frontières. On a trouvé des bijoux mais aussi des vases, des vasques, des tonnelets et des armes superbes. Certains objets venant même de la Méditerranée. Les fouilles furent si riches et les découvertes si importantes en quantité comme en qualité que le nom d'Hallstatt fut conservé pour qualifier toute une période de notre civilisation. Le musée de la ville abrite quelques-unes de ces merveilles. A ne pas manquer.

Adresses utiles

🛈 ***Office du tourisme :*** dans le centre. ☎ 82-08. Fax : 83-52. Ouvert du lundi au vendredi de 9 h à 18 h. Les samedi et dimanche de 10 h à 14 h. On y parle le français. Brochure sur tous les hébergements. Fort bien faite, comme d'habitude. Ils ne font pas de réservations mais pourront vous dire où il y a de la place. Infos sur toutes les balades des environs. Vente de topoguides.

✉ ***Poste :*** sous l'office du tourisme.

■ ***Distributeur d'argent :*** sous l'office du tourisme.

– ***La « Gästekarte » :*** il faut la demander à votre hôtel ou pension. Elle donne des réductions sur le prix d'entrée de nombreuses curiosités.

– ***Carte de parking gratuit :*** la demander à votre hôtel. Elle permet de se garer gratuitement dans tout le village.

Comment y aller ?

– ***En train :*** la ligne de chemin de fer du Salzkammergut passe par Hallstatt. Le train arrive de l'autre côté du lac, en face du village. Heureusement, nul besoin de traverser le plan d'eau à la nage, un bateau attend les voyageurs à chaque arrivée de train. Amusant de voyager par le train et d'arriver en bateau. En prime, vue extra sur le village.

– ***En voiture :*** en arrivant, se garer au parking à l'entrée du village. Payant. Si l'on dort dans le village, parking gratuit.

Où dormir ?

La brochure de l'office du tourisme passe en revue tous les hébergements du village.

Pas cher

⌂ ***Jugendherberge :*** Lahnstrasse, 50. ☎ 82-12. Fax : 82-79. Ouvert du 1er mai au 1er octobre. Coquette maison blanche à 10 mn du centre à pied et à 100 m du funiculaire qui grimpe au départ des mines de sel. Ouvert de 18 h à 21 h pour la réception. 55 lits en tout. Dortoirs de 3 à 15 lits. Draps non inclus. Deux types de petit déjeuner (petit ou gros), en supplément. Très propre et agréable. Bon accueil de la jeune responsable.

⌂ ***Gasthaus Zur Mühle Naturfreunde Herberge :*** Kirchenweg, 36. ☎ 83-18. Ouvert toute l'année. Fermé entre 14 h et 16 h 30. Ça a le goût d'une AJ, l'organisation d'une AJ, le prix d'une AJ, mais ça n'est pas vraiment une AJ. Étonnant de trouver en plein centre du village cet établissement chaleureux qui propose des lits très bon marché en dortoirs (impeccables) de 3 à 20 lits. Draps en supplément. Excellente qualité générale de l'endroit, surtout pour le prix. De plus, juste en dessous, les patrons tiennent un excellent resto-pizzeria italien (voir « Où manger ? »).

L'auberge de jeunesse d'Obertraun est bien triste et *blusy*. A éviter.

Haus Sarstein : ☎ 82-17. A 5 mn du centre et de l'église. Après avoir passé celle-ci, poursuivez l'unique route en surplomb de l'eau. C'est sur la droite. Dans un coin hyper calme puisque les touristes s'aventurent peu jusque-là. Un petit bijou de pension comme on les aime. 13 chambres en tout, la plupart sans douche ni toilettes mais avec balcon donnant directement sur le lac. Vue démente évidemment. Une pension modeste comme tout, familiale, tenue par une mamie souriante. Pas nickel-nickel certes, le tout est un peu vieillot, mais on aime bien cette adresse pour son atmosphère... et son prix particulièrement doux !

Gasthof Simony : Markt, 105. ☎ 82-31. Maison au bord du lac et en plein centre, proposant des chambres bon marché puisque certaines ne possèdent ni douche ni toilettes, mais une superbe vue sur le lac. Les plus fauchés seront donc à la noce. Plusieurs niveaux de confort en fonction du prix, mais attention, toutes n'ont pas la vue. Patronne aimable. Bon petit déjeuner.

Assez chic

Braügasthof : Seestrasse, 120. ☎ 221. Dans la rue principale. Belle auberge de charme, toute jaune, abondammont flourio, avoc terrasse devant l'eau. Jolies chambres tout confort en vieux bois, tout comme l'ensemble de l'établissement qui possède du caractère (vieux poêle dans la salle à manger). Avec ses 10 chambres seulement, c'est une bonne adresse qui a su, malgré son succès, conserver des prix tout à fait convenables et une excellente cuisine qu'on vous recommande chaudement.

CAMPING

Camping Plätz Höll : Lahnstrasse, 6. ☎ 83-22. A 5 mn du centre. Petit, correct (douche comprise) et confortable. Bon accueil et atmosphère familiale.

Où manger ?

Pizzeria Zur Mühle : Kirchenweg, 36. C'est le resto de la vraie-fausse AJ du village (voir « Où dormir ? »). Entièrement revêtu de bois, ce bout de resto sert une cuisine transalpine de bon niveau. Vraies pizzas maison (20 sortes), copieux plats de pâtes et quelques dérives culinaires autrichiennes, ce qui peut finalement paraître assez normal.

Restaurant Saitenspiel : Lahnstrasse, 41-42. ☎ 30-40. Ouvert tous les jours midi et soir. Sympathiquement décoré d'instruments de musique (normal, il y a un luthier à côté), de petits cadres et de quelques cravates. Ça change un peu de la traditionnelle taverne. Petite terrasse, musique jazzy ou apparentée, et cuisine autrichienne un peu allégée, ce qui lui va très bien. Soupes et salades aussi.

Un peu plus chic

Resto de l'hôtel Braügasthof : le resto est au niveau de l'hôtel (voir « Où dormir assez chic ? »). Une bien bonne adresse où les plats tyroliens sont traités avec intelligence. Excellent accueil qui plus est.

A voir

– Se promener dans les ruelles, tout simplement...

★ **L'église paroissiale :** ce n'est pas celle au centre du village, mais celle qui le surplombe. Toute petite, gothique, composée de deux nefs jointes et de deux chœurs côte à côte qui se tiennent chaud les soirs d'hiver. Deux retables intéressants également, mais le plus beau est celui de droite, du début du XVIe siècle, tout en bois, figurant la Sainte Vierge entourée de sainte Barbe, patronne des mineurs principalement (et de l'ennui accessoirement) et de sainte Catherine.

★ **L'ossuaire :** situé dans le cimetière, derrière l'église, dans la chapelle Saint-Michel. Entrée payante. Ouvert de 10 h à 18 h tous les jours. Étonnant et minuscule ossuaire où sont rassemblés plusieurs centaines de crânes. La coutume voulait qu'ici l'on déterre les morts lorsque le cimetière était trop plein, et l'on plaçait les crânes dans cet ossuaire. Mais ça n'était pas fait n'importe comment. Le nom du défunt était peint de manière calligraphique sur le sommet du crâne, accompagné de motifs floraux variés, ce qui donne à tous ces êtres des allures d'improbables César. Et l'artiste variait sans cesse son dessin, toujours réalisé avec délicatesse. En dessous, on a rangé les tibias. Le plus vieux crâne date de 1700 et le plus récent de... 1981. Et c'est une véritable leçon d'anatomie où l'on peut d'un seul coup d'œil observer toutes les formes de crânes que la nature a pu créer. Mais pour avoir le droit d'avoir sa tête en bonne place, il faut avoir déjà un bail d'au moins 15 ans passés au cimetière avant de postuler pour l'ossuaire. Les familles demandent l'autorisation et, quand elle est accordée, on ramasse les crânes tous les 10 ans environ. Autre contrainte, il faut être adulte et être originaire d'Hallstatt. Le peintre, quant à lui, doit également être du village. Une coutume originale, à tout le moins ! Vue extra du cimetière, avec la flèche de l'autre église qui dépasse et l'avalanche de toits de bois qui dévalent vers le lac.

★ ***La place centrale :*** adorable avec son entourage de maisons de poupées aux tons pastel (rose, jaune, vert, crème, bleu...) et sa fontaine centrale.

★ ***Prähistorisches Museum*** (musée Préhistorique) : en plein centre, dans l'édifice de la gendarmerie. ☎ 83-98. Ouvert de début mai à fin septembre, de 10 h à 18 h, tous les jours. En avril et octobre, de 10 h à 16 h. Entrée payante. Ticket combiné avec le Heimat Museum. Excellent musée régional où a été réuni tout le produit des fouilles concernant la région depuis la préhistoire. On a retrouvé par ici des milliers d'armes. On y découvre l'importance de la région sur le plan de l'évolution humaine puisque les chercheurs utilisent l'expression « ère d'Hallstatt » pour déterminer l'une des grandes périodes de l'histoire de l'humanité (voir texte en intro de la ville). L'importance d'Hallstatt se situe entre le néolithique et l'âge de bronze. Bijoux superbes, vasques de cuivre, ossements, série de trois jarres admirables du IVᵉ siècle avant J.-C., avec leur long bec... La vitrine n° 2 propose poteries, armes, fibules..., tandis que la n° 4 illustre la naissance de la civilisation d'Hallstatt. Les vitrines nᵒˢ 6, 7 et 8 montrent le produit des fouilles (2 000 tombes furent trouvées), tandis que la n° 12 nous raconte l'extraction du sel... Vraiment des pièces exceptionnelles pour un si petit musée.

★ ***Heimat Museum*** (musée régional) : à deux pas du Prähistorisches Museum, mêmes horaires et même ticket d'entrée. Petit musée sis dans une vénérable maison de pierre du XVᵉ siècle, avec contreforts et tourelle. Musée généraliste sur la géologie, les fossiles, l'habitat, les costumes, la serrurerie, etc. Plutôt bien fait et vient compléter utilement le musée précédent.

★ ***La mine de sel de Salzberg :*** ☎ 251. Ouvert de juin à mi-septembre tous les jours de 9 h 30 à 16 h (en mai et la 2ᵉ quinzaine de septembre jusqu'à 15 h). Elle est parmi les plus anciennes du monde qui soient toujours en activité. L'entrée est à 10 mn du centre, dans le quartier de Lahn. De là, on prend un funiculaire (fonctionne de 9 h à 18 h en saison). Même genre de visites que dans les autres mines mais il faut payer le funiculaire en plus. Balade en petit train, descente de toboggans miniers, excursion dans les galeries et explications historiques (en allemand et en anglais).

A faire

– ***Balades en bateau :*** promenade sur le lac plusieurs fois par jour vers la rive est, pas du tout desservie par la route. Quelques arrêts autour du lac.
Un bateau propose un grand tour du lac.
– ***Circuits de randonnées autour du lac :*** brochure et infos à l'office du tourisme. Les promeneurs seront à la fête. Le tour du lac prend environ 3 h. Le chemin débute à Obertraun.

A voir aux environs d'Hallstatt

Les hauteurs du village possèdent leur lot de curiosités, composé d'un vaste complexe de grottes accessibles aux visiteurs.

LES GROTTES DU DACHSTEIN

On y accède par le petit village d'Obertraun, situé à 2 km à l'est d'Hallstatt, en suivant les indications « Dachsteinhöhlen ». On gare son véhicule sur le parking (payant) du téléphérique (très cher) qu'on prend jusqu'à la 1ʳᵉ station (1 350 m). De là, possibilité

de visiter eux caves, la Eishöhle (grotte de glace) et la Mammuthöhle (cave du mammouth). Bien sûr, on peut visiter les deux, mais nous, éminemment sensibles à votre portefeuille, on vous conseille de ne visiter que la Eishöhle, qui possède les mêmes caractéristiques que sa voisine, avec en plus une partie prise dans les glaces. Pour ceux qui veulent à tout prix faire les deux, ticket combiné possible.
Découvert en 1910, ce réseau de grottes qui perfore la région couvre un circuit total de 80 km avec plus de 500 caves. Elles dateraient de plusieurs millions d'années (ça fait combien de zéros ça ?), et leur formation est due aux importants bouleversements techniques de l'ère tertiaire – date de la création des Alpes.

★ ***Eishöhle (la grotte des glaces) :*** vente des tickets à l'arrivée du téléphérique. Visites guidées régulières, de 9 h à 15 h 30 environ. Pour accéder à l'entrée de la grotte, petit chemin escarpé qui grimpe... qui grimpe. Quelques plantes assez rares sur le trajet (bien indiquées). Commentaire en allemand ou en anglais, parfois (rarement) en français. On rappelle qu'il fait un bon petit froid de canard dans les grottes (environ 1 °C), et qu'une petite laine est largement la bienvenue. On se promène sur 1 km dans les galeries naturelles de la roche qui s'étirent sur 3 km. Il faut pénétrer bien profondément dans la grotte pour atteindre la partie glacée. On se promène dans le réseau glaciaire en admirant les concrétions, les stalactites-mites, un petit lac gelé, des formations assez fantastiques avec passages, crevasses, trouées circulaires... Évidemment, on a trouvé des noms poétiques à souhait pour qualifier ces créations naturelles. On considère qu'à certains endroits la glace est épaisse de 25 m. La plus vieille glace daterait du XVe siècle, bien que les experts se soient longtemps chamaillés sur la question. En tout cas, une belle visite.

★ ***Mammuthöhle (la grotte du mammouth) :*** appelée ainsi à cause de sa taille. Avec ses 49 m de longueur, c'est sans doute la plus grande d'Autriche. Vente de tickets au même endroit que pour la précédente. De là, petit sentier jusqu'à l'entrée. On rappelle – pour ceux qui auraient omis de lire le passage plus haut – que la Eishöhle est plus intéressante. Car ici on ne voit que de la pierre. Évidemment, les dimensions de la grotte sont impressionnantes, mais c'est toujours un peu la même chose pendant 1 h. Explications en allemand et en anglais sur la formation, la recherche et la composition des grottes.

★ ***Museum :*** avant les petits chemins qui mènent aux différentes grottes, on peut visiter une cabane en bois transformée en petit musée (gratuit) dans lequel sont présentés les minéraux composant les grottes, les espèces qui y habitent (il n'y en a que 3) et un petit diaporama.

– Ceux qui le souhaitent pourront reprendre le téléphérique pour accéder à la 2e station, au sommet du ***Krippenstein*** (2 109 m). De là-haut, plusieurs circuits de randonnées et vue démente. On peut également poursuivre vers une 3e station, celle du ***Gjaidalm,*** située un peu plus bas (1 768 m).

★ ***Koppenbrüllerhöhle*** (grotte de Koppenbrüller) : pour accéder à celle-ci, redescendre à Obertraun et prendre direction Bad Aussee sur environ 3 km. Bien indiqué sur la gauche (parking sur la droite néanmoins). Encore un système de grotte mais qui cette fois laisse sourdre une rivière souterraine. Visites guidées toutes les heures, de 9 h à 16 h tous les jours, du 1er mai au 30 septembre. Beaucoup moins bien que la Eishöhle mais intéressante quand même. 800 m de balade en tout. Pour ceux qui ont encore des sous.

GMUNDEN — IND. TÉL. : 07612

A l'embouchure de la rivière Traum et au bord du lac Traumsee, c'est une grosse bourgade tranquille vivant par elle-même, et pas trop encombrée de touristes. Ce n'est pas la plus charmante étape du Salzkammergut, car Gmunden n'a pas le côté « appliqué » des autres villages. C'est avant tout une ville de cure, connue pour la pureté de son air. Belle esplanade bordant le lac.

Adresses utiles

- ***Office du tourisme :*** Am Graben, 2. ☎ 43-05. Ouvert du lundi au vendredi de 8 h à 18 h, et le week-end de 10 h à 18 h. Efficace et sympathique.
- ***Poste :*** Habertstrasse, 1.
- ***Banques :*** *Volksbank,* Am Graben, 7-9. Distributeur. Fait le change. *Volks Kreditbank,* Theatergasse, 5.

Comment y aller ?

– ***Postbus*** ou ***train*** de Salzbourg.

Où dormir ?

⌂ ***Frühstück Pension Pichler :*** Kössmühlgasse, 7. ☎ 22-11. Grosse bâtisse juste à l'embouchure de la rivière, à 100 m du pont en remontant la rive droite de la rivière. Dominant de sa lourde façade les eaux translucides de la Traum, cette pension-sauna accueille dans son atmosphère vieillotte les touristes aussi bien que les curistes. Chambres un peu ringardes mais spacieuses et tout confort (toilettes et douche), avec vue sur la rivière. Un curieux endroit un peu désuet, mais qui a l'avantage de proposer des prix modérés (petit déjeuner compris). Salon de massage et sauna disponible sur place. Petit bout de piscine au sous-sol, gratuite pour les clients.

⌂ ***Camping Schweizenhof :*** à environ 3 km en direction de Traunkirchen. ☎ 82-76. Ouvert tout l'été. Minusculement petit et accueil riquiqui. Remarquablement situé en revanche, au bord du lac. Douche payante.

Où manger ?

|●| ***Resto du Parkhotel :*** hôtel au bord du lac, que l'on gagne en suivant sa rive gauche (en regardant celui-ci). Sert midi et soir. Outre un cadre enchanteur (on mange en terrasse), avec la vue sur la montagne et le château, on y sert d'honnêtes préparations tyroliennes ainsi que de belles salades, et même des plats de pâtes. En face, de petits pontons permettent de faire d'agréables plongeons digestifs ou un plouf d'apéritif, au choix, s'il fait beau.

A voir

★ ***Toskanapark :*** agréable presqu'île dans la baie qui donne sa carte d'identité à la ville. Parc sauvage au centre duquel on trouve la *villa Toskana,* élégante bâtisse d'inspiration... toscane. Au bout d'un ponton de bois s'élève au milieu de l'eau un élégant *château,* très fameux au XIXe siècle. Rien à voir, mais balade sympa.

★ ***Kammerhofmuseum :*** sur l'esplanade, en plein centre. Ouvert le printemps et l'été du mardi au samedi de 10 h à 12 h et de 14 h à 17 h, et le dimanche matin. Aimable petit musée présentant des collections variées sur la ville, comme cette partie consacrée à Johann Nepomuk Salvator (un des Habsbourg), ou celle dédiée à Johann Orth qui acheta le château sur le lac. On y voit un peu d'art sacré, du mobilier, une belle série de bustes sculptés d'Heinrich Natter qui réalisa le célèbre *Zwingli* (qu'on peut voir à Zurich). Une salle Brahms rappelle que le compositeur venait souvent par ici.

★ L'esplanade permet d'admirer de belles façades, notamment celle de la ***Rathausplatz,*** de style Renaissance avec une pointe de baroque.

★ Dans l'***église*** paroissiale, belle *Adoration des mages,* groupe de bois sculpté. Superbe.

A faire

– ***Balade en bateau :*** sur le *Traumsee Schiffahrt,* un vieux bateau à aubes, le *Gisela,* un des plus vieux bateaux à aubes fonctionnant encore. Fait halte plusieurs fois autour des rives du lac. 8 trajets aller-retour par jour en tout. Certains arrêts s'effectuent sur des petits bouts de plage qui permettent la baignade (on peut reprendre un autre bateau plus tard).
– ***Promenade en pédalo ou bateau électrique :*** tranquille.
– Un ***tram du XIXe siècle*** propose un petit parcours. Départ de Franz-Josef Platz. Arrivée à la gare ferroviaire. Amusant pour les enfants.
– ***Gmunden Keramik :*** Keramik Strasse, 24. ☎ 54-410. La plus grande fabrique de céramique du pays. Assez jolie. On peut acheter (tout le temps) et visiter la fabrique (de temps en temps). Appeler pour infos car les visites ne sont pas régulières.

TRAUNKIRCHEN

IND. TÉL. : 07617

Sur la rive ouest du Traumsee, délicieux petit village, absolument adorable, qui se caractérise par son éperon rocheux surmonté d'une petite église. Amis de la tranquillité et des belles images, vous êtes arrivés.

Adresses utiles

Tourist Burö : dans le centre. Ouvert du lundi au vendredi de 8 h à 12 h et de 14 h à 17 h. Le samedi, de 10 h à 12 h. Pour les chambres chez l'habitant, ils sauront vous les indiquer.

■ **_Location de bateaux électriques :_** sur le port.

Où dormir ?

On a choisi de préférence les pensions au bord de l'eau.

Strand Camping : ☎ 22-81. Un peu au nord de Traunkirchen, entre la route et le lac. Parfait pour se baigner. Toute petite structure familiale.

See Pension Zimmermann : Traunk 23. ☎ 23-71. Belle grosse maison devant le lac. Vue extra. Pelouse devant pour les bains de soleil. Environnement top et prix plancher.

Frühstück Pension Reiter : Traunk 29. ☎ 22-98. Surplombant le lac, à 3 mn du centre. Bon confort général.

See Pension Hüthmayr : Traunk, 26. ☎ 23-53. Terrasse-ponton directement sur le lac. Agréable comme tout et vraiment pas cher. Sanitaires dans les chambres et petit déjeuner compris.

A voir. A faire

★ L'***église :*** surplombant le lac, posée sur son petit bout de rocher, elle fait beaucoup pour le charme de l'endroit. A l'intérieur, chaire baroque limite kitsch, où est évoquée la célèbre partie de pêche de Jésus où il fait se multiplier les poissons qui se battent pour avoir une place dans son filet.

– ***Baignade :*** sur le petit pont, un bassin fermé permet aux petits de se baigner sans danger. Les adultes, eux, font de la bronzette sur la pelouse.

– ***Balade :*** petit chemin qui fait le tour du promontoire et contourne l'église. Point de vue sur le lac.

LA HAUTE-AUTRICHE

Vous en avez déjà eu un bel aperçu si vous venez de traverser le Salzkammergut. En effet, la Haute-Autriche en possède une grande partie (St. Wolfgang, Bad Ischl, Hallstatt, etc.). Au nord du Land, vers le massif de Bohême, on trouve le Mühlviertel, un plateau faiblement vallonné, entrecoupé de forêts avec une vie rurale quasi intacte. Autour de Linz, sa capitale, s'étend une région industrielle dynamique. C'est vous dire que la Haute-Autriche offre des visages plutôt contrastés. Les adeptes du « hors des sentiers battus » seront d'ailleurs à l'aise dans ce Land ayant pour le moment su échapper aux nuisances du tourisme de masse. A propos, beaucoup d'étourdis oublient Linz. Quelle erreur, c'est l'une des plus sympathiques villes autrichiennes et elle propose un charmant centre historique.

LINZ

IND. TÉL. : 0732

Tiens, on en parlait justement. Principale ville industrielle d'Autriche, elle réussit cependant le miracle de contenir ses usines dans ses banlieues sud et est. De sa ravissante place centrale, on n'en voit même pas les fumées. D'ailleurs, le seul nuage dont on parle ici, c'est le *Nuage musical de Linz,* grande manifestation culturelle où, du monde entier, on vient écouter les symphonies de Bruckner. Enfin, ville universitaire, ville jeune, ville qui se découvre quasiment à pied... En prime, riche vie culturelle !

Adresses utiles

– ***Code postal :*** A 4010.

🛈 ***Office du tourisme*** *(plan B2)* : Hauptplatz, 34. ☎ 23-93. Fax : 27-28-73. Ouvert du 1er juin au 30 septembre de 8 h à 18 h (week-end et jours fériés, fermé entre 11 h 30 et 12 h 30). En basse saison, fermé le dimanche. Bien documenté. Belle brochure *Linz ville branchée.*

🛈 ***Landesverband für Tourismus in Oberösterreich :*** Schillerstrasse, 50. ☎ 60-02. Fax : 60-02-20. Office du tourisme pour tout le Land.

✉ ***Poste*** *(plan C4)* : Bahnhofplatz, 11. Près de la gare. Téléphone ouvert 24 h sur 24.

Gare : *(plan C4).* Bahnhofstrasse. Plusieurs trains quotidiens pour les principales villes autrichiennes et pour Prague (par Ceske Budějovice). Office du tourisme ouvert de 9 h à 12 h et de 13 h à 19 h ; dimanche de 14 h à 19 h (basse saison et le week-end, fermé 1 h plus tôt). Consigne. Location de vélos.

Terminal de bus : en face de la gare. Renseignements, *Bundesbahn :* ☎ 21-60. Pour les *Postbus* : ☎ 16-71.

Où dormir ?

Bon marché

Jugendherberge (A.J. ; *plan A3)* : Kapuzinerstrasse, 14. ☎ 78-27-20. Fax : 781-78-94. Assez centrale (à moins de 10 mn à pied du centre). Jolie petite maison jaune et fleurie. Vite remplie en été, vous vous en doutez.

Lentia (Landesjugendherberge ; *plan B1)* : Blütenstrasse, 23. ☎ 23-70-78. Ouverte toute l'année. Pour s'y rendre de la gare, tram n° 3 qui suit Hauptstrasse ; traverser le pont pour le quartier d'Urfahr. Descendre à la station Reindlstrasse. C'est la rue suivante, à droite. Espèce de grosse HLM de 15 étages sans charme et remplie de groupes et de scolaires. Téléphoner avant.

Jugendgästehaus (A.J.) : Stanglhofweg, 3. ☎ 66-44-34. Fax : 60-21-64. Ouverte toute l'année (sauf quelques jours à Noël). Un peu excentrée (mais pas trop). Pour s'y rendre, bus 27 de la Blumauerplatz (à droite de la gare). Descendre à Roseggerstrasse. Vous y êtes presque. 150 lits, principalement en chambres de deux ou quatre. Intéressant pour les couples à petit budget. Téléphoner avant pour savoir s'il y a de la place.

Camping : Wiener Bundesstrasse, 937 (Pichlinger See). ☎ 30-53-14. Au sud de la ville.

Wienerwald *(hors plan A3) :* Freinbergstrasse, 18. ☎ 77-78-81. Fax : 78-

46-73. Un des hôtels les moins chers de Linz. Bien pour ceux qui possèdent une voiture. A l'ouest de la ville. Pas trop excentré (2 km de la gare). Rue perpendiculaire à Mariahilfstrasse (prolongement de Klammestrasse). Longue bâtisse blanche avec toit de tuiles et agréable terrasse. Chambres correctes.

Goldenes Dachl *(plan B3)* : Hafnerstrasse, 27. ☎ 66-54-80. Assez central. A côté de la cathédrale. Tout petit hôtel sans charme particulier, mais pas cher. Chambres « basiques » mais acceptables (pas de petit déjeuner).

Wilder Mann : Goethestrasse, 14. ☎ 560-78. Chambres correctes. Pas loin de la gare, rue donnant dans Landstrasse.

Prix moyens à plus chic

Wolfinger *(plan B2)* : Hauptplatz, 19. ☎ 273-29-10. Fax : 273-291-55. Sur la superbe place principale, au cœur de l'animation. Bon accueil. On y parle le français. Ancien palais. Chambres disposées le long d'un atrium avec galerie sur voûte. Pas mal de charme. Joliment meublé.

Plus chic

Hôtel Drei Mohren *(plan B2)* : Promenade, 17. Très central. Quartier sympa. ☎ 77-26-26. Fax : 772-62-66. Accueille les touristes depuis 300 ans. Cadre rétro et Arts déco. Chambres confortables. Bel ameublement en acajou. Quelques doubles avec lavabo. Copieux buffet pour le petit déjeuner.

Où manger ?

Bon marché

Schloss Café *(plan A2-B2)* : Tummelplatz, 10. ☎ 28-15-74. C'est le snack du château. Ouvert seulement à midi. A articuler avec la visite du musée. Grande terrasse au calme très agréable. Plats simples, snacks et copieuses salades à prix modérés.

Klosterhof : Landstrasse, 30 (la rue commerçante de Linz). ☎ 77-33-73. Dans une grande cour-jardin ombragée. Ouvert jusqu'à minuit (mais la cuisine ferme à 22 h 30). Chouette animation les soirs d'été. Clientèle populaire de quartier. On va chercher sa nourriture soi-même. Délicieux hors-d'œuvre traditionnels, fromages blancs aux herbes ou au paprika, charcuteries, salades, quelques plats chauds genre rôti de porc ou poulet grillé. Addition extrêmement raisonnable. Pour arroser tout cela, de grand bocks de cette excellente Stiegl !

Linzer Stuben *(plan B2-3)* : Klammstrasse, 7. ☎ 77-90-28. A deux pas de la place principale. Ouvert à midi et le soir jusqu'à 23 h. D'octobre à mars, fermé le samedi. Resto intéressant à midi pour son plat du jour, soupe et salade très bon marché. De plus, dans un cadre plaisant et confortable. A la carte, prix encore raisonnables.

Wachauer Weinstube *(plan B-C2)* : Pfarrgasse, 20. ☎ 77-46-18. Ouvert à midi et le soir jusqu'à 23 h 30. Fermé le dimanche et les jours fériés (et le samedi en juillet-août). Ancienne taverne. Clientèle locale. Plats traditionnels pas chers du tout.

Prix moyens à plus chic

1 Akt *(plan B2-3)* : Klammstrasse, 20. ☎ 27-53-31. Ouvert de 17 h à 2 h. Fermé le samedi. Installé dans la cour d'un élégant ensemble baroque. Genre pub. Belles boiseries, décor un peu style années 30, atmosphère intime et tamisée. Clientèle chico-branchée. Aux beaux jours, très agréable terrasse autour d'une fontaine qui glougloute. Carte internationale : tagliatelle, *risotto gamberi,* jambon fumé et melon, viandes grillées, etc. Prix acceptables. Pas mal de monde. On y vient autant pour trinquer que pour manger.

Plus chic

Stadtwirt *(plan C3)* : Bismarckstrasse, 1. ☎ 77-31-65. Fax : 785-122-75. Situé à l'angle de Landstrasse. Central donc. Ouvert à midi et le soir jusqu'à 22 h 30. A la salle de restaurant traditionnelle, préférer le *Stadt Café* et son très plaisant *Biergarten.* Assez touristique, mais cuisine possédant une bonne réputation. Longue carte d'où l'on a sélectionné l'*Original Kalbswiener Schnitzerl mit Petersilienerdäpfel,* le *Tiroler Käsespätzle,* le *Tafelspitz mit Grammelschmarrn, Geröstete Knödel,* carpaccio, *Eierschwammergulasch,* etc. Finalement, pas si cher que la clientèle et le cadre ne l'indiquent.

Où boire un verre ? Où manger une bonne pâtisserie ?

Café Schmidt und Sunk (ex-Blatt ; plan B2-3) : Waltherstrasse, 15. Petite rue donnant dans Klammerstrasse, donc centrale. ☎ 27-93-19. Ouvert jusqu'à 1 h.

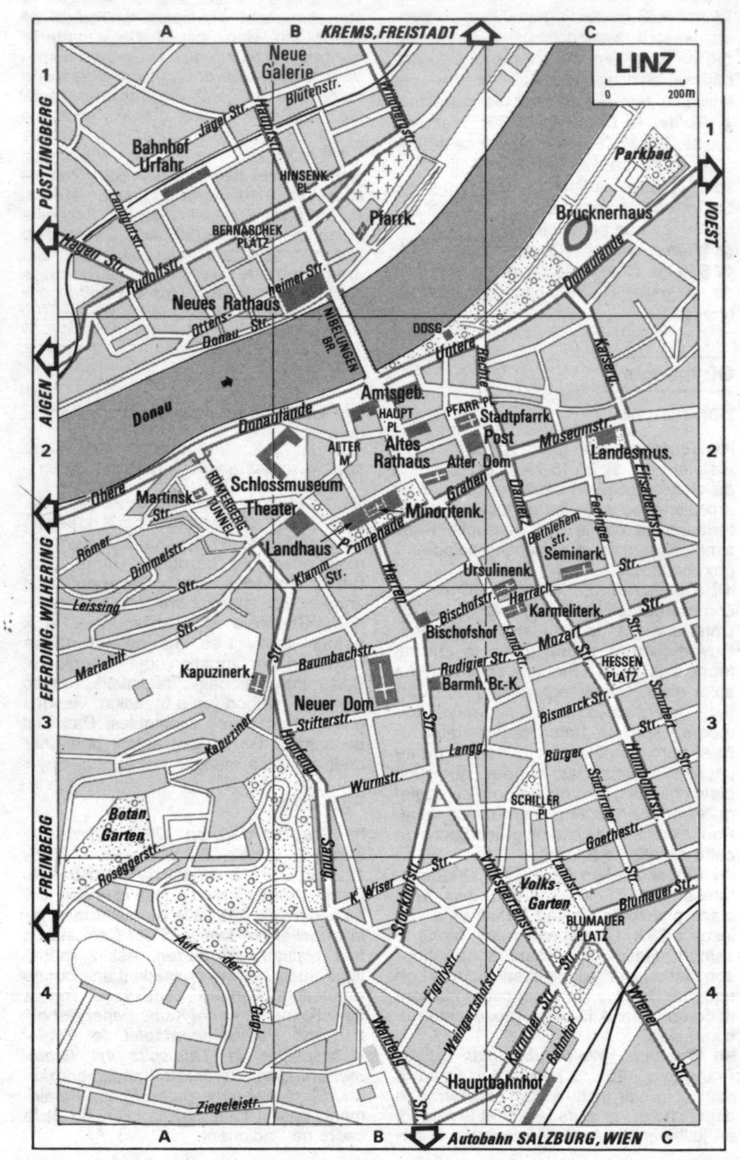

LINZ
0 200m
A
B
C
1
2
3
4
KREMS, FREISTADT
PÖSTLINGBERG
AIGEN
EFERDING, WILHERING
FREINBERG
VOEST
Autobahn SALZBURG, WIEN
Neue Galerie
Blütenstr.
Jäger Str.
Hauptstr.
Wildbergstr.
Bahnhof Urfahr
HINSENK.-PL.
Pfarrk.
Parkbad
Landgutstr.
BERNASCHEK PLATZ
Hagen Str.
Rudolfstr.
heimer Str.
Brucknerhaus
Donaulände
Neues Rathaus
Ottens-
Donau Str.
NIBELUNGEN BR.
DDSG
Untere
Rechte
Karlsg.
Donau
Amtsgeb.
Donaulände
HAUPT PL.
PFARR PL.
Stadtpfarrk.
Post
Museumstr.
Landesmus.
ALTER M.
Altes Rathaus
Alter Dom
Obere
Martinsk.
Str.
RÖMERBERG TUNNEL
Schlossmuseum
Theater
Graben
Minoritenk.
Dametz
Fadinger
Elisabethstr.
Promenade
Landhaus
Römer
Dimmelstr.
Bethlehem str.
Seminark.
Klamm Str.
Herren
Ursulinenk.
Str.
Str.
Leissing
Harrach
Bischofstr.
Karmeliterk.
Str.
Str.
Bischofshof
Landstr.
Mozart
Str.
Mariahilf
Str.
Baumbachstr.
Rudigier Str.
HESSEN PLATZ
Kapuzinerk.
Str.
Barmh. Br.-K.
Bismarck Str.
Schubert
Neuer Dom
Stifterstr.
Str.
Str.
Kapuziner
Hopfeng.
Langg.
Bürger
Humboldtstr.
Str.
Südtiroler
Wurmstr.
SCHILLER PL.
Botan. Garten
Sandg.
Goethestr.
Roseggerstr.
Str.
Volksgartenstr.
Str.
K. Wiser
Stockhofstr.
Volks-Garten
Landstr.
Blumauer Str.
BLUMAUER PLATZ
Str.
Auf der Gugl
Figulystr.
Weingartshofstr.
Kärntner Str.
Wiener Str.
Waldegg
Bahnhof
Str.
Hauptbahnhof
Ziegeleistr.

Clientèle jeune et étudiante. Murs couverts d'affiches et d'articles de cinéma. Excellente musique. Atmosphère assez intime et tamisée. Un peu plus loin, au n° 21, le ***Tü.*** Pas mal non plus.

🍷 ***Heuriger Zum Eselstall*** *(plan B2-3)* : Steingasse, 9. ☎ 27-92-93. Ouvert de 18 h à 2 h (sauf dimanche). Beaucoup de jeunes. Petit jardin derrière donnant sur la cathédrale. Possibilité de grignoter saucisses, assiette de jambon fumé, *Gulasch Suppe,* etc.

🍷 ***Jindrak*** *(plan B3)* : Herrenstrasse, 22. ☎ 77-92-58. Ouvert de 8 h à 18 h 30 (samedi, jusqu'à 18 h). Depuis 1929, café-pâtisserie assez populaire. On y trouve la fameuse spécialité de Linz, la *Linzertorte.* Belle présentation-cadeau pour offrir.

🍷 ***Café Traxlmayr*** *(plan B2)* : Promenade, 16. ☎ 27-33-53. Ouvert de 7 h 30 à 22 h. Fermé le dimanche. Grand café à la viennoise. Salle pour les joueurs d'échecs. Celle d'à côté plus conformiste. Grande terrasse, où, l'été, la jeunesse chic a ses habitudes.

A voir

★ ***Hauptplatz*** *(plan B2)* : le cœur de la ville. Superbe place tout en longueur. Au milieu, colonne de la Trinité édifiée en 1723 pour remercier le bon Dieu d'avoir évité à la ville la grande peste, les incendies et l'invasion turque (ça le méritait bien !). Bordée de jolies maisons et palais Renaissance et baroques. Notamment, l'***Altes Rathaus,*** ancien hôtel de ville, construit en 1514 et décoré de portraits de l'empereur Frédéric III, de deux anciens maires, d'Anton Bruckner et de l'astronome Kepler. Également, au n° 18, la ***Feichtinger Haus*** de 1686 (avec son pignon à carillon). L'office du tourisme occupe l'ancienne ***hôtellerie Stadt Frankfurt*** où descendait Beethoven.
Le samedi, marché aux puces, de 7 h à 14 h. Le soir, cette place se teinte de doux tons pastel et s'anime progressivement. Il y règne une atmosphère gaie quasi méditerranéenne. Vraiment, l'une de nos préférées en Autriche.

★ Balade dans le ***Triangle des Bermudes*** linzois *(plan B2),* un des centres de la vie nocturne. Parce que, après Vienne et Graz, il leur fallait bien le leur ! Treillis de ruelles avec ses petits bistrots, restos et terrasses au soleil. Quittons la Hauptplatz par *Hofgasse* bordée de palais du XVIIe siècle. Beau tir groupé de demeures baroques et rococo au carrefour Hofberg et Altstadt, notamment l'***Apothekerhaus.***
Au n° 10 de Altstadt, la ***Kremsmünsterer*** du XVe siècle (portail avec blason de l'archevêque). L'empereur Frédéric III y mourut en août 1493. Au n° 12, le marché ***(Waaghaus)*** de 1524. Au n° 17, belle cour à arcades. Siège du syndicat d'initiative.
Au 20 Klosterstrasse, la ***Mozarthaus*** (entrée au 17 Altstadt aussi) du XVIIe siècle. Mozart, hôte du comte du Thun, y composa la *Symphonie de Linz.*

★ ***Minoriten Kirche*** (église des Frères-Mineurs ; *plan B2*) : intégrée au Landhaus, date du XIIIe siècle, reconstruite au XVIe. Décoration intérieure rococo. Nef « ondoyante » avec effet de perspective. Chœur et chapelles en marbre rouge veiné du plus bel effet. Au maître-autel, tableau d'Altomonte et quatre autres présentant des œuvres de Kremser Schmidt.

★ ***Landhaus*** *(plan B2)* : siège du gouvernement provincial. Construit sur l'emplacement du couvent des Frères mineurs (dont il reste l'église) en 1564. Côté Klosterstrasse, magnifique porche Renaissance (1570), œuvre d'un artiste vénitien. A la fin du XVIIe siècle, l'édifice servit pour quelques années de collège protestant. L'astronome allemand J. Kepler y enseigna les mathématiques. Al'intérieur, élégante cour à arcades avec la fontaine des Planètes (de 1582). Concerts en été.

★ ***Schlossmuseum*** *(plan A-B2)* : Tummelplatz, 10. Ouvert de 9 h à 17 h ; le week-end et les jours fériés, de 10 h à 16 h. Fermé le lundi. Château construit par l'empereur Frédéric III en 1477, reconstruit au XVIIe siècle par Rodolphe II. Pour accéder au musée, plusieurs cours en enfilade. Très riches collections d'art et d'histoire, l'un des plus importants musées autrichiens. A la limite même, trop de choses à voir. Prévoir 2 h de visite. Très intéressantes expos temporaires. Sympathique cafétéria en terrasse.
– Au rez-de-chaussée : sections d'art grec et d'art médiéval. Belle *Vierge et anges musiciens* de 1520, *Saint Jérôme* de Rueland Frueauf et une pietà de Dijon (1430). Expos tournantes d'œuvres de Gustav Klimt, Egon Schiele. Dessins et aquarelles de Walter Kastner.
– Au premier étage : collections d'armes anciennes, étendards, uniformes. Affiche originale de la déclaration de guerre de l'Autriche à la Serbie (du 28 juillet 1914). Superbes armes médiévales. Vrais cottes de maille (tous les anneaux sont soudés). Fusils et mousquets incrustés d'ivoire. La *Crucifixion de Linz.* Pietà particulièrement expressive (de 1490), statuaire de bois polychrome, collection exceptionnelle de bas-reliefs. Orfèvrerie religieuse.

Petits maîtres flamands. *Schiffbruch* (le naufrage) de Bonaventura Peters. Grande salle pour les instruments de musique. Toiles de Paul Troger et B. Altomonte. Parcours jalonné de beaux portails en bois marqueté du XVe siècle.
– Au deuxième étage : dans l'escalier, lithos de Kokoschka. Peinture du XIXe siècle. *Intérieur* d'August von Pettenkofen, portraits de Johann Baptist Reiter, *Altegasse in Klosterneuburg* d'Egon Schiele. Salles avec objets d'art et beau mobilier. Portraits de Hans Makart. Flamboyant *Die Japanerin.* De Josef Danhauser, *Die Pfändung.* Un grand portraitiste : J.B. Reiter dont on peut admirer un autoportrait et *Porträt der Tochter Lexi.* Quand même pas mal de toiles très académiques, on peut presser le pas ! Salles des instruments de mesure. Pharmacie reconstituée. Étains, serrures, meubles, splendides poêles en faïence, céramique de Nuremberg du XVIe siècle. Pièces avec meubles peints. Fascinante section ethnographique : objets domestiques, battoirs de lavandières sculptés, croix de cimetière en fer forgé, imagerie religieuse, verrerie, céramique ancienne, etc.

★ ***Martinskirche*** *(plan A2) :* Römerstrasse. Simple et modeste curiosité : la plus vieille église d'Autriche. Édifiée au VIIe siècle avec des pierres romaines (on en retrouve dans les piliers). Sous Charlemagne, les espaces entre les arcades furent comblés (sur les murs, traces de fenêtres en plein cintre). Dans la première niche, fresque de 1440.

★ Reprise de l'itinéraire à la Hauptplatz, à partir de l'Altes Rathaus. Au n° 5 de la Rathausgasse, demeure de l'astronome allemand Johannes Kepler. Au n° 6, on aperçoit la cour à arcades de l'Altes Rathaus.
Sur Pfarrplatz s'élève la ***Stadtpfarrkirche,*** l'église paroissiale. Date de 1286, clocher de 1453, baroquisée en 1648. Anton Bruckner en fut l'organiste. Fresques du chœur et tableau de B. Altomonte.
Par la Domgasse, on parvient à la ***Jesuitenkirche*** du XVIIe siècle. Elle fut longtemps cathédrale (de 1785 à 1909).
La ***Landstrasse*** est la grande artère commerçante de Linz. Bordée par les anciens palais des abbayes de la région et de belles demeures baroques. Notamment au n° 12 avec porche à atlantes. Au n° 16, celui de l'***abbaye de Schlägl*** (de 1641), au n° 22, la ***Florianer Stiftshaus.*** Au n° 30, ***palais de Kremsmünster*** (aujourd'hui le resto Klosterhof). En face, l'***Ursulinenkirche*** et la ***Karmeliterkirche.***
La Bischofstrasse, enfin, mène à la nouvelle cathédrale ***(Neuer Dom),*** la plus grande église d'Autriche. Construite en 1862 en néo-gothique. Flèche de 134 m pour ne pas dépasser celle (à 136 m) de Saint-Étienne à Vienne ! Sur Bischofstrasse, le ***palais épiscopal*** (de 1721). Voir la porte en fer forgé de l'escalier.

A voir encore

★ ***Le musée de la Ville (Nordico) :*** Bethlehemstrasse, 7. ☎ 23-93-19. Ouvert de 10 h à 18 h. Fermé le lundi. Histoire de la ville. Découvertes archéologiques, peintures, etc.

★ ***Neue Galerie der Stadt :*** Blütenstrasse, 15, dans le quartier d'Urfahr. ☎ 23-93-36. Ouverte de 10 h à 18 h. Peinture autrichienne des XIXe et XXe siècles (Klimt, Kokoschka, Schiele, Makart, Egger-Lienz, Romako, Thöny, etc.). Expos temporaires.

★ ***Francisco Carolinum :*** Museumstrasse, 14. ☎ 77-44-82. Musée d'histoire naturelle. Ouvert de 9 h à 18 h (week-end et jours fériés à 10 h). Fermé le lundi.

Culture

– ***Animation culturelle :*** tout l'été. Concerts, théâtre, danse, musique sacrée. Demander le dépliant avec le programme à l'office du tourisme. Plus de 100 000 personnes assistent au *Klangwolke* dans le parc du Danube pendant le festival. Superbes lasers.
– ***Landeskulturzentrum Ursulinenhof*** *(plan C2-3) :* Landstrasse, 31. ☎ 78-19-12. Ancienne église transformée en centre culturel. Ouvert de 10 h à 19 h ; le dimanche de 10 h à 12 h.
– ***Festival international Bruckner :*** en septembre, dans la Brucknerhaus. Tout le monde est sur son nuage... Renseignements à l'office du tourisme.

Balades aux environs

★ ***Le Pöstlinberg :*** à environ 5 km, au nord-ouest de Linz. On y grimpe avec un petit funiculaire dont on dit qu'il est le plus raide du monde (pente de 10,5 %). En service depuis 1898. Tout en haut, sanctuaire baroque du XVIIIe siècle. Beau panorama. Pour les enfants, sur la colline aussi, la grotte des Fées. Visites en petit train-dragon pour le pays des contes et légendes.

★ ***Jardin botanique :*** Roseggerstrasse. Sur les pentes du Freinberg. Belle collection de cactées.

LE MÜHLVIERTEL

Au nord de Linz s'étend jusqu'à la frontière tchèque une région de collines, coteaux, doucement vallonnée. Patchwork de cultures, pâturages et forêts, entrecoupés de jolis villages. Architecture bien particulière des fermes (blanches tachetées de gris ou de noir). Région encore peu touristique, paisible à souhait, paradis des randonneurs et des cyclistes.

HELLMONDSÖDT

Sur la route de Zwettl.

★ ***Écomusée de Pelmberg (Freilicht Museum),*** installé dans une ancienne ferme. Ouvert de 10 h à 18 h. Fermé le lundi. ☎ (07215) 24-88. Intéressant aperçu de la vie paysanne d'il n'y a pas si longtemps.
Église du XVe siècle avec chapelle funéraire. Pilori du XVIe siècle.

WALDBURG

Peu avant d'arriver à Freistadt. Pour les trois beaux retables de l'église. Réalisés par l'atelier du Maître de Kefermarkt.

FREISTADT

Adorable petite cité médiévale encore dotée de son enceinte. On y entre par la *Böhmertor,* porte de ville de 1783 (on voit encore les deux longues fentes pour le pont-levis). Ruelle fleurie menant à la place principale, dominée par l'église Sainte-Catherine. Beau clocher à bulbe. Au 5, Böhmergasse, cour à arcades.
Rathaus de 1491. A côté, demeure avec élégant balcon d'angle en encorbellement. Détailler les maisons autour de la place, beaux porches ou arcades de granit. Château de 1363 avec haut donjon. Cour circulaire sur arcades avec galerie circulaire. Au milieu de juillet, 10 jours de festival de musique.

★ ***Musée régional (Heimathaus) :*** ☎ (07942) 22-74. Ouvert de 10 h à 14 h. Dimanche et jours fériés, visite guidée à 10 h. Fermé le lundi.

Où dormir ?

- ***Auberge de jeunesse :*** Schlosshof, 3. ☎ (07942) 43-65 ou 32-68. Ouverte toute l'année. Installée dans une vénérable demeure.
- ***Hôtel Goldener Adler :*** Salzgasse, 1. ☎ (07942) 25-56. Dans une demeure historique, chambres confortables.

– L'office du tourisme (place principale) a une liste des ***Privatzimmer*** et des ***pensions***.

KEFERMARKT

A 11 km au sud de Freistadt. L'***église St. Wolfgang*** propose l'un des plus beaux retables à volets d'Autriche. Sculpté en 1490 dans un tilleul. Véritable dentelle de bois, travail extraordinaire de ciselage. Sur 13 m de haut ! Au milieu, saint Wolfgang, entre saint Pierre et saint Christophe. Superbes drapés des vêtements, richesse des expressions.

HASLACH

Sur la route 38, à l'est de Freistadt. Village proposant un intéressant ***musée du Tissage (Webereimuseum),*** Kirchenplatz, 3 (place de l'Église). ☎ (07289) 715-93. Ouvert de 9 h à 12 h (sauf dimanche). Superbes métiers à tisser en bois sculpté.

★ Derrière l'église, lanterne des morts et un petit ossuaire avec crânes et tibias bien rangés. Son gros clocher isolé est un vestige des remparts. A l'intérieur de l'église, plafond avec arabesques, tribune de pierre gothique.

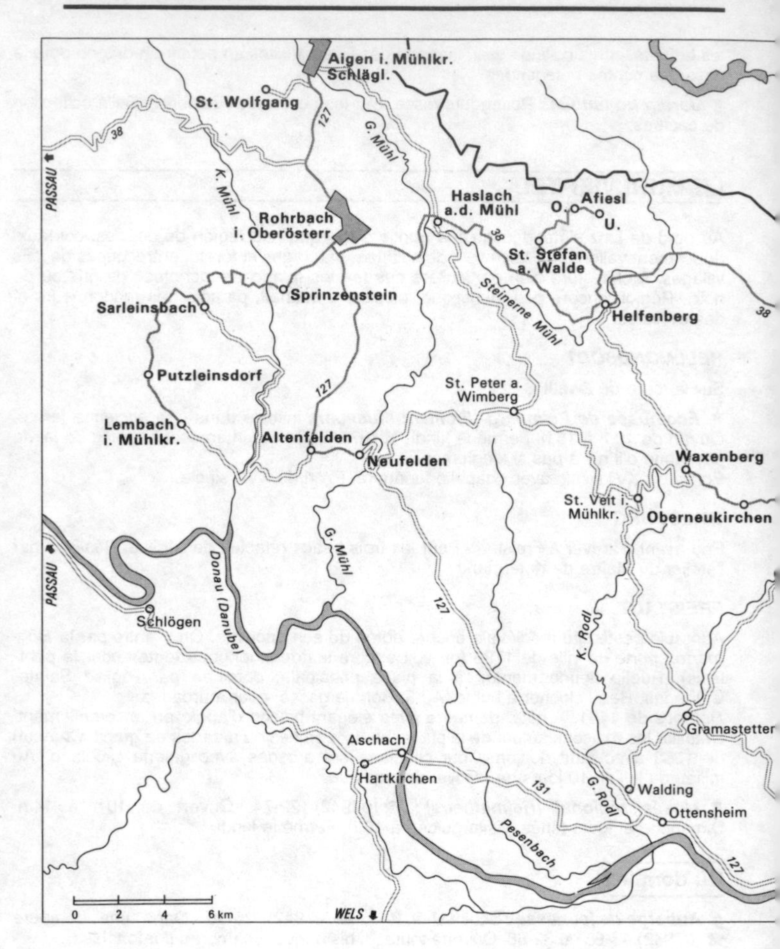

★ ***Musée régional (Heimathaus im Alten Turm) :*** abrité dans une ancienne tour des remparts. ☎ (07289) 721-73.

★ Enfin, le ***Kaufmannsmuseum,*** Windgasse, 17. Vieille épicerie reconstituée.

ROHRBACH

Gros bourg commerçant à côté de Haslach. Un certain charme. Ravissantes anciennes demeures dans la rue et la place principale. Rathaus du XVIe siècle. Église baroque présentant un orgue en bois doré sculpté richement ornementé. Fonts baptismaux baroques, dans la chapelle à droite du chœur.

🛈 ***Office du tourisme :*** dans le Rathaus. ☎ (07289) 81-88. Bien documenté et accueillant, mais littérature strictement en allemand.

🏠 ***Gasthof-pension Dorfner :*** Stadtplatz, 25. ☎ (07289) 332. Accueil sympa. Chambres avec lits peints. 300 FF environ pour deux (petit déjeuner compris). Resto correct. Terrasse fleurie aux beaux jours.

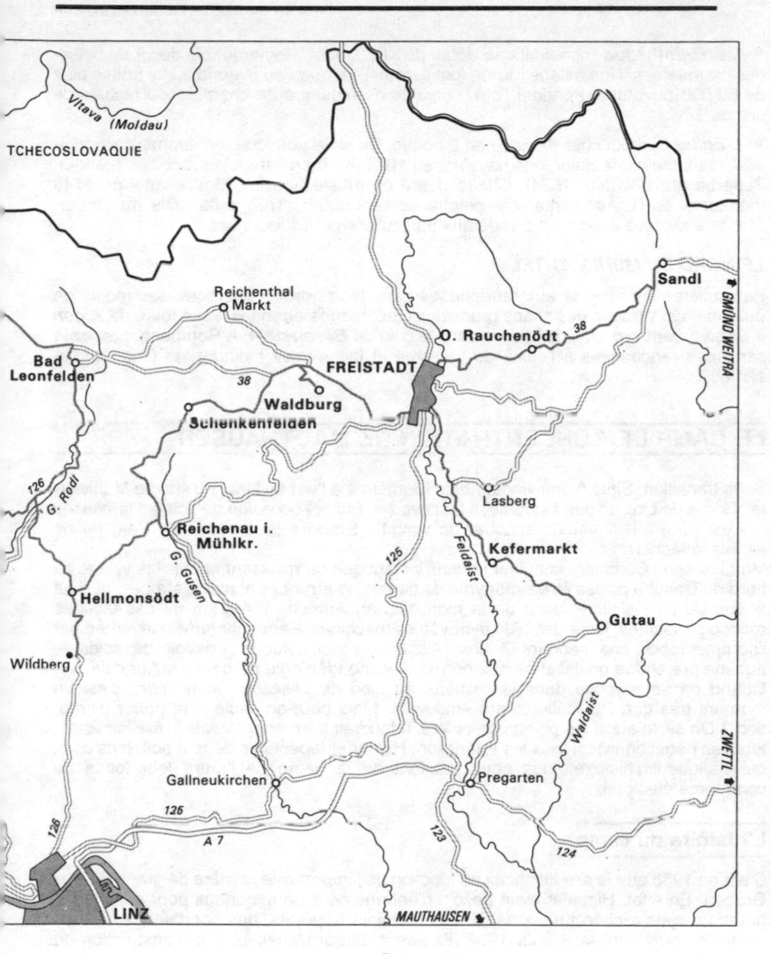

LE MÜHLVIERTEL

L'ABBAYE DE SCHLÄGL

A Aigen, à une dizaine de kilomètres au nord de Rohrbach. L'une des plus fascinantes du Land, d'une richesse absolument époustouflante. Fondée en 1218. Les bâtiments actuels datent du XVIIe siècle. Visite de la crypte, de la galerie de peinture, de l'église et de la bibliothèque.

★ ***La crypte :*** appelée improprement crypte. C'était en fait la salle du chapitre de l'abbaye romane, partie la plus ancienne (1250). Noter l'originale colonne au milieu, symbolisant Jésus-Christ, centre de toute abbaye.

★ ***La galerie de peinture :*** remarquable collection de primitifs religieux. *Triptyque de la Passion* du Meister des Morrison (1500). Un autre à volets, vraiment magnifique, du Meister von Linnich (1520), *Katharinenlegend* du début du XVIe siècle, ravissante *Madonna auf der Rosenbank* du Meister von Frankfurt (1505), puis le *Brixener Altärchen* (1484), etc.
Exposition des portraits des abbés, vieux parchemins, manuscrits, missels enluminés, partitions, une bible allemande de 1477. Certaines bibles sont des rares traductions de Luther. Orfèvrerie religieuse.

★ ***La bibliothèque :*** construite au début du XIXe siècle. Remarquable décor de boiseries marquetées. Une galerie tourne tout autour. Fresques au plafond. On y trouve plus de 60 000 ouvrages. Pendant l'été, concerts de musique de chambre ou récitals de piano.

★ ***L'église :*** un pur chef-d'œuvre du baroque. De style gothique, entièrement baroquisée à la suite d'une révolte de paysans en 1626 qui détruisit tout le mobilier intérieur. Superbe grand orgue (1634). Chaire due à un artiste tyrolien. Maître-autel de 1740 (peintures de B. Altomonte, *the* peintre de l'époque !). Très belle grille du chœur. Stalles sculptées avec motifs végétaux particulièrement foisonnants.

LE NORD DU MÜHLVIERTEL

Particulièrement propice aux randonnées dans les endroits sauvages des monts de Bohême. On y trouve des chaos granitiques aux formes étranges. Jolie route de ***Aigen*** à ***Schwarzenberg.*** Balades super dans le coin de ***Bärenstein.*** A Rohrbach, prenez la carte des randonnées à l'office du tourisme et faites-vous indiquer les plus intéressantes.

LE CAMP DE CONCENTRATION DE MAUTHAUSEN

Sans transition. Situé à une vingtaine de kilomètres à l'est de Linz, au sud du Mühlviertel. Sortie de Linz un peu flippante, il faut avouer. Enfin, l'occasion de voir les fameuses usines qui ont failli vous empêcher de venir !... Prendre la direction de Perg (et ne jamais la lâcher).
Mauthausen ! Comment imaginer un seul instant que ce ravissant et paisible village au bord du Danube puisse être synonyme de tant de souffrances et morts atroces, qu'il fut le lieu du plus sinistre camp de la mort nazi en Autriche ? A 4 km de ces façades rococo pimpantes, l'une des plus incroyables machines à anéantir jamais inventée par l'homme fonctionna pendant 7 ans. Aucune excuse, aucun « devoir de soldat », aucune prétendue obéissance aux ordres, aucune idéologie ne peut justifier cela.
Quand on se retrouve dans la carrière, au pied de l'escalier de la mort, c'est un moment très dur. Particulièrement émouvant. Mais peut-on seulement parler d'émotion ? On serre aussi les poings de colère. Il faudrait y amener tous les révisionnistes, tous les négationnistes, tous les Faurisson, Haider et lepénistes de tout poil, tous ceux qui trafiquent l'histoire, tous ceux qui font de la haine de l'autre leur fonds de commerce électoral...

L'histoire du camp

C'est en 1938 que le site fut choisi en fonction de l'importante carrière de granit Wiener Graben. En effet, Himmler avait besoin d'énormément de matériaux pour réaliser les grands projets architecturaux nazis. Les premiers déportés, des condamnés de droit commun, arrivèrent le 8 août 1938. Ils furent d'abord affectés à la construction du camp. D'autres vinrent par la suite et furent mis au travail à la carrière. Ils étaient des « asociaux » communistes, socialistes, tsiganes, que les nazis dénommaient *Volksschädlinge* (parasites du peuple). Entre août 1938 et le 5 mai 1945, il y en eut 206 000 à venir à Mauthausen. 110 000 y moururent (dont 8 203 Français). Si des milliers de déportés continuèrent d'aller à la carrière, beaucoup d'autres travaillaient dans les usines d'armement de la région. Mauthausen était le camp central. Plus d'une quarantaine d'installations secondaires en dépendaient, dont les industries souterraines de Melk, Gusen, d'Ebensee, etc. La mortalité était effrayante. En mai 1940, on construisit le premier four crématoire. Nous n'allons pas « détailler » ici toutes les atrocités commises à Mauthausen et communes aux autres camps de la mort nazis (privations, tortures, assassinats, chambres à gaz, expérimentations médicales, exécutions, et tant d'autres). Simplement, rappelons-en quelques-unes propres à Mauthausen. Ainsi, ceux qui travaillaient à la carrière étaient contraints de monter les 186 marches de l'escalier reliant la carrière au camp avec des blocs de pierre de plusieurs dizaines de kilos sur le dos. Le grand jeu des SS consistait à faire trébucher l'un des détenus qui, lâchant la pierre, entraînait une grande partie des autres dans sa chute, ce qui provoquait une bouillie effroyable d'hommes écrasés par l'avalanche de pierres. Des milliers de républicains espagnols laissèrent leur vie sur l'escalier de la mort. Une autre technique consistait à précipiter des groupes de détenus du haut de la falaise abrupte de la carrière, surtout les déportés juifs. Les SS l'avaient baptisée le « mur des parachutistes ». Cependant, malgré les incroyables conditions d'existence des détenus, un

certain nombre réussirent à se regrouper clandestinement en une « organisation internationale de résistance » (leur président était un Autrichien). L'une de leurs premières revendications victorieuses fut l'élimination des « droits communs » de leurs fonctions d'encadrement. Début 1945, il existait même à Mauthausen des unités militaires clandestines. Elles dirigèrent le 4 mai 1945, avant l'arrivée des troupes alliées, la libération du camp.
Sur Mauthausen, il est un ouvrage qui propose une démarche assez nouvelle. Plutôt que de raconter le camp, comme beaucoup d'autres livres, à travers les témoignages des survivants, s'attacher plutôt ici à écrire cette histoire du point de vue des gens qui vivaient à côté. C'est-à-dire les Autrichiens ordinaires, les citoyens lambda de Mauthausen et alentour. Que savaient-ils du camp ? Comment ont-ils réagi ? Parce qu'ils les voyaient bien passer, les colonnes de prisonniers faméliques... parce qu'il y eut bien des témoins directs des exactions. Et puis qui pouvait ignorer le poids économique du camp dans les revenus du village ? Un historien américain, Gordon J. Horwitz, a bâti son livre sur leurs réactions, leurs témoignages. Édifiant ! Il y eut ainsi beaucoup d'amnésie, d'indifférence, de passivité, d'égoïsme, voire de complicité. S'il y eut beaucoup de grandes lâchetés, cependant, il y eut aussi de grands actes de solidarité. Quelques familles autrichiennes cachèrent des détenus évadés, des gens généreux dissimulèrent de la nourriture au bord des routes...
A propos, lorsque des journalistes enquêtèrent au sujet du camp de Pithiviers en France (qui n'est donc pas qu'un gâteau !), ils tombèrent bizarrement sur la même amnésie, les regards fuyants, voire l'hostilité de certains habitants. Balayer devant sa porte, disions-nous !
A lire donc : *Mauthausen, ville d'Autriche : 1938-1945,* de Gordon J. Horwitz (éditions du Seuil). Ouvrage remarquable !

La visite du camp

Ouvert du 1er avril au 30 septembre de 8 h à 18 h ; du 1er février au 30 mars et du 1er octobre au 15 décembre de 8 h à 16 h. Fermé la dernière quinzaine de décembre. ☎ (07238) 22-69. Nous n'allons pas décrire la visite de façon exhaustive. Il vaut mieux acheter la brochure vendue à l'entrée et vraiment très complète. Voici cependant les temps forts :
★ ***Le camp :*** une grande partie a été conservée. Le mur d'enceinte, la porte d'entrée, les miradors en granit et un certain nombre de baraques d'habitation. ***Musée*** avec de nombreuses salles d'explication (malheureusement, tous les textes sont en allemand, d'où nécessité de la brochure).
★ ***Les monuments nationaux de commémoration :*** de part et d'autre de la voie menant au camp, à l'endroit des baraques des gardes SS, chaque pays a élevé des monuments pour rendre hommage à ses morts.
★ ***L'escalier de la mort et la carrière :*** suivre le chemin qui part à droite, au bout de la route du camp. A quelques centaines de mètres, on parvient aux 186 marches de la mort. Il est évident que cela ne se présentait pas dans cet état à l'époque. La plupart des marches n'étaient que de grossiers blocs de pierre, souvent de hauteur différente. Quant à la carrière, qu'ajouter de plus ? Le site parle de lui-même. A signaler qu'on peut y arriver directement par la route. Se garer au parking en face et effectuer le circuit dans l'autre sens si l'on veut.

A voir dans la région

ENNS

La plus ancienne cité d'Autriche. Important peuplement celte, puis gros camp romain, évêché chrétien au IVe siècle, colonie bavaroise. En 1212, Enns (à l'époque plus grande que Linz) fut la première ville autrichienne à recevoir (avant Vienne) la charte lui donnant un statut. Ville riche grâce au commerce du sel.

★ ***La Hauptplatz :*** bordée de vénérables demeures anciennes baroquisées. Beffroi haut de 55 m, datant de 1564 et présentant des traits gothiques et Renaissance.

★ ***Le musée de la Ville :*** dans l'ancien Rathaus (1547). ☎ (07223) 53-62. Ouvert de 10 h à 12 h et de 14 h à 16 h. Fermé le lundi.

★ ***Sainte-Marie-des-Neiges (Maria Schnee) :*** édifiée au XIIIe siècle, puis transformée en église de type halle à deux nefs. Présente une intéressante *Wallseer Kapelle.*

★ ***St. Laurenz Basilika :*** beau portail avec reliefs de bronze racontant la vie de saint Florian.

SANKT-FLORIAN

🛈 ***Office du tourisme :*** ☎ (07224) 89-55.

★ ***L'abbaye de Saint-Florian :*** à une vingtaine de kilomètres au sud-est de Linz. ☎ (07224) 89-02 et 50-40. Ouverte de 8 h à 12 h 30 et de 13 h 30 à 18 h. Saint Florian, l'un des saints les plus populaires du pays, martyr sous Dioclétien, est le patron de la Haute-Autriche et de Linz. Un monastère fut fondé au IXe siècle sur l'emplacement de sa sépulture, puis, deux siècles plus tard, une grande abbaye. Reconstruite au XVIIe siècle, c'est aujourd'hui l'un des plus beaux édifices baroques du pays.
Très longue façade ouest. Accès à la grande cour par un splendide portail sculpté. A l'intérieur, belle fontaine de l'Aigle du XVIIIe siècle. Remarquable envers du portail d'entrée. C'est un élégant escalier couvert, rythmé par des pilastres. Visites des appartements impériaux.
L'église abbatiale présente une belle façade encadrée de tours de 84 m de haut. Remarquable grille en fer forgé à l'entrée de la nef. Voûtes recouvertes de trompe-l'œil retombant sur de beaux décors en stuc. Chaire de marbre noir. Stalles richement sculptées.
Le grand orgue possède 7 343 tuyaux et un joli décor. Anton Bruckner en fut de nombreuses années le titulaire. Il repose dans la crypte de l'église.

★ A voir aussi, le ***Historisches Feuerwehrzeughaus*** (musée des Pompiers) : Stiftsstrasse, 2. ☎ (07224) 219. Ouvert de 9 h à 12 h et de 14 h à 16 h. Fermé le lundi.

STEYR IND. TÉL. : 07252

Située juste à la frontière de la Haute et Basse-Autriche, l'une des plus jolies villes que l'on connaisse. Bien qu'industrielle, Steyr a su conserver intact son charme de cité médiévale. La ville fit fortune avec le commerce du fer. Rien d'étonnant donc à ce qu'elle ait développé dès le XIIe siècle des fabriques de coutellerie et d'armes blanches. Au XIXe siècle, au moment de l'avènement de l'ère industrielle, Joseph Werndl créa une grosse usine d'armement. L'importance de la ville était telle que Steyr fut la première à bénéficier de l'électricité en 1884. A la mort de Werndl, l'usine devint la « Steyr-Daimler-Puch-Werke » et elle produisit entre les deux guerres tracteurs, camions, roulement à billes. Bien sûr, elle fut la cible des bombardements de 1944, mais la vieille ville échappa en partie aux destructions.
Aujourd'hui, les usines automobiles de Steyr emploient environ 10 000 personnes. L'intérêt de la ville réside dans cette fusion (rarement réussie) d'une cité médiévale homogène avec son présent moderne. Personnifiée ici par un très intéressant musée de l'histoire ouvrière de la ville.

– ***Code postal :*** A 4400.
🛈 ***Office du tourisme :*** Stadtplatz. ☎ 232-29. Ouvert de 8 h 30 à 18 h (samedi 16 h) ; dimanche et jours fériés, de 10 h à 15 h. Accueil sympa et bonne documentation sur la ville. Acheter leur joli plan avec les croquis des plus belles demeures.

Où dormir ? Où manger ?

🏠 ***Auberge de jeunesse :*** Hafnerstrasse, 14. ☎ 455-80. Ouverte toute l'année (sauf du 23 décembre au 8 janvier).
🍴 ***Das Tabor Restaurant :*** Tabor Weg, 7. Sur la colline du cimetière. ☎ 629-49. Fermé le mardi. Nourriture correcte, pas trop bon marché. Surtout pour une vue superbe sur la ville et la région, de la petite terrasse.
– ***Pensions*** et ***Gasthöfe*** à prix abordables, ainsi que pas mal de ***Privatzimmer*** disponibles. S'adresser à l'office du tourisme.

A voir

★ ***Stadtplatz :*** longue place de forme oblongue, bordée de rangées de ravissantes demeures gothiques, lui conférant une homogénéité et un charme assez exceptionnels. Une de nos places préférées en Autriche.
Voir en particulier la ***Bummerlhaus,*** au n° 32. Ouverte de 8 h à 12 h et de 14 h à 16 h (jeudi 17 h 30) ; le vendredi de 8 h à 14 h sans interruption. C'est la plus belle demeure gothique d'Autriche (1497). Façade absolument remarquable.
Au n° 27, le ***Rathaus***, édifié en 1778. Façade rococo et beau beffroi élancé. Sur le

même trottoir, la ***Marienkirche*** (église Sainte-Marie) de 1647. Ancienne église dominicaine. Riche intérieur baroque.
Peu après, à l'entrée de la place, s'élève l'église paroissiale ***(Stadtpfarrkirche)*** de 1443. Face à l'abside, la petite ***Mesnerhaus.***
Petit escalier menant à l'***Innerbergerstadel*** (de 1612), au 26, Grünmarkt. Belle maison Renaissance (ancien entrepôt à blé) abritant le ***musée local (Heimathaus) :*** arts et traditions populaires. Reconstitution d'une forge, collection de couteaux. A côté, la ***Neutor*** (porte de ville de 1573).
Retour à la Stadtplatz, pour admirer quelques cours intérieures intéressantes. Au n° 9, arcades de style Renaissance. Voir aussi les n°s 12 et 14. Sur le même trottoir que la Blummerhaus, on trouve la ***Sternhaus,*** élégante demeure bourgeoise de 1768. Au n° 39, à nouveau arcades Renaissance et sgrafittes.
– A l'entrée du pont, sur la Steyr, bel ensemble constitué par la ***Burgtor*** (porte de ville) et la ***Löwenapotheke.*** Au-dessus, le château ***(Schloss Lamberg),*** reconstruit au XVIIIe siècle.

★ Du pont, pittoresque vue sur le ***Bürgerspital*** (de 1302) et la ***Michaelerkirche.*** Les beaux soirs d'été, l'ensemble se teinte de tons éclatants et lumineux.

★ Passé le pont, emprunter la route du cimetière pour savourer encore quelques nobles demeures. D'abord, la ***Messererhaus*** de 1543, mais surtout le secret ***Dunkl Hof*** (au 16 Kirchengasse). Ravissante cour intérieure. Fraîcheur totale. Tout est moussu et couvert de lierre. Galerie à arcades avec colonnes Renaissance et fenêtres à meneaux.
Sur une petite place avec fontaine, la ***Lebzelterhaus*** de 1567, avec une exquise façade. Tout en haut, le ***Schnallentor,*** une autre porte de ville (1613).
Longer ensuite le cimetière jusqu'au restaurant *Tabor* d'où l'on jouit d'un panorama unique sur la ville. Escalier permettant de redescendre vers le pont.

★ ***Museum Industrielle Arbeitswelt :*** Wehrgrabengasse, 7. ☎ 673-51. Bien indiqué à l'entrée de la ville (venant de Linz). Ouvert de 10 h à 17 h. Fermé le lundi. Plutôt que de laisser les usines arrêtées devenir des friches industrielles, puis tomber en ruine, on a pensé à les réutiliser pour en faire un immense « musée de la mémoire ouvrière de la ville ». Superbes expos à thèmes (utilisant le dernier cri des techniques médiatiques et de vidéo). Par exemple, les luttes sociales, la consommation populaire, les conditions de travail, les métiers, l'évolution des machines, etc. Trois itinéraires de 15, 40 et 60 mn permettent de visiter les différents sites industriels. Humour et point de vue social ne sont jamais absents des textes de présentation (mais, bien entendu, comprendre l'allemand). Là aussi, un musée insolite et bien intéressant.

LA BASSE-AUTRICHE

La plus grande des provinces autrichiennes perdit Vienne en 1920, lorsque la ville devint un Land à lui tout seul. Étrangement, la Basse-Autriche se passa de capitale jusqu'aux années 80, lorsqu'un référendum consacra St. Pölten. La Basse-Autriche présente une grande variété de paysages. Au nord, le Waldviertel, vaste plateau vallonné recouvert de forêts. Plus à l'est, s'étend le Weinviertel, terre vinicole descendant en terrasses les derniers monts de Bohême. La Basse-Autriche produit 60 % du vin autrichien. Au milieu, la magnifique vallée du Danube, jalonnée de villes séduisantes. Entre Melk et Krems, s'étend la Wachau, vallée étroite du Danube, sa partie la plus romantique. Au sud, apparaissent les premiers contreforts alpins avec des sommets atteignant les 2 000 m, comme le Schneeberg, l'Ötscher et le Raxalpe. Sur le plan architectural, c'est une province particulièrement riche avec d'adorables petites cités médiévales, abbayes, églises pittoresques et châteaux.
Enfin, la Basse-Autriche s'enorgueillit d'être le berceau de l'Autriche. Les Romains en avaient fait la frontière de leur empire, comme en témoignent les vestiges de leurs villes : Lauriacum (Enns), Cetium (St. Pölten), Comagenae (Tulln), Vindobona (Vienne) et Carnuntum (Petronell). Charlemagne créa les Marches de l'Est (Ostmark ou Ostarichi), à l'origine d'Österreich (Autriche). Un document datant de 996 les mentionne pour la première fois. A son tour, la famille Babenberg en fit pendant 250 ans l'axe central de son comté, avant que les Habsbourg n'ancrent définitivement la région à leur empire.

La vallée du Danube

De Grein, petite cité de bateliers, à Krems, une merveilleuse balade sur les rives paisibles du Danube. Nombreuses pistes cyclables.

★ Avant d'arriver à Melk (sur la rive nord) vous trouverez, à 3 km du fleuve, la petite ***église de Maria Taferl,*** lieu de pèlerinage très populaire en Autriche.

★ De Klein-Pöchlarn on gagne, à 45 km, le ***château d'Artstetten,*** où est enterré l'archiduc François-Ferdinand, assassiné le 28 juin 1914 à Sarajevo avec son épouse. ***Musée*** sur la vie de l'archiduc et toute cette période historique. ☎ (07413) 83-02.

★ En face, rive sud, ***Pöchlarn***, bourgade qui brûla entièrement en 1766. On en profita pour reconstruire l'église paroissiale en style baroque. Dans le mur extérieur, quelques pierres romaines réutilisées dans la construction.
C'est à Pöchlarn que naquit le peintre Oskar Kokoschka. Pour les « kokoschkistes » (et ils sont nombreux) sa ***maison*** au 29 Regensburger Strasse. En été, expos temporaires de ses œuvres.

MELK

IND. TÉL. : 02752

Une belle petite ville (6 500 habitants) au bord du Danube, qui pourrait être le prototype idéal de la localité autrichienne de la Wachau.
Située rive sud, l'abbaye se révèle l'un des plus beaux exemples du baroque autrichien en pleine gloire. D'avoir choisi cet éperon rocheux pour la promotion de ce style ne fut assurément pas une mauvaise idée. Cela dit, les moines ont eu de tout temps bon goût pour se dénicher les meilleurs sites. Les Romains y édifièrent d'abord un fortin, auquel succéda, sous les Babenberg, un château. En 1106, Léopold III en fit cadeau aux moines qui le transformèrent en abbaye fortifiée. Le renom et l'influence de l'abbaye s'étendirent bientôt à toute la vallée du Danube. Durement éprouvée par les guerres, notamment contre les Turcs, elle dut être reconstruite totalement en 1702 en baroque triomphant. Napoléon y résida par deux fois (en 1805 et 1809) pendant ses campagnes autrichiennes. Aujourd'hui, Melk est l'un des sites les plus visités de la région. Avec de vraiment bonnes raisons...

Adresses utiles

– ***Code postal :*** A 3390.

Office du tourisme : Rathausplatz, 11. ☎ 23-07. Ouvert du lundi au vendredi, de 9 h à 12 h et de 13 h à 17 h. Le samedi, de 10 h à 14 h. Prospectus bien fait sur les pistes cyclables. Plan de Melk et liste des chambres chez l'habitant *(Privatzimmer)*.

Gare ferroviaire : Bahnhofstrasse. Renseignements : ☎ 23-21. Consigne à bagages, change et location de vélos. Bus place de la Gare.

Poste : Bahnhofstrasse, 3. Ouverte de 8 h à 12 h et de 14 h à 18 h ; samedi, de 8 h à 10 h.

Où dormir ? Où manger ?

Bon marché

Camping : sur la presqu'île baignée par les eaux du Danube, en face de l'abbaye. Traverser le pont prolongeant Kremser Strasse. ☎ 32-91.

Auberge de jeunesse *(plan C3,* ***1****) :* Abt Karlstrasse, 42. ☎ 26-81. Fax : 42-57. Ouverte du 1er mars au 31 octobre. Dans la rue partant de la Bahnhofstrasse. Pour l'AJ, tourner à droite. Environ 15 mn à pied du centre de Melk. Grande bâtisse blanche sans charme mais fonctionnelle. Ouvert de 8 h à 10 h et de 17 h à 21 h. Curieux système de réservation pour la journée. Si votre lit est déjà réservé, pas de problème. Sinon, si vous arrivez à l'auberge après 10 h, il faut mettre votre carte de membre dans une enveloppe, et glisser celle-ci dans l'une des deux boîtes attachées sur la porte à l'extérieur. Il y a une boîte pour les garçons et une pour les filles. Votre lit est alors automatiquement réservé pour la nuit suivante. Revenir le soir avant 21 h pour s'inscrire et prendre possession de son lit.

Gasthof Goldener Stern *(plan B1,* ***2****) :* Sterngasse, 17. ☎ 22-14. Fermé du 15 octobre au 15 novembre. Central, pas difficile à trouver car elle est dominée par la longue et belle silhouette de l'abbaye sur son rocher. Pas facile de se garer en été dans le coin. Une pension modeste, familiale, sans prétention mais propre et bien tenue. Les cyclistes sont ordinairement accueillis à bras ouverts. Salle de resto au rez-de-chaussée avec possibilité de prendre ses repas sur la petite terrasse ombragée au dehors. Cuisine copieuse d'un bon rapport qualité-prix. Chambres simples à prix doux. Pour ceux qui veulent dormir dans le centre de Melk.

Chambres chez l'habitant *(plan D1,* ***3****) :* Privatzimmer Aloisia Rupp, Kreuzackerstrasse, 20. ☎ 21-54. A l'écart du centre-ville, dans une rue tranquille au sein d'un quartier résidentiel. Des 3 adresses de Privatzimmer de la rue, c'est notre préférée. Il s'agit d'une maison fleurie entourée d'un jardin fort agréable. Froide au premier abord, la patronne se détend quand on commence à lui parler de sa région. Elle ne parle que l'allemand. Les chambres n'ont aucune décoration particulière mais elles sont propres et calmes. Demander la chambre « mit Blick zur Garten », avec vue sur le jardin. Au premier, c'est la plus sympa. Elle donne sur les arbres et sur une petite treille couverte de vigne. Petit déjeuner inclus.

Chambres chez l'habitant *(plan C2,* ***4****) :* Privatzimmer Karl Eckl, Abt Amand John Strasse, 3. ☎ 27-69. Dans un quartier résidentiel, une maison particulière entourée d'un petit jardin en pente douce et disposant d'une terrasse. Non loin de l'AJ. Simple et propre. Douche sur le palier.

Plus chic

Hôtel-restaurant Zur Post *(plan A2,* ***5****) :* Linzerstrasse, 1. ☎ 23-45. Fax : 23-45. En plein centre, une auberge de charme aux murs jaunes et aux fenêtres débordantes de fleurs. Fermé du 14 janvier au 25 février. Excellent accueil. Intérieur entièrement rénové. Chambres impeccables avec bains-w.-c., TV et vue sur l'abbaye (pour certaines) ou sur l'arrière. Petit déjeuner compris. Bon restaurant (plus chic aussi), et d'excellent rapport qualité-prix. Possibilité de prendre ses repas sur la terrasse.

AUX ENVIRONS

Privatzimmer Marianne Stumpfer : Pielach, 80. ☎ 357-53. Au village de Pielach, situé à 3 km à l'est de Melk. Pour y aller, on passe par le quartier de Spielberg (rien que par son nom, le célèbre cinéaste américain pourrait en être le citoyen d'honneur), puis tourner à gauche en arrivant à Pielach. C'est 100 m plus loin. Une maison récente, quelconque extérieurement, donnant à l'arrière sur de jolis bosquets d'arbres (pommiers, pins) et sur un jardin très agréable. Accueil chaleureux par une dame joviale qui ne parle que l'allemand. Intérieur impeccable et lumineux.

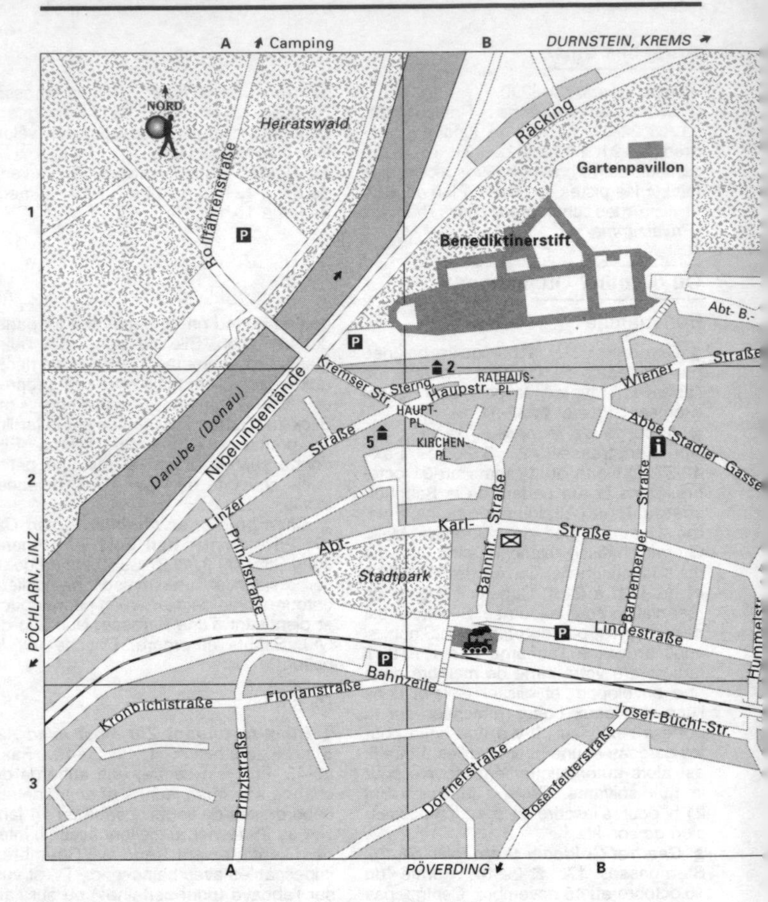

Chambres avec douche et w.-c. au 1er étage avec vue sur jardin. Au sous-sol : autres chambres (moins claires) avec vue aussi sur jardin et la salle de petit déjeuner, à côté, par laquelle on accède au jardin. Petite piscine ronde pour enfants. Adresse calme et sympathique, idéale pour couples motorisés avec enfants.

Ferme-auberge Kaltenbrunner : Pöverding, 11. ☎ 24-01. A 2 km au sud de Melk, entouré de bois et de champs, le petit village de Pöverding se cache dans le creux d'un vallon. Juste à droite en y arrivant, après une adorable et minuscule chapelle, on remarque cette grande ferme-auberge (en germanique, *Urlaub am Bauernhof*) organisée autour d'une cour intérieure fleurie. Un escalier en bois monte à une galerie reposant sur des arcades et desservant les chambres. Ronde et joviale, avec quelques mots d'anglais, la maîtresse des lieux reçoit gentiment ses hôtes, leur serre la poigne d'une manière franche et amicale, puis les installe dans des chambres chaleureuses et confortables (avec douche et w.-c). Il y a aussi un appartement avec 2 chambres contiguës pour loger un couple avec enfants. Adresse calme, propre, rustique. Possibilité de prendre ses repas à la demande. Balades à dos de poney pour les petits.

Ferme-auberge chez Élisabeth Luger : c'est marqué « Urlaub Familie Luger ». Pöverding, 8. ☎ 22-30. En entrant dans Pöverding, laisser la petite chapelle jaune à droite, continuer tout droit. C'est 100 m plus loin, sur la gauche. Grande ferme cossue entre l'orée de la forêt, les vergers de pommiers et les champs. La maison a été rénovée, la cour bétonnée, mais il reste une grange ancienne. Là aussi, accueil attentionné et cordial. La patronne baragouine quelques mots d'anglais. On

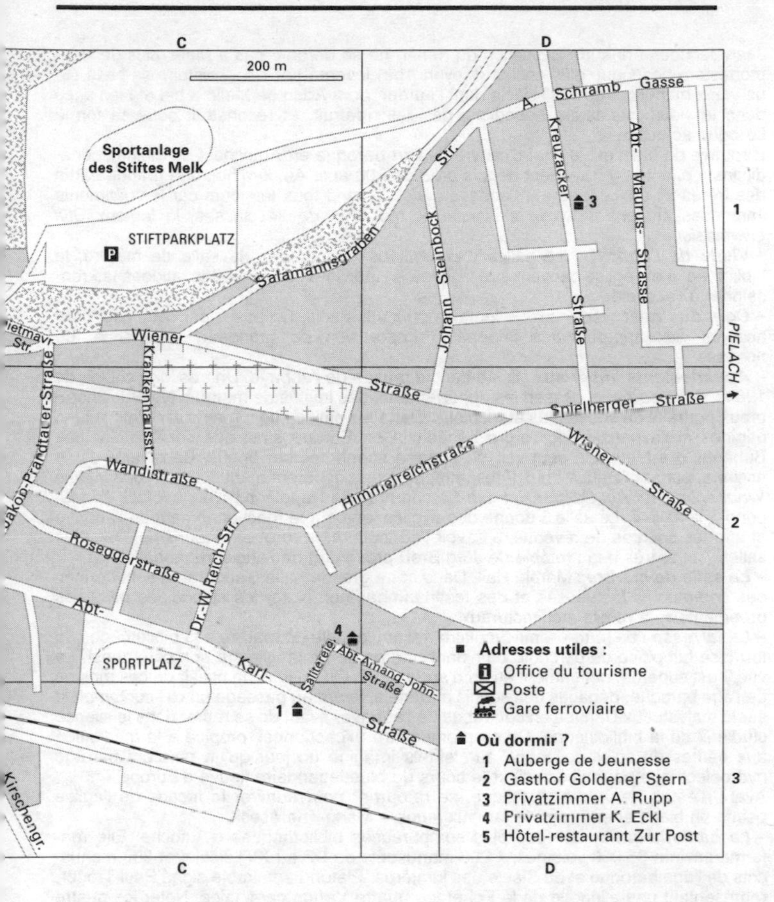

arrive toujours à se débrouiller. Chambres familiales et calmes. Elles donnent sur un petit jardin agrémenté d'une pelouse et d'un portique. Pas de repas du soir mais petit déjeuner copieux. Adresse un peu moins chère que sa voisine : compter environ 200 FF pour 2 personnes pour une nuit. Cela reste très raisonnable pour la qualité des lieux.

Auberge Heurigenschenke im Felsengartl : famille Radbauer, Emmersdorf, 49. ☎ 717-49. De Melk, traverser le Danube ; Emmersdorf est à 3 km au nord. Ouvert du 1er mai au 30 octobre tous les jours sauf le mardi, à partir de 16 h. Auberge de campagne avec jardin agréable en été. Prix sages. Bonne cuisine.

A voir

★ ***L'abbaye :*** Stift Melk. ☎ 23-12. Ouverte de Pâques à fin octobre, de 9 h à 12 h (jusqu'à 18 h de début mai à fin septembre). Vente du dernier billet 1 h avant la fermeture. Grand parking pour les voitures au sommet de la colline pour ceux qui viennent seulement pour la journée. Visites guidées.

« Arrivé au terme de ma vie de pécheur, tandis que chenu, vieilli comme le monde [...] désormais retenu par mon corps lourd et malade dans cette cellule de mon cher monastère de Melk, je m'apprête à laisser sur ce vélin témoignage des événements admirables et terribles auxquels dans ma jeunesse il me fut donné d'assister... » Ainsi commence *le Nom de la Rose,* le célèbre roman d'Umberto Eco (adapté au cinéma par

Jean-Jacques Annaud). Si l'action du roman ne se déroule pas à Melk mais dans un monastère beaucoup plus ancien (Moyen Age) inventé par Eco, l'histoire se base sur un vieux manuscrit du XIVe siècle dont l'auteur, dom Adso de Melk, a bel et bien vécu dans le vieux monastère bénédictin de Melk (détruit, et reconstruit sous sa forme baroque actuelle).
L'abbaye de Melk est le chef-d'œuvre de l'art baroque en Autriche. Les moines bénédictins y prient et y travaillent depuis près de 900 ans. Aujourd'hui, une grande partie des frères vit à l'extérieur de l'abbaye mais s'y rend tous les jours car les bâtiments immenses abritent un lycée classique et moderne de 24 classes, le fameux *Stift Gymnasium.*
– ***Visite de l'abbaye :*** les salles d'expositions temporaires, la salle de marbre, la bibliothèque et l'église peuvent être visitées en individuel ou en visites guidées (se renseigner à l'accueil).
– ***Cour du Prélat :*** remarquable fontaine du XVIIe siècle. On passe par cette cour pour accéder aux appartements impériaux. Impression de grandeur, d'élégance, de richesse.
– ***Appartements impériaux :*** ils abritent le musée de l'abbaye. Un très long couloir de 196 m, le *Kaisergang,* dessert les appartements des invités de marque. Noter les nombreux portraits de souverains autrichiens. Dans les salles : documents et objets sur les origines et l'expansion de l'ordre bénédictin en Europe ainsi que sur l'histoire des Babenberg à Melk. On peut voir un énorme sceau couleur brique, de la taille d'une assiette, portant l'aigle à deux têtes, attaché à un document manuscrit de 1603 intitulé *Wappenbrief für Abt Caspar Hofman.* La chambre de Napoléon Ier (encore lui !) correspond à la salle 4. La salle 5 donne des explications sur le fonctionnement de l'abbaye et sur ses sources de revenus, à savoir l'agriculture, la forêt et le tourisme. Dans les salles 7 et 9, très beau retable de Jörg Breu provenant de l'ancienne abbatiale.
– ***La salle de marbre :*** Marble Hall. Dans cette grande salle d'apparat étaient donnés des cérémonies fastueuses et des festins impériaux. Noter les splendides peintures ornementales à motifs architecturaux.
– ***La terrasse :*** de forme semi-circulaire, reliant la salle de marbre à la bibliothèque, la terrasse fait office de perchoir, dominant une partie de la ville sur son côté ouest. La vue y est superbe, notamment en fin d'après-midi. On imagine le plaisir de ces moines de l'âge baroque, dégagés des soucis matériels, jetant au passage un œil contemplatif sur le majestueux Danube en contrebas de l'abbaye, avant de se retirer dans le silence studieux de la bibliothèque. De ce promontoire exceptionnel, propice à la méditation aux heures du soleil couchant, auraient-ils imaginé un jour qu'un puissant barrage hydroélectrique pourrait canaliser le cours du plus légendaire fleuve d'Europe ?
Avant d'entrer dans la bibliothèque, se retourner pour admirer la façade de l'église peinte en blanc et en jaune, le fameux jaune « Marie-Thérèse ».
– ***La bibliothèque :*** l'une des plus somptueuses bibliothèques d'Autriche. Elle renferme environ 85 000 volumes, 1 200 manuscrits du IXe au XVe siècle, et 800 manuscrits de l'âge baroque et du Siècle des lumières. Plafond admirable signé Paul Troger, représentant une allégorie de la Foi et les quatre Vertus cardinales. Noter les quatre fausses portes dissimulant des fenêtres. Le globe terrestre, œuvre de Coronelli, date du XVIIe siècle (1670 exactement), époque où la terre n'a pas encore été totalement explorée. Il est intéressant de voir que l'Asie du Sud-Est (zone du monde alors très convoitée par les Européens en raison de ses îles aux épices et de la route maritime de Cathay, la Chine) est mieux représentée que la Californie. La péninsule de la Basse-Californie (Baja California, au Mexique) n'est même pas rattachée au continent américain ! Ce qui prouve qu'à l'époque on connaissait mieux les Moluques et les Célèbes que l'Ouest américain.
Dans les vitrines de la bibliothèque, sont exposés les manuscrits et incunables les plus intéressants. Un catalogue de 1766 montre la bibliothèque avec un des globes exposés.
– ***L'église :*** la *Stiftskirche* est le sommet de l'art baroque (religieux) en Autriche, et probablement en Europe. Difficile d'imaginer plus baroque, plus luxueux. Épousant le plan de l'église du Gesù à Rome, elle offre des proportions harmonieuses. Pourtant l'abondance de ses dorures, l'élégance excessive de sa décoration, mais surtout cette suite de mystérieuses loges à moitié fermées par des moucharabieh, lui donne une incroyable allure théâtrale.
C'est la plus clinquante église-spectacle que nous connaissions. Ici le décor est tellement chargé qu'il finit par triompher du sens biblique. La pompe extérieure de formes est en lutte permanente avec un fond religieux presque occulté. En voulant trop magnifier Dieu, ne finit-on pas par l'ensevelir sous des montagnes d'or qui le métamorphosent en idole païenne ? A trop voir en lui un roi (la preuve : cette horrible tiare du maître-autel), on finit par oublier l'humaine condition de ses messagers. N'est-ce

pas la tentation même du paganisme et de l'idolatrie ? Aucun endroit n'illustre autant le combat du fond et de la forme que cette église-théâtre et temple hors du commun. Deux explications possibles à tant de débauche artistique en un seul lieu : le désir des moines de l'époque de ne pas déplaire à l'empereur omnipuissant (et de droit divin) mais aussi leur volonté de réagir fermement au dépouillement du protestantisme et de la Réforme. C'est l'esprit même de la Contre-Réforme, mouvement d'idées hostile aux protestants et source de l'art baroque au XVIIe siècle.
Ce qui frappe d'abord dans cette église-spectacle, c'est cette haute coupole (65 m), et les peintures de Rottmayr. Ce dernier a réalisé les fresques de la nef, et une partie des tableaux des murs latéraux. Puis il y a ces dorures, si rutilantes, si brillantes, qu'on les dirait fraîchement réalisées. De l'or liquide partout ! Un jet continu d'or qui monte à l'assaut des colonnes, des murs et des plafonds.
Les autels latéraux de la nef et des loges d'apparat sont l'œuvre, comme par hasard, d'un décorateur de théâtre italien nommé Antonio Beduzzi. Curieusement, le culte des reliques n'a pas été oublié, comme si on pouvait trouver divin un vulgaire tas d'os. De sinistres squelettes et des ossements occupent l'intérieur des sarcophages dans les bas-côtés de la nef. On peut ainsi y voir les os de deux martyrs des catacombes romaines et ceux de saint Colman, un fils de roi irlandais (qui avait oublié sa bouteille de whisky à Dublin). Sur la route des croisades, il fut accusé d'espionnage, arrêté et pendu...
Enfin, le grand orgue est l'œuvre du facteur viennois Gottfreid Sonnholz.

★ ***Balade dans le village :*** charmantes rangées de vieilles demeures à toit à quatre pentes, à découvrir au fil des ruelles. Façades couleur pastel s'harmonisant joliment avec le jaune d'or de l'abbaye. Au n° 3, Linzergasse, pittoresque façade de l'ancienne poste ***(altes Posthaus).*** Motifs végétaux, personnages en médaillons, fronton avec aigle couronné. Il abrite aujourd'hui le ***Heimatmuseum.***
Église paroissiale gothique du XVe siècle. Intéressant calvaire. Cadre en bois sculpté style gothique fleuri.

Aux environs

★ Plusieurs châteaux dont celui de ***Schallaburg.*** Édifié en 1570 et de style Renaissance. Belle cour avec arcades à l'italienne. Possibilité de visite de mai à novembre. ☎ (02754) 63-17. Au nord de Melk, château de Schönbühel (ne se visite pas). Plus au nord, celui d'***Aggstein,*** ruine splendide sur un piton à 300 m au-dessus du Danube, à l'endroit le plus étroit du fleuve. Construit vers l'an 1100, à l'abandon depuis le XVIIe siècle. Ouvert d'avril à octobre. ☎ (02753) 82-28. Chouette balade pour parvenir au point de vue.

★ Au nord-ouest de Melk, jolie route jusqu'à ***Weiten,*** à une dizaine de kilomètres. L'église renferme de ravissants vitraux des XIVe et XVe siècles.

★ L'église de ***Mauer bei Melk*** propose un beau retable de 1520.

★ ***Maria Laach :*** village de montagne situé a une quinzaine de kilomètres au nord de Melk. La plus jolie route pour y aller passe par la vallée de Weiten. Avant Weiten, prendre à droite la route d'Haslarn et de Lotzendorf. Paysages de prés, de champs de maïs, de vergers, de forêts de sapins et de pins, entre 800 et 1 000 m d'altitude. Toute la région est intéressante à découvrir. Superbe vue au sommet du Javerling en passant par Oberndorf. A Maria Laach, il y a une banque, une poste, une cabine téléphonique, une épicerie, une station d'essence, quelques chambres chez l'habitant et de bonnes auberges (dont une citée dans notre rubrique « Où dormir ? Où manger, entre Dürnstein et Melk ? »). Bonne étape en été quand on souhaite prendre un bol d'air sans trop s'éloigner de la vallée du Danube.
En automne, couleurs superbes de la campagne.

★ ***Spitz an der Donau :*** charmant village rive nord. Église du XVe siècle. Autel baroque avec peinture de Kremser Schmidt et des apôtres sculptés du XIVe siècle. Au château d'Erlahof, petit *musée de la Navigation.*
Au bord de la route, la pittoresque église fortifiée (XXe siècle) de *St. Michael.* Sur le toit, figurines d'animaux. A l'intérieur, retable baroque joliment mis en valeur par la blancheur de l'église. Devant, un ossuaire du XIVe siècle.

★ ***Weissenkirchen in der Wachau :*** autre ravissant village apprécié des artistes. Église fortifiée. Remarquables demeures Renaissance. Entre autres, la Teisenhofer Hof qui présente une jolie cour. On y trouve le ***musée de la Wachau*** (ouvert en été de 10 h à 17 h, sauf le lundi).

DÜRNSTEIN

IND. TÉL. : 02711

Le Sarlat en miniature du Danube. Adorable village accroché à la montagne, au pied d'un château en ruine. Ses murailles courent toujours le long des pentes. La route a même le bon goût de passer sous le village pour ne pas déranger sa quiétude. Cité importante au Moyen Age. Richard Cœur de Lion y resta prisonnier près de deux ans pour s'être disputé avec le duc Léopold III lors de la troisième croisade. Pendant la campagne napoléonienne de 1805, elle fut témoin d'une sévère bataille entre troupes françaises et russes. En haute saison, Dürnstein se révèle inévitablement très touristique. Pour apprécier le charme de ses ruelles, s'y promener tôt le matin. Un vrai bonheur !

Adresses utiles

– ***Code postal :*** A 3601.

■ ***Office du tourisme :*** à l'entrée du village, au bord de la route nationale près des parkings. ☎ 219.

■ ***Banque Raiffeisenkasse :*** ouvert du lundi au vendredi de 8 h à 12 h et de 14 h à 16 h 30. Fermé le samedi. Petite maison fleurie, sur la gauche avant le porche d'entrée de la ville en venant des parkings extérieurs.

■ ***Distributeur automatique :*** *Kremser Bank*, Hauptstrasse, 31. Accepte la carte VISA.

Orientation

Le village est composé d'un gros bourg (Dürnstein) et de deux villages de vignerons : Oberloiben (à 800 m du bourg de Dürnstein) et Unterloiben (le premier village au bord du Danube, quand on vient de Krems). Unterloiben et Oberloiben, l'un à la suite de l'autre, sont situés entre le Danube et les collines, dans une sorte de plaine fertile couverte de champs de vigne. La route principale longe le fleuve mais évite les villages. A

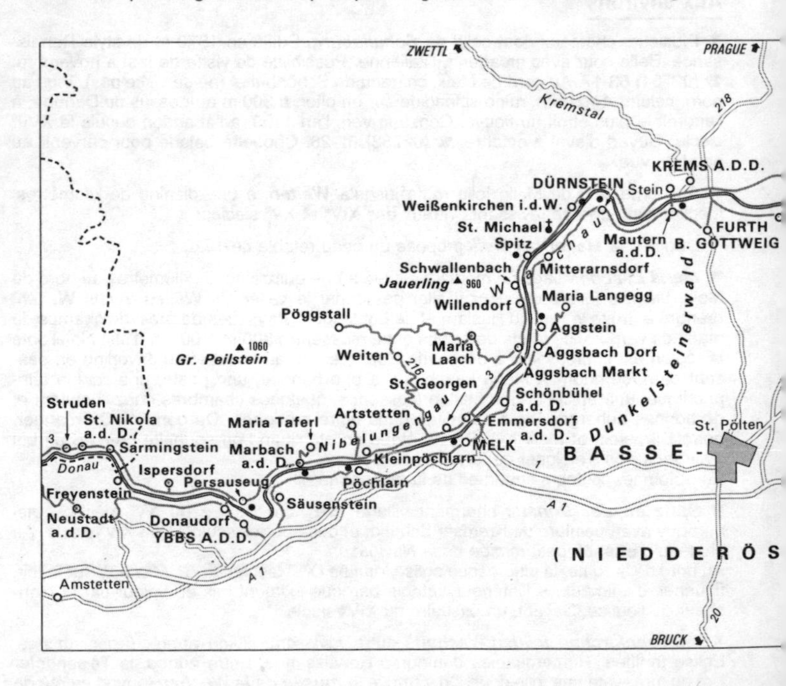

Dürnstein, la route passe dans un tunnel creusé sous la colline. Les voitures sont interdites. Il faut se garer dans un grand parking à l'entrée du village, près de la route nationale et d'un bureau de l'office du tourisme.

Où dormir ? Où manger ?

Peu d'adresses bon marché dans cette bourgade trop touristique, hormis quelques chambres chez l'habitant *(Privatzimmer)* où l'accueil est souvent moyen, en raison de l'afflux de visiteurs. Mieux vaut donc aller dormir à Krems, Melk, ou encore dans la campagne environnante. On trouve plusieurs chambres chez l'habitant et de petites auberges de campagne (des *Weingut* et des *Weinbau*) à Unterloiben et Oberloiben, sur la route de Krems.

A DÜRNSTEIN

Chic

☗ ***Gasthof Sänger Blondel :*** à l'intérieur de la ville. ☎ 253. Fax : 2537. Vieille auberge de charme située près de l'abbaye. Blondel est le nom du fidèle troubadour qui retrouva Richard Cœur de Lion dans une prison de Dürnstein. Son aimable silhouette est reproduite sur l'enseigne de la maison. Adorable cour intérieure fleurie et abondamment ombragée par des marronniers. De là, jolie vue sur le clocher bleu et blanc de l'église abbatiale. Chambres très confortables à partir de 460 SCH la nuit pour une personne. Il y a un restaurant réputé au rez-de-chaussée.

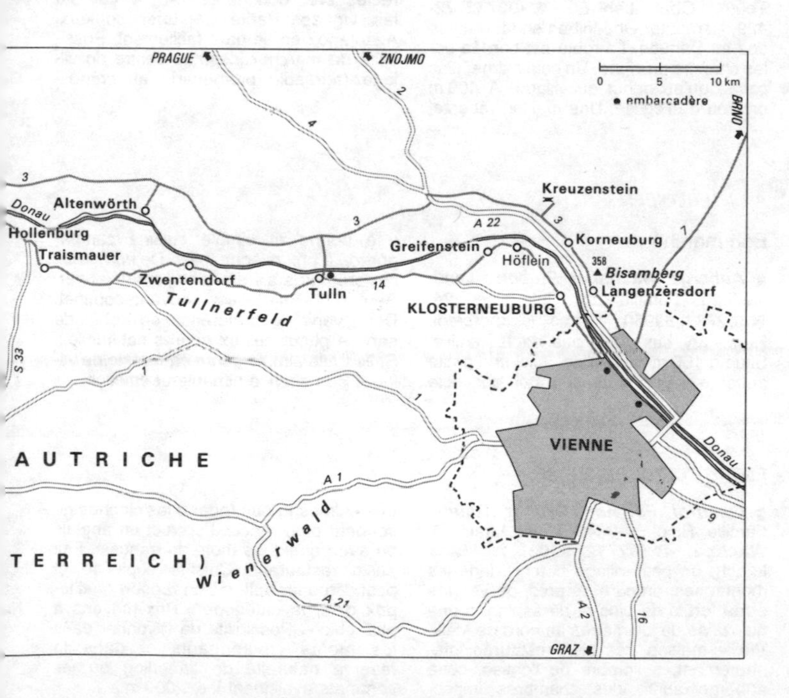

LA VALLÉE DU DANUBE (PARTIE EST)

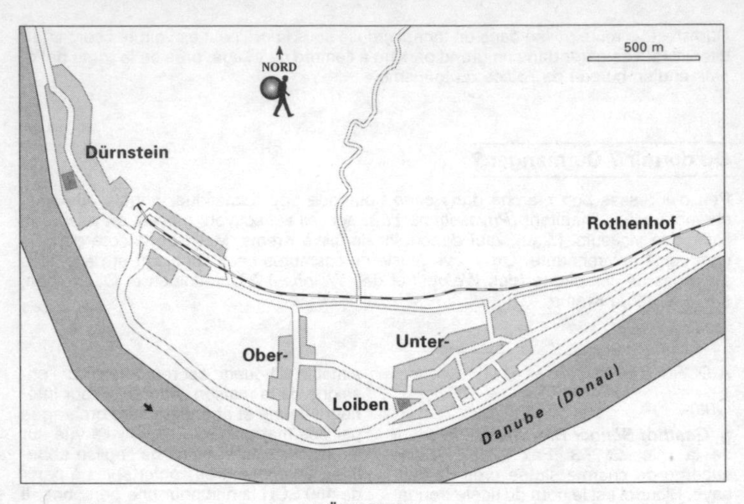

DÜRNSTEIN

A OBERLOIBEN

Bon marché

Gästehaus Elfriede : chez Elfriede Teufel, Oberloiben 50. ☎ (02732) 73-429. Remonter Oberloiben en tournant le dos au Danube. La route est bordée par les champs de vigne. Un coin calme, plus calme qu'au début du village. A 400 m environ de l'église. Une maison récente, fleurie, entourée d'un jardin. Déco intérieure froide et terne mais chambres correctes avec douche et w.-c., et vue sur les vignes. Petite déjeuner copieux. Avantage : on se gare facilement. Possibilité de marcher jusqu'au centre du village (agréable promenade au crépuscule).

A UNTERLOIBEN

Bon marché

Auberge Wachauer Stuben : Landgasthaus Familie Lux, Unterloiben 24. ☎ (02732) 89950. Fermé le mercredi. Non, Guy Lux n'est pas de la famille. Situé à 100 m de l'église, voici une petite auberge sans prétention qui concocte une bonne et simple cuisine campagnarde à prix raisonnables. De nombreux cycloroutards s'y arrêtent pour déjeuner. Seul problème, c'est souvent complet. Donc venir de préférence en début de service plutôt qu'aux heures habituelles. Salle toute simple genre café-resto de village. Bon service aimable et efficace.

ENTRE DÜRNSTEIN ET MELK

Gasthof Pension Grüner Baum : Familie Ringl, A-3643 Maria Laach 3, Wachau. ☎ (02712) 8303. A Maria Laach, un petit village perché dans les montagnes, entouré de prés, de vergers et de forêts de pins et de sapins, à une quinzaine de kilomètres au nord de Melk. Vieille maison très bien restaurée intérieurement, à l'ombre de l'église, cette auberge abrite des chambres impeccables, claires et spacieuses. Et, de plus, très calmes la nuit (quand les cloches ne sonnent pas). Accueil correct en anglais ou avec quelques mots de français. Fait aussi restaurant. Cuisine copieuse et petit déjeuner buffet. Bon rapport qualité-prix dans la catégorie « Prix moyens à plus chic ». Possibilité de rayonner dans les monts environnants et dans la réserve naturelle de Jauerling où les sommets avoisinent les 1 000 m.

A voir

★ ***Hauptstrasse :*** la rue principale. Bordée de vénérables demeures aux façades pimpantes. Au nº 4, la taverne Kuenringer avec un beau portail Renaissance. En face, le ***Rathaus*** de 1547.

★ ***L'abbaye des Augustins :*** ouvert tous les jours d'avril à octobre de 9 h à 18 h. *Stift Dürnstein* est une abbaye fondée en 1410. Reconstruite en 1710. Elle fut dissoute, comme beaucoup d'autres en son temps, par Joseph II. On est accueilli par une cour majestueuse ornée de cheminées-cadrans solaires. Monumental portail sculpté de l'église. Encadré par les quatre pères latins de l'Église : Augustin, Grégoire, Ambroise et Jérôme. Intérieur de l'église d'une grande richesse décorative. Voir les stalles et les bas-reliefs à la feuille d'or, le somptueux maître-autel (*Assomption* de Carl Haringer), rare tabernacle en forme de globe terrestre, les stucs aux teintes délicates, la frise d'angelots courant le long des voûtes. A droite du chœur, statue de saint Jean Népomucène. Noter le truc qui permet de faire judicieusement le pendant avec la chaire de l'autre côté. Dans la deuxième chapelle de droite, relique de saint Faustian dans une châsse. Au-dessus, la décollation de sainte Catherine. Quand, dos à l'autel, on regarde le fond de l'église, on a l'impression d'un décor de théâtre. D'ailleurs, le grand orgue est conçu comme un rideau de scène. Luxueux confessionnaux.
A droite de la nef, autour du cloître, on trouve dans la chapelle centrale un autel de Johann Schmidt avec une crèche. En face, *le Saint-Sépulcre* de A. Galli Bibiena.
Le clocher : probablement le plus élégant d'Autriche. Architecture d'une grande beauté plastique, alliance remarquable du décor sculpté et des couleurs, où chacun met harmonieusement l'autre en valeur.

KREMS

IND. TÉL. : 02732

Capitale vinicole de Basse-Autriche, voilà une ville moyenne (24 000 habitants) possédant un charme suave qui mérite le détour. Elle fut au XIIe siècle beaucoup plus importante que Vienne, drainant tout le commerce du Danube. A cette époque, les Babenberg y introduisirent le Kremser Pfennig, la toute première monnaie d'Autriche. Puis Vienne reprit le dessus ; invasions et guerres l'affaiblirent, le chemin de fer lui vola ses clients et le Danube se vida... Restent, aujourd'hui, toutes les belles demeures patriciennes, les hôtels particuliers, édifiés du temps de sa splendeur.
– Enfin, ne pas oublier que le Wachau et le Langenlois sont une grande région de production de vin. Il faut absolument goûter au *Grüner Veltliner.* Vous découvrirez ces *Heurigenschank* qui font penser aux sympathiques *Buschenschank* de la Toscane styrienne. L'occasion de déguster le bon vin du proprio, avec des charcuteries maison. Ne pas manquer aussi de manger du *Frischer Landkäse,* délicieux fromage frais.

Adresses utiles

– ***Code postal :*** A 35000.
Office du tourisme : Undstrasse, 6. ☎ 826-76. Fax : 700-11. Ouvert de 9 h à 18 h du lundi au vendredi, de 10 h à 12 h et de 13 h à 18 h les samedi et dimanche. Dans le prolongement de Schillerstrasse. Sur la rue allant à Stein. Bon matériel touristique, notamment une belle carte en couleur.
Terminal des bus : près de la gare. ☎ 822-55.
Gare : Bahnhofplatz. ☎ 825-36. Location de vélos.
Poste : Brandströmstrasse, 6.
Bank Austria : Oberelandstrasse 19. ☎ 884-0. Distributeur automatique acceptant la carte VISA. Changeur automatique fonctionnant 24 h sur 24.

Où dormir ?

Auberge de jeunesse : Ringstrasse, 77. ☎ 834-52. Ouverte d'avril à fin septembre. Maison individuelle avec un jardin derrière.
Camping : Donaustrasse. Près du port de plaisance. ☎ 844-55. Assez bruyant. Si vous le pouvez, choisissez d'aller dormir à celui de Rossatz.

Prix moyens

Gästehaus Aigner : Weinzierl, 49 u 53. ☎ et fax : 845-58. Une grande maison de vigneron, dans un quartier calme de vergers et de jardins, à la limite de la ville et de la campagne, non loin de l'hôpital *(Krankenhaus).* Pour y aller : du centre de Krems, sortie Wien par Ring

Wachau Strasse, passer la rivière Krems. Après le garage Shell (à droite de la route) surmonté d'un bonhomme Michelin blanc, prendre la 1re rue à droite en direction de l'hôpital. Passer sous le pont. Puis 2e rue à gauche (Hohensteinstrasse) et continuer tout droit sur 800 m environ. Bon accueil. Cour intérieure agréable. Facile de se garer. Chambres impeccables avec table pour écrire, TV et balcon de bois donnant sur un morceau de gazon. Très calme. Petit déjeuner inclus. Bonne adresse pour motorisés. Possibilité d'acheter du vin de la maison.

Prix moyens à plus chic

Gästehaus Anna Maria Rameis : Steiner Landstrasse 16. ☎ 851-69. Au tout début de la rue principale de Stein (bourg rattaché à Krems), sur le côté droit en venant de Krems. Une vieille maison fort bien restaurée et tenue par une très gentille dame. Les chambres donnent sur la rue ou sur l'arrière (plus calme) et sont décorées d'une façon soignée et féminine. Des couleurs bleues dominantes et des petits chocolats délicatement posés sur les oreillers. Un bon point, donc, pour cette maison d'hôte où l'accueil n'est pas un vain mot. Compter environ 550 à 650 SCH la nuit pour 2 personnes.

Hôtel-restaurant Alte Post *(plan A2 1) :* Obere Landstrasse 32. ☎ 822-76. Fax : 84-396. Dans la vieille ville de Krems, à 50 m de la porte de la cité *(Steinetor),* au début donc de la principale rue piétonne. Un ancien relais de poste de 1584 qui abrite aujourd'hui une chaleureuse auberge aux murs jaunes, avec des pots de fleurs aux fenêtres (comme en Alsace). A l'intérieur, très jolie cour aux arcades couvertes de vigne vierge et de glycine (taillée tous les ans !). Au 1er étage, sous la galerie à claire-voie, se trouvent les chambres, calmes, impeccables, bien équipées, mais sans charme particulier dans la décoration. En été, beaucoup de monde, donc mieux vaut réserver à l'avance. Les prix commencent à 560 SCH la nuit pour 2 personnes (environ 280 FF) dans une chambre avec toilettes à l'étage.

Où manger ?

Bon marché

Nordsee *(plan A2, **10**) :* à l'angle de Obereland et de Kirchengasse, sur la rue principale de la vieille ville. Enfin du poisson venu de la mer. Un grand bravo au fondateur de cette chaîne de *fast-foods* à l'autrichienne où l'on peut manger du poisson (harengs de la mer du Nord, saumons...) servi en morceaux sur des petits pains, et plein de bonnes choses simples et saines, présentées à la mode du pays, c'est-à-dire sur des petits canapés en pain de mie moelleux. Le genre de self-service qui fait la chasse aux graisses. Bien pour un repas rapide et vraiment pas cher.

Café Berger *(plan A2, **11**) :* Oberelandstrasse 8. ☎ 877-15. Ouvert de 7 h à 20 h, le samedi jusqu'à 19 h, le dimanche de 14 h à 19 h. Pas très original mais accueillant et chaleureux. Les soirs d'hiver, c'est de loin l'adresse la plus animée de la ville. Il y a une partie bar qui sépare deux petites salles sympathiques. Petite cuisine genre snack autrichien, suffisant pour petites faims. Vin au verre. Bières. Tables sur le trottoir en été.

Prix moyens

Gasthof Weinhaus Jell *(plan B1, **12**) :* Hoher Markt, 8-9. ☎ 823-45. Dans la vieille ville, sur une belle place patinée par le temps et l'histoire. La vieille auberge typique de carte postale avec de la vigne accrochée aux murs, et un intérieur rustique. Cuisine traditionnelle.

Restaurant Gozzoburg *(plan B1, **13**) :* Margaretenstrasse, 14. ☎ 852-47. Dans le vieux palais Gozzo, classé monument historique, juste au débouché de la place Hoher Markt. Un resto à prix sages malgré les apparences. Intérieur sans fioritures. Accueil dynamique de Bruno Bruckner qui parle plusieurs langues dont le français. Cuisine autrichienne fine et soignée. On peut manger au bar ou sur la terrasse extérieure surplombant la ville.

A voir

★ ***Le vieux centre :*** on y pénètre par la ***Steinertor,*** pittoresque porte de ville à clocher baroque, encadrée de tours râblées poivrières. Point de départ de la ***Obere Landstrasse,*** rue commerçante et animée, bordée de nobles demeures. Impossible de tout décrire. Au n° 8, belle façade baroque avec Vierge dans une niche ; au n° 10, maison de 1618 avec galerie et balcon à balustres. Au n° 4, le ***Rathaus*** du XVIe siècle. Élégant oriel (un petit bow-window, quoi !) avec Hercule terrassant le lion. En face, la ***Bürgerspital Kirche*** avec voûte en étoile et grille en fer forgé. Enfin, au n° 2, belle pharmacie

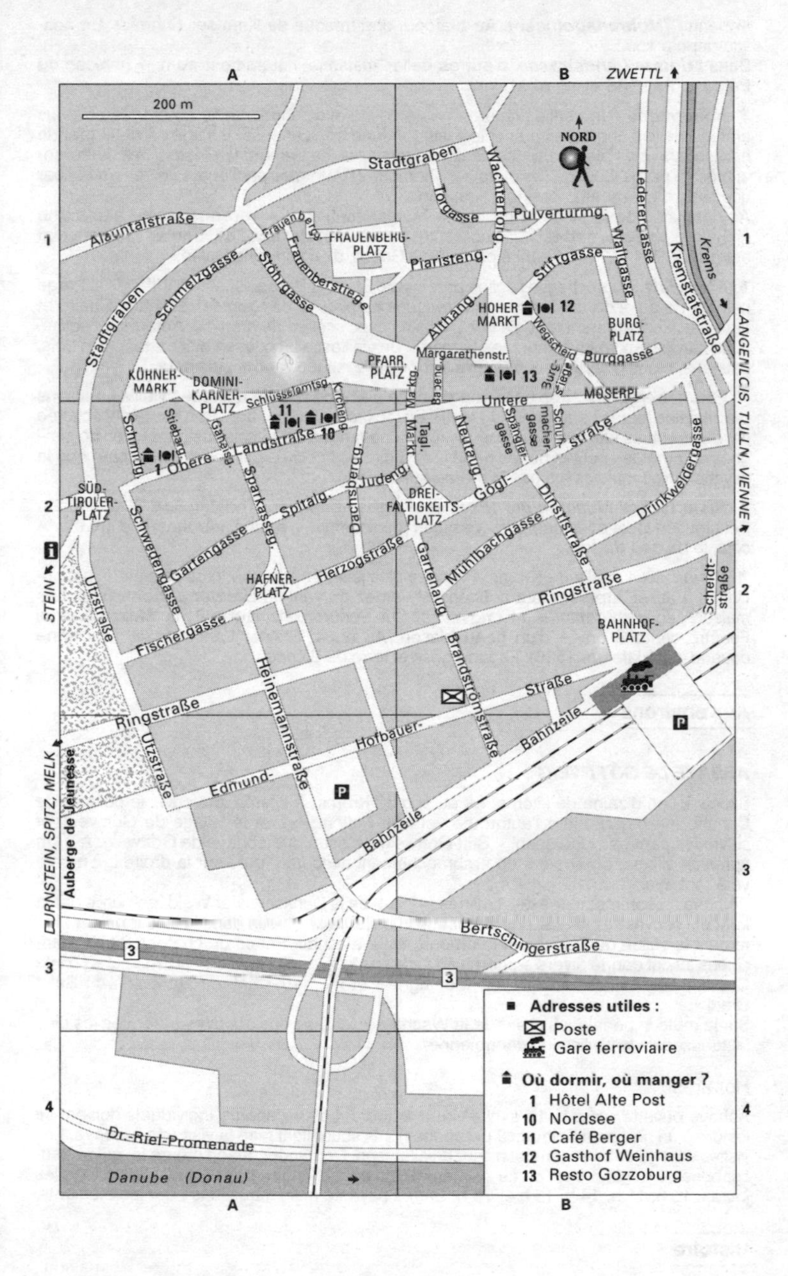
ZWETTL
200 m
NORD
Stadtgraben
Alauntalstraße
Schmelzgasse
Frauenbergg.
FRAUENBERG-PLATZ
Frauenberstiege
Stöhrgasse
Wachtertorg.
Torgasse
Pulverturmg.
Piaristeng.
Stiftgasse
Wattgasse
Lederergasse
Kremstalstraße
Krems
HOHER MARKT
12
Althang.
BURG-PLATZ
Burggasse
Wegscheid
Margarethenstr.
PFARR. PLATZ
13
MOSERPL.
KÖRNER-MARKT
DOMINI-KANER-PLATZ
Schlüsselamtsg.
Kircheng.
11
10
Untere
Obere Landstraße
Straße
1
Schmidg.
Stiebarg.
Gahatsg.
Sparkasseg.
Dachsberg.
Judeng.
Tagl. Markt
Neutaug.
Spänglergasse
Schuhmachergasse
Dinstlstraße
Drinkweldergasse
Gögl-
DREI-FALTIGKEITS-PLATZ
SÜD-TIROLER-PLATZ
Spitalg.
Gartengasse
Schwedengasse
Mühlbachgasse
Herzogstraße
Gartenaug.
HAFNER-PLATZ
Utzstraße
Fischergasse
Ringstraße
Scheidtstraße
BAHNHOF-PLATZ
Heinemannstraße
Brandströmstraße
Straße
Hofbauer-
Bahnzeile
Edmund-
STEIN
DÜRNSTEIN, SPITZ, MELK
Auberge de Jeunesse
LANGENLOIS, TULLN, VIENNE
Bertschingerstraße
3
Dr.-Riel-Promenade
Danube (Donau)
A
B
1
2
3
4
Adresses utiles :
Poste
Gare ferroviaire
Où dormir, où manger ?
1 Hôtel Alte Post
10 Nordsee
11 Café Berger
12 Gasthof Weinhaus
13 Resto Gozzoburg

KREMS

ancienne ***(Mohrenapotheke).*** Au plafond, une fresque de Kremser Schmidt. En activité depuis 1532.
Dans l'***Untere Landstrasse,*** d'autres belles maisons, notamment au n° 4 (maison du Pélican), au n° 38 et au n° 41.

★ ***Hohermarkt :*** une belle place en pente douce avec une fontaine ombragée par trois arbres. Vieilles demeures autrichiennes dont une très curieuse. Il s'agit de cette grande bâtisse aux murs blancs bordés de lignes roses, située derrière la *Gasthof Jell* (auberge) et près du palais Gozzo. Ses murs sont bombés et déformés par l'âge. Elle se termine par une sorte de terrasse couverte à l'italienne.
Au débouché de la place et de la rue Margarethenstrasse, reconnaissable à ses cinq arches, le *palais Gozzo* est sans conteste la plus vieille demeure de Krems : il fut construit entre 1350 et 1375 et fut habité par le juge Gozzo, d'où son style italien.

★ ***Pfarrplatz :*** où se dresse l'église paroissiale St. Veit. Baroquisée au XVIIe siècle. Large nef. Maître-autel de marbre rouge. Fresques au plafond de Kremser Schmidt. Chaire et tabernacle entièrement en bois doré. Stalles avec scènes de martyre. Autour de l'église, petit marché aux fruits et légumes le mardi. Un vieil escalier couvert aux marches en bois, patinées, mène directement à la Frauenbergplatz, située encore plus haut.

★ ***Frauenbergplatz :*** très belle vue de cette place bordée de quelques vieilles maisons provinciales réunies autour de l'église Piaristenkirche. A l'intérieur : très haute nef éclairée par des fenêtres sans vitraux. Dans le fond, une rangée de 15 confessionnaux en bois alignés comme des petites boîtes destinées à dire ses péchés (ça coûte moins cher que la psychanalyse mais ça n'a pas la même efficacité...).

★ ***Historisches Museum der Stadt et Weinbaumuseum :*** Theaterplatz, 8. ☎ 849-27. Petit musée local avec quelques vestiges préhistoriques, armes, ferronnerie d'art, etc. A côté, le ***musée du Vin.***

★ ***Stein :*** ville jumelle de Krems. Presque plus jolie. En tout cas, plus paisible et provinciale. Là aussi, arpenter tout doucement, le nez au vent, la ***Steiner Landstrasse.*** Les maisons sont charmantes et originales. Sur Schürerplatz, au n° 8, la ***Mazzettihaus.*** Fenêtre centrale ornée d'un beau blason. Au n° 84, Steiner Landstrasse, l'ancienne douane impériale (de 1536). Façade grise et terre de Sienne.

Aux environs

ABBAYE DE GÖTTWEIG

Située à une dizaine de kilomètres au sud de Krems. A Krems, traverser le pont sur le Danube, ne pas prendre l'autoroute vers St. Polten. Passer le village de Göttweig, et suivre les panneaux indiquant « Stift Göttweig » c'est-à-dire abbaye de Göttweig. A 3 km après ce village, on arrive à un embranchement avec une route sur la droite qui monte vers l'abbaye.
Perchée au sommet d'une des collines (425 m) de la Dunkelsteiner Wald, entourée par la forêt qui couvre ses flancs, une silhouette imposante se dresse dans le ciel, dominant fièrement la vallée du Danube et les monts de la Wachau. Est-ce un château ? Les Autrichiens lui ont donné divers surnoms au fil de l'histoire : « Escorial autrichien », le « Monte Cassino de l'Autriche », « Sainte Montagne » et même « Château autrichien du Saint Graal ».
Sur la route impériale, au cœur de la Wachau, voici l'une des abbayes baroques les plus fastueuses de la civilisation danubienne.

Horaires

Abbaye ouverte entre le 1er avril et le 31 octobre. Les voyageurs individuels doivent se joindre à un groupe (minimum 8 personnes) s'ils souhaitent faire la visite de l'abbaye. Les visites sont guidées et généralement en allemand. Demander quand même un guide francophone ou anglophone, on ne sait jamais, ça peut changer. Les visites ont lieu tous les jours à 10 h, 11 h, 14 h, 15 h et 16 h. Entrée payante mais réductions pour les étudiants.

Histoire

Étrange destinée que celle de cette abbaye. A travers son histoire particulière se dessine l'histoire de l'Autriche, faite de splendeur et de drames, de lumière et d'obscurité. Tout a commencé par un modeste évêque, barbu et chevelu, nommé Altman de Passau. Il fonda

un petit couvent à l'écart du bruit du monde, sur une colline sauvage naguère vénérée par les Romains. Neuf ans plus tard, des bénédictins de la Forêt-Noire (Saint-Blasien) prennent en main la maison, adoptent de nouvelles règles et réforment la vie monastique. L'élan est donné.
Au Moyen Age, Göttweig devient un centre spirituel et intellectuel de premier ordre. L'abbaye est fortifiée pour se protéger des invasions turques, magnifiée pour défier l'austérité de la Réforme et rappeler sa fidélité à Rome. Agrandie, embellie, fréquentée par le « best of » des moines savants de l'époque, la communauté réunit des scientifiques, des musiciens, des botanistes, et même des explorateurs de grottes et un prêtre des cavernes ! Göttweig atteint son apogée au XVIIIe siècle sous l'impulsion de son père abbé, Gottfreid Bessel. A la fois homme d'Église, savant, diplomate et mécène, il est surnommé le « Mabillon allemand ». Sous son impulsion, l'abbaye prend sa forme actuelle : une église au milieu d'une immense cour carrée, entourée d'une série de longs bâtiments monastiques dominant la vallée. En réalité, seulement les deux tiers du projet initial (1722) de Johann Lucas von Hildebrandt ont été réalisés.
Göttweig aurait dû être beaucoup plus grande qu'elle ne l'est aujourd'hui. L'architecte avait rêvé d'en faire une « citadelle de Dieu », une « Jérusalem céleste », close sur elle-même et détachée des réalités terrestres. Cette « utopie de la Foi » devait être capable de rivaliser avec l'Escorial (Espagne). Pour des raisons politiques et financières, les travaux furent arrêtés et le projet définitivement oublié.
Ce rayonnement intellectuel se poursuivit au XIXe siècle. De 1939 à 1945, le couvent fut frappé d'interdiction par les nazis. Les moines furent enrôlés par le nouveau régime, les riches collections confisquées. L'abbaye servit d'école aux cadres du national-socialisme, puis de quartier pour 3 000 Russes prisonniers et de camp pour personnes déplacées. La Jérusalem céleste devint un cauchemar terrestre pendant ces années noires.

Visite de l'abbaye

– ***L'église :*** de 6 h à midi et de 13 h à 18 h 20. Peut se visiter en dehors des visites guidées en groupe. Épicentre de la « Montagne sacrée », elle offre une façade avec de gros piliers roses et crème (couleurs pâtisserie). Sur la tour de gauche, une vraie horloge indique l'heure tandis qu'une fausse horloge en trompe-l'œil décore la tour de droite.
A l'intérieur, couleurs bleu et rose bonbon du plafond, et buffet d'orgues élégant et original.
– ***L'escalier de l'empereur :*** le *Kaiserstiege,* monumental escalier de 1738, digne d'un palais. Fresques de Paul Troger glorifiant l'empereur Charles VI (1739).
– ***Les quatre salles impériales :*** les *Kaiserzimmer.* Longue enfilade de pièces sur l'aile nord de l'abbaye, côté vallée du Danube. Trois belles armoires hollandaises japonisantes dans la première salle. Tapisseries des Gobelins dans la salle 2. Enfin, coucou le revoilà, la chambre de Napoléon, vide hélas, mais avec de beaux murs blancs aux motifs vert et or.

A voir dans le nord de la Basse-Autriche

LE CHÂTEAU BAROQUE DE RIEGERSBURG

A Riegersburg, presque à la frontière tchèque, à 95 km de Vienne, 78 km de Krems, 20 km de Retz... Pour y aller de Krems : route facile et bien indiquée. Le plus bel itinéraire consiste à passer par Langenlois, Gars, Horn et Geras. Ce château est un superbe palais baroque à la campagne, l'un des plus imposants de Basse-Autriche : une silhouette si élégante dans un si petit village, perdu aux confins de l'Autriche et de la République tchèque, a de quoi surprendre.

Renseignements utiles

– ***Horaires :*** ouvert du 1er avril au 15 novembre, tous les jours de 9 h à 17 h. En juillet et août de 9 h à 19 h. ☎ (02916) 332, 400 ou 201. Visites uniquement avec guide francophone.
– ***Conseil :*** il est plus avantageux d'acheter à la caisse le billet combiné qui permet de visiter à la fois Riegersburg et Hardegg (voir plus loin) plutôt que de prendre les deux billets séparés.
– ***Cafétéria :*** excellent café *Maritheresa* préparé avec soin par une réfugiée bosniaque employée au château. Délicieuses pâtisseries et petits plats à prendre sur le pouce, le tout dans un cadre agréable.

Histoire

Construit au XVIIIe siècle (1731-1775), il se distingue des autres châteaux autrichiens par une façade baroque de style français, encadrée par deux avancées coiffées d'ardoises (on songe à Mansart). Curieusement, en raison du sous-sol mou et marécageux, ses fondations reposent sur une série de gros pilotis en chêne, invisibles, devenus aussi durs avec l'âge que la pierre. Autre curiosité : l'architecture n'est pas tout à fait symétrique, et certains murs intérieurs ne sont pas bien alignés par rapport au mur de façade. Petit détail amusant, c'était la résidence d'été de la famille Khevenhüller, l'une des plus vieilles et des plus connues d'Autriche. Une dynastie « hollywoodienne » en somme, composée d'une ribambelle de riches et de puissants, de comtes et de princes du Saint Empire : ils furent ministres, financiers, grands maîtres de la Cour, aides de camp impériaux, diplomates, historiens, mais aussi naturalistes, mécènes (l'argent coulait à flots), et même cynophiles...
Pas cinéphiles, mais *cynophiles,* c'est-à-dire amis et protecteurs passionnés des chiens. C'est sans doute cet aspect-là, et leur goût des voyages lointains, qui nous les rend plus sympathiques que n'importe quelle vulgaire dynastie. D'ailleurs, en cours de visite, l'excellente guide francophone nous montre l'impressionnant arbre généalogique de la famille et raconte une vraie anecdote historique sur une bande de toutous enterrés naguère dans le jardin du château par un couple de propriétaires sans enfants. Navrés de vivre sans descendance, ce couple s'était lancé avec passion dans la collection des chiens.

Visite

Tout commence par de grosses pantoufles grises obligatoires pour la visite et par une étrange tête d'éléphant d'Asie aux oreilles déchirées. Accrochée au mur au-dessus de la cage d'escalier, elle fut ramenée d'Inde en 1899 par l'ancien propriétaire après une chasse au pays des maharadjahs.
– On visite plusieurs belles ***chambres*** aux boiseries somptueuses et décorées de stucs blanc et beige. Remarquable mobilier, de style et de provenance très variés. Dans l'une d'elle, un secrétaire de voyage, à la fois élégant et pratique, abrite des cachettes discrètes.
Près du lit, une porte dérobée, communiquant avec un escalier en colimaçon, permettait aux domestiques du château de venir dans la nuit chercher les pots de chambre et de repartir aussitôt dans les sous-sols sans déranger le sommeil de leur maître... ni vu ni connu.
Plus loin, sur un mur, un admirable plan de Naples du XVIIIe siècle, mesurant environ 5 m sur 3 m, dévoile l'extraordinaire savoir-faire et le degré de précision atteint par les cartographes à l'époque. Sans avions, ni photographies aériennes ! Unique. La carte fut réalisée du sommet du Vésuve avec les moyens du bord, c'est-à-dire des sextants.
– ***Le salon chinois :*** avec du papier peint de Zuber (Alsace) et des meubles exotiques de Chine. A côté de cette pièce, une belle et authentique tunique de mandarin chinois, souvenir de voyage de la famille Khevenhüller.
– ***La cuisine du château :*** très bien conservée et encore en état de fonctionner. A ne pas manquer !

HARDEGG

IND. TÉL. : 02949

A 7 km à l'est de Riegersburg, et à 16 km de Retz, à la frontière de l'Autriche et de la Moravie (sud de la République tchèque), voilà un sympathique petit village du bout du monde. A Hardegg finit le territoire linguistique germanique et commence la sphère d'influence slave. Du haut de son piton rocheux, le vieux *burg* en ruine monte la garde depuis des siècles dans l'attente d'un ennemi qui n'arrive jamais. Enfin un site romantique ! Comme dans les romans ou dans les peintures d'autrefois. A voir en automne ou au printemps, pour la beauté des couleurs de la nature.
Aux alentours, les forêts profondes couvrent les flancs escarpés et rocheux de la vallée de la Thaya et de son affluent, le Fugnitzbach. En contrebas du château, maisons et jardins se serrent dans le fond de la petite vallée, bercés par le flot de la rivière.
De l'autre côté de la Thaya, ce sont les bois de la Moravie, et plus loin encore les monts de Bohême. Juste avant le pont, sur la droite, il y a bien un poste de douane. Mais depuis le dégel du bloc de l'Est et la chute du rideau de fer, les douaniers d'Hardegg se tournent les pouces. Pourtant, du temps de la guerre froide, bloc Ouest contre bloc Est (ce n'est pas si vieux que cela), la frontière était sévèrement gardée par des soldats armés juchés au

sommet de leurs miradors. Depuis le retour de la démocratie à l'est, les miradors ont disparu du paysage. Aujourd'hui, la frontière est ouverte.
Hardegg peut être un bon point de chute pour rayonner dans la région nord de la Basse-Autriche, ou juste une simple escale sur la route du retour vers Vienne.

Où dormir ? Où manger ?

Bon marché

A Hardegg, il y a une dizaine d'adresses de *Privatzimmer* (chambres chez l'habitant) à bon marché.

Gästehaus am Mühlbach : chez Brigitta Nikolowsky, Hardegg 16. ☎ 82-35. Au bas du village, à gauche de la seule et unique route menant vers le poste frontière (celui-ci n'est qu'à 200 m environ de la pension). Une maison sans charme particulier à l'extérieur, mais tenue avec beaucoup de soin par Brigitta, une dame joviale qui ne parle que l'allemand. De loin, le meilleur accueil d'Hardegg. A l'arrière, le jardin descend jusqu'au bord de la rivière Thaya. On aperçoit des bois accrochés sur les flancs rocheux de la vallée. Les chambres, plus confortables que dans les adresses suivantes, sont équipées de douche et de w.-c. et donnent sur la rue. Mais c'est très calme la nuit. Il n'y a pas un chat dans les rues d'Hardegg, passé 22 h. Les petits déjeuners se prennent dans une salle qui communique avec une petite terrasse ensoleillée et le jardin. Une bonne adresse.

Chez Eveline Mahr : Privatzimmer, Badgasse, 45. ☎ 830-75. Une longue maison, basse et ancienne, aux murs jaunes, au bas du village et au bord de la rivière. Pour y aller : du vieux château, descendre vers le village, sur la place principale, la Hauptplatz ; au niveau d'une boulangerie *(Bäckerei)* sur la gauche, prendre une petite rue (à gauche donc), traverser la rivière. C'est 100 m plus loin sur la droite. Derrière la maison, une belle pelouse permet de musarder au bord de l'eau dans un paysage bucolique. Accueil correct. Une chambre, toute simple mais propre, côté jardin, avec douche et w.-c., idéale pour une famille. Autres chambres côté chemin de campagne, avec un ou deux lits. Petit déjeuner inclus. Mêmes prix qu'au *Gästehaus am Mühlbach.*

Dita's Ferienhaus : Dietlinge Langer, Hardegg 43. Chambres chez une dame aimable et anglophone. Agrippée au flanc est du piton rocheux du château *(Burg)*, sa maison surplombe le village et les toits d'Hardegg. Pour y aller : monter vers le Burg, passer sous l'arche de pierre à l'entrée du chemin, c'est la demeure au pignon jaune, peu après l'arche, sur le côté droit. *Dita's* est une des rares pensions chez l'habitant servant les repas du soir (à la demande). Chambres ordinaires et propres, avec douche sur le palier et vue sur la vallée.

Restaurant-snack : à la Gasthof Hammerschmiede, Vorstadt, 8. ☎ 82-63. Petite cuisine sans prétention et à prix doux.

A voir

LE VIEUX CHÂTEAU

Le château domine le village. ☎ (02916) 332. Ouvert de début avril à mi-novembre, tous les jours de 9 h à 17 h (18 h en juillet et août). Un sentier rocailleux conduit au vieux château, le *Burg* haut perché, tel un nid d'aigle au sommet d'un éperon rocheux. Construite aux XIe et XIIe siècles dans la romantique et stratégique vallée de la Thaya, afin de contrer les incursions slaves, cette forteresse, en partie en ruine, en partie rénovée, présente une très belle architecture militaire. Celle-ci a fait ses preuves et démontré son efficacité : lors de l'invasion turque de 1683, elle servit de coffre-fort au trésor de l'église de Retz.
En automne, quand les derniers visiteurs sont partis, il arrive parfois au promeneur solitaire de se retrouver seul dans le château. La gardienne ouvre la porte puis la referme. Et le voilà enfermé dans un décor merveilleux pour l'imaginaire. Mais, habituellement, il y a un courant soutenu de visiteurs. Petite cafétéria pour grignoter sandwiches et glaces.

★ ***La chapelle :*** *Burgkapelle* très sobre, percée de quelques fenêtres. Vue plongeante sur la vallée.

★ ***La crypte :*** abrite les 16 tombeaux des princes de Khevenhüller qui possèdent encore aujourd'hui le château de Riegersburg, à 8 km d'Hardegg.
– ***La tour carrée :*** *Bergfried.* N'est pas toujours ouverte. Si oui, monter au sommet pour la vue panoramique. On découvre les monts boisés de cette belle région frontalière peu connue et des horizons lointains.

★ ***Petit musée local :*** *Heimat Museum,* abrite des collections d'armes, etc.

★ ***Musée de l'empereur Maximilien du Mexique :*** intéressant mais hélas aucune explication en français ou en anglais. Autrichiens, encore un effort pour devenir européens, au moins dans les musées.

Un zeste d'histoire...

Une poussée de fièvre tropicale dans l'ordre austro-hongrois, c'est ainsi que l'on peut expliquer l'incroyable aventure de Maximilien Ier, devenu empereur du Mexique de 1864 à 1867. Né à Vienne en 1832, il se destinait à une paisible carrière de tête couronnée dans un palais avec vue sur le Danube. Mais voilà que Napoléon III essaie de reprendre pied au Nouveau Monde, quelques années après la conquête de la Californie et du Texas par les États-Unis.
Au nom de cette jalousie hors d'âge et d'une ambition territoriale dépassant ses moyens, Napoléon le Petit décide d'envahir le Mexique. Par un détour inouï de l'histoire, il parvient à asseoir Maximilien Ier sur le trône impérial de sa nouvelle conquête. De 1864 à 1867, un Habsbourg règne donc sur le Mexique. Il réside au château Miramar, et déclenche quelques rêves de colonies lointaines au sein d'une Autriche-Hongrie enclavée dans les vieilles terres d'Europe centrale. Un bol d'air tropical chez un peuple longtemps frustré d'aventures outre-mer.
Impopulaire, combattu par le président mexicain Benito Juarez (un démocrate contre un empereur), abandonné par Napoléon III, Maximilien fut pris à Queretaro et fusillé avec ses partisans en 1868. Le peintre Manet a peint cette exécution dans une toile exposée au Kunsthalle de Manheim. Le corps de Maximilien Ier fut ramené à Vienne où il repose dans la crypte des Capucins.
Le musée présente ce merveilleux et tragique épisode de l'histoire des Habsbourg à l'aide de nombreux documents, photographies, cartes et souvenirs.

Un zeste de cinéma...

Les cinéphiles reverront avec intérêt le film *Vera Cruz* (1954) de Robert Aldrich, avec Burt Lancaster et Gary Cooper. Quinze ans avant la mode des westerns spaghetti, Aldrich utilisa les décors naturels du Mexique pour raconter une histoire de convoi d'or, où s'affrontent les soldats d'Empire et les mercenaires américains, sous le règne de Maximilien du Mexique.
Un autre film, *Juarez* (1939) de William Dieterle, cerne mieux le sujet. Il faut dire que le scénario est écrit en partie par le grand John Huston.
Celui-ci en parle dans ses mémoires : « Le sujet du film était la lutte entre le président mexicain, Benito Juarez, et l'empereur Maximilien imposé par Napoléon III. C'était un conflit idéologique entre deux hommes de haut niveau moral. Chacun combattait pour ce qu'il croyait juste et dans l'intérêt du Mexique. Bien qu'irréconciliablement opposés, ils avaient l'un pour l'autre l'admiration la plus vive et une estime profonde. La dernière scène du film montre Juarez dans la cathédrale de Mexico, devant le corps de Maximilien, qu'il a fait exécuter. Il s'approche du cercueil, s'agenouille et demande pardon. »

Entre Krems et Vienne

TULLN

A 36 km de Krems et à 22 km de Vienne. Petite ville au bord du Danube, dans une région de bosquets humides et de prés marécageux. Dans la chanson des *Nibelungen,* c'est à Tulln qu'Attila attend son épouse burgonde Kriemhid. Entre Krems et Vienne, le fleuve semble ralentir son cours. Il élargit son lit, et s'étale comme s'il se préparait à être plus grave et plus solennel avant d'arriver dans la capitale des Habsbourg. Une jolie région que ce Tullner Becken irrigué par de nombreux bras morts, quadrillé par de multiples sentiers et canaux qui font la joie des flâneurs.
C'était le royaume de ***Konrad Lorenz*** (1903-1989), prix Nobel de médecine en 1973, et spécialiste mondialement réputé pour ses études sur le comportement animal (l'éthologie). Le savant à la belle barbiche blanche habitait au village d'***Altenberg,*** entre Tulln et Klosterneuburg, où il vivait en compagnie de ses chères oies grises du Danube.

KIERLING

A une dizaine de kilomètres au nord-ouest de Vienne, par la route 14 (Vienne-Tulln-Krems), juste avant Klosterneuburg, en venant de Vienne.

★ ***La maison de Franz Kafka :*** au 187, de la Hauptstrasse (en fait, il s'agit de la route principale qui traverse le village) se trouve la maison où est mort Franz Kafka, le 3 juin

1924. Au bord de la route, un panneau vert identique : *Franz Kafka Gedenkraum.* Il s'agit d'une modeste maison à deux étages abritant aujourd'hui des appartements. A l'époque de Kafka, c'était un sanatorium. Une plaque commémorative a été posée devant le seuil de cette demeure. Des horaires indiquent : du lundi au samedi, de 8 h à 12 h et de 13 h à 17 h. La sonnette n° 6 signale : *Kafka Ges.*

Les dernières semaines de l'existence du célèbre écrivain furent un calvaire : atteint de tuberculose, il vint se reposer à Kierling, mais par comble de malchance il attrapa une infection intestinale. Son état empira... La moindre bouchée, la moindre gorgée de liquide devint une souffrance atroce. Il passa ainsi les dernières semaines de son existence à côté de Dora Dymant, la femme qu'il voulait épouser, communiquant avec ses proches au moyen de morceaux de papier, tant sa voix était devenue inaudible. De sa fenêtre, Kafka voyait le jardin en contrebas, un paysage simple, rassurant, presque banal.

Le 3 juin, Kafka demanda au docteur Klopstock, un de ses proches, d'achever sa souffrance : « Tue-moi, sinon tu es un assassin ! » Et, le jour même, Klopstock lui fit une piqûre de morphine. Kafka n'avait que 41 ans. Sa tombe se trouve au cimetière juif de Strachnitz, à Prague (République tchèque).

ROUTARD ASSISTANCE

L'ASSURANCE VOYAGE INTEGRALE A L'ETRANGER

NOM : M. Mme Melle

PRENOM AGE

ADRESSE PERSONNELLE

CODE POSTAL TEL.

VILLE

DATE DE DEPART DE MON PAYS

VOYAGE DU AU = SEMAINES

DESTINATION PRINCIPALE. ....

PAYS D'EUROPE OU USA OU MONDE ENTIER (à entourer)

Calculez exactement votre tarif en SEMAINES selon la durée de votre voyage : 7 JOURS DU CALENDRIER = 1 SEMAINE .

Informations complètes : MINITEL 36.15 CODE ROUTARD.

© (1) 44 63 51 01

1996 ! CES CONDITIONS ANNULENT ET REMPLACENT LES PRECEDENTES JUSQU'AU 1/1/97 !

Pour un Long Voyage (3 mois ...), demandez le

PLAN MARCO POLO

Prix spécial "JEUNES" de 100 FF. x SEMAINES = FF.

De 35 à 60 ans et jusqu'à 3 ans : **Majoration 50% +** FF.

PRIX A PAYER FF.

Faites de préférence, un seul chèque pour tous les assurés, à l'ordre de :

ROUTARD ASSISTANCE ***A.V.I. International***

90, rue de la Victoire - 75009 PARIS - Tél. 44 63 51 01

METRO : CHAUSSEE D'ANTIN ou RER : AUBER

Je veux recevoir très vite ma ***Carte Personnelle d'Assurance.***

Si je n'étais pas **entièrement** satisfait,

je la retournerais pour être remboursé, aussitôt !

JE DECLARE ETRE EN BONNE SANTE, ET SAVOIR QUE LES MALADIES OU ACCIDENTS ANTERIEURS A MON INSCRIPTION NE SONT PAS ASSURES.

SIGNATURE :

Faites des copies de cette page pour assurer vos compagnons de voyage.

Contrats souscrits et gérés par

AVI INTERNATIONAL

VOIR MINITEL 36.15 CODE ROUTARD

6 - 95

Bed and breakfast. Et plus si affinités.

En vacances aussi, mettez des préservatifs.

Association nationale de lutte contre le sida

Reconnue d'utilité publique.

3615 AIDES 1,27 F mn

BDDP Espace offert par le support/Photo P. Lippmann

INDEX

– A –

AGGSTEIN (château d') 221
AGUNTUM 140
AMBRAS 155
ANIF 188
APETLON 113
ARLBERG (tunnel de l') 160
ARTSTETTEN (château de) 216

– B –

BAD DÜRNBERG 187
BADEN 107
BAD ISCHL 195
BÄRNBACH 123
BASSE-AUTRICHE (la) 216
BREGENZ 163
BURGENLAND (le) 108

– C –

CARINTHIE (la) 126

– D –

DACHSTEIN (grotte du) 200
DANUBE (vallée du) 216
DÜRNSTEIN 222

– E –

EDELWEISSSTRASSE 141
EGG 136
EGGENBERG (château d') 122
EHRENHAUSEN 125
EISENKAPPEL 135
EISENSTADT 108
ENNS 213

– F –

FELDKIRCH 161
FERLEITEN 142
FORCHTENSTEIN 113
FRANZ JOSEFS-HÖHE 141
FRAUENKIRCHEN 113
FREISTADT 209
FUSCHL AM SEE 193

– G –

GAIL (vallée de la) 136
GAISBERG (château de) 188
GMUNDEN 201
GÖTTWEIG (abbaye de) 228
GRAZ 114
GRINZING 105
GROSSKIRCHEIM 140
GROSSGLOCKNER (route du) ... 140
GUMPOLDSKIRCHEN 107
GURK (cathédrale de) 134

– H –

HAINZENBERG 142
HALBTURN 113
HALL 157
HALLEIN 186
HALLSTATT 198
HARDEGG 230
HASLACH 209
HAUTE-AUTRICHE (la) 204
HEILIGENBLUT 141
HEILIGENKREUZ (abbaye de) ... 107
HELLBRUNN (château de) 185
HELLMONDSÖDT 209
HIRSCHEGG 166
HIRT (brasserie de) 134
HOCHOSTERWITZ (château de) . 133
HOCHSTEIN (pic du) 140
HOCHTOR (tunnel du) 141
HOHENWERFEN (château de) ... 188
HUNGERBURG 157
HÜTTENBERG (mine de) 134

– I –

IGLS 157
ILLMITZ 112
INNSBRUCK 144
ISCHGL 160
ISELSBERG 140

– J –

JOSEFSDORF 106

– K –

KEFERMARKT 209
KIERLING 232
KIRCHBACH 136
KLAGENFURT 126
KLEINWALSERTAL (vallée de la) 166
KLESSHEIM (château de) 188
KÖTSCHACH 136
KREMS 225
KRIMML (chutes du) 142

– L –

LANDSKRON (château de) 134
LAVANT 140

LAXENBURG 107
LEOPOLDSBERG 106
LEOPOLDSKRON (château de) .. 188
LIECHTENSTEIN (château de) ... 107
LIENZ 138
LINZ 204
LÜNERSEE 161

– M –

MARIA LAACH 221
MARIA PLAIN (sanctuaire de) 188
MARIA SAAL 132
MARIA TAFERL 216
MARIATROST (église de) 122
MAUER BEI MELK 221
MAUTHAUSEN 212
MAYERLING 107
MAYRHOFEN 142
MELK 216
MITTELBERG 167
MÖDLING 107
MONDSEE 189
MONTAFON (vallée du) 160
MÖRBISCH AM SEE 111
MÜHLVIERTEL (le) 209

– N –

NASSDORF 106
NEUSIEDL AM SEE 111
NEUSTIFT AM WALDE 106

– O –

OBERTILLACH 137
OBERTRAUN 199
OSSIACHER SEE 134

– P –

PARTENEN 160
PIBER (haras de) 124
PÖCHLARN 216
PODERSDORF 113
PÖSTLINBERG (le) 208
PYRAMIDEN KOGEL 132

– R –

REIN (abbaye de) 123
RIEGERSBURG (château de), BASSE-AUTRICHE 229
RIEGERSBURG (château de), STYRIE 124
RIEZLERN 167
ROHRBACH 210
ROSSBACH 141
RUST 110

– S –

SALZBERG (salines du) 200
SALZBOURG 168
SALZBOURG (pays de) 168
SALZKAMMERGUT (le) 189
SANKT DANIEL 136
SANKT FLORIAN (abbaye de) ... 214
SANKT GALLENKIRCH 160
SANKT GILGEN 192
SANKT JOHANN IN TIROL 158
SANKT STEFAN AN DER GAIL .. 136
SANKT VEIT AN DER GLAN 133
SANKT WOLFGANG 193
SCHALLABURG (château de) 221
SCHLÄGL (abbaye de) 211
SCHRUNS 160
SIEVERING 106
SILVRETTA (la) 160
SPITZ AN DER DONAU 221
STAINZ 125
STAMS (abbaye de) 158
STEIN 228
STEYR 214
STÜBING 123
STUMM 143
STYRIE (la) 114
STYRIE TOSCANE (la) 125

– T –

TRAUNKIRCHEN 203
TREFFEN 134
TULLN 232
TYROL (le) 144
TYROL ORIENTAL (le) 138

– U –

UNTERSBERG (téléphérique de l') 188

– V –

VIENNE 49
VIRGENTAL (vallée de) 140
VORARLBERG (le) 160
VORDERBERG 136

– W –

WALDBURG 209
WEISSENKIRCHEN IN DER WACHAU 221
WEITEN 221
WILTENER BASILIKA 156
WÖRTHER SEE 131

– Z –

ZELL AM SEE 142
ZELL AM ZILLER 142
ZETTERSFELD (massif du) 140

les **Routards** *parlent aux* **Routards**

Faites-nous part de vos expériences, de vos découvertes, de vos tuyaux pour que d'autres routards ne tombent pas dans les mêmes erreurs. Indiquez-nous les renseignements périmés. Aidez-nous à remettre l'ouvrage à jour. Faites profiter les autres de vos adresses nouvelles, combines géniales... On envoie un exemplaire gratuit de la prochaine édition à ceux dont on retient les suggestions. Quelques conseils cependant :

– N'oubliez pas de préciser sur votre lettre l'ouvrage que vous désirez recevoir. On n'est pas Madame Soleil !

– Vérifiez que vos remarques concernent l'édition en cours et notez les pages du guide concernées par vos observations.

– Quand vous indiquez des hôtels ou des restaurants, pensez à signaler leur adresse précise et, pour les grandes villes, les moyens de transport pour y aller. Si vous le pouvez, joignez la carte de visite de l'hôtel ou du resto décrit.

– N'écrire si possible que d'un côté de la lettre (et non recto verso).

– Bien sûr, on s'arrache moins les yeux sur les lettres dactylographiées ou correctement écrites !

Le Guide du Routard : 5, rue de l'Arrivée.
92190 Meudon

36 15 *code* **Routard**

Les routards ont enfin leur banque de données sur Minitel : 36-15 code ROUTARD. Vols superdiscount, réduction, nouveautés, fêtes dans le monde entier, dates de parution des G.D.R., rancards insolites et... petites annonces.

Routard assistance *96*

Vous, les voyageurs indépendants, vous êtes déjà des milliers entièrement satisfaits de « Routard Assistance », l'Assurance Voyage Intégrale sans franchise que nous avons négociée avec les meilleures Compagnies. Assistance complète avec rapatriement médical illimité. Dépenses de santé, frais d'hôpital, pris en charge directement sans franchise jusqu'à 2 000 000 F + caution pénale + défense juridique + responsabilité civile + tous risques bagages et photos + 500 000 F Assurance Personnelle accidents. Très complet ! Une grande première : vous ne payez que le prix correspondant à la durée réelle de votre voyage. Chaque guide comprend 2 pages : tableau des garanties et bulletin d'inscription. Pour en savoir plus, téléphonez : (1) 44.63.51.01 ou encore mieux, tapez 36.15 Code Routard.

Photos rigolotes

Envoyez-nous vos photos de voyages, les plus rigolotes. Nous publierons les meilleures dans le prochain « Agenda du Routard » à votre nom. Bien sûr, dans ce cas, vous recevrez la nouvelle édition de cet agenda.

Imprimé en France par Hérissey n° 71625
Dépôt légal n° 3801-03-1996
Collection n° 13 - Édition n° 01
24/2420/8
I.S.B.N. 2.01.242420.1
I.S.S.N. 0768.2034